De Romeinse lusthof

Van David Hewson verschenen eveneens bij Uitgeverij De Fontein:

De Vaticaanse moorden

Het Bacchus offer

De Pantheon getuige

De engelen des doods

Het zevende sacrament

David Hewson

De Romeinse lusthof

De Fontein

Oorspronkelijke titel: *The Garden of Evil*
Oorspronkelijke uitgever: Macmillan, een imprint van Pan Macmillan Ltd.

Uit het Engels vertaald door: Janine van der Kooij
Omslagontwerp: Wil Immink Design
Omslagillustraties: Fotolia
Grafische verzorging: ZetSpiegel, Best
ISBN 978 90 261 2695 6
NUR 332

www.uitgeverijdefontein.nl
www.davidhewson.com

Alle personen in dit boek zijn door de auteur bedacht. Enige gelijkenis met bestaande – overleden of nog in leven zijnde – personen berust op puur toeval.

De kleine dood

1

Aldo Caviglia ving zijn spiegelbeeld op in de plafondspiegel van de overvolle bus 64. Hij was geen ijdele man, maar alles in aanmerking genomen beviel het hem best wat hij zag. Caviglia was onlangs zestig geworden. Vier jaar eerder had hij zijn vrouw verloren. Er was een korte periode geweest waarin hij de weg kwijt was en de drank zijn tol had geëist. Daardoor was er ook een einde gekomen aan zijn baan in de oude bakkerij van het Campo dei Fiori, op slechts een paar minuten loopafstand van het kleine appartement bij het Piazza Navona waar ze gedurende hun hele huwelijk hadden gewoond. Hij was erin geslaagd zich aan de greep van de drank te ontworstelen voor zijn uiterlijk eronder was gaan lijden. Het verdriet dat hij nog steeds voelde tekende hem nu nog slechts van binnen.

Vandaag droeg hij wat hij als zijn winterse uniform voor de donderdag was gaan beschouwen: een taupekleurige wollen overjas over een bruin kostuum met een messcherpe vouw in de broekspijpen.

Hij verbeeldde zich graag dat hij eruitzag als de ontwikkelde man die hij zou zijn geweest in een ander leven. Iemand met een bescheiden academische carrière, een ambtenaar of misschien wel een accountant. Iemand die tevreden was met zijn lot – en dat was in ieder geval niet gelogen.

Het was 8 december, het feest van de Onbevlekte Ontvangenis. Kerstmis stond voor de deur en dat werd eindelijk steeds meer voelbaar buiten die kakelbonte uitstallingen die al weken in de winkeletalages te zien waren. Elke goede katholiek zou naar de mis gaan. De paus ging twee beroemde standbeelden van de Heilige Maagd aanbidden, op het Piazza di Spagna en bij de Santa Maria Maggiore. Katholiek of niet, hele families, jong en oud, zouden door de straten van de stad trekken, om te winkelen, te eten, te roddelen of gewoon wat rond te wandelen en van het seizoen te genieten. Van het enorme circuitvormige Piazza Navona, dat de contouren volgde van het keizerlijke stadion dat er ooit gelegen had, werd bijna elke vierkante meter in beslag genomen door stalletjes: speelgoed voor de kinderen, *panini* of *porchetta* direct van het warme varkenskarkas gesneden voor de ouders, en overal was de kerstheks, La Befana, te vinden, op kousen en hangers, decoraties en snoep, een zowel afzichtelijke als vriendelijke sprookjesfiguur die verondersteld werd op de avond voor Driekoningen de kinderen cadeautjes te komen brengen.

Caviglia greep de stang beet toen de bus zich met horten en stoten een weg baande langs de weerloze tempelruïnes van het Largo Torre Argentina en glimlachte om zijn herinneringen. Hun huwelijk was ongecompliceerd geweest, onschuldig, misschien omdat ze nooit kinderen gehad hadden. Toch had hij elk jaar, met Chiara, een traditionele offergave voor La Befana buiten gelegd – wat broccoli, een beetje worst en een glas wijn – tot aan het einde, toen het leven zachtjes als het wintertij voor de laatste keer uit haar was weggeëbd. Geld voor dure cadeautjes had hij nooit gehad. Maar dat was niet belangrijk, toen niet en nu ook niet. De beelden die hij nog steeds in zijn hoofd had – van rituelen, van simpele handelingen die van genegenheid getuigden – waren van meer waarde dan welke klomp goud of zilver ook. Toen zijn vrouw nog leefde dienden ze als zichtbaar teken van zijn liefde. Nu hij alleen was, bood de herinnering eraan troost in de koude, eenzame winternachten. Voor hem bleef Kerstmis wat het altijd geweest was: een keerpunt in het jaar waarop de dagen ophielden korter te worden, het moment waarop Rome even stilhield om naar zichzelf te kijken om vervolgens, best trots op wat ze zag, de onvermijdelijke aantocht van de lente met haar wedergeboorte af te wachten.

Zelfs met het weer waar de stad de laatste tijd onder te lijden had gehad – donker en verschrikkelijk nat, met de Tiber op zijn hoogste stand sinds een kwarteeuw, zo bruin en modderig en woest dat hij zonder de moderne vloedkeringen buiten zijn oevers gebarsten zou zijn – hing er buiten een sfeer van stille opwinding, de gemeenschappelijke herinnering aan een klein ver wonder dat nog steeds betekenis bleek te hebben in een bij de dag levende wereld vol platte, vluchtige hebzucht. Hij zag het in de gezichten van de kinderen, die door de straten en stegen van de stad golfden en opgewonden probeerden te raden wat de komende weken zouden brengen. Hij zag het ook in de ogen van hun ouders, die aan hun eigen jeugd terugdachten en er plezier in schepten nu op hun beurt een fractie van het wonder over te dragen op hun eigen nageslacht. En het weer was ook niet alleen maar slecht. Af en toe brak er door de zware donkere wolken een levendig winterzonnetje heen dat glimlachend neerkeek op de stad. Hij had het die ochtend door de stoffige ramen van zijn appartement naar binnen zien dwarrelen, een welkom gouden licht achterlatend op de oude keitjes met de vlekken van de rook in het steegje buiten. Het had hem het gevoel gegeven thuis te zijn, blij om in Rome te zijn geboren en getogen.

Caviglia had zijn hele leven in het *centro storico* gewoond en was altijd in de kerk van San Luigi dei Francesi om de hoek naar de mis gegaan. Zijn vrouw was dol geweest op de schilderijen daar, vooral de Caravaggio's, met hun liefdevolle en levensechte afbeeldingen van Matteüs, bij zijn bekering, tijdens zijn werk, en ten slotte bij zijn overlijden. Op een 8e december, alweer zo'n vijfentwintig jaar geleden, had hij hun kerkbezoek extra betekenis gegeven door het weinige geld dat hij van zijn bakkersloon overhield uit te geven aan een boeket van felrode rozen. Bij wijze van antwoord had ze er de mooiste uit gepakt en in het lusje van zijn met bloem bestoven overal gestoken – hij was rechtstreeks van zijn werk gekomen – en hem toen in haar armen genomen, in een omhelzing die hij zich nog steeds kon herinneren vanwege de kracht en de warmte en de genegenheid ervan.

Vanaf die dag, zelfs toen ze er niet meer was, had hij deze dag herdacht. Eerst waren er de rozen die hij voor het ontbijt bij een klein bloemenstalletje vlak bij het piazza kocht, daarna bracht hij een kort bezoek aan de kerk om ter herinnering aan haar een kaars aan te steken. Naar de mis ging hij niet langer. Het leek overbodig.

In de linkerrevers van zijn wollen jas zat een enkele helderrode bloem uit Toscane. Het soepele, aanhoudende aroma steeg uit boven de geur van diesel en van mensen in de drukke bus, en herinnerde hem aan het verleden en aan hoe, in die laatste paar weken van haar ziekte, zijn vrouw hem met steeds zwakker wordende stem had opgedragen dat hij maar kort om haar moest rouwen en dan een nieuw leven beginnen.

Voor de weduwnaar Aldo Caviglia was er geen heerlijker tijd om in Rome te zijn, zelfs in de grijze aanhoudende regen. De beste gedeelten van het jaar zaten eraan te komen voor diegenen die erop voorbereid waren. En in de hectische, zorgeloze kerstdrukte, waar het geld overvloedig stroomde, kon je altijd zakendoen.

Hij had een bepaalde reisroute in gedachten, die hij altijd bewaarde voor de tweede donderdag van de maand aangezien herhaling vermeden moest worden. Nadat hij voor zijn noodzakelijke lichaamsbeweging naar het Barberini gelopen was en een korte ronde door het museum had gemaakt, had hij lijn 64 genomen voor de vertrouwde tocht door het centrum van de stad, over de Vittorio Emmanuele, vervolgens bij het Castello Sant'Angelo naar de andere kant van de rivier voor het laatste stukje naar de Sint-Pieter. Eenmaal daar zou hij weer terugkeren op zijn schreden, totdat zijn doel was bereikt.

Caviglia hield van de 64, maar haatte hem ook. Er was geen andere bus in Rome die meer toeristen aantrok, waardoor hij aantrekkelijk werd voor de mindere beoefenaren van zijn recent aangenomen beroep. Veel reizigers waren verward en verdwaald. Aldo Caviglia, een onberispelijk geklede man van gevorderde leeftijd die altijd een charmante glimlach op zijn gezicht had en goed Engels sprak, stond klaar om hen te helpen. Hij had een beknopte reisgids van zijn geboortestad in zijn hoofd. Mocht zijn geheugen hem echter in de steek laten, dan had hij in zijn zak altijd nog een exemplaar van *Il Trovalinea*, de uitgebreide vervoersgids van Rome, waarin elke tram en bus te vinden was. Hij wist waar je moest logeren en waar je moest eten. Hij wist ook dat het verstandig was om bezoekers te waarschuwen voor de zelfkant van Rome: de kruimeldieven en tasjesrovers, de straatventers die actief waren op alle bekende plekken waar toeristen werden afgezet, en de sjofele zakkenrollers die in de bussen en de metro rondhingen, vooral in de 64.

Hij gaf hun tips. Hij leerde hun het zinnetje: *'Zingari! Attenzione!'* en legde uit dat het 'Pas op! Zigeuners!' betekende. Niet, zo haastte hij zich eraan toe te voegen, dat hij de algemene mening deelde dat alle zigeuners dieven waren. Bij gelegenheid amuseerde hij zijn publiek door het geheime teken dat elke Romein kende te demonstreren: hij hield zijn handen langs zijn zij en gaf een roffel met zijn vingers alsof hij aan het pianospelen was. Zijn toets was verfijnd, delicaat, als van een kunstenaar, wat hij met dit gebaar trots demonstreerde. Voordat de noodzaak van zijn levensonderhoud hem had gedwongen om wat laag-bij-de-grondser werk aan te nemen, had hij met de gedachte gespeeld om voor zijn beroep te gaan schilderen. De musea van zijn geboortestad, de fantastische Villa Borghese, het schitterende hoewel chaotische Barberini en zijn favoriet, de particuliere collectie in het huis van de Doria Pamphilj-dynastie, waren plaatsen waar hij nog steeds met een niet-aflatend gevoel van bewondering heen ging.

De bezoekers moesten altijd lachen om zijn subtiele, fladderende vingertoppen. Het was zo'n klein, geheim teken, maar zodra je het zag wist je dat het maar één ding kon betekenen: er was zojuist een bekende zakkenroller de bus of het rijtuig in gestapt. *Pas op.*

Hij hield een zorgvuldige boekhouding in geheimcode bij op een vel papier dat hij verborgen had op de bodem van zijn kleerkast. Op een normale werkdag kwam Aldo Caviglia niet thuis voordat hij minstens € 400 gestolen had. Zijn gemiddelde – Caviglia hield van precieze berekeningen – van de afgelopen vier weken was € 583 per dag geweest. Een enkele keer – toeristen hadden soms enorme hoeveelheden contant geld bij zich – was hij zo ver boven zijn dagelijkse doel uitgekomen dat het hem zorgen baarde. Caviglia koos zijn slachtoffers zorgvuldig. Arme of oude mensen liet hij met rust. En toen één enkele Russische portefeuille meer dan € 2000 bleek prijs te geven had Caviglia het volgende besloten: alle inkomsten boven zijn maximum van € 650 zouden anoniem gedoneerd worden – contant in een collectebus gestopt – aan de zusters bij het Pantheon die een opvang voor daklozen runden. Hij was er trots op dat hij geen hebzuchtige man was. Bovendien was hij als echte

Romein steeds weer geschokt door de enorme groei van het aantal berooide *barboni* in de stad de afgelopen jaren, veel van hen jong en zonder veel kennis van het Italiaans. Hij nam nooit meer dan hij nodig had. Hij zorgde voor een evenwicht tussen zijn activiteiten en zijn geweten, en ging maar een of twee dagen per week uit stelen, alleen als het nodig was. De rest van de tijd bracht hij gewoon in trams en bussen door omdat hij het prettig vond dat te zijn wat hij aan de oppervlakte leek te zijn: de vriendelijke, barmhartige samaritaan die altijd klaarstond om de gestrande, verwarde buitenlander te helpen.

Met een schok reed de bus weg van de halte. Het verkeer was een ramp, en worstelde zich stapvoets door de feestdrukte. De afgelopen vijf minuten waren ze nog maar nauwelijks dertig meter gevorderd op de Vittorio Emmanuele. Weer staarde hij naar zichzelf in de spiegel van de buschauffeur. Was dit het gezicht van een schuldig man? Caviglia wuifde de gedachte weg. Hij móést wel, al zou hij in werkelijkheid waarschijnlijk best een baan kunnen krijgen in een bakkerij, nu hij niet meer dronk. Zijn overleden vrouw had hem een van de beste bakkers van Rome gevonden. Nu maakte hij daar bij zichzelf een grapje over: deze vingers kneden deeg, deze vingers stelen je zakken leeg. Dat was een goeie, dacht hij. Was er maar iemand met wie hij het kon delen.

'Ik moet wel,' benadrukte Caviglia nog eens tegenover zichzelf.

'Je voelt je schuldig,' zei een zachte stem in hem, 'omwille van jezelf en het leven dat je verspeelt. Niet om wat je gedaan hebt. '

Hij keek door de groezelige ramen naar buiten: in beide richtingen stonden rijen auto's, bussen en vrachtwagens muurvast. De plotselinge vreugde om de komende feestdag taande enigszins.

Tot zijn verbazing voelde Aldo Caviglia ineens een stevige vinger hard in zijn borst prikken.

'Ik moet eruit bij de Vicolo del Divino Amore,' zei een vrouw rechts van hem op luide toon. Ze had een accent dat, naar Caviglia aannam, Frans was, en sprak Italiaans met een zelfvertrouwen dat volgens hem niet helemaal terecht was.

Hij draaide zich om om haar aan te kijken, zich ervan bewust dat hij niet glimlachte zoals anders.

Ze was aantrekkelijk, hoewel extreem tenger, en droeg een keurig gesneden korte witte jas van gabardine over een knalrode leren kokerrok tot vlak boven de knie. Ze was misschien vijfendertig jaar, had kort, heel vurig rood haar dat precies bij de rok paste, scherpe grijze ogen en het soort gezicht dat je in cosmetica-advertenties zag: geometrisch volmaakt, zonder één foutje, en naar Caviglia's smaak een tikje tweedimensionaal. Ze leek zowel nerveus als enigszins gedeprimeerd. En misschien ook wel ziek, want bij nadere beschouwing was haar huid wel erg bleek, bijna de kleur van haar jas, en haar wangen waren aan de holle kant.

Over haar schouder droeg ze een grote reebruine varkensleren tas met daarop het opvallende embleem van een van de grotere modehuizen van Milaan. Caviglia vroeg zich af waarom een mooie vrouw, al zag ze er dan wat intimiderend en ziekelijk uit, zo te koop zou willen lopen met de spullen van die Milanese kledingzwendelaars, en daardoor met haar eigen onzekerheid. De tas was wel echt. Er waren misschien wel € 1000 verspild aan dat stukje leer. De rits stond half open, net genoeg om een grote verzameling spullen te onthullen: een sjaal, een mobiel, wat pennen, en een heel grote uitpuilende portefeuille.

'Ik moet die plek echt zien te vinden,' zei ze. 'Het is vlak bij het Palazzo Malaspina, dat weet ik. Maar mijn richtinggevoel is nooit erg goed geweest. Ik ben er alleen 's avonds geweest. Ik...'

Even dacht hij dat ze op het punt stond in tranen uit te barsten. Toen corrigeerde hij zichzelf. Dat was het niet, ze was alleen volledig geobsedeerd door iets waarvan hij zich geen voorstelling kon maken.

Caviglia glimlachte en stak toen zijn hand uit om op de bel te drukken. Van haar lichaam steeg een wolk zwaar, ietwat weeïg parfum op. Frans, dacht hij opnieuw. 'Het is de volgende halte, *signora*, als u bereid bent een stukje te lopen. Ik zal u laten zien waar u heen moet. Ik moet er zelf toch ook uit.'

Ze knikte zonder iets te zeggen. Toen de bus eindelijk stopte, legde Caviglia beschermend zijn arm om haar heen en duwde haar tussen de elkaar verdringende passagiers door naar de voorste deuren om daar uit te stappen – zoals iemand van hier zou doen, ongeacht de regels. Terwijl hij zich een weg naar voren baande riep hij hard: '*Permesso! Permesso! PERMESSO!*'

Hij wachtte tot ze uitgestapt was, de handen achter zijn rug. In het kortstondige heldere licht van deze decemberdag leek ze zelfs nog frêler en dunner.

'Het is tien minuten lopen,' zei Caviglia. Hij wees naar de overkant van de straat. 'Die kant op. Er gaan geen bussen naartoe. Misschien kan ik een taxi voor u roepen.'

'Ik ga wel lopen,' zei ze meteen.

'Kent u de weg van hier naar het Piazza Navona?'

Ze knikte en keek een beetje beledigd. 'Natuurlijk!'

'Loop naar het einde daarvan,' instrueerde hij haar. 'Steek dan rechtsaf het Piazza Agostina over in de richting van de Via della Scrofa. Sla weer rechts af bij het Piazza Firenze en dan vindt u, parallel aan de Via de Prefetti, aan uw linkerhand de Vicolo del Divino Amore.'

'Dank u.'

'U gaat nu een interessant deel van mijn stad in. Hier hebben erg veel beroemde kunstenaars gewoond. Dit deel werd vroeger Ortaccio genoemd.'

Ze keek hem niet-begrijpend aan. 'Mijn Italiaans is slecht. Ik ken dat woord niet.'

Caviglia vervloekte zichzelf dat hij zo dom was geweest het feit ter sprake te brengen. Soms praatte hij iets meer dan goed voor hem was.

'Het was een gebied dat door de pausen gereserveerd was voor prostituees. Orto betekent waarschijnlijk "de Hof van Eden". Ortaccio verwijst naar wat na onze zondeval kwam. De Hof van de Menselijkheid. Of de Hof van de Verdorvenheid of het Kwaad. Of iets dergelijks. Maar ik ben alleen maar... een gepensioneerde schoolmeester. Wat weet ik van dergelijke dingen?'

De zuiverst denkbare glimlach gleed over haar gezicht. Al was ze dan graatmager, ze was uitzonderlijk mooi, besefte Caviglia. Er was alleen iets – het leven, een ziekte of een of andere innerlijke onrust – dat dat feit het grootste deel van de tijd aan het zicht onttrok, alsof het tussen haar ware zelf en anderen in stond als een halfdoorzichtig scherm, dat door haar eigen bleke, smalle handen vastgehouden werd.

'Heel veel, denk ik,' zei de Franse vrouw. 'U bent een vriendelijke man.' Ze zweeg, glimlachte weer even en stak haar hand uit.

Caviglia schudde hem, voorzichtig: haar vingers leken zo dun dat ze onder de lichtste druk zouden kunnen breken. Tot zijn verrassing voelde haar vlees onverwacht warm aan, bijna alsof er binnen in haar iets brandde, met dezelfde hitte als waar haar vurige haar blijk van gaf.

Toen haalde ze diep adem, keek om zich heen – waarbij ze een overbodig genoegen leek te scheppen in de door smog gevlekte stenen van een drukke verkeersweg die volgens Caviglia een van de oninteressantste van Rome was – en was toen verdwenen, zich met een zo totale veronachtzaming van haar eigen veiligheid een weg banend door het verkeer dat het hem bijna de adem benam.

Hij keerde haar voortsnellende witte figuurtje, als een omgekeerd uitroepteken met een vlam als punt, de rug toe en verdween toen in een van de zijwegen die naar het Piazza Navona leiden.

Zaken waren zaken. Caviglia klopte op de rechterkant van zijn jaszak. Daar bevond zich de dikke portefeuille van de vrouw, een dik pak leer, papier en creditcards, die erop gewacht had gerold te worden. Zijn ervaring en intelligentie zeiden hem dat zijn werk er voor vandaag op zat. Maar toch was hij een beetje van slag door de ontmoeting. Er was iets vreemds aan deze vrouw in het wit en haar dringende behoefte om naar de Vicolo del Divino Amore te gaan, een donkere Romeinse steeg, die wat hem betrof bedroevend weinig tekenen vertoonde van goddelijke liefde, en dat waarschijnlijk ook nooit gedaan had.

2

Met grote passen liep Aldo Caviglia in de richting van de Campo dei Fiori en ging een klein café binnen in een van de zijstraatjes die op de Cancelleria uitkwamen. Hij wilde zo gauw mogelijk weten hoe groot zijn winst was en zich vervolgens van het belastend materiaal ontdoen. Hij was dol op dit tentje, dat te klein en onbekend was om toeristen aan te trekken. Ze hielden er bovendien de oude traditie in ere altijd een kom met een dik, kleverig mengsel van suiker en koffie op de bar te zetten waarmee diegenen die behoefte hadden aan een snellere en doeltreffendere opkikker hun caffè konden aanvullen zoveel ze wilden.

Desondanks had Caviglia een scheutje grappa aan zijn kopje toegevoegd, iets wat hij al maanden niet had gedaan. Deze kille, vreemde winterdag leek dat te rechtvaardigen, al was het nog maar twintig voor elf in de ochtend.

Binnen vijf minuten stond hij in de kleine wc, tegen het waterreservoir aan geperst, en worstelde met trillende vingers met de uitpuilende portefeuille om er alles van waarde uit te peuteren.

Caviglia liet de creditcards altijd voor wat ze waren en verkocht ze niet door. Deels omdat dat het risico groter zou maken, maar ook, en dat telde zwaarder, uit fatsoen. Hij was van mening dat mensen maar één keer beroofd mochten worden – door zijn behendige vingers en die van niemand anders. Op die manier werd de pijn – en pijn zou er zeker zijn, misschien niet eens zozeer financieel – beperkt tot een paar dagen of hooguit een week. Caviglia keek ook niet naar de persoonlijke eigendommen die mensen in het dagelijks leven met zich mee namen. Hij had dit ooit een keer gedaan, de eerste keer dat hij zich ertoe had verlaagd om mensen in de bus te beroven om zo de eindjes aan elkaar te kunnen knopen. Hij had er een smoezelig en minderwaardig gevoel aan overgehouden. Zijn criminele activiteit beperkte zich tot het stelen van geld van diegenen die het zich, zo meende hij, kónden permitteren. Wat hij niet nodig had, schonk hij dus aan die lieve en barmhartige zusters in de buurt van het Pantheon. Hij, een echte katholiek, al handelde hij er dan misschien niet naar, wist niet zeker of dit genoeg was om zijn ziel te redden – als er al zoiets bestond. Maar het hielp hem wel de nacht door.

Caviglia probeerde zichzelf hieraan te herinneren toen hij in die buitengewoon smalle en benauwde ruimte met de portefeuille stond te worstelen. Hij werd zich er steeds meer van bewust dat die grote scheut grappa in zijn koffie geen goed idee was geweest. Toen gebeurde het ergst denkbare. Onder de druk van zijn onhandige vingers klapte de portefeuille dubbel, keerde ondersteboven waardoor alles – bankbiljetten, munten, creditcards en iets wat eruitzag als een Europees rijbewijs – zo op de smerige wc-vloer viel.

Hij liet zichzelf op de bril zakken en kreeg de neiging om te gaan huilen. Er mocht niets achterblijven. Alles moest hij uit die donkere, viezige hoeken onder het kleine wasbakje vandaan zien te peuteren, weer netjes wegstoppen en zo snel mogelijk in de dichtstbijzijnde afvalbak lozen. Als er ook maar iets gevonden werd dat van de vrouw was, dan zou de jongen achter de bar hem zeker weten te identificeren. Er was al twee keer een zaak tegen hem aangespannen, momenten dat zijn concentratie even verslapt was en hij in aanwezigheid van een undercoveragent zijn vak had trachten uit te oefenen. Een derde zaak zou de gevangenis betekenen en daarmee het verlies van het kleine appartement waar hij en zijn vrouw meer dan dertig jaar samen hadden gewoond. Alles wat betekenis voor hem had zou van hem afgenomen kunnen worden als hij ook maar één kleinigheid achterliet op de vloer van deze wc in een cafeetje – niet veel groter dan een grot – achter de Campo dei Fiori.

Plotseling vastbesloten zichzelf hieruit te redden ging hij aan de slag. Al doende merkte hij een groeiende overtuiging op, een die hem wel eerder opgevallen was maar waar hij geen aandacht aan had willen schenken: zijn tijd als Romeinse straatdief liep ten einde. Morgen, of misschien overmorgen, zou hij weer de bakkerijen aflopen en proberen terug te keren naar de wereld van hitte en stof en de heerlijke geur van rijzend brood in de vroege ochtend.

Een minuut later keek hij naar wat hij bijeengeraapt had: onder deze omstandigheden was er geen alternatief. De portefeuille van de vrouw bevatte iets minder dan € 400 aan contanten plus wat munten, een paar bioscoopkaartjes en lidmaatschapskaarten van kunstsociëteiten, drie creditcards, een pasfoto van een knappe – al lachte hij dan niet – donkerharige jongeman met kort getrimde baard en, zag Caviglia tot zijn schok, een enkel condoom in een glanzend zilveren foedraal. Op haar rijbewijs stond haar naam, Véronique Gillet, en een adres in Parijs, in het *troisième arrondissement*. Die naam stond ook op haar legitimatiebewijs voor het Louvre. Ze was, zo bleek, als senior assistent-conservator verbonden aan het Département des Peintures. De foto was vele jaren ouder dan die op het rijbewijs. Hij liet een heel mooie jonge vrouw zien, in haar studententijd misschien, met lichter haar tot op de schouders en een voller, tevredener gezicht. Er hing een bijna tastbaar aura van geluk om haar heen. Het deed hem pijn aan zijn hart.

En jij bent ziek, dacht Caviglia meteen. Hij voelde hoe zich een moeilijk te verteren, kil gevoel van zelfverachting in zijn maag begon te vormen.

Er was nog iets anders uit de portefeuille gevallen, een roze plastic doosje. Hij had eerst geen idee gehad wat het was, maar nu begon, tot zijn wanhoop en dodelijke verbijstering, de waarheid tot hem door te dringen.

Hij reikte onder het voetpedaal van de waterkraan op het wasbakje en raapte het op. Aan de voorkant was het universele embleem van de geneeskunde te zien, een symbool dat Caviglia had leren kennen tijdens de ziekte van zijn vrouw. Een esculaap, had een aardige dokter het genoemd. Twee slangen die zich om een stok met vleugels slingerden. Binnenin bevond zich een verzameling doorzichtige strips met rode pilletjes, bijna in de kleur van haar haren, met onder elke tablet heel precies de datum en tijd genoteerd. Hij staarde ernaar. De volgende moest om halftwaalf ingenomen worden, en dan vier uur later weer een. Wat het ook was waar de vrouw aan leed, ze moest, afgaande op de medicijnen, zes doses per dag innemen, met zeer precieze tussenpozen.

Naast de strips zat een klein kaartje. Hij haalde het tevoorschijn en las het. In een heel fijn, vrouwelijk handschrift stond er in het Frans, Engels, Duits en simpel Italiaans te lezen: 'Deze medicijnen zijn erg belangrijk voor me. Als u ze vindt, bel me dan alstublieft op het nummer hieronder, ongeacht het tijdstip. Ook al kan ik ze misschien niet ophalen, dan weet ik in ieder geval dat ik moet zorgen dat ik nieuwe krijg. Vanzelfsprekend ben ik u erg dankbaar.'

Aldo Caviglia leunde op de wc-bril van dun plastic naar achteren en voelde hete, brandende tranen in zijn ogen prikken – van woede, schaamte en medelijden. Het gezicht van de vrouw zweefde voor zijn geestesoog, bleek, beschadigd en in nood. En dat allemaal omdat een ijdele oude man liever portefeuilles ging stelen in lijn 64 dan dat hij eerlijk zijn brood verdiende.

Hij pakte zoveel van haar spullen op als hij kon, propte ze in zijn zakken en stormde het café uit, zonder zelfs maar zijn gebruikelijke afscheidsgroet. Hij had geen telefoon, maar hij wist waar ze was. Caviglia beende zonder stoppen met grote passen de Vittorio Emmanuele over, de armen uiteen, als een kruis, als een figuur op een van die kerkschilderingen die hij zo bewonderde, zonder zich bewust te zijn van het onwelluidende koor woedende claxons en de blikken van zijn verbaasde stadsgenoten die hem vanaf de stoep aanstaarden.

3

Nog geen zeven minuten later – hij controleerde het op zijn horloge – was hij in de Vicolo del Divino Amore, en vroeg zich af hoe hij haar het gemakkelijkst op kon sporen. Het was een van de vele stadsvicolo's: smal, donker, en de buitenwereld vijandig gezind. Achter een aantal van deze weinig aanzienlijke deuren en stenen gevels konden zich heel wel villa's bevinden, drukke kantoren, dierenklinieken of zelfs privéclubs voor buitenlanders die de stad aandeden en behoefte hadden aan vrouwelijk gezelschap. Dit was immers, zo bracht hij zichzelf in herinnering, Ortaccio. Maar de hoeren van Rome waren niet langer op gezag van de paus veroordeeld tot bepaalde wijken van de stad. Net als alle misdadigers, net als Aldo Caviglia, zwierven ze vrij rond over de straten, in de appartementen en huizen die door de hele stad heen verspreid lagen.

Hij liep behendig, de slecht geparkeerde scooters ontwijkend, het donkere, smalle steegje door op zoek naar een potlooddun figuurtje in een witte jas van gabardine en met Titiaan-rood haar. Er was verder niemand in de Vicolo del Divino Amore. Er waren alleen doodse, grijze gebouwen en het kerkje dat hij enigszins kende. Het was gesloten, er brandde geen licht, en ertegenover bevond zich een lange, met plastic zeil afgedekte muur met steigers ertegenaan. Caviglia's verbeelding werd geprikkeld door een vage herinnering. De bouwvakkers waren waarschijnlijk druk met de renovatie van een afgelegen deel van het grandioze Palazzo Malaspina, dat zich in dit gedeelte van de stad uitstrekte, een gigantische monstruositeit van renaissancebaksteen en een van de laatste particuliere palazzo's die nog steeds in handen van de oorspronkelijke familie waren.

Daar had hij verder niets aan. Zonder zich druk te maken om de gevolgen schoot Caviglia als een haas de vicolo door, en ging, toen hij zonder iets gezien te hebben op het Piazza Borghese was aangekomen, het eerste het beste café binnen. Hij bestelde er uit beleefdheid een macchiato en stortte zich op de huistelefoon, propte een paar muntjes in het apparaat en koos het nummer dat ze op het kaartje genoemd had. Hij wachtte terwijl de cijfers door een of ander onzichtbaar etherisch netwerk waar hij zich geen enkele voorstelling van kon maken zoefden. Van Rome naar Parijs en weer terug om ten slotte na ongeveer een halve minuut een beltoon op te leveren. Ondertussen deed hij zijn uiterste best een goed verhaal te bedenken over wat hij op straat had 'gevonden' en dat hij meteen besloten had haar achterna te gaan om het haar terug te geven.

Maar het was zinloos. De telefoon bleef maar overgaan. Dat was alles. Geen boodschap. Geen stem aan de andere kant van de lijn. Hij wierp een blik uit het raam in de hoop dat ze inmiddels haar zaakjes geregeld had en door was gelopen naar de heldere open ruimte van het plein achter het palazzo van de familie die ooit onder de naam Borgia bekend had gestaan. Ze kon overal zijn. Als die pillen zo belangrijk waren, had ze toch eigenlijk voicemail of zoiets op haar telefoon moeten hebben.

Alleen, herinnerde Caviglia zichzelf eraan, ze was ziek. Zieke mensen, zoals hij maar al te goed wist, handelden soms niet al te logisch. Naar het einde toe hadden ze vaak geen enkel idee meer van wat goed voor hen was.

'*Signora...*' zei hij tegen de vrouw achter de bar en vervolgens beschreef hij de Franse vrouw tot in de kleinste details. Terwijl hij dat deed dacht hij aan de manier waarop ze gekleed was, niet casual maar zorgvuldig uitgekiend, het soort kleren dat een vrouw droeg voor een zakelijke ontmoeting. Of een afspraakje.

In Romeinse cafés gaat niets snel. De formidabele gestalte van middelbare leeftijd achter de bar besprak de mogelijkheden met haar man, die bezig was panini klaar te maken voor de lunchspits. Ze besprak ze met een oudere gepensioneerde die zat te treuzelen met een cappuccino, vervolgens met een arbeider in een vieze overal aan het einde van de bar en ten slotte met drie vrouwen die boven hun taartjes met elkaar zaten te roddelen.

Caviglia luisterde toe, en voelde zich beroerd. Niemand had een graatmagere vrouw met vlammend rood haar in een lichte jas met rode rok gezien.

'Waarom was uw vriendin hier?' vroeg de vrouw. 'Veel toeristen zien we hier niet...'

Hij dacht aan haar legitimatiebewijs.

'Ze zit in de kunsthandel. Misschien had ze wel ergens een afspraak. Zit er hier een kunsthandelaar in de buurt? Of een schilder?'

'Je bent zo'n vierhonderd jaar te laat voor de schilders,' zei de vrouw lachend. 'Ze hebben hier allemaal ooit gewoond, weet u. Caravaggio had hier een huis...'

'Waar?' vroeg hij meteen, zonder te weten waarom.

'Het was lang geleden. Wie zal het zeggen?'

De oude man aan het einde van de bar stak een dunne vinger omhoog. 'Maar er is hier wel een atelier,' zei hij.

'Waar heb je het over, Enzo?' blafte ze hem toe. 'Wij kunnen hier al nauwelijks meer de huur betalen en dan zou zo'n schilder dat wel kunnen?'

'Dat weet ik niet. Maar kennelijk is het zo. Tegenover de kerk. De groene deur vóór al die verdomd' – hij zweeg en staarde even naar de arbeider – 'lawaaierige bouwwerkzaamheden daar.'

De man in de blauwe overal dronk zijn kopje leeg en lachte. 'Franco Malaspina biedt zijn geld aan, en jij vindt dat ik nee tegen hem moet zeggen? Ja hoor.'

De gepensioneerde tikte op de zijkant van zijn neus en negeerde de vraag. 'Ik heb daar artistieke mensen naar binnen zien gaan. Penselen. Een doek. Die ik-ben-veel-slimmer-dan-jij-blik van al die artistiekerige lui.' Met een astmatisch gepiep haalde hij diep adem om zijn laatste punt te kunnen maken. 'Ze dragen de hele zomer én de hele winter zwart.'

'Groene deur,' herhaalde Caviglia en hij was meteen de straat weer op.

En ja hoor, tegenover de kerk bevond zich een weinig indrukwekkende houten deur, met de kleur van kerkhofgras, die geen toegang gaf tot een huis of kantoor maar tot een smalle steeg. Deze was niet meer dan twee meter breed en liep evenwijdig aan naar wat hij aannam een soort uitloper aan de achterkant van het Palazzo Malaspina was. De deur was niet op slot. Hij ging erdoorheen. Het zonlicht liet hem in de steek. Het was koud en vochtig in deze smalle inkeping tussen een oude villa en een of ander onduidelijk gebouw dat van alles kon zijn: een gezinswoning, een kantoor of gewoon goedkope opslagruimte voor het drukke stadscentrum, een halve kilometer verderop.

Aan het einde bevond zich een enkel obstakel: een glanzend metalen veiligheidsdeur, het soort dat gebruikt wordt om magazijnen af te sluiten – en andere plekken die de moeite van het leegroven waard zijn. Zonder er iets van te verwachten liep Caviglia, met tollend hoofd en in de wetenschap dat hem niet veel opties meer restten, doelbewust verder en trok aan de hendel. Hij wilde wanhopig graag de portefeuille en de medicijnen teruggeven.

Tot zijn verrassing schoof de deur geluidloos open en verdween achter de muur aan de rechterkant. Binnen heerste duisternis, een zee van zwart zonder verder duidelijke kentekenen, zodat het ongetwijfeld om een redelijk grote, lege ruimte ging. Hij knipperde met zijn ogen, liep naar binnen en betastte aan beide kanten de muur, op zoek naar een lichtknopje, maar vond er geen. Na een tijdje begonnen zijn ogen te wennen. Rechts in de verte kon hij nog net een smal streepje geel licht zien, dat onder een op een kier staande deur door scheen.

Aldo Caviglia frummelde in zijn jaszak aan de spullen van de vrouw. Het was alsof hij zonder goede reden verwachtte dat die hem gerust konden stellen. Toen hij onzeker door het donker verder schuifelde, hield hij zijn handen voor zich zodat hij op tijd hoge obstakels zou voelen en hopend dat zijn voeten niet tegen iets laags en onzichtbaars op de vloer aan zouden stoten.

Hij was, zo schatte hij, halverwege op weg naar de deur toen hij haar hoorde. Haar stem – hoog, gepijnigd, langgerekt als gevolg van een voor hem volkomen raadselachtige kwelling – kwam door de vochtige, schimmelige lucht in de zwarte ruimte naar hem toe drijven en pulseerde met een heel precies en hartverscheurend ritme, niet dat van de ademhaling, maar van een of ander gebonk, een aanhoudende, voortdurende aanval die een lang, angstaanjagend geschreeuw aan haar ontlokte, alsof ze gemarteld werd.

In Caviglia's hoofd staken onberedeneerde, vormeloze angsten hun kop op. Hij haastte zich verder, vastberadener dan ooit, al struikelend over losse bakstenen, met zijn hand steun zoekend tegen de rechtermuur om overeind te blijven, terwijl hij met elke aarzelende, bibberende stap de diagonale bundel licht steeds groter zag worden. Er hing hier ook een bepaalde geur: een zoete, organische geur van bederf.

Haar herhaalde, raspende zuchten namen toe in toonhoogte, ritme en volume. In de woordeloze stroom van angst en stress begon een enkel begrijpelijk woord door te klinken. Het werd uitgesproken in het Frans, de eerste medeklinker zacht en hees, de laatste stil, klanken zo totaal anders dan het Italiaans.

'Jésus... Jésus... *Jésus...*'

Hij kwam aan bij de gele streep, zonder er een idee van te hebben wat zich daarachter bevond. Een of andere jonge misdadiger die op verkrachting uit was? Een wraakzuchtige minnaar die gewelddadig geworden was? Waanzin in een donkere en smalle stadsstraat, onzichtbaar, onhoorbaar voor passanten, voor wie dit gewoon een dag als alle andere was?

Zonder erbij na te denken begon Aldo Caviglia te schreeuwen, met als voornaamste doel het geluid van haar stem te overstemmen, want hij had geen idee wat hij riep. Die stem maakte hem compleet van slag op manieren die hij niet helemaal overzag.

'Stop, stop, STOP!' schreeuwde hij. Hij gooide de deur open en stapte de kamer binnen, blij dat hij eindelijk een woord had gevonden dat enigszins van logica leek te getuigen.

Het was er heel licht. Een schildersatelier, zoals de gepensioneerde man in het café had gezegd. Er stond een allegaartje aan ezels in de ruimte, die op een stoffig, overhoopgehaald magazijn leek waarin met aanzienlijke kracht potten verf geëxplodeerd waren in alle richtingen. Overal was kleur te zien: blauwtinten en zwart, allerlei schakeringen rood en geel, in gouden vegen en witte, witte poelen, in spetters op de hoge bakstenen muren, de vloeren en zelfs het stoffige, grauwe plafond. Door het ene hoge, besmeurde raam vielen winterse stralen daglicht naar binnen. Hij wou dat ze zich de moeite bespaard hadden.

Caviglia moest zijn uiterste best doen om door die heldere, krankzinnige chaos heen uit te vinden wat er aan de hand was, waar de Franse vrouw zich bevond, in al haar pijn. Op het moment dat hij naar binnen gestapt was, was ze opgehouden met schreeuwen, meteen, op een manier die naar hij hoopte te maken had met zijn komst en niet met een andere, vreselijke gebeurtenis.

Eindelijk hield de zee van verschillende, kolkende pigmenten op voor zijn ogen te tollen kolken en zag hij haar. Zag hén.

Als één beest lagen ze verenigd voor een groot, schitterend doek dat als achtergrond voor hun inspanningen dienstdeed en het was zo fel, zo vol van een vreemde voorstelling van leven, dat hij op dat moment onmogelijk kon begrijpen wat hij zag.

4

Véronique Gillet lag naakt uitgestrekt als een schriel, bleek geraamte op een donkerroodfluwelen chaise longue die onder het schilderij geschoven was, dat een soortgelijke, al was het dan molligere, naakte gestalte leek uit te beelden. Haar hoofd hing levenloos tegen het opgehoogde uiteinde van de sofa aan. Haar benen waren losjes om de romp van een staande man geslagen die een gekreukeld en bebloed hemd droeg en zich voor haar middel bevond, nog steeds vanuit de heupen naar voren bewegend met een wegebbende, afgemeten cadans die, zag Caviglia, bij het ritme van haar afnemende zuchten paste.

De man had een verdwaasde blik op zijn gezicht. De uitdrukking van een dier dat volledig op zijn prooi gefixeerd was, gedachteloos, met slechts één doel voor ogen.

Haar gezicht was naar hem en de deur toe gewend, waarschijnlijk zonder opzet, dacht Caviglia, en alleen omdat haar hoofd die kant op gevallen was. De ogen van Véronique Gillet hadden niet langer het levendige, aandachtige grijs van een exotische kat. Ze stonden doods en glazig. Haar helderrode haar plakte van het zweet dicht tegen haar schedel aan. Haar aanrander drukte een mes tegen haar keel, waar het een donkerrode streep had getrokken, lui en gebogen, van haar sleutelbeen naar de onderkant van haar hals.

Caviglia rende naar voren. Hij gilde, schreeuwde, krijste zo hard hij kon in de hoop dat iemand buiten op straat het zou horen en zou komen helpen. Maar hij was niet in staat zich te concentreren op het punt waar zijn aandacht had horen te liggen – op de man, het beest, de moordenaar – omdat zijn ogen, zijn geest zich niet los kon maken van de twee gloeiende brandpunten voor hem.

Hij struikelde ergens over, een blik verf misschien, en viel op de harde vloer, waarbij de zijkant van zijn schedel met een harde klap tegen de eeuwenoude tegels sloeg. De zoete geur van bederf leek overal te zijn, baande zich een weg omhoog in zijn neusgaten, en vulde zijn hoofd met allerlei onsamenhangende gedachten.

Op dergelijke momenten worden rare gedachten geboren. Hij herinnerde zich wat de vrouw in het café had gezegd over de kunstenaars die in deze buurt hadden gewoond. Een van hen was Caravaggio, die zo veel levendige verbeeldingen had geschilderd van leven en dood in Rome: de Heilige Petrus aan het kruis in Santa Maria del Popolo; David met het bungelende hoofd van Goliath in de Villa Borghese, waar Caviglia op hete zomerdagen toeristen naartoe stuurde die op zoek waren naar wat rust in de stad. En het martelaarschap van de Heilige Matteüs, in zijn eigen kerk, San Luigi dei Francesci, op nog geen vijf minuten lopen van waar hij nu lag te spartelen op een stoffige, met verfspatten bedekte vloer. Hij probeerde de nachtmerrie te begrijpen die uit het Romeinse riool was opgestegen om dit illustere feest van de Onbevlekte Ontvangenis te ontheiligen, een feest waarbij niemand ergens anders aandacht voor moest hebben dan het leven en de wereld, kinderen en de toekomst, de aanstaande verandering in het seizoen met de subtiele, eeuwige verschuiving van het donker naar het licht.

Hij knipperde met zijn ogen en toen hij ze weer opendeed bleef zijn blik ononderbroken op het schilderij gefixeerd. Hij kon nergens anders naar kijken. Wat hij zag deed de adem in zijn keel stokken. Op een of ander cryptische, onbegrijpelijke manier was dit precies de scène waar hij zojuist getuige van was geweest. De afgebeelde vrouw was naakt en werd omgeven door gestalten die zich zowel op liefdevolle als bedreigende manieren om haar bekommerden. Ze snakte naar adem tussen lippen door die vol, roze en vlezig waren en overstroomden van leven.

Het schilderij was van een beangstigende, dusdanig felle schoonheid, die je nooit meer kon vergeten als je die eenmaal had gezien.

In zijn blikveld doemde iets uit de werkelijkheid op. De gestalte, de minnaar of moordenaar – of beide – van Véronique Gillet, had zichzelf losgemaakt van haar lichaam. Hij stond nu over Aldo Caviglia heen gebogen. Het bloederige mes bevond zich in zijn hand, iets wat de oude, vernederde bakker ook zonder te kijken heel goed begreep.

Het had geen zin te vluchten voor het onvermijdelijke. Hij richtte zijn blik weer op het schilderij en verbaasde zich over de voluptueuze gestalte die daar met zo veel zorg, schoonheid en precisie geschilderd was dat het wel het werk van een meester moest zijn. Haar vlees leek te kloppen van warmte en bloed, leek zelfs op het punt te staan van een extatische openbaring, zo echt, zo gewelddadig, dat het laatste, kostbare restje leven erdoor weggenomen zou kunnen worden.

'Doe het snel,' mompelde Aldo Caviglia en hij kneep zijn ogen stevig dicht in weerwil van wat zijn instinct hem zei te doen in aanwezigheid van een dergelijke wonderbaarlijke wildheid. Hij wachtte en hield gespannen zijn laatste adem in.

De Vicolo del Divino Amore

1

Gianni Peroni paste niet in de verplichte overal. Hij slenterde in het witte plastic kledingstuk, dat ongeveer dezelfde kleur als zijn gezicht had en dat strak om zijn grote lijf spande, door de overbevolkte opslagruimte. Hij maakte een ietwat obscene indruk. Bovendien was hij boos én bereid om dit iedereen die zich in zijn onmiddellijke nabijheid waagde duidelijk te maken, inclusief inspecteur Leo Falcone.

Het was nu halverwege de middag, twee uur nadat de Questura een telefoontje had ontvangen over verdacht geschreeuw op het adres in de Vicolo del Divino Amore. Een routinebezoek van een agent in uniform was al snel uitgelopen op een compleet moordonderzoek, met Falcone als teamhoofd. Het was, dacht Nic Costa, een beetje als vroeger. Teresa Lupo en haar belangrijkste hulpje in het mortuarium, Silvio Di Capua, stonden peinzend over twee lijken gebogen, die allebei duidelijk het slachtoffer waren van een gewelddadige aanslag. Op de plaats delict waren rechercheurs bezig de ruimte uit te kammen. Het was de absolute nachtmerrie van elk forensisch team: felgekleurde verfspatten, overal bloed, stof en viezigheid, op de vloer, op de muren en op de smerige tafels en stoelen. Het deed erg aan een kunstenaarsatelier denken. Er stonden ezels en gebruikte potten met verf, sommige gewoon voor in huis, andere specifiek voor kunstenaars. Iets wat op een behoorlijk groot schilderij leek bevond zich ergens achter de twee, nu met wit krijt uitgelijnde lichamen op de vloer waar Teresa en haar team mee bezig waren. Costa wist dat hij ernaar moest kijken voor hij wegging, maar nu liet hij het maar even voor wat het was, verborgen onder een groenfluwelen doek die zo groot was dat hij zowel de voor- als de achterkant geheel bedekte en volledig aan het zicht onttrok.

Er waren echter dingen veranderd.

'*Sovrintendente.*'

Falcones stem klonk helder en dwingend in de koude lege ruimte. Costa stond te dagdromen. Op weg hierheen had hij met Emily gepraat. Ze volgde een cursus aan de school voor architectuur aan het Piazza Borghese, op niet meer dan twee minuten afstand. Costa had gezegd waar hij heen ging, maar niet waarom. Uit de warme, belangstellende toon in haar stem maakte hij op wat ze het liefst zou doen: het smalle, donkere steegje in lopen om zelf een kijkje te komen nemen. Ze hunkerde nog steeds naar politiewerk, zelfs al leek haar carrière als architect een hoge vlucht te gaan nemen, dankzij haar stage bij een van de grootste bureaus van de stad.

'*Sovrintendente,*' herhaalde Falcone, luider nu.

De oude inspecteur was nu bijna volledig hersteld van een recente schotwond. Hij hinkte nog een beetje, dat was alles. Binnen de Questura was Falcone dan misschien niet de allerhoogste baas, maar wel een intellectuele autoriteit om rekening mee te houden, iemand die de moeilijkste zaken toebedeeld kreeg. Hij was bovendien een man die opnieuw innerlijke rust uitstraalde, en kennelijk blij was weer alleen te zijn na een korte, merkwaardige, romantische affaire. Net als Peroni en Teresa was hij opgetogen dat hij vandaag precies drie maanden geleden aanwezig was geweest bij de korte niet-kerkelijke huwelijksplechtigheid waarin Costa en Emily Deacon in de echt verbonden waren.

Zijn superieur boog zich voorover en fluisterde in Costa's oor: 'Nic!'

'O, sorry,' stotterde Costa.

Het was een bijzonder jaar geweest. Een tragische miskraam, een bruiloft en vervolgens na een te korte vakantie met Emily op Sicilië de ontdekking, toen hij afgelopen maandag terug op kantoor gekomen was, dat zijn promotie erdoor was.

'Meneer,' voegde hij eraan toe.

'En terecht,' klaagde Falcone. 'Je vakantie is voorbij, inspecteur. Let een beetje op, alsjeblieft.'

Terwijl hij aan het woord was, zag Falcone hoe Gianni Peroni tekeerging naast de twee lijken, en iedereen om hem heen bedolf onder een spervuur van gemopper. De inspecteur vroeg zich misschien af wat de grote man, ooit zelf een inspecteur, ervan vond dat zijn partner zo'n carrière had gemaakt. Het was zeker iets waar Costa vaak aan had gedacht sinds hij weer aan het werk was, en hij moest het er binnenkort met Peroni over hebben, dat was wel duidelijk.

'Wat zou jij in mijn plaats doen?' vroeg Falcone, met van belangstelling glinsterende ogen. Zijn hand rustte tegen zijn kortgeknipte, zilvergrijze baard.

'De ruimte verzegelen en dat zo houden,' zei Costa meteen.

Falcone knikte. 'Waarom?' vroeg hij.

'Het gaat dagen duren voor het forensisch team deze plek fatsoenlijk heeft doorzocht. Het is een zootje. We moeten hulp inroepen van deskundigen van wie we niet eens weten dat die bestaan en dat betekent dat we ervoor moeten zorgen dat er niemand binnenkomt die hier niets te zoeken heeft. Bovendien...'

Hij wierp een blik op iedereen die zich in de beperkte en chaotische ruimte om hen heen verzameld had. Er waren dertien mensen, twee fotografen en drie burgers van de afdeling persvoorlichting, onder wie twee stagiaires, die het verhaal aan het voorbereiden waren dat uit zou gaan naar de kranten en televisie. Slechts zeven van de aanwezigen waren echte politieagenten. Dit leek de laatste tijd aan de orde van de dag. Het onderzoek werd erdoor vertroebeld, liep vast in procedures, en leek regelmatig eerder bepaald te worden door juristen dan door de behoefte aan een snel, duidelijk vergaren van feiten en vaststellen van schuld.

'Volgens mij moeten we het aantal mensen hier zo laag mogelijk houden. Er is een hoop materiaal aanwezig. Ik weet dat iedereen voorzichtig is, maar toch...'

De inspecteur trok een gezicht. 'We werken automatisch het lijstje af, *sovrintendente*. Het eerste wat we altijd doen is het handboek pakken om te zien wat dat zegt. U hebt gelijk...'

Zonder zich veel aan beleefdheid gelegen te laten liggen droeg de inspecteur het pr-team op om de ruimte te verlaten en keek toe hoe ze wegslopen naar de deur, zwijgende en woedende blikken achter zich werpend. Toen sloeg hij zijn lange armen over elkaar en keek in de richting van de twee lijken voor hem, waarbij hij met een bedachtzame vinger even over zijn zilvergrijze sikje streek, een vertrouwde, spottend geamuseerde uitdrukking op zijn hoekige, getaande gezicht.

'Van de andere kant,' voegde hij er nonchalant aan toe, 'lijkt de zaak me nogal rechttoe, rechtaan, niks ingewikkelds.'

Een man van tegen de zestig lag opgekruld op zijn zij, in een fraai pak en met een uitdrukking op zijn gezicht die het midden hield tussen pure verschrikking en stomme razernij. Hij had zijn maag vast, alsof hij zich aan zichzelf had vastgegrepen tijdens de gespannen, angstige foltering van een gewelddadige dood. De zwarthouten schacht van wat volgens Costa ongetwijfeld een keukenmes zou blijken te zijn, stak van onder zijn borstkas naar voren en besmeurde zijn witte overhemd met een onregelmatige vlek van donker stollend bloed. Naast hem lag het naakte lijk van een veel jongere vrouw, die zo mager was dat haar ribben te zien waren.

De tegenstelling tussen beiden was opvallend. Het gezicht van de vrouw, dat een stille, bloedeloze schoonheid kende die het leven oversteeg, was bijna vredig. Ze lag op haar rug, de benen lichtjes opgetrokken en naar opzij gevallen, in een houding die postcoïtaal geweest zou kunnen zijn. Ze had vlammend kort rood haar, dat misschien volkomen in de war zat als gevolg van een of andere vorm van geweld; het was een beetje vettig, misschien van het zweet. Ze had een wond bij haar keel, ongeveer zo breed als een hand en waarschijnlijk veroorzaakt door een mes, logischerwijs hetzelfde als waarmee de man gedood was. De snee liep omlaag naar haar borstbeen, al dacht Costa dat hij niet diep was, aangezien er veel minder bloed te zien was dan op het overhemd van het andere slachtoffer. Haar lichtgrijze ogen stonden net als die van haar kennelijke overvaller, wijd open, maar waren veel gezwollener als gevolg van een of andere aandoening. Ze staarden naar een vast punt op het plafond zonder af te dwalen. Haar lippen hadden een kille blauwe kleur en kregen eenzelfde doodsheid als er in haar ogen te zien was.

'Hij heeft het niet gedaan,' hield Peroni vol.

'Hij?' vroeg Falcone.

'Hij,' antwoordde de grote man en hij stak een dikke vinger in de lucht. 'Aldo Caviglia. Ik heb hem een paar keer voor het gerecht gesleept voor zakkenrollen in bussen en ik heb hem twee keer een waarschuwing gegeven. Hij is een kruimeldief. Een zielige, verwarde man. Hij steelt...' Peroni's gezicht was bleek. Hij voelde zich nooit lekker in gezelschap van de dood. 'Hij stál portemonnees van levende mensen, verdorie. De laatste keer dat ik hem betrapte, beloofde hij dat hij ermee op zou houden.'

Er viel Costa iets op in de verschijning van de dode man: een bult in zijn jas. Hij knielde naast Teresa Lupo neer, wat hem op een waarschuwende blik van de patholoog-anatoom kwam te staan.

'Raak niets aan zonder mijn toestemming,' waarschuwde ze.

'De jaszak?'

Ze keek en zag wat hij bedoelde. Vervolgens stak ze haar hand in de jaszak van de man en viste er met haar gehandschoende vingers een dure leren damesportefeuille uit.

Peroni vloekte.

'Mensen liegen, Gianni,' zei Teresa. 'Dat is schokkend, dat weet ik. Maar in ieder geval...'

Ze ging door de inhoud en liet alles wat ze vond een voor een in een zakje voor bewijsmateriaal vallen.

'...kun je haar dankzij hem nu wel identificeren.'

Teresa stond op en liet hem het legitimatiebewijs zien. De drie mannen lazen wat erop stond.

'Frans,' zei ze. 'Dat had ik kunnen weten.'

'Waarom?' vroeg Falcone meteen.

'Wat vrouwen betreft zie je ook niet veel, hè Leo? Levend of dood? Ze heeft mascara op, die zo perfect is opgebracht dat ik het bijna niet kan geloven. Haar make-up is nog steeds tiptop in orde ondanks alles wat ze heeft doorstaan. Verder draagt ze nog een paar fraaie diamanten oorbellen waar de meesten van ons alleen maar van kunnen dromen. En bovendien...'

De patholoog knikte met haar hoofd naar een paar grote witte zakken onder het met verf bespatte raam.

'Haar winterkleren moeten een fortuin gekost hebben. En dan die schoenen. In dit weer. Ik zeg je: dit was niet iemand die een dagje de toerist uit wilde hangen. Echt niet. Ze was gekleed voor een speciale gelegenheid. Een sollicitatiegesprek, of een afspraakje.'

'Waren de kleren gescheurd?' vroeg Costa.

'Helemaal niet,' zei Teresa. 'Ze waren keurig netjes opgevouwen, zoals je doet voor je naar bed gaat.'

Ze wierp opnieuw een blik op het kaartje.

'Misschien was ze hier om zaken te doen voor het Louvre.'

Falcone kuchte in zijn vuist.

'Sorry, sorry,' voegde ze eraan toe. 'Dat is jouw werk, hè?'

'Inderdaad ja,' stemde Falcone in. 'Hebben ze seks gehad?'

Teresa stond op, deed het legitimatiebewijs in de zak voor bewijsmateriaal, gaf die aan Di Capua en fronste bij het zien van de dode Caviglia op de vloer.

'Deze twee? Nee. Maar dat is een gok. Ik zal je later als ik ze in het mortuarium heb meer kunnen vertellen. Maar een vage vrouwelijke intuïtie zegt me dat stelletjes die na de coïtus de geest geven dat zelden doen terwijl één partner naakt is en de ander volledig gekleed alsof hij een afspraak met zijn bankmanager heeft. Zelfs zijn gulp is dicht, Leo. Denk eens even na.'

'Zij is wél naakt,' merkte Costa op.

'Ik zei dat "zij" het niet samen deden. Maar zíj heeft het wel gedaan. Nogal heftig ook, al hoeft dat niet per se op verkrachting te wijzen, volgens mij. Er zijn nauwelijks kneuzingen. Wel zonder condoom. Morgenochtend heb ik een DNA-monster voor je. Ik verwed er een etentje om dat het niet van onze vingervlugge vriend hier is. En ik denk ook niet,' voegde ze er snel aan toe, 'dat zij hem heeft vermoord. Het moest er alleen zo uitzien en het is nogal slordig aangepakt ook. Degene die dat op zijn geweten heeft, had haast. Let op de details. Ze ligt op de vloer, terwijl daar een prima chaise longue staat. Waarom zouden ze het dus hier doen? En dan moeten we ook nog aannemen dat zij hem eerst heeft gedood en toen zelf het loodje heeft gelegd. Op zichzelf al opmerkelijk, en zelfs nog opvallender als ze er vervolgens in slaagde plat op haar rug te gaan liggen, zonder al te veel kleren aan, op een koude stenen vloer, klaar voor het graf. Nee...'

Falcone stak een magere, getaande hand op en legde haar het zwijgen op.

'Genoeg,' zei hij zachtjes. 'Laat voor ons ook nog iets over. Alsjeblieft. Het is duidelijk de bedoeling dat we iets geloven.'

'Aldo Caviglia kon nog geen vlieg kwaad doen,' hield Peroni

vol. 'Waarom zou iemand het op een arme ouwe ziel als hij gemunt hebben?'

'Dat is precies waar wij achter moeten zien te komen,' zei Costa automatisch, en hij ontdekte tot zijn schrik dat het als een terechtwijzing klonk.

'Bedankt,' zei Peroni zachtjes. 'Meneer.'

'Blauwe lippen,' mompelde Costa zonder acht op hem te slaan.

Teresa staarde naar het gezicht van de dode vrouw, vol belangstelling maar ook bezorgd, meende Costa, over de afstand die er moest bestaan tussen een *sovrintendente* en een *agente* die meer dan twintig jaar ouder was dan hij.

'Inderdaad,' zei ze. 'Is die geur je opgevallen?'

Costa meende dat iedereen die had geroken en het aan de aanwezigheid van de dood had geweten. 'Ik dacht dat het hier overal zo stonk,' zei hij. 'Riolering.'

Ze trok een gezicht alsof ze iets belangrijks had gemist. 'Het stinkt hier inderdaad, je hebt gelijk. Maar zij ruikt nogal bijzonder. Een beetje naar zweetsokken, voor het geval je te beleefd was om het te zeggen.'

'Is dat ongebruikelijk?' vroeg hij.

'Niet onder agenten, dat weet ik,' antwoordde ze. 'Maar bij een vrouw als zij?'

Terwijl Falcone toekeek, knielde Costa neer en boog zich over het lijk. De geur was duidelijk te ruiken: ondubbelzinnig en doordringend.

'Het duurt ongeveer een uur om zo ver af te breken,' zei Teresa.

'Wat?' wilde Falcone weten.

'Amylnitraat.'

'Een seksdrug?' vroeg Costa verbaasd.

'Ho, ho,' maande ze hem tot voorzichtigheid. 'In de juiste gevallen is amylnitraat een erg nuttig geneesmiddel.' Ze keek Costa strak aan en dwong hem zijn hersens te gebruiken. 'Het biedt verlichting bij angina. En is een noodmiddel bij hartaandoeningen.'

'Blauwe lippen,' zei hij weer.

'Dat kun je wel zeggen.'

Ze grinnikte. 'Geen wonder dat je hem promotie hebt gegeven, Leo.'

Falcone zuchtte. 'Dus die vrouw is doodgegaan aan een hartaanval,' zei hij. 'Terwijl ze seks had? En was dat medicijn bedoeld ter stimulatie of om haar weer bij te brengen?'

'Ik ben alleen maar een patholoog,' antwoordde Teresa. Ze stak haar hand uit. Peroni pakte hem en hielp haar overeind. 'Als ik je met de rest moet helpen, dan moet ik eerst deze twee hiervandaan en veilig en wel in mijn hol zien te krijgen. Wat er ter plekke te vinden was hebben we nu wel. Silvio kan achterblijven om toezicht op de rest te houden. Ik ben vooral erg nieuwsgierig naar haar medische geschiedenis. Heb je er bezwaar tegen als we die in Parijs opvragen?'

'Nee,' zei de inspecteur en hij knikte. 'Alleen het medische verhaal, oké?'

'Natuurlijk,' stemde ze in, en ze glimlachte vriendelijk.

'Ik zei toch dat hij het niet heeft gedaan!' merkte Peroni op.

Ze glimlachte en klopte hem op zijn arm. 'Ja, dat is zo, goed hoor.'

'Hij heeft haar portefeuille gestolen, dat klopt,' voegde Falcone eraan toe. 'Hij kwam hier met een bepaalde reden. Hij zag iets...'

Het was stil geworden in de kamer. De andere agenten die naast het forensisch team aan het werk waren geweest, wachtten met uitzondering van twee van hen die wat los metselwerk bij het wegroestende ijzeren raam aan het weghalen waren.

'Misschien heeft hij dit gezien,' suggereerde Costa. Toen, niet in staat nog langer te wachten, liep hij naar de grote ezel achter de lijken toe. Heel voorzichtig haalde hij de groenfluwelen doek weg die eroverheen hing en legde het schilderij bloot.

Een halve minuut lang zei niemand iets. Er werd zelfs niet ademgehaald, zo leek het wel.

Teresa verbrak als eerste de stilte en fluisterde: 'Misschien ja.'

Niemand kon zijn ogen van het schilderij af houden. Zelfs de aanwezigheid van de twee lijken, van wie de een duidelijk vermoord en de ander onder vreemde en verdachte omstandigheden om het leven gekomen was, kon hun aandacht op dat moment niet van het doek afleiden.

Falcone kwam naast Costa staan, zijn blik onafgebroken gericht op de glanzende naakte vorm, ongeveer driekwart van de werkelijke grootte, voor hen.

'Ik moet weten wie de eigenaar van deze ruimte is,' beval de inspecteur. 'Ik wil dat Caviglia door het speciale verkrachtingsteam onderzocht wordt voor het geval dat. *Sovrintendente*?'

Costa ging helemaal op in de maalstroom van geschilderd vlees, de buitengewone uitdrukking op het gezicht van de hoofdfiguur en de algehele kunstzinnigheid waarmee het geschilderd was, met al die stilistische finesses waarvan de namen hem na al die jaren ineens weer te binnen schoten. Jaren waarin hij het grootste deel van zijn eindeloze, lege vrije tijd had doorgebracht in de galeries van de stad. *Sfumato, chiaroscuro, tenebrismo*...

'*Sovrintendente*!' herhaalde Falcone, dit keer niet geamuseerd.

'We moeten ook een kunstspecialist regelen,' antwoordde Costa, eindelijk in staat zijn aandacht van het schilderij af te wenden. 'En goede beveiliging.'

'Er zijn hier mensen vermoord,' snauwde Falcone. 'Natuurlijk hebben we een goede beveiliging nodig.'

'Ik ben geen expert. Maar dit is of een echte en onbekende Caravaggio, of een uitstekende poging om er een te vervalsen. Hoe dan ook, denk ik...'

Falcone keek dreigend naar het doek. Sinds Costa het gordijn had weggetrokken, was er van geen enkele activiteit meer sprake geweest in de ruimte.

'Dat schilderij kan wachten,' mopperde de inspecteur en hij liep naar de ezel. Hij trok de groenfluwelen doek min of meer terug over de lijst en de verleidelijke vrouwenfiguur.

'Meneer?' Het was een van de twee mannen die bij het raam bezig waren geweest. Hij keek geschokt en zag enigszins wit. De drie mannen gingen kijken.

De agenten hadden hun vondsten uitgespreid. Het was een verzameling foto's. Costa pakte er een paar op.

'Deze zijn niet in een laboratorium afgedrukt,' zei hij. 'Dit is goedkoop dun papier. Het soort dat je thuis op een printer gebruikt.'

Peroni leunde over Costa's schouder.

'Er is geen laboratorium dat deze nu nog gaat afdrukken, hè?' merkte hij op.

'Waar heb je ze gevonden?' vroeg Falcone.

'Onder het raam zat een losse steen,' antwoordde een van de agenten. 'We namen alleen even een kijkje. Dit zijn er maar een paar. Er moeten er nog een stuk of vijftig of meer liggen.'

'Zoek verder,' droeg Falcone hun op, pakte de foto's en spreidde ze uit op een stoffige stoel.

Costa staarde naar de beelden op de fluttige, zelfgemaakte afdrukken. Het was duidelijk dat ze in deze ruimte waren genomen. Daar had je dezelfde stenen vloer. Hier en daar kon hij verfvlekken zien en zelfs een pot en een penseel. Op één foto stond een hoek van de groene doek die voor het schilderij was gebruikt.

Daar had je de link. Op elke foto was de bovenste helft van de romp van een naakte vrouw te zien. De meesten van hen kwamen uit het buitenland. Sommigen waren zwart, met het wijd uitstaande haar en de overdreven make-up van de Afrikaanse hoeren die in de voorsteden werkten.

Het was onmogelijk hun gezichtsuitdrukking te raden. Die kon extatisch, sexy of spiritueel zijn geweest. Of een van pijn, in de laatste ogenblikken van hun leven.

Hij wendde zich tot Peroni, die alles wist van zedendelicten en vóór zijn onbezonnenheid een van de succesvolste inspecteurs in het illegale sekscircuit van Rome was geweest.

'Ken je een van hen, Gianni?' vroeg Costa.

'Wat bedoel je daar verdomme mee?' brulde Peroni.

Costa vervloekte zijn eigen stompzinnigheid. De carrière van de grote man had een duikeling gemaakt omdat hij een keer, één keer maar, met een hoertje naar bed was geweest.

'Het spijt me. Dat kwam er niet goed uit. Je hebt heel veel jaren bij zeden gewerkt en dat heb je heel goed gedaan,' legde Costa geduldig uit. 'Volgens mij zien deze vrouwen eruit als hoeren. Maar het zou heel wat meer zeggen als jij dat ook vond.'

Peroni slaakte een zucht en haalde toen verontschuldigend zijn schouders op.

'Ze zien eruit als hoeren.' Hij keek weer naar het lichaam van de Franse vrouw, dat nu omringd was door agenten die de lijkenzak in gereedheid aan het brengen waren. 'Maar zij niet. Zij...'

Peroni staarde weer naar de foto's. Toen pakte hij een ervan op met zijn gehandschoende hand.

Het was een gespierde zwarte vrouw met kunstmatig gladgemaakt en glimmend, lang haar. Ze deed haar uiterste best de indruk te wekken alsof ze helemaal in extase was. Dat was het geval bij alle vrouwen op de foto's.

'Ik heb haar bekeurd,' zei Peroni. 'Een Nigeriaanse, best een aardige meid.'

Hij staarde even uit het smerige raam. Toen ging hij verder.

'Ze staat op de lijst van vermiste personen. Al een paar weken. Dat zag ik op het mededelingenbord. Ik herkende...'

Falcone vloekte opnieuw zachtjes en deze keer wist Costa zeker dat er iets bijzonders achter zijn reactie stak.

Toen, voor hij kon vragen wat dat was, klonk er een korte, gekwelde kreet op uit het team dat bezig was met het oplichten van de stenen. Costa keek naar de mannen. Ze waren wat verder weg gaan staan van de plek waar ze aan het werk waren geweest. Het bloed was volledig uit hun gezicht weggetrokken. Een van hen zag eruit alsof hij elk moment kon gaan overgeven.

Falcone was er het eerst, zelfs al hinkte hij. Hij wierp een blik op wat er vanonder de vochtige stenen vol algen vandaan was gekomen.

'Doctor,' zei hij, net hard genoeg om Teresa Lupo bij zich te roepen. Costa en Peroni kwamen naar voren om een kijkje te nemen. Toen vloekte de grote man en liep weg.

De grijze, vochtige aarde onder de massieve vloer van het atelier had iets prijsgegeven dat stevig in halfdoorzichtig plastic was gewikkeld. Het leek wel een gigantische, kunstmatige cocon. Costa keek ernaar en begon snel de kamer rond te lopen. Op meerdere plekken leken onlangs de grijze stenen te zijn verwijderd, wat soms door potten verf, soms door lege ezels of meubilair aan het zicht werd onttrokken.

Toen Costa terugkwam bij Falcone had Teresa Lupo zich met een scalpel in haar hand over haar ontdekking gebogen.

'Dit wordt geen prettige aanblik vrees ik,' zei ze beslist. 'Mensen met een gevoelige maag kunnen beter even weggaan.'

Costa bleef kijken. Hij en Falcone waren de enige politiemannen. Het gezicht onder het plastic was grijs en vies en, ondanks het feit dat het een flinke tijd geleden was dat ze vermoord was, zonder enige twijfel dat van de Nigeriaanse vrouw die Peroni had herkend. De stank die opsteeg zodra Teresa de incisie had gemaakt, zou hem, dacht hij, nog lang heugen.

'Volgens mij is ze niet alleen,' zei Costa toen hij Falcones blik opving en hij besefte tot zijn verbijstering dat de oude inspecteur om de een of andere reden niet verbaasd leek. 'We moeten...'

Buiten was een geluid te horen. Niet in de steeg maar ergens anders. Costa gluurde achter het schilderij. Daar bevond zich een stoffige deur, achter een oude eettafel die bezaaid was met verfvlekken, half aan het oog onttrokken door enkele juten lappen. Hij stond op een kier.

'Hij is er nog steeds,' mompelde Costa vooral tegen zichzelf, terwijl hij over de tafel sprong en afstormde op wat zich daarbuiten in de grijze koude dag bevond.

2

Het was een soort binnenplaats, rommelig en vol troep: oude kratten van hout, afgedankte meubels, een paar hoge metalen dossierkasten die weg stonden te roesten op de groene keitjes. Hier kon iemand zich gemakkelijk verstoppen. Aan de overkant begon in een hoek een nauwe, door mos en bederf bedompt ruikende gang. Deze liep dwars door het midden van een of ander groter gebouw – het Palazzo Malaspina, zo wilde Costa's geheugen hem doen geloven, dat zich in deze verborgen enclave van de stad uitstrekte – om vervolgens, nam hij aan, op de straat uit te komen. En de vrijheid.

Falcone blafte bevelen in zijn radio. Hij eiste dat de agenten buiten in de *vicolo* meteen in actie kwamen. Costa wilde tegen hem zeggen dat deze nauwe, onwelriekende steeg die kant niet op ging. Hij groef zich diep in het labyrint van het paleis in. Terwijl hij op de binnenplaats de grijze dag in struikelde, kon hij achter zich het gedrang van lichamen horen. Peroni's stem klonk overal bovenuit, boven het gespannen gekwek van mannen die zichzelf opwerkten naar de geestestoestand die bij een achtervolging hoorde.

Costa bleef staan en nam zijn omgeving in zich op. Waarom zou een moordenaar zo dicht bij de plaats delict blijven wachten?

Sommigen deden dat, die konden er geen weerstand aan bieden.

Een van de agenten die het begraven lijk had gevonden, doemde op aan zijn zij. Met het automatische instinct dat het werk sommigen gaf, had hij zijn revolver tevoorschijn getrokken en hield die nu onzeker voor zich. Hij aarzelde bij de metalen dossierkasten en een stapel oude meubels bij de muur, overduidelijk een goede plek voor iemand om zich te verstoppen.

Costa drukte de loop van het wapen omlaag.

'Geen wapens,' drong hij aan. 'Misschien is het gewoon een kind.'

En dat was echt een stomme opmerking, dacht hij. Kinderen hingen niet rond op plekken als deze. Het was hier veel te donker, bedompt en angstaanjagend, vooral als je door de ramen naar binnen gluurde en zag wat er aan de hand was onder de onbewogen blik van de naakte vrouw op het doek.

De smerige binnenplaats strekte zich aan weerszijden minstens tien meter uit en de helft ervan stond vol spullen die eruitzagen alsof ze er jaren geleden waren neergegooid. Het omringende gebouw rees zes verdiepingen omhoog, langs vuile ramen met tralies. Het leek wel een smalle streep van zwarte, ingekerfde steen die naar de loodgrijze decemberlucht leidde, op dat moment vol rondzwermende spreeuwen.

Costa keek omhoog en zag geen enkel gezicht achter de halfdoorzichtige vensters van de bovenliggende verdiepingen met strepen erop van de regen. Toen staarde hij door de lange smalle steeg, die God wist waarheen leidde. Hij was leeg en zwenkte aan het einde een tunnel in, een poel van duisternis, die gevormd werd door het uitstekende gebouw erboven. Aan het einde was net een miniem vierkantje daglicht te zien. Niemand zou zo snel daarheen kunnen ontsnappen. Zeker niet zonder geluid te maken.

'Laten we ervan uitgaan dat hij nog hier is,' zei hij zacht. 'We doorzoeken de hele zooi tot we iets vinden of tot hij beweegt. Ga ervan uit...'

Er was een stem te horen. Peroni bulderde. Achter een wegrottend houten bureau met metalen pootjes die wel van roest gemaakt leken, bevond zich de schaduw van iemand die op zijn hurken zat en van wie alleen de schouders, romp en benen te zien waren.

Zodra hij hem zag, werd Costa door iets getroffen. De man beefde niet. Hij was even kalm en stil als een standbeeld.

'Je zult daar achter vandaan moeten komen,' zei Costa kalm, terwijl hij naar voren liep en naar de agent met de revolver gebaarde dat hij hem omlaag, op de stenen gericht moest houden voor het geval dat.

'*Sovrintendente*!' schreeuwde Falcone.

Costa negeerde hem en liep verder naar voren.

'U moet nu naar buiten komen, meneer,' voegde hij eraan toe op een toon die naar hij hoopte niet te dreigend klonk, maar duidelijk geen tegenspraak duldde. 'Hier is een misdaad gepleegd en we moeten met u praten.'

De man was nog maar drie of vier passen van hem vandaan. Hij bewoog niet.

'Kom tevoorschijn!' brulde Peroni.

Costa keek om naar de mannen achter hem. Falcone zweeg. Dat was niets voor hem.

'Kom tevoorschijn!' bulderde de grote man en dat deed het hem. De lange donkere figuur kwam in beweging. De binnendringer droeg kakikleurige kleren die aan een legeruniform deden denken; een donker T-shirt en donkere broek, en zwarte laarzen die net als bij een soldaat strak om de enkel dichtgebonden waren.

'Ga bij de muur staan,' beval Costa. 'Handen omhoog. Dit is alleen maar een routinekwestie. Alleen maar...'

Hij ging niet verder. De gestalte had zich bevrijd, met een atletische behendigheid die Costa aan het denken zette. Hij kon nog steeds geen gezicht zien. Alleen een lang, lenig lichaam, gespierd en fit, volledig op zijn gemak in de anonieme militaire kledij.

'Verdraaid,' riep Falcone en hij baande zich een weg door de elkaar verdringende mannen in de ruimte die nog over was op de binnenplaats. 'Dit is míjn onderzoek, Costa. Je doet wat ik je zeg.'

'Meneer...' zei hij en hij keek naar de persoon in kaki die tevoorschijn kwam vanachter een verrot en dubbelgeklapt karkas van een matras met roze en grijze strepen dat in rafels van de uiteengebarsten, schimmelige binnenkant afhing.

De man had een zwart gasmasker op dat zijn hele gezicht bedekte, met een glazen scherm voor de ogen waar je niks doorheen zag. In zijn rechterhand had hij met professionele doelbewustheid een machinegeweer stevig beet en in zijn linkerhand een of andere granaat die al begon te roken bij de pin.

'Wapens!' schreeuwde Falcone.

Costa luisterde niet echt. Soms kwamen deze dingen te laat. De rokende granaat kwam al tollend door de lucht hun kant op en liet daarbij een kringelende streep van bleke gassen ontsnappen die een walgelijke, verderfelijke geur verspreidden. Een geur die Costa nog kende van de laatste rellen waarbij hij het genoegen had gesmaakt aanwezig te zijn.

Het ding plofte met een zachte knal uit elkaar en ze werden omgeven door een dichte witte wolk. Hij hoestte en de tranen stroomden uit zijn ogen. Hij had nog net voldoende besef om vooruit te strompelen in de richting van waar hij meende dat het steegje naar buiten was, de ogen stevig dichtgeknepen, en met een zakdoek over zijn mond en neus. Snakkend naar schone lucht en zich bewust van het gevloek en geschreeuw van de mannen die gevangen zaten in de verderfelijke dampen achter hem, wist Costa één ding zeker: Falcone zou hem flink het vuur aan de schenen leggen voor de manier waarop hij deze confrontatie had afgehandeld. Misschien terecht.

Toen, terwijl hij half knielde en half tegen de slijmerige muur van de binnenplaats aan viel, streek er iets langs zijn schouder. Hij keek op. Daar stond de man in kaki, nog steeds met zijn masker op dat, zo stelde Costa zich voor, een brede, zelfgenoegzame grijns aan het zicht onttrok.

Het geweer was op het midden van zijn gezicht gericht, de loop op niet meer dan een handlengte afstand. Costa hoestte, probeerde de man in de ogen te kijken en zei: 'U staat onder arrest.' Toen keek hij alleen maar toe, enigszins verbijsterd en geen moment bang.

Er gebeurde niets. Costa keek nog eens. Op de een of andere manier was de stof van de militaire handschoenen vast komen te zitten in de spleet tussen de trekker en de metalen kast van het wapen. Niet meer dan een flard stof en een heleboel geluk voorkwamen dat het wapen werd afgevuurd. Een wel heel nietig en tijdelijk iets om een man in leven te houden, maar Costa was er niet erg toe geneigd hier lang bij stil te staan. In plaats daarvan schopte hij met zijn rechterbeen hard naar voren en raakte het scheenbeen van de gestalte pijnlijk. De loop van het machinegeweer schoot omhoog in de lucht en vuurde met een explosief geratel dat tussen de zwarte steen weerkaatste. Hete hulzen spoten de lucht in. De grond om hem heen werd bespikkeld door een zachte regen van lood.

Toen was het gas er weer, en dit keer kreeg hij het in zijn ogen, prikkend alsof een miljoen uitzinnige bijen hem hadden gestoken, waardoor de tranen over zijn wangen stroomden en gal achter in zijn keel opkwam.

Met grote weerzin rolde hij op de glibberige keitjes, hoestend, stikkend, in de wetenschap dat niemand van het team achter hem echt in staat was om hem te helpen. De herinnering aan het geweer dat in zijn gezicht werd geduwd brandde even erg als het traangas. Hij keek nog een keer de steeg door. Wie het ook was, hij had inmiddels een fikse voorsprong op hen allemaal.

De militaire figuur dook ineens op uit de schaduw en het heldere licht viel op de tegenoverliggende muur. Daar stopte hij, draaide zich om, trok het gasmasker af, hees het geweer tegen zijn schouder aan en staarde terug naar hem. Hij droeg er een bivakmuts onder, het soort dat mensen van de antiterrorismebrigades hadden, strak, zwart katoen met twee smalle spleten bij wijze van kijkgaten. Om een fatsoenlijk schot vanaf die afstand te lossen was onmogelijk. De man wilde hem blijkbaar iets duidelijk maken.

Costa zag hoe de muts rond de mond trok, hoe de lippen zich sloten en vervolgens een volmaakte o vormden, en de handen zich om de trekker sloten.

Op de een of andere manier slaagde hij erin het enige woord te horen dat hij zonder geluid te maken met zijn lippen vormde, zelfs al was dat niet mogelijk.

Boem, zei de man en toen lachte hij.

Wat er toen gebeurde voltrok zich zo natuurlijk dat Costa er niet eens over na hoefde te denken. Hij trok zijn dienstpistool uit zijn schouderholster, richtte vaag ergens op een punt in de stenen steeg voor hem en schoot vier keer snel achter elkaar.

De gestalte in kaki was achteruit, tegen de muur aan gevallen, al stuiptrekkend en brullend op een manier die Costa tegen beter weten in veel genoegen deed.

Maar hij was niet geraakt. Het was schok, angst en ook een soort razernij dat hij nu zelf het doelwit was geworden. De man hees zichzelf overeind en wierp een boosaardige blik door de steeg, voor hij naar rechts en uit het zicht strompelde. Maar het korte moment van angst dat Costa in hem had opgeroepen zorgde dat de balans tussen hen weer enigszins werd hersteld.

Zonder te wachten om te kijken in wat voor toestand de anderen zich bevonden, schoot hij op de stenen tunnel voor hem af, wankelend als een zieke man, het wapen losjes en zonder het te gebruiken aan zijn zij. Hij was zich er vaag van bewust dat hij nog maar een paar kogels over had, en dat tegenover een woest, moordlustig wezen met een machinegeweer dat nu vast en zeker elk moment zou proberen op te gaan in de menigte in het centrum van Rome, op deze drukke middag voor kerst.

Er was geen tijd meer om om versterking te vragen. Hij wist niet eens zeker of hij daarvoor nog wel genoeg bij stem was. Het enige wat Costa nog kon doen was rennen. De dagen dat hij marathons had gelopen, hadden hem een routine gegeven waar hij meteen weer op terug kon grijpen. Het juiste ritme kwam als vanzelf.

Toen hij onder het koude, zwart overhangende gedeelte van het gebouw aan het einde van de steeg vandaan kwam, knipperde hij met zijn ogen tegen het licht van de zon en de locatie. Hij bevond zich precies om de hoek bij het Piazza Borghese vandaan. Terwijl hij zijn prikkende ogen dichtkneep tegen het plotselinge zonlicht zag hij een gestalte in kaki naar het plein hinken. Hij ademde drie keer diep in, de stadslucht was zo zuiver als maar mogelijk was.

In zijn jasje ging zijn mobiel. Hij herkende de speciale ringtone. Het was Emily. Ze zou moeten wachten.

3

Door de regen waren de keitjes van het Piazza Borghese vettig en zwart geworden. Dit was een van de weinige open ruimten tussen de Corso en de rivier. Elke dag weer kwamen hier honderden mensen parkeren die hun voertuigen overal achterlieten: auto's en busjes, motoren en scooters. Een paar studenten van universiteiten in de buurt kwamen lachend bij elkaar in een hoek, met de armen vol boeken en mappen, en maakten zich op om te gaan lunchen. Hij zag niemand die zijn belangstelling wekte; de atletische, in het bruin geklede figuur met een machinegeweer was nergens te bekennen, alleen kantoorpersoneel en wat winkelende mensen liepen over het vochtige plaveisel.

Costa liet zijn blik over het plein gaan en vroeg zich intussen af waar een voortvluchtig persoon in dit deel van Rome naartoe zou rennen. Er waren zo veel plekken. Naar het zuiden in de richting van het Pantheon en het Piazza Navona bevond zich een labyrint van smalle steegjes waar wel honderd moordenaars op de vlucht zich ongezien konden ophouden. In het westen lag de brug over de rivier, de Ponte Cavour, en een ontsnappingsmogelijkheid in het drukke zakendistrict voorbij het Paleis van Justitie. En in het noorden zowel als het oosten... de ene straat na de andere met winkels, appartementencomplexen en anonieme kantoren. Hij wist niet waar hij moest beginnen.

Er zou gauw ondersteuning komen. De agenten uit het atelier, Gianni Peroni, een woedende Falcone.

Costa wierp een laatste grondige blik om zich heen en zuchtte.

Toen ging de telefoon weer. Weer de bekende ringtone. Deze keer nam hij op.

'Heb ik het goed dat je achter een heerschap in een Rambo-outfit aan zit, met een uiterst verdachte uitdrukking op zijn gezicht, die nogal armzalige pogingen doet om het feit dat hij een geweer of zo bij zich heeft te verbergen?' vroeg ze.

Eens een FBI-agent, altijd een FBI-agent.

'Zeg me waar,' droeg Costa haar zacht maar dringend op.

'Ik ben hem gevolgd naar het mausoleum van Augustus. Ik kan me vergissen, maar ik denk dat hij daar naar binnen is gegaan. Goede plek om je te verbergen met al die zwervers.'

Costa kende het monument, al was het dan niet erg goed. De nalatenschap van Romeinse keizers werd door een nogal wisselend lot getroffen. Het mausoleum van Hadrianus was in het Castello Sant'Angelo veranderd. Augustus, een van de machtigste keizers die Rome ooit had gekend, verging het veel slechter. Zijn begraafplaats was door de eeuwen heen van alles geweest, van een park tot een operagebouw. Nu, nadat Mussolini het in puin had gelegd bij wijze van voorbereiding voor zijn eigen graftombe, waar hij overigens nooit in zou komen te liggen, was het een bedroevend hoopje stenen omgeven door een eigen verwilderde groene gracht van gras, die half schuilging tussen de fascistische kantoren uit de jaren dertig, achter de Corso en de hoge oever van de Tiber. Het borstelige stadsgras was een favoriete slaapplek voor de plaatselijke zwervers. Binnen was het een doolhof van bedompte, ineenstortende tunnels, die zo onveilig waren dat het publiek al jaren geleden de toegang ontzegd was.

'Bedankt,' zei hij. 'Ga nu ergens koffie halen. Ergens heel ver weg.'

Hij wachtte niet op een antwoord. Hij begon naar het noorden te rennen, naar de rivier. Overal werd gebouwd. De autoriteiten waren bezig een nieuwe verblijfplaats te maken voor het Ara Pacis, het altaar van de vrede, een van de grootste erfenissen van Augustus die Rome en de wereld al te lang onthouden was. Maar nu was het terrein een grote, chaotische bouwplaats: hijskranen en afgesloten wegen, boos verkeer en voetgangers die zich verbijsterd afvroegen waar het voetpad was gebleven.

Hij rende om een enorm groot aanplakbord heen waarop reclame werd gemaakt voor het nieuwe Ara Pacis-gebouw en stond toen voor de zuidkant van het mausoleum met zijn afgesloten ingang en trappen die naar zijn binnenste leidden. Het zag er troosttelozer en bouwvalliger uit dan hij zich herinnerde: een uiteenvallende cirkel van eens goudkleurige steen die inmiddels aan de bovenkant was afgebrokkeld tot stompen waarop gras en onkruid groeiden, en her en der zelfs struikgewas. Enkele toeristen hingen rond bij het met een hangslot vastgemaakte hek, twijfelend of ze foto's zouden maken. Aan de andere kant van het hek zag Costa een groepje daklozen zich om de geijkte objecten verdringen die hoorden bij een leven zonder vaste verblijfplaats in de stad: flessen wijn, stapels oude kleren en een enorme collectie tasjes van de supermarkt die vol zaten met hun spullen.

Toen, net op het moment dat hij wilde bellen om assistentie, werd zijn blik getroffen door iets wat hem onrustbarend bekend voorkwam: een blonde vrouw in een lange, zwarte winterjas. Even verderop zat Emily, net binnen de hekken van het mausoleum. Costa sloot even zijn ogen en mompelde: 'Geweldig.'

Zijn vrouw zat op een muurtje om een bloembed vol onkruid, precies aan de andere kant van de toeristen, en probeerde eruit te zien als een bezoeker die de moed bijeen had geschraapt om over het hek te springen. En slaagde daar in zijn ogen nauwelijks in. Ze zag er veel te levendig, te geïnteresseerd uit om het armzalige schouwspel voor haar ogen in zich op te nemen. Op het moment dat hij dat besefte draaide ze zich om, zag hem en knikte naar de groene greppel voor haar. Haar lippen vormden een enkel woord: 'Daar.'

Toen bulderde een grote vrachtwagen met bouwmateriaal voor hem langs en kwam plotseling maar doelbewust tot stilstand, op zo'n manier dat Costa meteen wist dat hij niet verder zou gaan. Hij haastte zich met bonzend hart om de achterkant van de auto heen, wat nog een heel eind was, en kwam aan bij de tijdelijke afzetting, precies aan de kant van de Ara Pacis. Hij haalde zijn revolver tevoorschijn, bracht zichzelf in herinnering dat er nog maar twee kogels in het magazijn zaten en dat hij waarschijnlijk geen tijd had om opnieuw te laden zodra hij in actie was gekomen.

Toen hij om de houten borden heen rende, waren de toeristen er nog steeds. Emily was weg. Zijn adem stokte in zijn keel. Zijn politiemobiel vibreerde in zijn zak. Hij haalde hem met trillende handen tevoorschijn. Het was Falcone.

'Waar bén je?' wilde de inspecteur weten.

'In het mausoleum van Augustus. Hij is binnen. Er zijn hier mensen. We moeten heel voorzichtig te werk gaan.'

'Dat lijkt me voor zich spreken,' antwoordde Falcone abrupt, en de verbinding werd verbroken.

'En zo is dat...' mompelde Costa in zichzelf.

Hij liep op de toeristen af en zei tegen hen dat ze ergens anders naartoe moesten. Ze keken naar zijn gezicht, en toen naar zijn wapen en sloegen vervolgens op de vlucht. Daarna klom hij over het hek en liet zijn blik over het hele terrein gaan. De zwervers begonnen geïnteresseerd te raken. Een van hen kwam naar hem toe lopen en wilde geld hebben. Costa duwde hem opzij. Hij kwam weer terug. Een blik op zijn revolver was voldoende.

'Er is hier een vrouw. En een man in het bruin. Waar?' vroeg hij.

Een van de zittende gestalten, ineengedoken in een oude zwarte jas, knikte met zijn hoofd: om de hoek, voorbij een aantal groene en vuile pilaren die op het punt stonden in elkaar te storten.

'Bedankt,' zei Costa en hij liep verder. Hij wist op de een of andere manier precies wat hij aan zou treffen.

Toch stond zijn hart stil toen hij hen vond.

Ze waren nog geen twintig meter van hem af. De man in kaki had haar opgewacht, of er misschien wel heen gelokt, in een of ander donker doodlopend stuk vlak bij het diepste gedeelte van de gracht, een plek waar je niet gemakkelijk weg kon. Hij had zijn arm om Emily's nek geslagen. Ze stribbelde tegen toen hij haar naar achteren trok. Het geweer bungelde op haar borst, de stompe loop drukte hard tegen de zwarte stof van haar jas. Hij trok aan de bivakmuts terwijl hij zijn best deed haar in bedwang te houden.

Costa liet het wapen langs zijn zij zakken, liep naar voren en probeerde te bedenken wat zijn opties waren. Een gedachte kwam bij hem op.

Emily kent je nu.

De man in kaki sleurde Emily helemaal naar de stenen muur van het mausoleum. Hij kon nergens anders heen. Costa liep naar voren tot hij niet meer dan vijf stappen bij hen vandaan was. Het gezicht van zijn vrouw was wit van woede. Geweld nam ze nooit licht op. Het merendeel van hun tocht in deze donkere, schimmige alkoof in het metselwerk had het machinegeweer hard tegen haar nek aan gedrukt gezeten. Ze keek kwaad en klaar om toe te slaan. De man in kaki had er geen idee van dat de vrouw die hij vast had een getrainde agent was, een die heel goed wist hoe ze met gijzelingssituaties om moest gaan, die zich uitstekend kon verdedigen, een die waarschijnlijk meer ervaring en kennis had over hoe je met een probleem als dit om moest gaan dan Costa zelf.

'De helft van de politie van Rome kan hier elk moment zijn,' zei Costa zacht. 'Dus hoe erg wil je dat dit wordt?'

'Het kan me echt niets schelen.'

De stem die achter de zwarte muts vandaan kwam was interessant. Beschaafd. Uit de hoogte. Van hier.

'Eenmaal in de gevangenis kan het iedereen wat schelen,' zei Costa. 'Tien of twintig jaar. Dat maakt een groot verschil.'

Hij lachte en Costa kreeg opnieuw het gevoel dat dit iemand was die niet tot het normale criminele circuit behoorde.

'Ik ga niet naar de gevangenis,' antwoordde de man zonder een spoor van twijfel in zijn stem. 'Nooit.'

Hij hield het geweer nog steeds stevig tegen Emily's borst aan gedrukt. In haar ogen was razernij te zien. Een deel daarvan was tegen hem gericht vanwege zijn vastberaden, zachtmoedige aanpak, omdat hij niet met geweld en een onbuigzame ijzeren wil de zaak voor eens en altijd besliste. Agenten hadden nu eenmaal een verschillende stijl, bedacht Costa. En bovendien had deze misdadiger zijn vrouw en hield hij een geweer tegen haar keel. Je kon alle training van de wereld hebben, maar nuchter bezien stelde het, soms, niets voor.

'Alsjeblieft...' zei Costa en hij stak zijn lege linkerhand uit in een smekend gebaar.

'Niet smeken, Nic,' beet Emily hem toe. 'Je smeekt nooit. Dat is het ergste wat je kunt doen. Het allerergste...'

Hij had erop kunnen wachten. In een snelle beweging tilde Emily haar rechterbeen op en schampte toen ze naar achter trapte het scheenbeen van de man met haar scherpe, harde hakken. Vervolgens boog ze haar elleboog zo, dat ze daarmee hard in de linkerschouder van de man kon stoten, tegen het gevoeligste plekje dat ze kon vinden.

Costa deed een stap naar voren, hief zijn revolver op in zijn rechterhand en richtte die recht op de zwarte muts, recht op die donkere, onzichtbare ogen.

Emily had hem pijn gedaan. Hij schreeuwde vanwege de gemene schaafwond op zijn been, terwijl hij zijn geweer omknelde alsof hij een kind was met een stuk speelgoed.

'Laat dat geweer los,' zei Costa langzaam, 'of ik schiet je neer, dat zweer ik.'

Hij wierp een blik op Emily. Ze bevond zich aan zijn rechterkant, ongeveer één stap bij hem vandaan, niet dicht genoeg in zijn buurt om haar opnieuw te kunnen beetpakken, niet terwijl er een revolver op hem gericht was.

'Emily,' zei Costa beslist. 'Dit is geen plek voor jou. Ga terug naar de ingang. Nu. De anderen kunnen hier elk moment zijn.'

Hij kon de hitte van haar blik voelen. Dit was niet de manier waarop zij vond dat de zaken aangepakt moesten worden.

'Niks aan de hand. Er is hier verder niemand, Nic. Zie je dat niet?'

De man was opgehouden met jammeren. Vanachter de bivakmuts keek hij hen aan, zijn hoofd licht naar opzij, luisterend, alles in zich opnemend. Bijvoorbeeld het feit dat zij meer dan alleen maar bekenden van elkaar waren. Dat wist Costa gewoon.

Hij had het geweer geen centimeter bewogen. Het lag nog steeds in zijn armen als een soort boosaardig kind. Toen mompelde hij iets.

'Wat?' vroeg Costa.

'Mooi, blank meisje,' zei de man in het bruin.

Hij lachte, of liever, giechelde.

Hij boog zich op een samenzweerderige manier naar voren.

'Jij ként haar.'

De manier waarop hij het woord 'ként' uitsprak was doelbewust, met nadruk.

'Het geweer,' beklemtoonde Costa nog eens.

De muts knikte.

Langzaam stak hij het naar voren in beide handen, een op de loop en de ander op de kolf, en hij hield het wapen parallel aan zijn lichaam. Verder niets.

'Laat dat verdomde geweer vallen!' schreeuwde Costa en hij klemde zijn eigen wapen stevig in zijn uitgestrekte hand.

Hij reageerde met een schouderophalen. Een gebaar zo Romeins dat Costa het wel duizenden keren had gezien. Wanneer een straatverkoper geen geld terug had. Wanneer een motorrijder een bon kreeg voor te hard rijden. Bij al die kleine voorvallen wanneer zich een kleine barst voordeed in het gladde oppervlak van een geordend leven, en iedereen, de schuldige, het slachtoffer, de getuige, meer dan wat ook wenste dat ze hadden kunnen doen alsof het nooit gebeurd was, nooit gezien was.

'Mooi, blank meisje,' mompelde de gestalte met de bivakmuts weer, op een andere toon nu, lager, ernstiger. Die stem maakte dat Costa een koude rilling langs zijn ruggengraat voelde lopen.

Nu zag hij het. Het geweer lag horizontaal in zijn handen, zonder enige bedreiging te vormen voor iemand die zich vóór hem bevond, zo op het oog onbruikbaar. Maar de duim van de rechterhand van de man – een duim die in het zwarte katoen van een soldatenhandschoen schuilging – had zich om de trekker gehaakt, klaar, paraat.

En de loop was duidelijk en doelbewust een kant op gericht.

'Em...' fluisterde Costa en hij was zich er meteen van bewust dat iets, een onmenselijk, bulderend gebrul, de laatste twee lettergrepen van haar naam wegvaagde.

Begrafenisrituelen

1

Een heldere winterdag, het zonlicht dat door de slaapkamerramen van de boerderij stroomde, duiven die lawaaierig koerden op het dak, het zachte ronken van een jumbojet in de verte die de draai naar Ciampino maakte.

Costa werd wakker en was even gedesoriënteerd in dat vage, vormeloze gebied tussen droom en werkelijkheid, terwijl hij maar langzaam volledig bij bewustzijn kwam. Van beneden kon hij een zachte, vertrouwde vrouwelijke stem zijn naam horen roepen.

Nog half in slaap sleepte hij zichzelf naar de deur en liep naar het begin van de trap.

'Nic,' zei ze. 'Het is tijd. Je moet je aankleden. Er zijn mensen hier.'

Pepe, de kleine terriër die zijn metgezel was geweest toen hij jong was, naderde nu de zestien maar weigerde te accepteren dat zijn gestel inmiddels broos was. Hij zat stil en rustig aan de voeten van Bea Savarino, en staarde hem onbewogen aan van onder aan de trap. Bea was in het zwart, net als bij de begrafenis van zijn vader, na al die lange maanden waarin ze hem in de laatste fase van zijn ziekte verpleegd had. Op de lage tafel naast haar lag een stapel ongeopende kerstkaarten, de meeste nog steeds met twee namen boven het adres.

'Natuurlijk,' zei hij, blij dat de mist in zijn hoofd eindelijk optrok.

Een mens verdween niet zo gemakkelijk. Emily was dood. Dat betekende niet dat elk spoor van haar pittige, felle persoonlijkheid uit huis verdwenen was. In de tien dagen na de schietpartij had Bea geduldig en subtiel haar kleren naar een liefdadigheidsbazaar gebracht, het huis schoongemaakt en het zo heringericht dat zijn leven niet verder ineenstortte dan nodig was. Ze had natuurlijk een reden bedacht. Haar eigen appartement in Trastevere werd opgeknapt, zodat het voor haar handig was om in de boerderij te logeren, als Nic het goed vond. Hij stemde er direct mee in zonder er op dat moment veel over na te denken of het te begrijpen, om een enkele en duidelijke reden: vanbinnen voelde hij zich dood, volledig afgesneden van alles wat er om hem heen gebeurde.

In zijn werk had hij zo vaak tegen getroffen familieleden gezegd dat een snelle begrafenis voor hun geliefden niet haalbaar was, omdat ze het slachtoffer van een misdaad waren. Hij had altijd gezegd dat hij hun verdriet begreep. En nu begreep hij het echt, en het was helemaal niet wat hij had verwacht. Als Teresa Lupo niet had ingegrepen en duidelijk gesteld had dat ze niet, onder geen enkele omstandigheid, toestond dat Emily's lichaam nog langer in het mortuarium bleef, aangezien er geen wetenschappelijke redenen of bewijsgronden waren om het nog langer vast te houden, zou de kwelling door zijn gegaan, zoals dat bij de meeste burgers het geval zou zijn geweest. In plaats daarvan verscheen er een vast punt op de kalender, een datum waarop het stoffelijk overschot van zijn vrouw, sinds een paar – te korte – maanden, zijn laatste reis zou maken om vervolgens achter een paar fluwelen crematoriumgordijnen te verdwijnen. Waarna haar fysieke verschijning voor altijd verdwenen zou zijn, een gapend gat in zijn eigen bestaan achterlatend dat met het uur groter leek te worden, niet kleiner.

Het was de week voor Kerstmis en hij was voor zijn dertigste weduwnaar geworden. Costa had nog niet gehuild. Hoe dat moest had hij nog niet uitgevogeld. Hij had niet geweten hoe vanaf het moment dat hij weer bij bewustzijn was gekomen, nadat de figuur in kaki hem in die paar martelende seconden bij het mausoleum van Augustus met de kolf van zijn geweer tegen de grond had geslagen. Een opeenvolging van gebeurtenissen die zich met een wrede, levendige authenticiteit steeds weer opnieuw in zijn hoofd afspeelde als hij er het minst op bedacht was.

Dat, en de alternatieven. Stel dat ze zijn advies had gevolgd en een kop koffie was gaan drinken, tegen – dat wist hij – heel haar aangeboren natuur in? Of als hij de klootzak meteen had neergeschoten zodra zich iets van een aarzeling voordeed, iets wat, wist Costa, net zozeer tegen zijn eigen aard in druiste? Terwijl deze beelden in zijn hoofd rondtolden, eindeloos, zonder ophouden, leek haar dood overspoeld te worden door 'stel dat' en alternatieve slotscenario's. De een was nog opmerkelijker dan de ander en hij kon de woorden uit zijn eigen keel horen komen, alsof hij de tijd gehad had ze direct uit te spreken tegen die gestalte met de zwarte muts en de onzichtbare ogen: *Schiet mij dan neer. Neem mijn leven want het is zo veel minder waard, zo onbelangrijk vergeleken met het hare, dat zo helder is en intelligent en tot iets leidt wat ze nog moet uitzoeken voor zichzelf.*

En dat was de moeilijkste gedachte van allemaal. Omdat er iets in zat wat Emily Deacon – hij dacht altijd aan haar met haar meisjesnaam – niet getolereerd zou hebben. Zelfmedelijden. Verslagenheid. De kwellende, aantrekkelijk zwarte put van somberheid waar je zo makkelijk in kon vallen, een plaats die hij al wel kende, een donkere haven die hem wenkte, in een fles, in een golvend moeras van wanhoop. Dat was waarschijnlijk ook de onderliggende reden voor het leugentje om bestwil over het appartement in Trastevere, waarom de vroegere verzorgster van zijn vader – en misschien geliefde – zo snel bij hem was ingetrokken in een poging hem te redden.

'Nic!' zei de bekende vrouwelijke stem opnieuw, op die half bestraffende toon die hij inmiddels zo goed kende. Bea kwam naar boven met het zwarte pak van de stomerij in haar handen, een wit overhemd dat zo perfect gestreken was dat het wel nieuw leek en een donkere das die ze speciaal voor de gelegenheid moest hebben gekocht. Hij pakte ze aan en bedankte haar.

Bea, mooie Bea, de elegante vrouw met de kaarsrechte rug van wie hij op de een of andere manier hield, als een kind, stond voor hem, haar ogen bezorgd en een beetje glazig. Ze was zonverbrand dankzij een wintervakantie in Zuid-Afrika. Om haar nek droeg ze de gebruikelijke gouden ketting. Haar gebruinde huid vertoonde rimpels nu ze de zestig naderde, al zag ze er in haar dure donkere begrafenisjurk en schoenen even mooi uit als altijd.

'Je moet komen,' zei ze en ze legde een stevige warme hand tegen zijn wang.

'Dat doe ik, echt,' antwoordde hij gehoorzaam.

Ze zat met iets en aarzelde om ermee naar buiten te komen.

Hij staarde naar haar en wachtte af.

'In godsnaam, Nic, laat iets van dat verdriet de vrije loop,' smeekte ze. 'God heeft ons niet voor niets tranen gegeven.'

Dat was een nogal vreemde uitspraak voor een afvallige communiste, zelfs voor een die zo burgerlijk was als Bea.

'Ik wist niet dat jij in God geloofde,' merkte hij op.

'Ik weet niet meer wat ik geloof. Jij?'

2

Vier uur later waren ze terug en slenterden langs de tafel met eten dat Bea had klaargemaakt, intussen babbelend op die inhoudsloze, rusteloze, en ongemakkelijke manier die karakteristiek was na begrafenissen. Mensen die hij kende. Vreemden uit Amerika die zich op een afstand hielden, met een goede reden. Dit was de eerste keer dat ze Emily's Italiaanse politie-echtgenoot ontmoetten. En het zou meteen de laatste keer zijn.

Teresa Lupo had nauwelijks iets gezegd. Ze was in de keuken, een ontroostbare, slordige gestalte die op een stoel aan tafel zat, zonder iets te eten of te drinken. Peroni hield haar hand vast en keek hoe de tranen over haar wangen stroomden. De patholooganatoom had zich prima gehouden in het crematorium. Het was de boerderij, de plek waar ze met zijn vieren zo veel uren hadden doorgebracht, die het hem deed. Teresa werkte en voelde zich op haar gemak in het bijzijn van de dood in een omgeving waar die thuishoorde. In een huis, een dat korte tijd Emily's thuis was geweest, lag dat heel anders.

Costa kwam aanlopen uit de woonkamer, legde een hand op haar schouder, zag dat ze niet in staat was hem recht aan te kijken en ontving een veelbetekenende blik van Peroni. Er kwam een moment waarop er geen woorden van troost meer over waren, voor geen van hen. Dat moment was nu aangebroken. Emily was weg. Hij had dagenlang in een vreemd soort bureaucratisch vagevuur van formele identificaties en overlijdensakten verkeerd, afgewisseld met de belachelijk lange uren in gezelschap van de begrafenisondernemer. Ondertussen probeerde hij, zodra hij daartoe in de gelegenheid was, Falcone ervan te overtuigen hem toe te staan terug te keren van zijn rouwverlof om verder te gaan met de zaak, overigens zonder daarin te slagen.

In plaats daarvan had de inspecteur erop gestaan dat hij wegbleef, en een auto aan het einde van de oprit neergezet die het vastberaden mediaoffensief op een afstand hield en hem, wist Costa, binnen moest houden. Emily had hem verteld hoe de kranten waren. Een fotogenieke dood was altijd voorpaginanieuws. Ze had gelijk gehad, en de lugubere aspecten van deze zaak hadden de waanzin alleen maar groter gemaakt. De mooie vrouw van een Romeinse politieagent was dood, voor zijn ogen vermoord door een moordenaar die weggevlucht was van een plaats delict waar, zoals later bleek, een aantal andere vrouwen, onder wie een kunsthistorica uit de hogere kringen van Frankrijk, het leven gelaten hadden. Het verhaal bevatte alle elementen waar de media zo gek op waren: aantrekkelijke vrouwen, wrede misdaden met een seksueel karakter en een politie die duidelijk niet in staat was om ook maar één mogelijke verdachte op het spoor te komen.

Costa had alle belangrijke kranten laten komen, de meeste nieuwsuitzendingen bekeken en de zaak op internet gevolgd, zoals Emily hem had geleerd. Twee dingen bleven aan hem knagen. Het was zonder meer ongelooflijk dat de politie geen enkel aanknopingspunt had weten te vinden in een zaak waar zo veel forensisch bewijsmateriaal voorhanden was. En niemand noemde ooit het schilderij, waarvan het beeld nog niet helemaal uit zijn geheugen verdreven was door de schokkende herinneringen aan wat daarna was gebeurd.

Hij wachtte tot de mensen langzaam weg begonnen te gaan. Toen zag hij dat Leo Falcone zich losmaakte van het groepje waarmee hij had staan praten. De inspecteur was samen met Raffaella Arcangelo gekomen; die twee leken zo dik met elkaar dat Costa zich afvroeg of ze hun romance weer hadden hervat. Een plotselinge dood veranderde nu eenmaal alles. Falcone was een man die graag alleen was, maar had in de tijd dat Raffaella voor hem had gezorgd het afgelopen jaar ervaren dat het ook anders kon. Nu hij weer fit en in actieve dienst was, had hij haar fysieke steun niet meer nodig. Maar of dat in emotioneel opzicht ook zo was? Costa vroeg het zich af, terwijl hij toekeek hoe Falcone zich handig losmaakte van het slinkende gezelschap, naar de deur liep en in de tuin verdween.

Niet meer wetend wat te zeggen verontschuldigde hij zichzelf bij het vriendelijke Amerikaanse familielid dat naast hem stond, en volgde Falcone naar buiten. Er was een tijd geweest dat de man daar een van zijn stinkende sigaretten zou hebben staan roken. Maar die gewoonte bestond niet meer. Hij zat aan de haveloze houten tafel met uitzicht op de gekromde, zwart geworden wijnstokken, een plaats waar Nic en Emily hen alle vier, Falcone en Raffaella, Teresa en Peroni, de afgelopen zomer vaak hadden ontvangen. Costa nam plaats naast zijn baas en staarde uit over het land. Alles – het huis, de tuin, de velden – leek op de een of andere manier groter. Emily's afwezigheid maakte de wereld en de leegheid ervan groter.

Falcone wierp een snelle blik achterom, door de terrasdeuren de zitkamer in.

'Als ik hier alleen was, zou ik een sigaret opsteken. Maar ja, vrouwen... '

Costa sloot zijn ogen even en duwde zijn verbijstering weg om het gebrek aan tact van de man, dat, wist hij, niet zo groot had hoeven zijn.

'Jij en Raffaella... Ik wil niet nieuwsgierig zijn, Leo.'

'O.' Falcone schopte tegen een van de steentjes op de grond. Soms leek hij schrikbarend veel op een kind. 'Dat is weer aan. Ik heb haar opgebeld.' Hij keek Costa even aan, alsof hij een soort geruststelling zocht. 'Ik kon niet anders, Nic. Niet alleen om iets af te spreken voor vandaag. Ik wilde haar zien. Het leek allemaal zo koud anders. Het was niet omdat ik me eenzaam voelde, snap je.'

Costa maakte een meelevend geluid.

'God...' Falcone schudde zijn hoofd in een plotselinge vlaag van verbitterde razernij. 'Ik mis Emily. Ik mis die heldere kop van haar. En om met haar te praten. Ze dacht niet zoals wij. Ik kon uren naar haar luisteren als ze met een idee aan het stoeien was. Het is allemaal zo... zinloos.'

Hij draaide zich om naar Costa en zette zijn volgende punt kracht bij met die vertrouwde, lange wijsvinger van hem.

'Als het met die architectencarrière niks was geworden, dan zou ik haar bij het korps hebben gehaald, weet je.' Hij zuchtte. 'We hebben zo dringend behoefte aan rechercheurs die een andere kijk op de zaak hebben. Vooral tegenwoordig.'

'Leo...' zei Costa een beetje geïrriteerd.

'Wat?'

'Is dit jouw versie van medeleven betuigen? Gedraag je je altijd zo op begrafenissen?'

'Ik ontloop de meeste begrafenissen!' antwoordde Falcone gekwetst. 'Wat bedoel je?'

'Ik bedoel dat jij zegt wat ik geacht word te zeggen. En ik luister naar waar jij naar geacht wordt te luisteren.'

'O.' Hij knikte. Misschien zelfs met een spoor van begrip. 'Dát soort medeleven.'

Falcone boog zich voorover en klopte Costa op zijn knie. Zijn vogelachtige gezicht had een wintersportbruin kleurtje, zijn zilvergrijze sikje was pas bijgepunt, en zijn blik was een en al intelligentie en begrip en er sprak een stevige, onverbrekelijke vriendschap uit.

'Je weet dondersgoed hoe ik me voel, Nic. Hoe we ons allemaal voelen. Moet ik het echt voor je spellen? Ik ben geen man van veel woorden. Dat ben ik nooit geweest. Als je me nodig hebt, weet je waar je me kunt vinden. Hetzelfde geldt voor Gianni en Teresa, al kan ik me zo voorstellen dat zij dat ook wel tien keer tegen je hebben gezegd omdat zij nu eenmaal zo zijn, en dat is prima.'

Dat hadden ze niet, om eerlijk te zijn. Costa wist wel waarom. Op de een of andere vreemde manier stonden ze elkaar nu zo na dat het niet nodig was dergelijke geruststellende woorden uit te spreken. Dat bewaarden ze voor buitenstaanders.

'En?' vroeg Falcone.

'En wat?'

'En wanneer wil je weer komen werken?'

'Zodra je me wilt.'

'Mooi. Er zit een arrestatie aan te komen op Sicilië, vlak na de kerstdagen. Een geweldige kans. Mensensmokkel. Rome heeft daar mensen nodig met verstand van zaken.'

'Sicilië,' kreunde Costa.

'Sicilië,' beaamde de inspecteur.

Costa wachtte even, zoekend naar woorden.

'Hierom heb je dus vrienden, Leo. Ik heb tot nu toe nog nooit een beroep gedaan op die vriendschap. Ik wil de zaak. Je moet hem aan mij geven.'

Aan de horizon danste een zwerm zwarte kraaien, vlak bij de bolle contouren van de tombe van een lang geleden overleden Romeinse matrone, Cecilia Metella. Falcone keek een aantal lange seconden naar hen, en zei toen: 'Dat kan ik niet maken. Ik vind het ongelooflijk oneerlijk van je om op deze manier persoonlijke druk uit te oefenen. Het rouwverlof kan rustig worden verlengd tot een maand als je wilt.'

'Na een maand ben ik nog gekker. Zo is het genoeg. Trouwens, ik heb alle recht...'

De kraaien verloren hun aantrekkingskracht. Falcone wendde zich tot hem. Een flits van woede schoot over zijn gezicht.

'Je hebt dezelfde rechten als iedere andere burger die iemand heeft verloren. Doe niet zo idioot. Een rechercheur die de dood van zijn eigen vrouw onderzoekt? Wat denk je dat de media daarvan brouwen? Of die malloten op de zesde verdieping?'

Costa zette zich schrap. Hij was bereid met hem in discussie te gaan.

'Het is een onderzoek naar verschillende moorden. Mijn eigen gevoelens zouden daar geen rol bij spelen.'

'Wie zit je nu voor de gek te houden? Mij? Of jezelf?'

Daar had hij geen goed antwoord op, alleen voorwendsels en nu, oog in oog met Falcones koppigheid, wist hij dat ze niet het gewenste effect zouden hebben.

'Ik moet iets doen.'

Falcone schudde zijn kale hoofd. Het glom in de lage winterzon.

Costa zocht naar woorden. Deze gedachten hadden hem sinds haar dood voortdurend achtervolgd. Ze zouden niet makkelijk weggaan.

'Ik kan haar niet begraven, Leo. Niet in mijn hoofd. Niet echt. Tenzij...' Hij zuchtte. 'Ik moet werken. Anders blijft alles maar doormalen.'

Falcone haalde zijn schouders op.

'Ga dan werken op Sicilië.'

'Ik moet hier iets doen.'

'Ik hou er niet van als het persoonlijk wordt,' gromde Falcone. 'Jij voelt je verantwoordelijk. Dat is begrijpelijk. Dat zou iedereen hebben. Zo zitten we nu eenmaal in elkaar. Dat gaat wel voorbij.'

'Nee,' mompelde Costa. 'Dat gaat het niet. Niet vanzelf.'

'En als je faalt?' vroeg de oudere man streng. 'Wat zal dat met je doen?'

'Ik zal niet falen.' Die gedachte was nooit bij hem opgekomen.

Falcone snoof, wierp opnieuw een steelse blik op het huis, liet een klein sigaartje uit zijn zak glijden en stak hem aan.

'Je weet niet wat je vraagt. We zijn al meer dan een week bezig met dit onderzoek en ik heb nog steeds niets...'

Hij fronste. Er schoot hem iets te binnen dat hem irriteerde.

'...niets concreets in ieder geval na al dat werk. Om eerlijk te zijn, zijn er bepaalde aspecten die me voor steeds meer raadsels plaatsen, elke keer dat ik ernaar kijk. Met jouw afwezigheid en Peroni die rondloopt als een hond die zijn beste vriend kwijt is... zijn we niet in topvorm, om eerlijk te zijn. Boven wordt al gefluisterd dat we deze hele zaak misschien aan de carabinieri moeten overdragen. Als het een reële optie was, Nic, denk je dan echt dat ik je teleur zou stellen?'

'Je zou er iets op kunnen vinden,' antwoordde Costa. 'Dat lukt je altijd.'

Falcone kwam overeind met een gemak en souplesse die lieten zien dat de verwondingen waar hij sinds de schietpartij in Venetië last van had gehad nu echt tot het verleden behoorden. Falcone kon het regelen. Zijn reputatie in de Questura was weer uitstekend. Hij kon alles doen wat hij wilde, áls hij maar wilde.

En nu was hij boos. Een verhitte blos verspreidde zich over zijn walnootbruine wangen.

'Verdomme!' blafte hij, zo hard dat een paar gezichten bij de deuren zich naar hen toe draaiden. 'Wat is dit voor moment om eisen aan me te gaan stellen wat werk betreft?'

'"Dit moment" is de begrafenis van mijn vrouw, meneer,' antwoordde Costa met effen, kille minachting.

3

Gezichten die hij half herkende, mensen die hij jaren niet had gezien. Bij begrafenissen verschenen ze altijd ten tonele en Costa was nooit goed in namen geweest. Ze waren bijna allemaal binnen dertig minuten vertrokken en lieten Bea achter met het opruimen van de borden en glazen. Costa zat intussen met een ietwat gegeneerde Raffaella Arcangelo in een stoel in de eetkamer te kletsen, terwijl hij de stokoude, half dommelende hond aaide.

'Je moet met hem gaan praten, Nic,' zei ze, 'het is daarbuiten ijskoud, hij heeft geen jas aan en zal niet uit zichzelf naar binnen komen.'

'Hij lijkt wel een klein kind,' klaagde hij.

Ze knikte. 'Ik heb niet veel ervaring met kinderen, maar ik moet toegeven dat het daar wel op lijkt. Tegelijkertijd...'

Costa stormde naar buiten, klaar voor een nieuw twistgesprek. Falcone stond weer bij de haveloze houten tafel een nieuwe sigaar te roken, waarbij hij de rook in de richting van de dode, gekromde wijnstokken blies die op de lente en een wedergeboorte wachtten.

Hij keek toe toen Costa ging zitten en zei: 'Je zou maar met Kerstmis moeten werken.'

'Dat,' antwoordde Costa geërgerd, 'is niet echt een obstakel.'

Falcone knikte. 'Ik heb ook een hekel aan Kerstmis. Welkom bij de club.'

De laatste paar mensen, onder wie Raffaella, drentelden nu

langzaam naar buiten. Ze konden, dat wist hij, niet weggaan zonder goedendag te hebben gezegd. Hier moest een einde aan komen.

'Wat verwacht je dat ik doe, Leo?'

Weer die scherpe blik in zijn richting. Er was onmiskenbaar een onzekere uitdrukking in te zien, iets wat Costa zelden bij hem had waargenomen. Falcone stak zijn hand in de zak van zijn jasje en haalde een welvoorziene sleutelbos tevoorschijn waar hij twee sleutels van afhaalde.

'Deze zijn van mijn oude appartement in het *centro storico*, in Governo Vecchio. Ken je dat?'

Costa was daar nooit geweest. De woning dateerde nog van voor Raffaella en het appartement dat zij met Falcone had gedeeld. Maar hij kende de locatie, op een steenworp afstand van het Piazza Navona.

'Ik was van plan ernaar terug te verhuizen nu ik weer fatsoenlijk kan lopen,' ging Falcone verder. 'Maar Raffaella geeft de voorkeur aan Monti. Hier.'

Hij gaf Costa de sleutels.

'Ik heb een huis,' merkte hij op en hij gebaarde met zijn hand achter zich.

'Bea kan er wel op passen. Ik wil dat je binnen drie dagen je tas gepakt hebt. Ga ervan uit dat je ongeveer een week of meer weg zult zijn. En' – de vinger priemde in zijn richting – 'vertel geen mens waar je heen gaat.'

Dit was interessant, dacht Costa.

'Teresa staat dus op het punt met nieuws te komen,' ging Falcone verder voordat Costa ook maar één vraag kon stellen. 'Maar ze laat zich natuurlijk niet opjagen. Je hebt een reden om bij die bespreking aanwezig te zijn. Maak er gebruik van. We worden in dat verdomde atelier verwacht voor die show van haar. Daarna ga jij weer met rouwverlof. In mijn appartement. Ik leg het je later uit.'

Even was hij in gedachten verzonken, terwijl hij naar de grijze horizon staarde, alsof hij antwoorden zocht.

'Het vinden van de misdadiger is maar de helft van de uitdaging,' voegde hij er cryptisch aan toe. 'Zorg dat ik hier geen spijt van krijg, Nic.'

Costa had geen tijd om antwoorden. Er klonk een stem vanaf de deur. Het was Raffaella. Falcone liet de sigaar tot onder zijn middel zakken en hij knipte hem met een lange, bedreven vinger de wijngaard in.

'Heb je die dode Afrikaanse vrouwen op de een of andere manier nog kunnen identificeren?' vroeg Costa zachtjes.

'Wat denk jij?' gromde Falcone. 'Als een man een misdaad wil begaan, kan hij dat het best tegen de lagere klassen doen. Hun families zijn veel te bang om een aanklacht in te dienen. Of...'

Hij verkoos niet verder te gaan.

'Iemand moet in staat zijn hen te identificeren, Leo.'

'Zou je denken...?' antwoordde hij met een verbitterde, ironische glimlach. 'Valse namen. Valse identiteiten. Dit zijn illegale immigranten die wanhopig hun best doen om uit onze buurt te blijven. Zelfs als we hen vinden...' Hij haalde zijn schouders op alsof het een hopeloze zaak was.

'Er moet toch...' hield Costa vol.

'Nic, alsjeblieft. Hou erover op. Ik heb op dit moment twee agenten in Nigeria zitten, die de enige echte aanwijzing volgen die we hebben. Dit kan maanden werk kosten, zelfs als de mensen bereid zijn met ons te praten, en dat is iets waar ik niet op durf te rekenen. Denk niet dat jouw afwezigheid betekent dat wij niet ons uiterste best doen. Niets is minder waar.'

Costa schudde zijn hoofd. 'Zo bedoel ik het niet,' mompelde hij. 'Ik begrijp het gewoon niet.'

'Niemand van ons begrijpt het. Misschien dat Teresa wat meer licht op de zaak zal laten schijnen als we haar spreken. Maar er is eerst iets anders wat je moet doen. Het schilderij dat we in dat atelier hebben gevonden. Ik ga wat telefoontjes plegen. Je moet mij vertellen of het belangrijk is of dat ik het beter kan laten voor wat het is. Een kunstexpert die verbonden is aan het Barberini gaat er binnenkort naar kijken. Ik zal een afspraak voor je regelen, vóór onze bespreking in de Vicolo del Divino Amore. Ik heb haar toevallig al eens eerder ontmoet. Ze heeft goede referenties. De naam van de vrouw is Agata Graziano. Het museum heeft een laboratorium in de buurt van het Piazza Borghese. Zij is kennelijk de allerbeste. En er is nog een verrassing...'

Hij ging er niet verder op door en staarde alleen maar naar de nog steeds smeulende sigaar op de koude winteraarde.
'Ik wil degene die dit gedaan heeft pakken, Nic. Net zo graag als jij.'

De expert van het Barberini

1

Het regende toen hij drie dagen later van de boerderij wegreed. Hij liet Bea achter, die bezig was met wat onnodig schoonmaakwerk. Eerder had ze hem bedolven onder een spervuur van vragen over waar hij naartoe ging en waarom. Costa had er geen zinnige antwoorden op. Hij had genoeg kleren in zijn koffer voor een week, zoals Falcone hem had opgedragen. Hij was ook blij om weg te zijn van de boerderij, om in beweging te zijn. Nietsdoen paste niet bij hem en misschien dat de inspecteur dat maar al te goed begreep. De afgelopen nacht had hij nauwelijks kunnen slapen omdat hij aan de zaak had liggen denken, en Falcones nogal sombere evaluatie van wat ze tot dan toe hadden bereikt. Het was heel ongebruikelijk voor de man om zo pessimistisch te zijn, zo nog relatief vroeg in het onderzoek.

Vanwege de kerstdrukte zat het verkeer in de binnenstad muurvast. De smalle straatjes, nu vol specialistische winkeltjes die antiek, meubels en kleren verkochten, waren versierd met talloze strengen toverachtige lichtjes die boven de mensenmenigte twinkelden. Het kostte hem tien minuten om een parkeerplaats in de buurt van het Piazza Borghese te vinden, zelfs met het politiekenteken op zijn auto.

Costa's mening over het doek was sinds die zwarte 8 december niet veranderd. Om eerlijk te zijn had hij het gevoel dat er weinig was veranderd sinds het moment dat Emily uit het leven was weggerukt. Het was alsof zijn wereld had opgehouden te bewegen en in dit gevoel van stilstand bleef de zekerheid overeind wat het werk betreft dat hij voor het eerst in het atelier in de Vicolo del Divino Amore had gezien. Of het was echt een onbekende Caravaggio óf ze waren op de een of andere manier op een buitengewoon goede vervalsing gestuit. In de loop der jaren waren er een hoop imitators geweest, zowel echte kunstenaars die bij wijze van eerbetoon in zijn stijl werkten als vervalsers die naïeve kopers wijs probeerden te maken dat ze bij toeval een nieuw meesterwerk hadden ontdekt. Alleen thuis, terwijl hij aan iets anders probeerde te denken dan die laatste momenten bij het mausoleum, had Costa zijn oude kunstboeken tevoorschijn gehaald, de afbeeldingen en de bijbehorende verhalen nauwkeurig bestudeerd, dankbaar voor het respijt dat de imaginaire wereld waar hij in opging hem bood. Het duistere, gewelddadige genie, Caravaggio, had maar veertien jaar in Rome gewoond, van 1592 tot 1606, toen hij vluchtte omdat hij ter dood was veroordeeld wegens moord. Elk oprecht eerbetoon dat Costa had kunnen vinden, had op de een of andere manier, door de stijl of de onderwerpkeuze, duidelijk gemaakt dat het door iemand anders geschilderd was. De ambitie van elke vervalsing was, dankzij de buitengewone technische vaardigheid van het origineel, bescheiden, en vooral een poging om de potentiële koper ervan te overtuigen dat het om een vroege Caravaggio ging, uit de tijd dat deze in Rome nog snelle, goedkope particuliere opdrachten aangenomen had, maar wel op zijn eigen voorwaarden en met onderwerpen waar hij, zelfs toen al, achter kon staan.

Als hij het zich goed herinnerde, was geen van beide typeringen van toepassing op het doek uit de Vicolo del Divino Amore. Het was brutaal, buitengewoon ambitieus en kwalitatief veel sterker dan een of ander gewoon verzamelstuk dat snel in opdracht geschilderd was om een rekening te kunnen betalen die hoognodig moest worden voldaan. Het was meer dan twee meter breed en half zo hoog, en zat in een vergulde lijst waarvan de heldere kleur vervaagd was tot de donkere glans van oud goud. Zelfs na een vluchtige blik was Costa in staat geweest de unieke aspecten van de stijl van de man te herkennen. Van de zijkant gezien, vanaf de plek waar het lichaam van Véronique Gillet, stil en dodelijk bleek, op de grijze stenen had gelegen, had hij hele kleine incisies opgemerkt, die bij wijze van voorbereiding met een etsnaald of scherpe pen op het schilderij waren gekrast, zoals frescoschilders in het pleisterwerk etsten, een techniek die voor zover bekend geen enkele andere kunstenaar uit die periode gebruikte op doek.

De *sfumato*, de overgang van donker naar licht, was zo subtiel dat je onmogelijk een specifieke lijn of grens kon onderscheiden, en maakte een heel verfijnde indruk. De klassieke stijl van het doek ging verder dan alleen *chiaruscuro*, het theatrale spel van licht en schaduw zoals Da Vinci voor het eerst had ontwikkeld. Tijdens zijn korte leven had Caravaggio Da Vinci's voorbeeld overgenomen en het drama verder aangezet met een woeste, bijna brutale benadering, waarin de centrale figuren door een helder, genadeloos licht, als een bundel zuiver stralende energie, van de achtergrond en de personages om hen heen los werden gemaakt. Het doel was de emotionele spanning van het tafereel te verhogen, zoals tot dan toe bij geen enkele andere kunstenaar te zien was geweest. Er was een technische term voor de stijl die Caravaggio geïntroduceerd had: *tenebrismo*, van het Latijnse *tenebrae* – schaduwen – en het was deze techniek die schilderijen als de bekering van de Heilige Paulus en de laatste momenten van Petrus aan het kruis zo tijdloos, zo schokkend maakte.

Hij merkte hoe levendige herinneringen aan deze doeken door zijn hoofd buitelden toen hij de routeaanwijzingen volgde die Falcone hem had gegeven teneinde bij de buitenpost van het laboratorium van de Galleria Barberini te komen. Toen hij daar arriveerde, besefte hij dat het hemelsbreed op niet meer dan een halve kilometer van het atelier in de Vicolo del Divino Amore lag, al was de afstand bedrieglijk, aangezien een rechte lijn grotendeels zou lopen door hard renaissancesteen, onzichtbare zalen en gebouwen, die schuilgingen achter hoge, door smog vervuilde ramen.

Zowel het laboratorium als het atelier bleken deel uit te maken van de zwarte, lompe massa van het Palazzo Malaspina. Achter de lelijke façade ging een van de mooiste, particuliere palazzo's schuil, was algemeen de mening, dat nog steeds in oorspronkelijke handen was. Niemand mocht het palazzo in zonder een uitnodiging. Maar, dacht Costa, het was niet verwonderlijk dat delen van het enorme gebouw aan buitenstaanders werden verhuurd. Winkels, appartementen, kantoren en zelfs een paar restaurants bleken onderdak te hebben gevonden in verschillende delen van het gebied dat door zijn uitgespreide vleugels werd omvat.

Het kleine, bijna onzichtbare naambord van de buitenpost van het Barberini bevond zich in een zijsteeg van de redelijk drukke Via della Scrofa. Hij belde aan en wachtte minstens dertig seconden. Een bewaker in het blauwe civiele uniform van een groot particulier beveiligingsbedrijf opende de deur. Hij had een riem om met alle toebehoren, inclusief een holster waar opvallend de kolf van zijn dienstwapen uit stak. Hier bevonden zich waardevolle schilderijen, herinnerde Costa zichzelf eraan. Waarvan er eentje misschien zelfs waardevoller was dan men wist.

Voor hij iets kon zeggen kwam er van achter de lijvige gestalte van de bewaker een klein tenger figuurtje in een eenvoudige, fladderende zwarte jurk tevoorschijn.

'Ik handel dit verder wel af, Paolo,' verklaarde ze met een vastberadenheid in haar stem die de man zonder nog een woord te zeggen achteruit deed schuifelen, naar zijn post naast de deur.

De vrouw was rond de dertig, had een donkere huid, een opgewekt onderzoekend gezicht, eerder smal en aangenaam dan aantrekkelijk, met ronde glanzend bruine ogen onder een hoog intellectueel voorhoofd. Om haar nek droeg ze een ketting met daaraan een groot zilveren crucifix. Om haar schouders was een zwart manteltje gedrapeerd dat, dacht Costa, een scapulier werd genoemd. Ze maakte een wat bezorgde indruk. Haar volle bos zwartglanzend haar hing omlaag in warrige strengen, die slordig met speldjes bij elkaar werden gehouden. In haar linkerhand had ze, bij wijze van aktetas, een paar gekreukelde en duidelijk oude plastic tasjes van de supermarkt die uitpuilden van papieren, aantekeningen en foto's.

Het duurde even voordat Costa het begreep.

'Vergeef me, zuster,' verontschuldigde hij zich. 'Ik ben op zoek naar het laboratorium van het Barberini-museum. Ik heb een afspraak.'

Ze stak een hand in een van de plastic tasjes, nam er een heel groene appel uit, beet er gretig in en vroeg al kauwend: 'Jij bent Nic?'

Hij knikte.

'Kom binnen. Je lijkt niet op de foto's in de krant,' antwoordde ze, en ze draaide zich om en beende met snelle, kordate passen de lange gang door, waarbij haar zware leren schoenen op de houten vloer dreunden.

Hij volgde haar en moest zich haasten om haar bij te houden. Aan het einde van de gang bevond zich een helder verlichte ruimte.

'U leest de kranten?' vroeg hij verbaasd.

Ze draaide zich om en lachte.

'Natuurlijk lees ik de kranten! Ik ben toch geen monnik?'

Ze liepen de ruimte binnen. Het was alsof hij een operatiekamer binnenging. Het doek stond op een spiksplinternieuwe, moderne ezel onder een aantal spots die een zacht maar indringend licht verspreidden en elk deel ervan blootlegden. Costa staarde en voelde zijn adem in zijn keel stokken. Het schilderij straalde licht en leven uit, en een buitengewone magnetische kracht.

De non ging zitten en at in vier happen haar appel op. Toen deed ze het klokhuis terug in een van de plastic tasjes, haalde een verfrommeld papieren zakdoekje tevoorschijn en depte haar lippen. Costa had weinig ervaring met de religieuze gemeenschap van de stad. Daar bestond zelden enige noodzaak toe.

'Ik heb een afspraak met *signora* Agata Graziano,' legde hij uit. 'Is ze verlaat?'

Ze sloeg haar tengere armen over elkaar en staarde hem aan. 'Ben jij een rechercheur?'

Hij schuifelde wat met zijn voeten en wierp verstolen blikken op het schilderij. 'Men zegt het,' mompelde hij.

'Vertel me dan wat je hiervan maakt. Je hebt een afspraak met een vrouw. Je komt hierheen. Ik ben een vrouw. Je ziet mij.' Met een theatrale blik van ongeloof op haar donkere gezicht spreidde ze haar magere armen uiteen. 'En...?'

Costa knipperde met zijn ogen. 'Ik had niet gedacht dat u een non zou zijn.'

'Dat ben ik niet. Ga alsjeblieft zitten.'

Hij nam op de stoel naast haar plaats.

Het alerte, donkere gezicht van de vrouw nam de geduldige, zij het ietwat geërgerde blik aan van een leraar tegenover een langzame leerling.

'Ik ben een zuster, geen non. Ik heb een eerste, geen eeuwige gelofte afgelegd. Het is nogal gecompliceerd. Ik zal je er niet mee vermoeien.'

'Het spijt me, zuster.'

'Agata, alsjeblieft. Ik ben hier als academicus. Wanneer ik thuis ben, zou je me zuster kunnen noemen. Ware het niet dat je geen toegang tot mijn huis hebt. Dus dat is een hypothetische kwestie.'

'Ik acht mijzelf nu al een wijzer en nederiger mens.'

Ze lachte. 'Ah... een sarcastische rechercheur. Daar hou ik wel van. In kloosters ontbreekt ieder sarcasme. Hou je vooral niet in wat dat betreft. Nu, je eerste vraag.'

'Is het echt?' vroeg hij.

Ze rolde met haar grote, bruine ogen en wierp haar hoofd in haar nek. Toen ontsnapte tot Costa's verbazing iets als een vloek, al was het dan naar Romeinse maatstaven een heel milde, aan haar lippen. 'Nic, Nic, Nic,' klaagde Agata Graziano. 'Buiten mijn klooster ben ik op de eerste plaats een historicus en op de tweede een kunstliefhebber. Ik trek geen overhaaste conclusies. Ik moet een aantal wetenschappers hierheen laten komen om de verf en het doek te onderzoeken. Om röntgenfoto's te maken en met vakgenoten te overleggen. Bovendien moet ik dieper in de archieven uit die tijd duiken.'

Het schilderij was zo dichtbij dat hij het bijna aan kon raken. Costa genoot ervan in de gelegenheid te zijn het weer te zien, in fatsoenlijk licht dit keer. Zijn oorspronkelijke opinie veranderde er niet door.

'Van die archieven zul je niet veel wijzer worden,' opperde hij.

Ze staarde hem aan, weer met een onderwijzersblik, maar deze keer een van overdreven verbazing, en ze zei: 'Je bedoelt?'

'Als dit een particuliere opdracht van Caravaggio was, dan is de kans groot dat er nergens melding van wordt gemaakt,' ging Costa verder. 'Uit wat ik heb gelezen, maak ik op dat de enige betrouwbare documenten betrekking hebben op het werk dat hij deed voor de kerk. Dat is logisch. Er moest voor betaald worden met publieke fondsen. Daar moest rekenschap van worden afgelegd. Wanneer hij ingehuurd werd door individuele opdrachtgevers, dan kreeg hij daar misschien alleen een brief over. Misschien zelfs dat niet.'

'Ik had de indruk dat kunstzaken onder de Carabinieri vielen,' merkte ze op.

'Ik had de indruk dat het Barberini zijn eigen mensen in dienst had.'

Ze vloekte voor de grap, iets in de trant van *touché*. Daarna niets meer.

'Waarom ben je eigenlijk hier?' vroeg hij.

'Omdat zij denken dat ik de beste ben voor deze klus. Meestal maken ze gebruik van mensen die nu in New York bezig zijn een tentoonstelling in het Metropolitan Museum voor te bereiden. Dat heb ik weer. En' – ze beklemtoonde dit punt met een doordringende blik op het schilderij – 'ze hebben gelijk. Er zijn een paar dingetjes die ik niet weet over onze wederzijdse vriend Michelangelo Merisi da Caravaggio. Maar dat zijn er niet veel en het zijn dingen waar de meeste mensen het fijne niet van weten. Zo. Onbescheidenheid vermomd als openhartigheid. Er is nog iets wat ik moet opbiechten.' Ze aarzelde. 'En jij?'

'Ik ben gewoon geïnteresseerd. Dat is alles,' zei Costa.

'Ik had het eigenlijk over iets opbiechten.'

Hij wist niet wat hij moest zeggen.

Agata Graziano kneep haar ogen tot spleetjes vanwege een plotseling gevoel van gêne, zo oprecht dat Costa zich afvroeg wat hij moest doen.

'O, het spijt me. Ik heb de krant gelezen. Ik ben een sukkel. Sorry.'

'Waarvoor?'

'Omdat ik je zo behandelde. Je hebt je vrouw verloren en ik zit hier een beetje grapjes te maken.'

Costa wilde iets zeggen in de trant van dat de wereld doordraait, ondanks persoonlijk tragedies. In plaats daarvan zei hij: 'Ik ben weer gaan werken omdat ik dat wilde. Wat het ook brengt, ik zal er niet voor weglopen.'

'Dat is een dapper idee,' merkte ze op. 'Of het ook verstandig is? Wat weet ik daarvan? Ik ben gewoon een academicus die dacht dat dit puur een werkaangelegenheid was, terwijl dat duidelijk niet zo is.'

'Dit is een werkaangelegenheid,' beklemtoonde hij.

'Als je erop staat. Ik ben niet erg goed in medeleven, ben ik bang.'

'Dat is prima. Je kent me niet.'

'Doet dat ertoe?' vroeg ze zich af. 'In elk geval doet je vreselijke verlies me verdriet. Ik kan me er geen voorstelling van maken hoe dat moet voelen.' Ze wachtte even, een beetje onzeker. 'Hebben we dit nu afgesloten?'

'Alsjeblieft. Er is nog een reden waarom ik denk dat je niets in de archieven zult vinden,' zei hij snel om van onderwerp te veranderen.

'En dat is?'

'Schilderijen als deze waren niet bedoeld voor de ogen van Jan en alleman. Ze werden gemaakt voor een speciale ruimte in huis waar alleen een vrouw of minnares het mocht zien, of een mannelijke vriend op wie men indruk wilde maken.'

Hij zweeg en vroeg zich af of hij bloosde. Jaren geleden had hij veel over dergelijke werken gelezen in een poging te begrijpen hoeveel van Caravaggio's werk, en dat van zijn tijdgenoten, verloren kon zijn geraakt. Het deprimerende antwoord was: veel. De beroemde doeken van naakte jonge jongens – werken die zoals sommigen ten onrechte meenden ertoe hadden geleid dat hij van homoseksualiteit beschuldigd was – vielen in deze categorie. Ze waren gewaagd, op het randje, in een stad waar zware straffen stonden op zedenmisdrijven, waar men vond dat je voor sodomie de doodstraf moest krijgen. Dergelijke schilderijen bleven alleen bewaard omdat ze aan het begin van de zeventiende eeuw deel waren gaan uitmaken van grote en goed onderhouden collecties. Werken van mindere kwaliteit of met een obscuurder karakter werden vaak vernietigd of door latere kunstenaars voor eigen doeleinden gebruikt. Talloze voorbeelden, van Caravaggio en van zijn tijdgenoten, uit privécollecties uit die tijd waren voor altijd verloren gegaan. Ze kwamen destijds alleen ter sprake in privécorrespondenties en dagboeken van diegenen die het geluk hadden gehad ze gezien te hebben, als er al melding van werd gemaakt. Hij wist niet zeker hoe hij over dergelijke delicate kwesties uit kon weiden tegenover een vrouw die zichzelf een zuster noemde.

'Dus je denkt dat hij echt kan zijn?' vroeg hij weer.

'Volharding,' antwoordde ze. 'Je bent per slot van rekening een rechercheur. Ik moet iets bekennen. Toen je baas belde was ik in staat dispensatie te regelen van mijn normale verplichtingen in het klooster. Van de meeste in ieder geval, en maar voor een paar dagen. Dus ik heb niet veel tijd tot mijn beschikking en ik heb gisteren al een hele dag doorgebracht met het onderzoeken van dit schilderij. Vanochtend bekeek ik op welk archiefmateriaal ik gemakkelijk de hand kan leggen. Ze hebben in de zestiende en zeventiende eeuw trouwens uitstekende archieven bijgehouden. Daar mag je wel dankbaar voor zijn. Het Uffizi heeft een brief in haar bezit van een tijdgenoot van Caravaggio, de dichter Giambattista Marino, waarin melding wordt gemaakt van een doek dat erg aan dit doet denken. In 1599 schrijft hij dat hij een schilderij van Caravaggio zag dat zo perfect was qua uitvoering en zo onbeschaamd qua onderwerp, dat hij betwijfelde of iemand het aan een ander zou laten zien, zelfs als dat iemand was met wie hij zeer vertrouwd was. En het minst van al nog aan de man die er opdracht toe had gegeven: een kardinaal.'

'En hoe kwam het dat deze Marino het wel heeft gezien?'

'Je hebt toch wel enige fantasie?' Zijn opmerking leek haar teleur te stellen. 'Marino was een dichter. Hij woonde in Ortaccio, net als Caravaggio. Ze waren waarschijnlijk drinkebroers.'

'Ortaccio,' antwoordde hij. Ineens werd hij overspoeld door alles wat hij had gelezen in de tijd dat hij elk uur dat hij wakker was met zijn neus in een boek over Caravaggio en zijn wereld zat. 'Was de kardinaal Del Monte?'

Ze klapte verrukt in haar kleine bruine handen. Het geluid galmde hard en blij de lege kamer rond.

'Bravo! Volgens mij ben je een zeer goed geïnformeerde rechercheur.' Onder het praten frummelde ze wat aan het crucifix op haar borst. Ze maakte op Costa de indruk door en door oprecht te zijn, alsof er niets, geen enkele laag tussen haar en de wereld bestond.

'Ik las in de krant dat je vader een communist was,' ging ze verder. 'Ik ging ervan uit dat je niets zou weten over een geestelijke als Del Monte.'

De mate van interesse die ze voor hem aan de dag had gelegd sinds Falcone haar waarschijnlijk de dag daarvoor om hulp had gebeld, verontrustte hem enigszins.

'Communisme is ook een soort geloof,' antwoordde hij.

'Het verkeerde. Maar ik neem aan dat een misplaatst geloof beter is dan helemaal geen geloof. Wat denk jij?'

'Volgens mij was Del Monte geen gewone geestelijke,' antwoordde Costa. 'Hij had een zeer wereldse smaak. Hij was een kardinaal, een vertrouweling van de paus. Maar hij hobbyde ook in alchemie en occulte wetenschap. Er deden geruchten de ronde over homoseksualiteit en losbandigheid.'

'We hebben het hier over Rome!' riep ze uit. 'Er deden altijd geruchten de ronde, net als tegenwoordig.'

'Dat ben ik met je eens. Het hof toen was erg libertijns. Galileo was een van zijn aanhangers toen Caravaggio er woonde. Een werk als dit zou daar niet uit de toon zijn gevallen, al werd het dan ook niet tentoongesteld voor het grote publiek.'

Ze knikte en keek hem aan met die glanzende bruine ogen. 'Zelfs een zuster begrijpt dat de seksuele lading zelfs voor die tijd een beetje te heftig zou zijn geweest,' was ze het met hem eens. 'Misschien ook wel voor deze tijden. Maar er is nog iets dat we uit die brief te weten zijn gekomen. Marino schrijft dat Caravaggio "Carracci's hoer nam en een godin van haar maakte". Ideeën daarover?'

'Geen enkel.'

Ze straalde. 'Nou, het doet me plezier dat ik je nog iets nieuws kan vertellen.'

Agata Graziano leidde hem door de kamer naar een computerscherm op een bureau vlakbij, ging zitten en begon te typen. Bijna meteen verscheen er een schilderij op het scherm, een dat op het doek in de kamer leek maar lichter van kleur was, primitiever, ruwer. Aan de stijl en uitvoering was duidelijk te zien dat de kunstenaar niet Caravaggio was.

'Je kunt dit tegenwoordig in het Uffizi zien, als ze zin hebben om het tevoorschijn te halen. Het was maar een paar jaar later toen de goede oude Annibale de plafonds in de Palazzo Farnese aan het beschilderen was en zichzelf uitriep tot het meest vrome wezen in Rome. En kijk eens wat hij hier geschilderd heeft...'

Openhartig keek ze hem aan. 'Wat denk je er precies van?'

Costa probeerde nog steeds de implicaties te bevatten van het doek op het scherm. Het was net als de Caravaggio, maar het was het ook niet.

'Pornografie?' vroeg ze eenvoudig, toen hij er het zwijgen toe bleef doen.

'Als het pornografie was, betwijfel ik of het in het Uffizi zou hangen.'

'Pornografie die zich voordoet als kunst, dan,' merkte ze op. 'Wat erger is, want dan is het hypocrisie.'

'Ik zou het echt niet weten,' zei Costa en hij meende het.

'Vertel me wat je dan wel weet, Nic,' drong ze aan. 'Alle details.'

Haar huid was zo donker dat hij zich afvroeg of hij echt een blos op haar gezicht zag.

De computer vertelde hem de evidente feiten. Het schilderij van Annibale Carracci stond bekend als *Venus met sater en cupido's*. Het beeldde de godin half liggend en met de rug naar de kijker toe af op een bed van weelderig fluweel, en een verkreukeld laken, dat discreet over haar middenrif en vervolgens om haar romp was gewonden, tot haar rechterhand het, wellicht in een gebaar van vervagend genot, beetpakte. Voor haar stond een dionysische sater die haar verlekkerde blikken toewierp, met een schaal overvol met druiven in zijn hand. Achter haar hoofd speelde een kleine cupido, die uit de omlijsting van het doek keek. Aan de onderkant, links van het tafereel, was een kleine gestalte geschilderd. Het was dit figuurtje dat het werk zijn merkwaardige, half obscene karakter verleende. Het gezicht van dit wezentje bevond zich ter hoogte van de dijen van de godin, alsof hij recentelijk nog intiem met haar was geweest en in een gebaar van verbijsterende oprechtheid stak een klein, stijf, gespierd tongetje wellustig uit zijn mond naar voren. Hij had een woeste blik in zijn ogen, die hij ten hemel had geslagen. Terwijl het lichaam van de godin intimiteit leek aan te geven – de aangespannen spieren in haar onderbuik en de gebogen houding van haar benen wezen daarop – was de uitdrukking op haar gezicht kalm, bijna afstandelijk. Het was alsof de uitdrukking die Carracci haar had willen meegeven in plaats daarvan op de cupido tussen haar dijen was overgedragen, alsof het hem op het laatste moment aan moed had ontbroken.

Costa zei dit alles hardop, en hij hield zijn ogen onwrikbaar op het doek gericht.

'Goed,' Agata complimenteerde hem. 'Maar goed, we laten het inferieure werk verder voor wat het is. Wat vind je hiervan?'

Ze gebaarde naar het doek op de moderne ezel. Costa deed er een stap naartoe en probeerde zichzelf te dwingen voorzichtig te zijn, logisch te denken.

Een kunstleraar op school had hem ooit verteld: 'Begin altijd met de naam.' De titel van een kunstwerk was niet simpel een etiket. Het beschreef zowel de oriëntatie en ambities ervan, als zijn herkomst. En dus rukte hij zijn blik los van het doek zelf en keek naar een kleine gouden plaat midden op de onderste horizontale lat van de lijst. Er waren dezelfde woorden op te lezen als op de Carracci, deze keer in gegraveerde, archaïsche kapitalen: VENUS MET SATER EN CUPIDO'S.

Het werk leek in sommige opzichten op zijn inferieure broertje, was er misschien zelfs wel op gebaseerd, aangezien het doek in het Uffizi gedateerd was rond 1588, toen Caravaggio zeventien was en nog maar een leerling. Maar de uitvoering was totaal anders, veel avontuurlijker, kundiger neergezet en oneindig veel erotischer, zij het op een subtiele, bijna sinistere manier. De kunstenaar had niets expliciet gemaakt. In plaats daarvan had hij de verantwoordelijkheid voor de interpretatie geheel bij de toeschouwer gelegd. Een onschuldige zou er een soort merkwaardige klassieke idylle in kunnen zien, een mythische vrouwelijke schoonheid die omringd werd door haar bewonderaars. Maar in de verfijnde penseelvoering van de kunstenaar ging een rijpere – meer zinnelijke – interpretatie schuil. Caravaggio had dit trucje vaak genoeg uitgehaald, waarbij hij de toeschouwer uitdaagde over handelingen en daden te fantaseren die zich net buiten het gezichtsveld afspeelden of door een of ander object op de voorgrond aan het oog werden onttrokken. Hij had dit alleen nooit eerder met zo'n ongrijpbaar vernuft en uitgekookt vakmanschap gedaan.

Er waren duidelijke verwijzingen naar een ander werk van Caravaggio dat Costa heel goed kende, en waar hij vaak naar was gaan kijken in het uitgestrekte paleis van het Doria Pamphilj aan het Piazza del Collegio Romano, op misschien tien minuten lopen van hier. Het model voor de Venus was ongetwijfeld hetzelfde als de prachtige roodharige vrouw op *Vlucht naar Egypte*. Maar nu lag ze niet met het kindje Jezus in haar armen te sluimeren, terwijl ze zonder het te weten luisterde naar een illustere engel die vioolspeelde van bladmuziek die door een grijze Jozef voor hem werd opgehouden. Hier was ze helemaal naakt, met haar rug half naar de toeschouwer gekeerd, net zoals op Carracci's doek, en leunde op een of andere rode bank achterover in aanwezigheid van twee cupido's en een wat meer aanwezige, wellustige sater, die zich in het midden van de compositie achter de vrouw bevond. Net als Jozef op het schilderij in het Doria Pamphilj had deze grotere figuur een vel met muziek in de handen, dit keer maar een paar nootjes die duidelijk zichtbaar waren op de notenbalk, met daaronder een onleesbare tekst in het Latijn. De cherubijn rechts in de lucht had in zijn hand een kan waaruit een lichtkleurige vloeistof langzaam, achteloos omlaagviel in een zilveren beker in zijn linkerhand, waarschijnlijk bedoeld voor de godin. De tweede cherubijn in de linkerhoek lag lui op een elleboog, de mond open, en zong de nootjes op het blad van de sater. Zijn tongetje stak maar een beetje naar buiten, niet met die stijve, suggestieve heftigheid van Carracci's sater, al leek hij wel te verwijzen naar het vlezige, bijna obscene, groteske karakter van het vroegere werk. Het wezen had een volmaakte gouden appel in zijn rechterhand. Op de achtergrond waren meer bomen te zien, sommige vol fruit, en een tafereeltje dat aan een klassieke renaissancetuin deed denken, een onderwerp dat Caravaggio, voor zover Costa zich kon herinneren, in geen enkel ander werk van hem ooit had afgebeeld.

Costa onderzocht het gezicht van de sater nauwkeurig en voelde zich even duizelig worden toen hem ineens iets duidelijk werd. De bebaarde figuur daar, nieuwsgierig, wellustig, niet in staat zichzelf van het tafereel los te rukken, ook al leek een deel van hem het nogal verontrustend te vinden, bezat een griezelige gelijkenis met de verscheidene zelfportretten die Caravaggio in al zijn schilderijen had ingelast, van het beroemde martelaarschap van de Heilige Matteüs in Luigi de Francesci tot de latere spectaculaire onthoofding van Johannes de Doper op Malta aan toe. Op dat moment begreep Costa dat hij naar de exacte trekken stond te kijken van het gekwelde, gewelddadige genie dat in 1610, op zo'n honderd kilometer van Rome, op het strand van Port'Ercole, was gestorven. Hij was op weg naar huis geweest, aangespoord door een pauselijk pardon voor de moord op een vijand vier jaar daarvoor op straat.

'Het moet wel echt zijn,' mompelde hij.

'Nou, wat is het dan?' wilde Agata weten. 'Caravaggio kopieerde nooit zijn werk, zelfs niet als hij doodging van de honger.'

Costa zag wat ze bedoelde. De belangrijkste figuur op het schilderij – hij herinnerde zich de naam van Ortaccio's wispelturige hoer, Fillide Melandroni, die door Caravaggio als model gebruikt was voor zowel Bijbelse als mythische figuren – leek in niets op de Venus in de versie van Carracci, die afstandelijk was, gereserveerd, beheerst, bijna alsof ze niets met haar omgeving te maken had. Op het doek vóór hen was ze door een ter zake kundige volwassen verbeelding getransformeerd. Hier was ze levend, betrokken, extatisch en niet langer een onwerkelijke, mythische godin die in haar eigen paradijs aan het spelen was, maar een vrouw van vlees en bloed, een die in een vertrouwde staat verkeerde, voor degenen die in staat waren dat te herkennen. Het doek was onschuldig – tot iemand ernaar keek die dat niet was.

Toch leek het erg ver verwijderd van de wrede en akelige seriemoord waar hij zonder het te weten Emily naartoe geleid had, met alle verschrikkelijke gevolgen van dien.

'Ik weet het niet precies,' mompelde hij. 'Jij?'

Haar kleine, ronde mond vertrok zich tot een halve, kinderlijke grimas.

'Ik zei toch,' antwoordde ze, 'dat ik er nog over aan het denken ben. Langzaam. Dat is de enige manier. Hoe kan ik je bereiken?'

Ze haalde een klein notitieblokje uit een van de plastic tasjes het dichtst bij haar in de buurt en staarde hem aan. Opnieuw had Costa het gevoel dat hij een schooljongen was in tegenwoordigheid van uiterst briljante en strenge leraar. De ontmoeting, besefte hij met enige opluchting, was voorbij. Het was eigenlijk helemaal geen bespreking geweest. Eerder een soort test. Een dusdanig subtiele ondervraging dat hij het nauwelijks had opgemerkt.

Costa omkringelde het mobiele nummer op zijn kaartje, zich intussen afvragend hoe hij het ervan af gebracht had, en overhandigde dat aan haar.

'Gebruik deze voorlopig maar. Je zult me niet op de Questura aantreffen.' Hij moest het vragen. 'En jij?'

Opnieuw weerklonk het hese muzikale geluid van haar lach door de ruimte. 'Ik heb de gelofte van persoonlijke armoede afgelegd. Dat betekent dat ik geen visitekaartjes heb, geen eigen telefoon, niet mobiel en ook niet vast. Je kunt een boodschap doorgeven via het klooster. Hier.'

Hij keek toe hoe ze iets op een velletje krabbelde en dat van het blokje af scheurde.

'Maar mocht je me nodig hebben wanneer de huidige dispensatie voorbij is, bel dan niet tussen kwart voor zes en negen uur. Dan sta ik op en ontbijt ik. Bel ook niet tijdens de lunch, of na halfvijf 's middags. Als ik uitga, is het daarna.'

'Mag je dat?' vroeg hij automatisch. 'Uitgaan?'

Eindelijk verscheen er iets dat op sympathie leek op haar zowel alledaagse als toch ook aantrekkelijke gezicht, het gezicht, zo realiseerde hij zich, en tikte zichzelf vanwege die gedachte op de vingers, van een winkelmeisje of serveerster, van een miljoen jonge vrouwen uit de arbeidersklasse met levens waar dit merkwaardige individu in haar goedkope zwarte jurk op de een of andere manier aan ontkomen was, als lid van een of andere religieuze orde waarvan hij de naam vergeten was te vragen.

'Af en toe,' antwoordde ze, nog steeds lachend. 'Zo, daar hebben we nog iets gemeen, behalve die arme Michelangelo Merisi da Caravaggio. Jij ziet mij in mijn gevangenis. En ik zie jou in de jouwe.'

De Ekstatici

1

Het was een korte wandeling van het atelier naar de Vicolo del Divino Amore, een korte tocht die werd verduisterd door herinneringen aan die laatste jacht op de figuur met de zwarte bivakmuts, en het onder zijn kaki jasje verstopte geweer. Flarden van die laatste donkere dag belaagden hem met een wrede levendigheid die met de tijd niet was afgenomen. Dat was niet echt een verrassing. Het gesprek met Agata Graziano, dat zowel amusant was als een tikje verontrustend toen het over het schilderij ging, had hem even afgeleid. Maar Emily lag daar nog steeds in zijn verbeelding te wachten. Ondanks haar beschermde achtergrond had Agata meteen van het begin al dwars door hem heen gekeken. Dit was niet alleen werk. Er moest een rekening vereffend, een ontknoping bereikt worden. Het zou moeilijk zijn vrede te hebben met het einde van hun leven samen tot dat bereikt was.

Het gedeelte van de straat voor de groene deur van het atelier was nog steeds afgeschermd. Er stonden drie verveeld uitziende, geüniformeerde agenten buiten op wacht. Voor hen bevond zich een kleine menigte nieuwsgierigen: mannen en vrouwen in winterjassen, die nogal teleurgesteld keken toen ze erachter kwamen dat het toneel van de beruchtste misdaden die in jaren in de stad voorgevallen waren, van buitenaf een nogal weinig glamoureuze aanblik bood. Costa zag minstens twee persfotografen die hij kende en om hen te ontlopen bukte hij zich snel, terwijl hij zich een weg baande door het kluitje lichamen. De kleine steeg had, dacht hij, nieuwsgierige aagjes bijzonder weinig te bieden. Bij het uitblijven van nog meer ontdekkingen zou het leven in de Vicolo del Divino Amore algauw weer terugkeren naar normaal.

Hij liet zijn pasje zien en ging naar binnen, terwijl hij zich voorbereidde op Teresa Lupo's presentatie. Ze had de gewoonte haar onthullingen een theatrale toets mee te geven, maar moest toch nog een reden hebben gehad dat ze hun had gevraagd weer hierheen te komen. Het atelier was niet zoals hij het zich herinnerde. Het leek meer op een archeologische opgraving dan een plaats delict. Forensische specialisten waren er nog steeds druk aan het werk. Ze hadden op de afgesleten stenen een veilig looptraject afgebakend. Aan de andere kant van de gele tape stond een kleine groep specialisten in identiek witte overals, dezelfde die Falcones team op dat moment droeg, gebogen over een reeks voorzichtige opgravingen in de vloer, die elk met nog meer tape waren gemarkeerd. Sommige bevatten spades en pikhouwelen, andere bewijsmateriaal, lijkzakken en wetenschappelijke apparatuur.

Zodra Costa ten tonele verscheen, kwam Teresa van achter de afscheiding tevoorschijn, gevolgd door haar assistent, Silvio Di Capua. Falcone ging voorop, gevolgd door Peroni, Costa en een stukje achter de anderen aan een vrouwelijke agent, rechercheur Susanna Placidi, die voorgesteld werd als Hoofd Zedenmisdrijven. Ze werd vergezeld door de laatste persoon die Costa daar had verwacht: Rosa Prabakaran, de jonge Indiase *agente* die de afgelopen lente tijdens een onderzoek aangevallen was en gewond was geraakt, waarna ze, meende Costa, voorgoed uit de Questura was verdwenen. Dezelfde geur hing er nog steeds, doordringend en walgelijk, een weeïge stank van verrotting.

Teresa Lupo wierp een bedroefde zijdelingse blik op hem en zei toen op een rustig formele toon tegen hen allemaal: 'Dank jullie voor jullie komst. Ik vroeg jullie om hiernaartoe te komen zodat jullie een idee kunnen krijgen van de omvang van de taak die voor ons ligt. We hebben nog niet een tiende van het traject afgelegd. Vandaag zal ik het met jullie vooral hebben over een paar eerste vondsten. Ik hoop op nog veel meer antwoorden, maar wanneer en hoe kan ik nog niet zeggen. Deze plek staat een conventioneel onderzoek op vele manieren in de weg. Ik denk dat het ooit een echt kunstenaarsatelier was. Het was ook... iets anders.'

Ze keek het kille interieur rond. 'Iets wat ik nog niet helemaal begrijp.'

'Zolang we maar een begin hebben,' merkte Falcone zonder emotie op. 'En die feiten?'

Hij wierp een blik op de opgravingen.

'Feiten,' gromde ze en ze liet haar ronde, glazige ogen nu over de uithollingen in de stenen vloer glijden. 'Het waren allemaal vrouwen, zwarte vrouwen. Doodgeslagen, voor zover ik heb kunnen zien. En er worden er ook nog vermist. Er is hier DNA dat niet van een van de slachtoffers is. Vooral bloed, wat betekent dat ze hetzij vermoord en naar een andere plek overgebracht werden, hetzij erin slaagden te ontkomen of om de een of andere reden weg mochten. Het recentste lijk dateert van minder dan een maand geleden. Het oudste misschien twaalf of veertien weken. Daarnaast hebben we een ongelooflijke hoeveelheid mogelijk forensisch materiaal, maar er zit niets bij wat naar een al bestaand strafblad verwijst of' – ze veroorloofde zich een wat sarcastische blik in de richting van Susanna Placidi – 'een nieuwe verdachte om ze mee te vergelijken.'

Costa begon Falcones wanhoop te begrijpen. 'Het moet toch duidelijk zijn geweest dat hier lijken lagen?' vroeg hij. 'Iemand moet dat toch opgemerkt hebben? Die geur...'

Falcone mengde zich in het gesprek, zoals hij had beloofd. 'De *sovrintendente* is hier alleen omdat ik hem dat gevraagd heb,' kondigde de inspecteur aan. 'We delen allemaal in zijn verdriet, al kunnen we ons er nauwelijks echt een voorstelling van maken natuurlijk. Ik vroeg hem om aanwezig te zijn bij deze ene bijeenkomst zodat hij zichzelf ervan kon overtuigen hoe hard we werken om de verantwoordelijken voor deze misdaden en de moord op zijn vrouw op te sporen. Hierna gaat hij weer met rouwverlof.'

'Dank je wel,' mompelde Costa, in verlegenheid gebracht. 'Die geur...'

'Onder andere omstandigheden zou je gelijk hebben gehad, Nic,' antwoordde Teresa. Ze leek opgelucht dat het gesprek een praktische wending had genomen. 'Maar onze vriend, of waarschijnlijker: vrienden, hadden een plan. En ook enige wetenschappelijke of industriële kennis. Weet je nog hoe het eerste slachtoffer dat we hebben gevonden eruitzag?'

Costa dacht dat het lang zou duren eer hij dat was vergeten. Het had geleken of het lijk uit een soort halfdoorzichtige cocon tevoorschijn was gekomen.

'Waren ze op de een of andere manier opgeslagen?' vroeg hij.

'Hij had een apparaat ergens achterin,' legde Teresa uit. 'Precies hetzelfde soort machine dat ze in de industrie gebruiken of in verpakkingsbedrijven. Overal waar je dingen vacuüm moet verpakken zodat er geen lucht bij kan. Het zou niet altijd goed blijven, maar ze hebben het verdomd goed aangepakt in de tijd die ze tot hun beschikking hadden.'

'Hij is slim. Hij had alles goed voorbereid,' voegde Susanna Placidi eraan toe. Ze was een neurotisch uitziende, saai geklede vrouw – ze droeg een jasje van tweed en een dikke groene rok – en had een breed, ziekelijk bleek gezicht dat de indruk wekte alsof ze voortdurend overal onzichtbare teleurstellingen verwachtte. De lichaamstaal tussen Rosa en haar leek afstandelijk en moeizaam.

'We hebben om de hoek een gestolen busje gevonden,' voegde de jongere agent eraan toe. 'Niet zo'n grote. Net groot genoeg voor een lijk. Er lag een heel duur boeket lelies in. En een kist. Van simpel hout.'

'Die was bestemd voor de Franse vrouw,' zei Teresa meteen. 'Dat is toch het meest waarschijnlijk?'

'De Franse ambassade wil dolgraag meer weten,' ging Falcone verder. 'Wat moet ik tegen hen zeggen?'

'Hoe zit het met de familie van Aldo Caviglia?' snauwde Rosa. 'Voelt die soms niet hetzelfde? Moet je blank zijn en tot de middenklasse behoren voor je hier aandacht krijgt?'

Peroni floot en keek naar het plafond. Teresa wierp de jonge vrouwelijke rechercheur een vuile blik toe. 'Iedereen krijgt hier de aandacht die hij of zij verdient,' zei ze geduldig. 'Caviglia werd vermoord. Daar is verder niet veel meer over te zeggen tot jullie de man hebben gevonden die het heeft gedaan. De Franse vrouw is een ander geval. Silvio?'

Di Capua schuifelde naar voren, een kleine, gedrongen gestalte in zijn overal. Zijn hoofd was kaal met aan de onderkant een rand lang, sliertig haar dat over de kraag van de bovenkant van zijn pak hing. Hij had een stapel papieren bij zich en een heel kleine laptop.

Teresa nam een aantal documenten van haar collega over en wierp er een blik op.

'Je kunt tegen hen zeggen dat ze een natuurlijke dood is gestorven. Of dat enige troost biedt, weet ik niet, maar ik denk niet dat we dit van een van de anderen die hier het leven hebben gelaten zullen kunnen zeggen. De Fransen zullen het niet betwisten. Ik heb haar arts in Parijs gesproken en hij was verbaasd dat ze nog zo lang heeft geleefd, en ik om eerlijk te zijn ook. Een aangeboren hartafwijking. En daarbij aids in een ver stadium. Ze reageerde niet op een van de uiterst kostbare particuliere behandelingen die ze de afgelopen negen maanden had ondergaan. Ze konden het einde nog een tijdje uitstellen, maar niet veel langer meer. Ze zag haar dokter de week voor ze stierf. Hij zei tegen haar dat het een kwestie van weken was. Op zijn hoogst misschien een maand.'

'Hier hebben we het al eens over gehad,' protesteerde Peroni. 'Ze heeft nog altijd wel een steekwond.'

'Een kras,' zei Di Capua en hij opende op de computer een aantal kleurenfoto's van de nek en het gezicht van de vrouw, en daarna van haar bleke, graatmagere romp. Ze dromden allemaal om hem heen om naar de foto's te staren, bevroren momentopnamen van een dood die was ingetreden op maar een paar passen van waar ze nu stonden. Zelfs Peroni keek even voor hij vol walging zijn blik afwendde. Costa kon nauwelijks geloven wat hij zag. Misschien dat het tijdstip of het licht in het atelier hem parten speelde. Misschien dat het merkwaardige schilderij zijn observatievermogen beïnvloedde, waardoor alles werd versterkt – het licht, de atmosfeer, zijn eigen verbeelding. Toen hij het lichaam van Véronique Gillet voor het eerst had gezien op de oude smerige vloer, was hij ervan overtuigd dat zij net als Aldo Caviglia het slachtoffer was geworden van primitief, woest geweld. Maar in werkelijkheid bleek het mes nauwelijks door haar witte, smetteloze huid te zijn gegaan. Nu leek het dunne, rechte streepje opgedroogd bloed meer op een ongelukkig treffen met een rozenstruik dan een ontmoeting met een dodelijk scherp wapen.

'Is zij aan hartfalen gestorven toen hij haar aanviel?' opperde Peroni, die weer aan het gesprek meedeed, de foto's met opzet negerend. 'Dat is nog altijd moord, hè?'

'O, jij arme onnozele man,' zei Teresa met een zucht. 'Haal eens diep adem. Het is tijd dat ik je een aantal illusies armer maak met betrekking tot onze knappe, kleine conservator van het Louvre. Zoals ik al zei toen we hier de eerste keer waren: ze had seks vlak voor ze doodging. En nee, het was geen verkrachting volgens mij. Niets wijst daar eigenlijk op. Ze heeft geen blauwe plekken, geen andere tekenen op haar lichaam. Geen huid onder haar vingernagels. Dit was met wederzijdse instemming. Seks op de sofa, voor dat griezelige schilderij. Met een mes om het wat spannender te maken.'

Peroni keek over de stinkende gaten in de stenen vloer heen naar het stoffige raam. Het regende: lichtgrijze vegen die in een zachte sluier schuin naar beneden kwamen op de rookkleurige stenen van het *centro storico*.

Het idee maakte Susanna Placidi duidelijk woedend en ze keek de beide pathologen boos aan.

'Hoe kunnen jullie dat nu weten?'

'Bewijzen,' zei Di Capua simpel. 'Hier, hier en hier.'

Hij wees naar de foto's. Ook op andere plekken op Véronique Gillets lichaam, op de bovenarmen, op het gladde vlak van haar buik en onder haar borsten zaten snijwonden die weer waren genezen, en een web van oppervlakkige maar zichtbare littekens van een eerdere ontmoeting.

Teresa Lupo ging ze een voor een na en wees ze met een potlood aan. 'Deze wijzen op het soort wond dat zelf is toegebracht of door een... partner, zoals ik veronderstel dat we het moeten noemen. Mensen zijn soms creatieve wezens. Als je een specialistische mening over sadomasochistische praktijken wilt, dan kan ik je wel in contact brengen met mensen die je verder kunnen helpen.'

'Het zouden ook gewoon... sneetjes kunnen zijn,' bracht Placidi ertegen in.

Falcone zuchtte. 'Nee. Het gaat hier niet om gewone sneetjes. Eén misschien. Twee. Maar...'

Costa dwong zichzelf de foto's zorgvuldig te bestuderen. Op sommige plaatsen liepen de kleinere littekens kriskras over elkaar heen, als de ingekerfde arceringen van een beeldhouwer op een gipsbeeld. En nog iets anders ook, viel hem in, en bij de gedachte daaraan keerde zijn maag zich om.

'Het zijn er te veel,' zei Costa. 'En bovendien... Ik weet niet of er een verband is, maar Caravaggio liet dergelijke incisies op veel van zijn schilderijen achter. Dat is een van de manieren waarop mensen zijn werk kunnen identificeren.'

Hij staarde geconcentreerd naar de foto's. De kleine, rechte sneetjes in het vlees van de vrouw, merendeels genezen maar een paar nog steeds rood en kennelijk recent, waren angstwekkend identiek. Hij probeerde zich te herinneren waar ze hadden gezeten op het doek dat ze hadden gevonden: op de bovenarmen van de naakte godin, en op haar dijen. Net als bij Véronique Gillet.

'Het schilderij –' ging Costa verder.

'Is onderwerp voor een heel ander gesprek, en een andere rechercheur,' viel Falcone hem in de rede en wierp hem een snelle, duistere blik toe. Dit was niet, zo scheen het, het juiste moment.

'Ik weet niets van kunst,' zei Teresa Lupo. 'Maar ik weet wel één ding. Ze kwam hierheen om te sterven. Of juister, om ervoor te zorgen dat, als ze stierf, het hier zou zijn. Dat suggereert volgens mij dat ze deze plek kende, de mensen kende en heel goed wist wat er hier gebeurde.' Haar bloedeloze gezicht, expressief ondanks haar weinig aantrekkelijke, nietszeggende gelaatstrekken, schoot van de een naar de ander. 'Maar wat weet ik ervan? Jullie zijn van de politie. Zoeken jullie dat maar uit.'

'En de man?' vroeg Falcone.

'Zes steekwonden in de borst, waarvan drie diep genoeg om ieder op zich al fataal te zijn,' antwoordde Teresa meteen en ze zag hoe Di Capua een map tevoorschijn haalde met grote kleurenfoto's, van het soort waar niemand erg graag naar keek. Overal op Aldo Caviglia's witte, nog steeds keurig gestreken overhemd zaten opgedroogde bloedspatten. 'Een dergelijke extreme gewelddadigheid lijkt mij afkomstig van een man. Vrouwen geven het meestal na de derde klap op of gaan nog veel en veel langer door dan dit. Een paar drongen door tot in het hart.'

'Aldo was niet het soort man om in dergelijke toestanden verzeild te raken,' protesteerde Peroni. 'Perverse seks. Het is belachelijk...'

'Dat weet je niet, Gianni,' merkte Costa op. 'Hoe vaak heb jij hem ontmoet?'

'Drie keer? Vier keer? Hoe vaak moet je iemand ontmoeten? Hij was niet het type voor dergelijke dingen. Of een voyeur of zoiets.

Luister... Ik heb met zijn buren gepraat. En met zijn zus. Ze woont in Ostia. Ze werkt in een bakkerij. Net zoals hij vroeger.'

De duidelijke twijfel op hun gezichten beviel de grote man niets.

'Ik heb ook met de vrouw in het café verderop in de straat gepraat. Ze zei dat er iemand die op Aldo leek binnen was gekomen, wit als een vaatdoek, en wanhopig op zoek naar een magere, roodharige Française. Hij probeerde haar echt te vinden. Hij had haar portemonnee. Oké. Hoe dat zo gekomen is, is duidelijk. Misschien' – Peroni deed zijn uiterste best een soort verklaring te vinden – 'was hij gewoon van gedachten veranderd en wilde hij hem teruggeven.'

'Ja, typisch iets voor zakkenrollers,' opperde Rosa sarcastisch.

'Hij was niet zo'n soort man,' zei Peroni, bijna stotterend van woede.

Tot Costa's verbazing stak Rosa Prabakaran haar hand uit, legde hem op Peroni's arm en zei: 'Ik geloof je, Gianni. Het was een goede vent. Hij kon alleen zijn handjes niet thuis houden, maar dat is in Rome nou niet bepaald uniek, hè?'

'Jij hebt de verkeerde baan,' antwoordde Peroni meteen en hij duwde een dikke vinger zowat in haar gezicht. 'Voor jou is dit iets persoonlijks. Dat spijt me, Rosa, al kan ik me niet voorstellen dat je daar wat aan hebt. Maar jij zou niet op een zaak als deze moeten zitten. Dat is gewoon... verkeerd.'

De mensen van het forensisch team begonnen wat ongemakkelijk te kijken. Zo ook Teresa Lupo. Haar mensen werkten het liefst zonder dat ze werden gestoord.

'Waarom is het verkeerd?' vroeg Rosa hem en ze haalde bijna glimlachend haar hand weg. 'Er zijn zat agenten in dit korps die een keer beroofd of neergeslagen zijn op straat. Betekent dat dan dat ze niet in staat zijn een dief of een moordenaar te arresteren? Is het tegenwoordig een vereiste dat je nooit iets met een misdaad te maken hebt gehad om er onderzoek naar te kunnen doen?'

'Dat zijn maar woorden,' snauwde Peroni. 'Iedereen hier weet wat ik bedoel.'

Het was even stil in de kamer. Toen sloeg Leo Falcone zijn armen over elkaar, keek naar Peroni en zei: 'Dat klopt. En onder normale omstandigheden zou je absoluut gelijk hebben. Maar dit zijn allesbehalve normale omstandigheden, ben ik bang.'

Hij wierp een korte, spijtige blik op de jonge politieagente, en zweeg.

'Dat kun je wel zeggen, ja, dat het niet normaal is,' was Teresa het met hem eens. 'Anders moet ik altijd mijn uiterste best doen om materiaal te vinden waar ik wat aan heb. Maar hier komen we er bijna in om. Ik heb bloed en sperma. Meer dan genoeg DNA. Silvio? Ga jij het even halen, jongen...'

Di Capua ging naar de achterdeur, waar een stapel doorzichtige plastic zakken met bewijsmateriaal inmiddels al bijna tot aan zijn middel kwam. Hij kwam terug met een snelle selectie. Ze keken naar wat erin zat.

'We hebben nog geen tijd gehad om het allemaal mee te nemen,' ging Teresa verder. 'We zijn te druk geweest met graven. Er zijn zwepen. Gesels. Messen. Maskers. Sommige dingen van leer die mijn verbeeldingskracht enigszins te boven gaan. We hebben hier een overdaad aan fysiek bewijsmateriaal, zoals ik nog nooit in mijn carrière heb meegemaakt. Met maar een tiende van dit materiaal zouden we de klootzakken die dit gedaan hebben al achter de tralies krijgen. Wijs ons een verdachte aan en we zullen je in één oogopslag kunnen zeggen of hij het heeft gedaan. Wat plaatsen delict betreft is dit een absolute goudmijn. Het enige wat wij zoeken is iemand om het op te toetsen.'

Het was stil in de kamer.

'Nóú?' vroeg Teresa weer, nu iets harder.

'Laten we dit buiten verder bespreken,' mompelde Falcone.

2

Het was ijskoud in de controlewagen die aan het begin van de straat geparkeerd stond, bij het Piazza Borghese. Binnen stonk het naar oude tabaksrook. Die geur was afkomstig van een grote man van middelbare leeftijd in een bruine jas, die op een van de metalen stoeltjes hun komst afwachtte. Hij stelde zichzelf voor als Grimaldi van de juridische afdeling en stak toen een nieuwe sigaret op.

Peroni was de laatste die plaatsnam aan de simpele metalen tafel in het midden van de cabine. Hij wierp een lange en vrijmoedige blik op Falcone, die zijn ogen vermeed, en toen op Susanna Placidi, die een grote laptop voor zich had neergezet en nu naar het scherm staarde terwijl ze ongemakkelijk en nerveus als een razende op het toetsenbord zat te hameren.

'Zouden er niet nog een paar mensen bij dit gesprek aanwezig moeten zijn?' vroeg Peroni. 'Er zijn zes mensen vermoord. De pers is door het dolle. Is dit echt alleen ons pakkie an?'

'Wat je op het punt staat te horen is inderdaad alleen voor onze oren bestemd,' antwoordde Falcone en hij keek de vrouwelijke inspecteur even woest aan. 'Vertel het ze.'

Ze hield op met typen en zei: 'We weten wie het zijn.'

Door het totale gebrek aan enthousiasme en overtuiging in haar stem zonk Costa de moed in de schoenen.

'Jij weet wie mijn vrouw heeft vermoord?' vroeg hij zacht.

'We denken dat we het aantal mogelijke daders kunnen terugbrengen tot vier mannen,' antwoordde Placidi, en hij staarde strak naar het computerscherm.

'En die lopen daarbuiten gewoon vrij rond?' vroeg Peroni, meteen woedend terwijl Teresa naast hem even ontstemd zat te sputteren.

'Nog wel,' antwoordde Falcone en hij knikte naar Rosa Prabakaran.

Zonder een woord te zeggen boog ze zich naar de gelaten Placidi toe, pakte de computer van haar aan en begon op de toetsen te ratelen. Ze vond wat ze zocht, en draaide toen het scherm zo dat ze het allemaal konden zien.

Het was een foto van de Caravaggio-tentoonstelling waar Costa de afgelopen zomer de beveiliging voor had geregeld. Vier mannen stonden voor de grijze, sensuele gestalte van *Zelfportret als Bacchus*, die speciaal voor deze gelegenheid tijdelijk van de Villa Borghese hiernaartoe was verhuisd. Hier was een Caravaggio te zien die jonger was dan die op de religieuze schilderijen en ook op de Venus, die nu aan een kritisch onderzoek onderworpen werd door het kundige oog van Agata Graziano. Hij staarde de toeschouwer aan, verdorven, somber, met in zijn handen een tros oude druiven in dezelfde kleur als zijn grauwgele huid. Als een hoer die haar waar tentoonstelde liet hij een naakte schouder zien; ondanks dit alles was alle hoop en licht in het hele doek op hem gefocust.

De mannen ervoor zagen er niet veel anders uit. Een van hen, die hen vaag bekend voorkwam, maakte een behoorlijk dronken indruk. Hij stond links, met zijn arm stevig en bezitterig om de schouders van de man naast hem geslagen. De andere twee bevonden zich iets aan de zijkant en zagen eruit als vrienden die elk moment elkaars vijanden konden worden.

'Ze noemen zichzelf de Ekstatici.'

Costa kon zijn ogen niet van hen af houden. Hij staarde naar de uitdrukkingsloze, wrede mannelijke gezichten op het scherm en probeerde zich voor te stellen hoe elk van hen eruit zou zien met een zwarte bivakmuts op.

'Hij,' zei Costa ten slotte en hij wees op de man uiterst links die zijn arm om de schouders van zijn makker had geslagen.

De twee vrouwelijke agenten keken elkaar even aan en zeiden niets.

Eindelijk schoof Grimaldi zijn stoel dichter naar de tafel toe en gaf blijk van enige belangstelling.

'De man had een bivakmuts op,' benadrukte hij. 'Hoe kun je het zo zeker weten?'

'Dat doe ik ook niet. Ik gok maar wat. Dat is genoeg om hem aan te houden.'

Grimaldi zuchtte en zei: 'Ah, een gok.'

'Hij heeft dezelfde bouw,' hield Costa vol. 'Dezelfde stramme houding. Alsof hij een soldaat geweest is. Dit –'

'Dit,' onderbrak Grimaldi hem, 'is graaf Franco Malaspina. Hij zat ooit in het leger, deed dienst als officier en ontving daar een onderscheiding voor. Hij is bovendien een van de rijkste en machtigste mannen in Rome, beschermheer van de schone kunsten en diverse liefdadigheidsinstellingen, een felbegeerde vrijgezel, een societyfiguur, een verfijnd man. Dat is in ieder geval wat een vluchtige lezing van de krantenknipsels ons doet geloven.' Grimaldi aarzelde en liet zijn scherpe donkere blik over ieder van hen glijden.

Costa kende de naam. Hij had zeker een foto van de man in de krant gezien. Voor zover hij wist, bezat Malaspina nog steeds het enorme particuliere paleis dat zijn familienaam droeg, dat zich zowat door heel Ortaccio uitstrekte en zowel de Vicolo del Divino Amore als het atelier van de Barberini's omarmde. Was het gewoon omdat hij hem toevallig wel eens ergens had gezien dat Costa hem als de schuldige had aangewezen?

'Het spijt me,' zei hij. 'Misschien herinnerde ik het me gewoon niet goed.'

'Misschien,' stemde Grimaldi in. 'Maar ik zal je toch iets over deze man vertellen.'

De jurist hoefde niet eens zijn aantekeningen te raadplegen. Terwijl Costa naar de foto van een lange, atletisch gebouwde, achtentwintig jaar oude handelsbankier op Rosa's scherm zat te staren, diepte Grimaldi uit zijn geheugen de feiten op: thuispaleis van de familie in Rome, huizen in Milaan en New York, genoeg dossiers in de Questura – in geval van de meeste criminelen genoeg om een heel leven mee te vullen – en geen ervan was gesloten. Malaspina was erfgenaam van een fortuin, dat door zijn familie bijeen was vergaard in een tijdsspanne van meer dan drie eeuwen, en met het financieren van een paus was begonnen. Hij was een echte Romeinse aristocraat van een uitstervend soort en kwam uit een familie met ongewone antecedenten. In tegenstelling tot de meerderheid van de adel in de stad, hadden de Malaspina's het fascistische tijdperk verwelkomd omdat ze in de dictator een kans zagen, en niet het grove, proletarische fascisme dat de meeste andere oude families opmerkten en meteen hadden verafschuwd. Zijn grootvader was minister onder Il Duce. Zijn eigen vader was een agitator in rechtse splintergroeperingen geweest en als gevolg daarvan had men in Rome, vóór alles een linkse stad, een grondige hekel aan hem gehad, tot aan zijn dood vijf jaar geleden bij een vliegtuigongeluk.

Costa kon zich niet herinneren dat Franco Malaspina betrokken was bij de politieke intriges rond de partijen die de opeenvolgende, twistzieke coalities vormden in het hart van de Italiaanse staat; hij herinnerde zich alleen vaag dat hij een beruchte speler was in het geldwezen, een man die zo dicht op de wind zeilde dat de financiële autoriteiten meer dan eens een onderzoek naar hem hadden ingesteld. Niet dat dat tot stappen tegen hem had geleid, wat betekende dat Malaspina of onschuldig was, of zo machtig dat niemand het tegen hem op durfde nemen. Er waren goede redenen om voorzichtigheid te betrachten. Mannen als hij hielden ervan eerst hun fortuin op te bouwen voor ze hun werkterrein verlegden naar senaat en parlement om hun macht een breder en dieper fundament te geven.

Rosa identificeerde de anderen op de foto; vreemden voor hem, al klonken twee namen hem bekend in de oren. Giorgio Castagna was de zoon van de eigenaar van een even bekend als berucht pornoimperium, een Romeinse playboy die een vaste gast was in de shownieuwsbladen. Emilio Buccafusca bezat een kunstgalerie, gespecialiseerd in nogal buitenissige beeldhouw- en schilderkunst. Hij was regelmatig in botsing gekomen met de autoriteiten over openbare vertoningen van werk dat naar het extreme neigde. De voorafgaande winter had zijn galerie voor grote publieke verontwaardiging gezorgd door een aantal 'doodsbeelden' tentoon te stellen van een Scandinavische kunstenaar die, zo zei men, bestonden uit echte, in doorzichtig plastic gevatte, menselijke lichaamsdelen.

Na veel tumult in de media had een bezorgde *commissario* van de Questura Teresa Lupo naar de galerie gestuurd om onderzoek te verrichten. Zij liet weten dat de organen aantoonbaar van dierlijke oorsprong waren, waarschijnlijk van geslachte varkens. Buccafusca had destijds hard gelachen, maar leek daar nu niet voor in de stemming. De beide mannen maakten naast de aristocratische Malaspina een nogal onbeduidende indruk, al hadden ze ongeveer dezelfde bouw, waren ze eveneens in het zwart gekleed en hadden Castagna en Buccafusca dezelfde gefronste en verbitterde uitdrukking op hun gezicht.

Er waren nog meer foto's van andere kunstevenementen. Malaspina's zelfvoldane, zelfverzekerde en arrogante kop was een constante aanwezige. Op de oudere foto's zagen de anderen er ook ongeveer zo uit. Maar in de afgelopen paar maanden was er iets gebeurd wat dat veranderd had. Daar, wist Costa, zou Falcone een opening zien.

De vierde figuur, een man die Costa volkomen onbekend voorkwam, hield zich doorgaans schuil op de achtergrond en leek totaal niet op zijn plaats in het gezelschap. Hij was klein, had lichtblond haar en een buikje, was rond de dertig, met een vuurrood, slap gezicht vanwege een mogelijk slechte gezondheid of een drankprobleem, en een uitdrukking die op deze foto's varieerde van verveling tot duidelijk zichtbare, onderdanige angst.

'Omdat ik gek ben op pulpblaadjes,' zei Teresa Lupo, naar hetzelfde plaatje starend, 'heb ik het gevoel dat ik het merendeel van deze eurotrash allang ken. Maar wie is de dikkerd?'

'Nino Tomassoni,' antwoordde Rosa Prabakaran. 'Hij is de enige die niet veel geld heeft, voor zover wij weten. Hij is assistent-conservator in de Villa Borghese.'

Tomassoni. De naam riep een herinnering bij hem op die hij niet kon plaatsen.

'De man houdt zich waarschijnlijk aan de periferie van dit alles op,' voegde Placidi eraan toe. 'Misschien is hij er nauwelijks bij betrokken.'

Falcone viel tegen haar uit. Het was precies dergelijke onzorgvuldigheid met betrekking tot details waar hij een enorme hekel aan had in een agent.

'Zijn naam staat op de lijst,' betoogde Falcone. 'Als dat niets betekent, dan betekent het voor de rest van hen ook niets.'

'De lijst?' vroeg Peroni verbaasd. 'Je beschuldigt deze mannen van behoorlijk smerige dingen. Dit zijn mensen die graag fraaie pakken dragen. En het enige wat jij tegen hen hebt is een lijst?'

Placidi zuchtte, trok toen een bundel gedrukte vellen uit een map voor zich en maakte er een net stapeltje van op tafel.

'Het zijn eigenlijk meer... eh, boodschappen,' zei ze. 'Vanochtend kregen we er nog een.'

'Echt waar?' Falcone was duidelijk niet op de hoogte van dit laatste nieuws en dat beviel hem niets.

'Hij kwam binnen net voor ik op weg ging naar deze bespreking,' antwoordde ze ineens heftig. 'Er kan niet van me worden verwacht dat ik iedereen voortdurend van elk klein prutfeitje op de hoogte hou. Deze is hetzelfde als de anderen. Een niet te traceren e-mail van een vals adres. Niets waar onze computermensen wat mee kunnen.'

Ze legde het papier voor hen neer zonder naar de woorden te kijken. Het was een standaard kantooruitdraai.

Placidi, jij stomme trut. Waar ZIJN jullie idioten mee bezig? Moet ik het voor je spellen soms? De Ekstatici. Castagna. Buccafusca. Malaspina. En die stomme sukkel Tomassoni. Betalen ze jullie klootzakken soms zodat ze hiermee weg kunnen komen? Krijgen jullie hier een kick van of zo? Kunnen jullie 's nachts wel slapen?

PS Wat jij ook mag denken, DIT IS NIET VOORBIJ.

'Dat is alles?' vroeg Costa. 'En dat moet een zaak voorstellen?'

'Nee!' reageerde Rosa Prabakaran kwaad. 'Dat is niet alles. We hebben berichten als deze die in detail een serie wrede aanslagen door de hele stad op zwarte prostituees beschrijven, in een periode van bijna vier maanden. Waar en wanneer en hoe. We hebben een aantal van de slachtoffers opgespoord. De arme vrouwen zijn zo bang dat ze niets tegen ons zeggen. Het is waar. Alles. En nu' – ze knikte naar een punt verderop in de steeg, in de richting van het atelier – 'weten we waarom. Zij zijn de degenen die het hebben overleefd.'

'Even voor de duidelijkheid,' onderbrak Peroni haar. 'Jullie weten dat er een reeks zedenmisdrijven plaats heeft gevonden en geen van deze vrouwen wil een getuigenverklaring tekenen?'

'Ik had er een zover,' antwoordde Rosa. 'Ze beschreef alles. De mannen. Vier van hen. Wat ze deden.' Ze zweeg even. 'Ze deden het om de beurt. De reden...' Ze stopte weer even, gegeneerd. 'Ze wilden haar zien als ze echt een orgasme beleefde. Dus niet net alsof, zoals hoeren dat doen. Nee, echt.'

Costa dacht aan de foto's die ze in het atelier hadden gevonden: vrouwen die aan het stuiptrekken waren, hetzij van pijn, hetzij van extase.

'En als ze niet kregen wat ze wilden?' vroeg hij.

'Dan werden ze gewelddadig. Heel gewelddadig. Deze mensen betaalden niet voor seks. Niet in de zin zoals wij dat kennen. Ze wilden iets op de gezichten van deze vrouwen zien. Ze wilden weten dat zij daar de oorzaak van waren en het moment op de een of andere manier vastleggen.'

Ze zweeg weer. Dit was moeilijk.

'De vrouw die praatte zei dat ze een camera hadden. Ze filmden alles. Vooral haar geschreeuw. En als ze het gevoel hadden dat ze maar deed alsof... dan sloegen ze haar. '

'Alle hoeren doen alsof,' verklaarde Peroni heftig. 'Wat voor idioot doet nou zoiets? Wat verwachten ze dan?'

Costa keek naar zijn vriend. Peroni had jaren op zedenmisdrijven gezeten. Hij moest in die tijd behoorlijk vreselijke dingen hebben gezien. De uitdrukking van geschoktheid en afschuw op zijn verweerde gezicht maakte Costa duidelijk dat hij nog nooit had gehoord van iets wat hierop leek.

'Zij weten duidelijk niet veel van hoeren,' opperde Costa.

'Ze hebben er de laatste tijd anders genoeg leren kennen,' ging Rosa verder. 'Dit zijn zieke klootzakken. Slímme klootzakken ook. Ik dacht dat ik dat meisje zover had. Twee dagen later verliet ze het ziekenhuis en verdween. Misschien is ze dood. Misschien is ze thuis met een hoop geld. Wie zal het zeggen?'

Falcone keek Susanna Placidi strak aan. Costa wist waarom. Een getuige in een zaak als deze had nooit in staat mogen zijn om te vluchten, hoe de omstandigheden ook waren.

'Waar denk je dat de berichten vandaan komen?' vroeg Teresa.

De twee vrouwelijke agenten keken elkaar aan. Grimaldi zweeg weer en staarde naar de foto's op het scherm.

'Dat weten we niet,' gaf Placidi toe. 'Misschien iemand die we niet kennen. Iemand in hun omgeving die denkt dat het uit de hand gelopen is. Of Tomassoni...'

'Het klinkt als een vrouw, vind je niet?' vroeg Teresa. 'Luister naar de woorden. "Placidi, jij stomme trut!" Ik ben door heel wat klootzakken een bitch genoemd, maar nooit een trut. Zo praten ze niet tegen je.'

'Een vrouw dan!' schreeuwde Placidi terug. 'Hoe moet ik dat verdomme weten?'

Teresa boog zich ongeduldig naar voren, nu bijna kwaad. 'Ik zei dat ze klonk als een vrouw. Misschien was dat ook de bedoeling. In welk geval ze duidelijk onze capaciteiten enigszins overschatten. Maar wat kan het schelen? We hebben DNA. We zitten tot over onze oren in forensisch materiaal, afkomstig uit die enge kamer van hen. Ga die lui gewoon arresteren en laat de rest aan mij over.'

Falcone leunde naar achteren, de armen over elkaar, en wachtte tot Placidi antwoord zou geven. Grimaldi had precies dezelfde houding aangenomen.

'We hebben geprobeerd ze te arresteren,' gaf de vrouwelijke inspecteur toe. 'We zijn meer dan eens naar de juridische afdeling gestapt. Het probleem is...' Ze smeet de e-mail op tafel. 'Meer dan dit hebben we niet. De vrouwen praten niet. We kunnen niet... Ons bewijs is te vaag.'

Ellendig keek ze weer omlaag naar de tafel.

Teresa richtte haar aandacht op Falcone. 'Leo... Geef mij een uur met deze mensen en een zak wattenbollen en voor het avond is heb ik ze in de cel. Er ligt hier een stapel dode mensen die dolgraag wil praten.'

Hij keek naar haar en schudde zijn kale arendskop.

'Waarom niet?' vroeg Peroni.

Falcone pakte de berichten op van tafel. 'Dat heeft inspecteur Placidi je al verteld. Dit is alles wat we hebben,' zei hij. 'Als ze zijn wat ze lijken te zijn, dan zijn ze duidelijk afkomstig van iemand binnen de groep, iemand die kennelijk bang is geworden van waar ze mee bezig zijn. Ik kan me zo voorstellen dat het iemand is wiens naam niet op deze lijsten voorkomt, al zou ik dat niet uit willen sluiten.'

'En dus?' vroeg Costa zich af.

'En dus zou het ook een *practical joke* of zo kunnen zijn,' ging Falcone verder. 'Op Tomassoni na staan deze mensen vaak in de belangstelling. Publiciteit trekt idioten aan. Dat weten we allemaal. Deze mannen zijn misschien volkomen onschuldig.'

Susanna Placidi sloeg met haar vuisten op tafel. 'Ze zijn niet onschuldig, Leo! Die klootzakken zitten ons gewoon uit te lachen.'

'Ze heeft gelijk,' zei Rosa zacht, overtuigd. 'Geloof me, ons dwarszitten is deel van de pret.'

'Maar daar krijgen we niet echt iemand mee voor de rechtbank, hè?' merkte Falcone streng op. 'Met de intuïtie van een politievrouw.'

'Wie deze e-mails ook heeft geschreven, hij of zij kent de plekken!' Rosa schreeuwde. 'Ze kennen de vrouwen, tenzij jij denkt dat ze alles verzonnen hebben en zichzelf in het ziekenhuis hebben laten opnemen.'

'Daar ben ik me allemaal van bewust,' antwoordde hij kil. 'Ik denk helemaal niet dat het berichten van een gek zijn. Maar vanuit het perspectief van Malaspina en zijn vrienden bekeken...'

'Het is een goed verhaal,' was Costa het met hem eens. 'Ze zullen echt wel gekken aantrekken.'

Falcone knikte, blij met de steun. 'Bovendien...'

'Nee!' Teresa Lupo was des duivels en stond op het punt haar zelfbeheersing te verliezen. 'Ik wil er niets meer over horen. Ik heb jullie gezegd dat we het bewijs in handen hebben. Jij zegt tegen mij dat jullie de verdachten hebben. Breng ze hierheen en laat het verder aan mij over.'

Ze bestudeerde hun gezichten. Niemand zei iets, tot Grimaldi, de jurist, diep inademde en verzuchtte: 'Was het maar zo simpel...'

'Ik ben hier om jullie een simpele waarheid te vertellen,' ging Grimaldi verder. 'Inspecteur Placidi en haar team hebben dit geprobeerd en zijn daar niet in geslaagd. Zonder dat ik of wie dan ook van mijn afdeling er iets van wist, hebben ze alle vier de mannen die in deze berichten genoemd worden aangehouden, zonder voldoende bewijs of adequate voorbereiding. Vervolgens gooiden ze hen deze anonieme, onbevestigde beschuldigingen naar het hoofd, zonder enig ondersteunend bewijs en...'

Placidi's gezicht werd rood.

'Nu zitten we met de gevolgen daarvan, die uiterst schadelijk zijn,' besloot Grimaldi.

'Ik moest iets doen!' wierp Placidi tegen. 'Ik moest het risico nemen. De vrouwen wilden niet praten toen het was gebeurd en twee weken later waren ze verdwenen. We hadden niets anders dan deze berichten. Verwachtte je soms dat ik zolang op mijn handen ging zitten tot er een of andere wijsneus van elders met iets beters op de proppen zou komen?'

Falcone wierp een vluchtige zijdelingse blik in haar richting, een die Costa wel kende uit het verleden. Hij vroeg zich af of Placidi doorhad hoe heet de grond onder haar voeten was. 'Dit zijn intelligente, belangrijke mannen met uitgebreide netwerken,' benadrukte hij. 'Is het nooit bij je opgekomen dat dat gedeeltelijk misschien ook de lol ervan was voor hen? Zich onaantastbaar kunnen voelen, buiten de machteloze armen van de wet?'

Ze zei niets.

'Ze waren echt niet van plan om hun handen omhoog te steken en spontaan te bekennen, Susanna. Als je er ook maar even over had nagedacht, dan had je dat geweten.'

'Er waren vrouwen die werden verkracht!' benadrukte Placidi.

'Nu komt aan het licht dat er vrouwen werden vermoord,' verklaarde Grimaldi. 'Wat eens te meer reden is om de zaken grondig aan te pakken. In plaats daarvan heb je een aantal zeer invloedrijke mensen zo beledigd dat ze zich tegen ons hebben gekeerd, en dat dan ook nog heel professioneel.'

Teresa Lupo sperde haar ogen wijd open in een plotselinge, snel aanwakkerende woede.

'Je hebt hen bovendien gewaarschuwd dat er een politieonderzoek tegen hen liep,' ging Falcone verder, 'zonder voldoende bewijzen om zelfs een tijdelijk voorarrest voor elkaar te krijgen. Ze weten nu precies waar wij naar op zoek zijn en kunnen zich daarop voorbereiden.'

Placidi stond op het punt in tranen uit te barsten. 'Hoe kon ik nou weten...'

Falcone keek eerst de rest van hen aan en toen Grimaldi. 'Vertel jij het ze maar,' stelde hij voor.

De jurist haalde uit zijn jasje een notitieblokje tevoorschijn en bladerde erin. 'Twee weken geleden, nadat Malaspina was benaderd door inspecteur Placidi's team, maakte een team van juristen, dat alle vier de mannen vertegenwoordigde, zijn opwachting voor een rechter, in diens werkkamer,' zei hij. 'Wij waren onvoldoende voorbereid. Malaspina kent het gerechtelijke apparaat. Hij windt het om zijn vinger. Zijn voordeel is dat hij ongelooflijk rijk is en bovendien nauwe banden heeft met een aantal belangrijke figuren in de wereld van de georganiseerde misdaad. Een winnende combinatie.'

'En?' wilde Teresa weten.

'Tegen de tijd dat we in staat waren een kundig team bij elkaar te roepen stelde hij al de wettelijke regels ter discussie volgens welke wij wel of niet fysiek bewijsmateriaal mogen afdwingen, zowel vingerafdrukken als DNA-monsters, van mensen die niet bereid zijn die vrijwillig af te staan.'

Het grote gezicht van de patholoog werd nog een slag bleker. 'Regels? Regels? Wij kennen de regels. Of ze geven ons vrijwillig een monster, of ik pak een stuk papier en dwing ze gewoon.'

Zo simpel was het. Het enige wat Costa nodig had als iemand een DNA-monster weigerde af te staan, was de toestemming van een leidinggevende in de Questura om er onder dwang een te kunnen nemen. De meeste verdachten gaven hun verzet op zodra ze begrepen dat ze binnen enkele minuten gedwongen zouden kunnen worden materiaal af te staan, als de zaak daarom vroeg.

Grimaldi's chagrijnige gezicht was dat van een man die iets ontzegd werd waar hij duidelijk een grote behoefte aan had.

'Dankzij Malaspina's advocaten en onze eigen onbeholpenheid zijn de regels veranderd,' zei hij. 'Van nu af aan mogen we alleen fysiek bewijsmateriaal van een verdachte verkrijgen tegen diens wil als we een gerechtelijk bevel hebben. Dus als zij maar stevig genoeg bezwaar aantekenen, moeten we naar de rechter en daar onze zaak bepleiten. We zijn, kortom, de lul.'

Een stroom Romeinse scheldwoorden ontsnapte aan de patholoog.

Grimaldi wachtte tot ze adem moest halen en ging toen verder. 'Van de standaardprocedure zoals jullie die allemaal gewend zijn te volgen in situaties als deze kan dus geen sprake meer zijn wanneer een verdachte weigert. Tenzij je een rechter voldoende solide en onweerlegbaar bewijsmateriaal kunt voorleggen.'

Grimaldi raapte de papieren op en liet ze toen op de tafel vallen.

'Wat jullie, nadat ik het afgelopen uur heb zitten doornemen wat jullie bij elkaar hebben verzameld, om eerlijk te zijn niet bezitten.'

Teresa's mond viel open van verbazing. 'Bedoel je dat ik zoveel prachtig bewijsmateriaal kan verzamelen als ik wil, maar dat we dat niet kunnen vergelijken met een verdachte, tenzij hij of zij zich ertoe verwaardigt mee te werken? Dit zijn misdadigers, verdomme. Waarom zouden zij ons een gunst bewijzen?'

'Dat zullen ze niet,' was de jurist het met haar eens. 'Tenzij ze weten dat ze onschuldig zijn. We proberen hoger beroep aan te tekenen tegen deze bevinding, maar om eerlijk te zijn' – hij fronste – 'is de kwestie van de mensenrechten nogal in tegenwoordig.'

'En hoe zit het dan met de rechten van die vrouwen, godsamme?' wilde Teresa weten.

Grimaldi sperde zijn ogen wijd open van wanhoop. 'Waarom val je mij hierop aan? Wat heeft dat voor zin? Zo luidt de wet nu. Ik zou willen dat het niet zo was, maar...'

'Ik zou er best voor kunnen zorgen dat een van die heren een beetje op me bloedt,' stelde Peroni voor. 'Of een van zijn koffiekopjes stelen.'

De jurist schudde zijn hoofd. 'Alles wat onder valse voorwendselen verkregen is, is niet alleen ontoelaatbaar maar zal bovendien onze kansen op een geslaagde rechtsvervolging verminderen, mochten we alsnog in staat zijn op een andere manier voldoende bewijzen te verzamelen. Dit is overigens een algemene observatie, een die we vanaf dit moment op alle zaken moeten toepassen, niet alleen op deze charmante heerschappen die zichzelf de Ekstatici noemen.'

Op Falcones magere gezicht verscheen een verbitterde, bijna moedeloze blik.

'Welkom bij het moderne politiewerk,' zei hij. 'Ik had gehoopt dat deze bepaalde fase aan onze neus voorbij zou gaan. Wat Grimaldi jullie heeft uitgelegd, zal in alle zaken vanaf nu de standaardprocedure zijn tot we erin slagen het tij te keren. De komende dagen zullen de andere agenten persoonlijk van deze beleidsverandering op de hoogte worden gesteld zonder nadere toelichting. Die houden we liever voor ons.' Hij trok een grimas. 'Voorlopig althans.'

Teresa Lupo keek nors naar de vrouwelijke inspecteur aan de andere kant van de tafel. 'Heb jij dit op je geweten? Jouw onhandige gepruts heeft ervoor gezorgd dat de verantwoordelijkheid bij óns ligt om te bewijzen dat klootzakken als zij moeten laten zien dat ze onschuldig zijn? Dan kun je de helft van onze werkmethoden net zo goed meteen uit het raam gooien. Omdat jij daar als een nijlpaard tekeer bent gegaan zonder eerst je huiswerk te doen.'

'Nee!' krijste Susanna Placidi terug. Ze wees naar de foto's op het scherm. 'Ik heb mijn best gedaan. Malaspina is hiervoor verantwoordelijk. Die vent...'

'Dat is niet genoeg,' schreeuwde de patholoog. 'Jij bent niet goed genoeg. Dit is...'

'Dames. Dámes!' Grimaldi's stem klonk luid en dwingend. Hij legde hen het zwijgen op, voor even althans.

Costa wachtte tot de gemoederen iets bedaard waren en zei toen: 'In dat geval kun je maar beter op zoek gaan naar bewijs.'

'Waar?' wilde Susanna Placidi weten.

Grimaldi staarde naar Falcone en trok een geïnteresseerde wenkbrauw op.

'Dat,' kondigde de inspecteur aan, 'is iets waar je je niet langer druk om hoeft te maken.'

Hij schudde zijn hoofd, staarde naar zijn bureau en toen naar haar. 'Deze zaak... vervult me van afschuw, Placidi. We hebben een dierbare vriendin verloren. Er zijn vrouwen aangerand, en erger, in deze stad van ons, terwijl het jouw verantwoordelijkheid was om hen te beschermen. Jouw laksheid en incompetentie hebben onschuldigen het leven gekost. Je hebt bovendien ons vermogen aangetast om de verschrikkelijke zooi op te lossen die je hebt achtergelaten. En het enige wat je te zeggen hebt is... dat je je best hebt gedaan. Als dat zo was, dan was dat verre van genoeg. Je kunt naar huis. Deze zaak gaat jou niet langer aan.'

Hij boog zich naar voren en trok de computer naar zijn kant van de tafel.'Noch een andere in de toekomst, als het aan mij ligt. Als je één woord tegen iemand zegt over wat we hier hebben besproken, dan sleep ik je voor een tuchtcommissie en maak ik voorgoed een einde aan wat er nog over is van jouw carrière. Dat zweer ik je.'

Grimaldi haalde een envelop uit zijn zak tevoorschijn en legde hem voor haar neer. 'Dit zijn officiële schorsingspapieren. Ik kan bevestigen dat de aanvraag juist is ingediend.'

Ze was sprakeloos, rood van woede. Er stonden tranen in haar ogen.

'Ik geef je wel een lift naar huis, *signora*,' bood Grimaldi aan. 'Ik heb een auto met chauffeur!'
'Niet meer,' antwoordde hij.

3

Falcone wachtte tot ze weg waren. Toen ging hij bij de deur kijken. Er was niemand die hen kon horen.

'Dit is mijn stad,' ging hij verder. 'Ónze stad. Die heeft met problemen te kampen, dat weet iedereen. Maar ik heb altijd gedacht dat een vrouw hier veilig over straat kon. Elke vrouw. Zwart of blank. Legaal of illegaal. Kan me niet schelen. Ik zal níét toestaan dat dat verandert. Onder geen enkel voorwaarde. Koste wat kost.'

Peroni verbrak de stilte. Hij lachte, heel even maar, en met bijzonder weinig vrolijkheid.

Falcone trok zijn grijze wenkbrauwen op. 'Wat nou?'

'Ik word er altijd blij van als jij het over kosten hebt, Leo,' merkte Peroni schertsend op. 'Het geeft me het gevoel dat het leven wel eens interessant kon gaan worden.'

Falcone negeerde de spottende toon. Hij maakte een ontspannen indruk. Vastbesloten ook. Costa kende die stemming. Het betekende dat iemand op het punt stond de regels aan zijn laars te lappen.

'Kijk ons nou eens,' zei Falcone glimlachend en hij opende zijn handen in een breed, ruim gebaar. 'Twee carrières in de herfst. Twee carrières aan het begin. En de beste patholoog-anatoom van Italië.'

'Alsjeblieft,' protesteerde Teresa, 'je weet hoe ongemakkelijk ik van complimentjes word.'

'Maar het is waar! De gelegenheid bij uitstek voor jou om te laten zien wat je kunt!' Toen, grimmiger: 'De gelegenheid bij uitstek voor ons!'

Zijn blik dwaalde naar het computerscherm, waar hij op de beeltenis van Franco Malaspina stuitte, vastgelegd door de camera van een of andere paparazzo. De man had donker kroezend haar en de gelaatstrekken van een Siciliaan, een hoekig, knap gezicht dat zo donker was dat het bijna Noord-Afrikaans leek. Zijn uitdrukkingsloze zwarte ogen glinsterden in de richting van de fotograaf, terwijl hij strak in de lens keek, met de vanzelfsprekende koppige arrogantie van een bepaald type Romeinse aristocraat.

'Deze man denkt dat hij en zijn vrienden onaantastbaar zijn,' zei Falcone. 'Ik heb zo'n honderd agenten in de Questura op deze zaak gezet, twee zijn in Afrika op zoek naar mogelijke getuigen onder eerdere slachtoffers, en ik heb eveneens een beroep gedaan op onze vrienden bij de Carabinieri. Dit is geen tijd voor onderlinge rivaliteit en dat weten zij ook. We hebben hier te maken met misdaden waarvan niemand ooit had gedacht dat ze in Rome plaats zouden kunnen vinden en we moeten alles doen wat in onze macht ligt om deze kerels voor het gerecht te dagen. Maar desondanks' – hij wrong zijn slanke handen van frustratie ineen – 'kan ik niemand van hen vertellen welke namen we hebben gevonden. Doe ik dat, dan komen die kerels daar zo achter en gaan hun advocaten weer naar de rechter om luidkeels te protesteren dat een onschuldig man wordt belasterd zonder dat we ook maar enig tastbaar bewijs hebben. Door hen gedresseerde politici worden uit hun bedden gesleurd om naar hun klachten te luisteren. We weten allemaal hoe het werkt. Het weinige wat we hebben raken we dan nog kwijt ook, en misschien wel voor altijd. Er is een leger van agenten aan de slag, bekwame mannen en vrouwen die alles zullen doen wat ze kunnen om conventioneel – of zoals sommigen zullen zeggen ouderwets – bewijs boven tafel te krijgen, zodat we deze zaak kunnen oplossen. Maar ik kan ze niets vertellen van wat jullie hier hebben gehoord. Wat dat betreft tasten ze volledig in het duister. En dus zullen ze falen, waardig en professioneel, dat wel, maar ze zullen desondanks falen.'

'Leo...' begon Costa.

'Nee,' ging de inspecteur tegen hem in. 'Luister naar me. Tenzij ze ergens een zonneklare en niet te missen identificatiemogelijkheid achtergelaten hebben in die gruwelkamer van hen, heeft de incompetentie van agent Placidi tot gevolg dat ze elk recht hebben om zich onaantastbaar te voelen.'

Hij wierp een blik op Teresa Lupo. 'Heb ik gelijk, doctor?'

'Ik heb je al gezegd, Leo, we zwémmen in het forensisch materiaal. In bewijs.'

'Wat dan? Een visitekaartje? Een brief? Een rijbewijs?'

'Bewíjs!'

'Waar je wetenschappelijk bewijs mee bedoelt, DNA en vingerafdrukken. De twee steunpilaren van ons huidige opsporingswerk. Je hebt Grimaldi gehoord. Daar hebben we niks aan. Bewijs betekent niets als ik er niet mee naar de rechter kan. Ze hebben ons klemgezet, zie je dat dan niet? Zonder een of ander klein wonder zie ik niet hoe we de schuld van deze mannen vast kunnen stellen. Al onze conventionele benaderingsmethoden zijn nutteloos. Ik kan gewoon niets doen.'

Hij legde zijn lange middelvinger op de foto van Franco Malaspina en staarde Costa aan. 'En ik wil die kerels, vooral deze. Hij kan niet als een renaissanceprins hier een beetje over straat paraderen en de wet aan zijn laars lappen.'

Falcone keek op zijn horloge. 'Om halfeen komen jullie vieren bij elkaar op het Piazza Navona, bij de Braziliaanse ambassade gemakshalve. Ik zal zorgen dat tegen enen de lunch in mijn appartement wordt bezorgd.' Hij keek Costa en Peroni om beurten aan. 'Ik ben bang dat er maar twee slaapkamers zijn, dus jullie zullen onderling moeten uitvechten wie er op de bank moet.'

'Word ik geacht in jouw appartement te logeren?' vroeg Rosa Prabakaran verbaasd.

'Tot nader order,' verklaarde Falcone.

Teresa Lupo's armen schoten wild omhoog in een gebaar van protest. 'En dan word ik verondersteld een van de grootste moordzaken die we in jaren hebben gehad in de steek te laten om me achter een of ander privéplannetje van jou te scharen?'

'Als er iets is wat ik de afgelopen tijd over jou te weten ben gekomen,' antwoordde Falcone, 'is het dat je toch doet wat je wilt, ongeacht wat ik zeg. Ik vraag je om mee te komen, te luisteren en dan een besluit te nemen. Gezien het feit dat niemand, zelfs God niet, een idee heeft van jouw werkmethoden of je dagrooster, betwijfel ik of het je veel moeite zal kosten om tegelijkertijd je gewone werk te doen en een taak die iets... anders is, in meer dan een opzicht, voor zover ik nu weet.'

Teresa stond even met de mond vol tanden en mompelde toen: 'Was dat nou een compliment?'

'Ik zal niet rusten voor deze klootzakken achter de tralies zitten en jij ook niet,' ging Falcone verder zonder antwoord te geven op haar vraag. 'Ik heb Placidi's onderzoeksverslag van deze zaak, of wat daarvoor door moet gaan, doorgenomen. Er is een schijntje bewijs, waar niemand hier iets van weet, een raar, mogelijk waardeloos aanknopingspunt. Dat vond Susanna Placidi in ieder geval, want zij had het helemaal onder op de stapel gelegd.'

Hij liet zijn grijze ogen over hen dwalen om uiteindelijk bij Rosa Prabakaran tot stilstand te komen.

'Wij hebben een afspraak met een standbeeld,' zei Falcone cryptisch, 'daarna sta je er verder alleen voor.'

Belastende dichtregels

1

'Standbeelden kunnen niet praten,' hield Peroni vol.

Ze stonden met zijn vijven – Costa, Rosa, Teresa, Peroni en Falcone – op een kleine open plek, het Piazza Pasquino, naar het verweerde standbeeld te kijken van een man zonder armen en met een onherkenbaar gezicht, dat hij naar een verdwenen metgezel toe gekeerd leek te hebben. De inspecteur was op tijd gearriveerd en had hen meteen die kant op gedirigeerd. Ze stonden in een smalle drukke straat die op het langgerekte Piazza Navona uitkwam. Het was even opgehouden met regenen.

'Deze wel,' antwoordde Falcone. 'Helaas was *agente* Prabakaran de enige politieagent die zo slim was om ernaar te luisteren.'

Daar moest Rosa om glimlachen en ze stapte naar voren, wees naar het afgesleten, gevlekte steen waar het standbeeld, Pasquino geheten, op stond en legde uit: 'De antiracisten hebben het me verteld. Zij vonden het het eerst.'

De sokkel van Pasquino was bedekt met haastig aangeplakte affiches. De letters die erop stonden waren meestal slordig neergekalkt en zo te zien in razernij, al zaten er ook een paar computerprints bij met simpele foto's en soms zelfs cartoons.

Costa herinnerde zich deze plek nog uit zijn schooltijd. Pasquino was eeuwenlang bedekt geweest met anonieme boodschappen. Recentelijk waren de meeste tegen de regering gericht en daar door linkse of anarchistische groeperingen opgeplakt of door gewone burgers die hun woede wilden ventileren zonder hun identiteit prijs te geven. Hij kon zich niet herinneren er ooit racistische teksten op te hebben gezien. Dat was in Rome in ieder geval zelden het geval. Pasquino maakte nog een andere herinnering in hem wakker, maar Rosa was hem voor.

'Er zijn andere standbeelden die dezelfde functie hadden,' zei ze. 'Daar werden ook boodschappen op aangeplakt.'

'Niet nu,' viel Falcone haar in de rede en ging hen voor naar de smalle middeleeuwse straat, de Governo Vecchio. Zijn appartement bevond zich ongeveer op zo'n honderd meter van Pasquino's piazza, op de eerste verdieping naast een chique winkel waar dure vulpennen en vulpotloden werden verkocht. Het was een gigantische woning met een prachtige en moderne inrichting. Falcone was er duidelijk trots op, te oordelen naar de kleine bescheiden rondleiding die hij hen per se wilde geven – uit de praktische overweging dat ze hier nu een tijd opgesloten zouden zitten, natuurlijk. De woning bezat een elegante woonkamer, twee slaapkamers, een goed uitgeruste keuken met een klein balkon, waarop een rijtje gezonde planten te zien was in potten die glommen van de regen van die ochtend. Falcone had zich op dit moment voorbereid. Er bevond zich ook een kist vol fraaie kleren die Bea van de boerderij hierheen had gestuurd en die Falcone zonder uitleg aan hen overhandigde.

Hij gebaarde hen naar de tafel te gaan, maakte het koffertje open dat hij bij zich had en haalde een aantal foto's uit een map.

'Nog meer beelden,' zei hij en hij wierp een blik op Prabakaran. '*Agente*?'

Ze wees naar de afbeelding van een gespierde man die in een bakstenen muur was ingemetseld. Hij droeg een baret en hield een vat boven een drinkfonteintje. Er druppelde nog water uit het fust, al was het beeld eeuwen oud. 'Dit is Il Facchino. De portier. Hij bevindt zich in een zijstraat van de Corso, in de buurt van het Piazza del Collegio Romano. En dit...' Uit Falcones map haalde ze een andere foto: een door het weer aangetast standbeeld van een Romeinse edelman in vol ornaat die op een sokkel tegen een marmeren muur vol smerige vlekken aan stond.

'Die herken ik,' zei Peroni meteen. 'Dat is Vittorio Emmanuele, naast de Sant'Andrea della Valle-kerk. Een aantal jaren geleden heb ik daar een paar dure meiden weggejaagd. Die hadden er hun werkterrein van gemaakt. Het is bovendien' – de grote man keek ieder van hen even aan om ervoor te zorgen dat ze gepast onder de indruk waren – 'de locatie van de eerste akte van *Tosca*.'

Teresa knipperde met haar ogen. 'Weet jij iets van opera?'

'Een van de meiden zei het tegen me. Ik zei toch dat het dure types waren. Maar ik heb er geen standbeeld horen praten.'

'Zijn naam is Abate Luigi,' ging Rosa verder zonder verder acht te slaan op de onderbreking. 'Pasquino praat ook vandaag de dag nog. Ik dacht dat dat zelfs jou opgevallen zou zijn, Gianni. Hij is altijd bedekt met cryptische slogans. Als je ze door hebt, blijken het meestal beledigingen aan het adres van een paar regeringsfunctionarissen te zijn.'

'Dat weet ik!' hield Peroni vol. 'Maar wat hebben wij daar in godsnaam mee te maken?'

Costa kwam tussenbeide. 'De pratende beelden waren een manier om je mening naar voren te brengen die je in de problemen zou hebben gebracht als je naam ermee geassocieerd werd. Een politieke opinie, bijvoorbeeld. Maar het kon ook gewoon zijn dat je je buurman wilde verraden.'

Er was een herinnering die hem dwarszat; een die vergezeld ging van een mentale voorstelling van Emily. Wat was ze mooi geweest in haar blouse en spijkerbroek aan de rand van een glanzende lagune, die vervlogen zomer van achttien maanden geleden. 'In Venetië deden ze het veel stiekemer, door ongesigneerde brieven in de muil van die leeuwen te posten die ik je ooit liet zien. In Rome houden we van wat meer openbaarheid. Maar tegenwoordig alleen op Pasquino. Zeg jij dat er ook berichten waren achtergelaten op de andere?'

'Precies,' zei Falcone en hij haalde een grote envelop uit zijn koffertje. Hij spreidde de inhoud ervan uit op tafel: het ene vel na het andere vol woorden, slordig bij elkaar gevoegd zoals een gek dat volgens een geheel eigen logica gedaan zou kunnen hebben. Hij staarde naar de boodschappen en wees bij elk ervan op een aantal vergrotingen van het briefhoofd. 'Placidi heeft niet eens goed genoeg gekeken om het te kunnen zien.'

Uit de vergrotingen was duidelijk te zien dat zich boven aan ieder vel een of ander oud wapenschild bevond. Toen hij zag waar Costa's blik op gericht was, gooide Falcone een vergroting van een foto van het embleem op tafel.

Er waren drie draakachtige wezens op afgebeeld, met kronkelende ledematen en de klauwen uitgestoken naar de romp van een schreeuwende vrouwelijke gestalte die in hun geschubde omhelzing gevangenzat. De beesten bezaten wrede, grijnzende koppen, half menselijk, half dierlijk. De uitdrukking op het gezicht van de vrouw kon er een zijn van genot of pijn, of van vervoering. Of misschien was het een laatste grimas van pure verschrikking.

Boven het akelige embleem was in verwrongen middeleeuws schrift te lezen: *de Ekstatici.*

De verzen waren niet met de hand geschreven, maar gevormd met uit kranten- en tijdschriftkoppen geknipte letters, die naast elkaar geplakt waren zodat er cryptische gedichten ontstonden.

Rosa begon ze in drie aparte stapeltjes te verdelen en las er toen hardop een van het eerste stapeltje voor.

Jullie, stomme hoeren, pas op voor het prikken van de slechte doorn.
Die is uit op jullie bloed, niet dat ding tussen jullie benen.

'Malaspina,' zei Costa. 'De slechte doorn.'

Ze knikte. 'De ochtend nadat een hoertje voor dood bij de Spaanse Trappen was achtergelaten, was dit op Pasquino geplakt. Vlak naast een ander pratend beeld dat "de Baviaan" genoemd wordt.'

'Dat is wel erg vergezocht, Rosa,' mopperde Teresa.

'Ja, dat zegt iedereen. Maar als je het eenmaal doorhebt, kun je een patroon zien. De boodschappen verwijzen allemaal op een cryptische manier naar een lid van hun fijne clubje. In totaal nu dertien: vier voor Castagna en Buccafusca, vijf voor Malaspina. Hier heb je er nog een.'

Ze trok een velletje uit de tweede stapel tevoorschijn.

Snel, ren, arme Simonetta!
De bergkastanje laat zijn stekelige zaden toch wel vallen
En slangen zijn doof voor jouw zwarte kreten.

'En die kastanje is dan Castagna?' vroeg Peroni, terwijl hij het antwoord al wist.

'Dit vers was op Il Facchino achtergelaten vóór het gebeurde,' legde Rosa uit. 'De daaropvolgende dag werd in de Via dei Serpenti in het district Monti, vlak bij het Forum, een zwarte vrouw verkracht en vervolgens met een houten knuppel geslagen. Het was van tevoren natuurlijk onmogelijk de verwijzing naar slangen en bergen te begrijpen. Ze zijn niet stom. Ze proberen ons niet naar zich toe te leiden. Het is een soort grap. Een pesterijtje.'

'En wie mag Simonetta dan wel zijn?' vroeg Teresa.

'Dat zou je wel weten als je je in kringen van kunstliefhebbers en historici ophield,' antwoordde Rosa, waarbij ze naar Costa keek.

Op dat moment werd hij overspoeld door herinneringen aan de tijd dat hij nog single was en veel van zijn vrije tijd starend naar de doeken aan de muren van kunstgaleries doorbracht. Hij had verwoed zijn best gedaan te begrijpen wat hij daar zag, om dat dan vervolgens met het verleden van zijn geboortestad te verbinden. En ook waren er de herinneringen uit die heerlijke tijd dat hij de beveiliging deed bij de tentoonstelling in het Ruspoli, en Emily en hij eindelijk hadden besloten te gaan trouwen. In de galerie was een hele zaal gewijd aan het geslacht De' Medici.

'Moderne academici geloven dat de moeder van de eerste Hertog van Florence, Alessandro de' Medici, een zwarte slavin was,' zei Costa. 'Dit hadden ze natuurlijk zoveel mogelijk geheim proberen te houden. Maar er deden zo veel geruchten de ronde dat het ten slotte voor waar aangenomen werd. De vrouw zou Simonetta hebben geheten.'

'Waren de De' Medici zwart?' vroeg Peroni verbaasd.

Rosa glimlachte. 'Een beetje. Dat zijn miljoenen mensen, weet je. Waarom vind je dat zo verrassend? Blanke Italianen naaien ons al eeuwenlang. Simonetta kwam trouwens niet uit Florence. Ze kwam hier uit de buurt. Lazio. Collevecchio. Dertig minuten de A1 op naar het noorden. Tegenwoordig een tikkeltje te chic voor kleurlingen. Maar de vrouw die door hen aangerand werd, werkte langs de autowegen. Ze werd opgepikt bij het Flaminia-tankstation door drie mannen die ze beweerde niet te kunnen identificeren. Flaminia is het benzinestation dat het dichtst bij Collevecchio ligt, wat betekent...'

Ze maakte haar zin niet af.

Teresa vroeg verbaasd: 'Denk je nou echt dat ze zo veel moeite zouden doen om de aandacht op zo'n obscuur feit te vestigen? Waarom, in vredesnaam?'

Falcone liet haar niet antwoorden. 'Om te zien hoe lang het ons zou kosten om erachter te komen waar ze mee bezig waren. Ze heeft gelijk. Het is een spelletje, een test. De kick die ze ervan krijgen om ons te kwellen is evengoed deel van hun genot als de daad zelf.' Hij priemde met een lange vinger in de richting van een andere boodschap. Deze keer las Costa hem voor.

De mond van de duisternis bijt wel degelijk.
Niet zoals de mond van de waarheid.
Vraag dat maar aan de vieze, lekkere Laetitia.

'De mond van de duisternis is waarschijnlijk een woordspeling op de naam Buccafusca,' zei Falcone. 'Deze dateert van de dag waarop een Angolese illegale immigrant, Laetitia Candido, in het ziekenhuis bezocht was, nadat de staf – niet de vrouw – de Questura had gebeld. Ze was bewusteloos aangetroffen naast de Bocca della Verità. De mond van de duisternis en de mond van de waarheid.'

Hij leek wel verstijfd van een duidelijk zichtbare woede. 'De vrouw had verschillende bijtafdrukken op haar borsten en andere delen van de romp. Door de beten waren grote stukken vlees weggescheurd. Ze is voor het leven getekend. Het enige wat ze over haar aanranders kwijt wilde, was dat ze een camera bij zich hadden en haar de hele tijd filmden.'

Peroni staarde naar de vellen op tafel en hij slaakte een lange, gekwelde zucht.

'Toen de mensen van Susanna Placidi haar om een verklaring vroegen,' ging Falcone verder, 'wilde ze niet eens een aanklacht indienen. Als die boodschap er niet was geweest, zouden we niet hebben geweten dat er een connectie bestond, wat nog een reden voor hen is om ons die dingen te sturen. Nu is ze verdwenen. Waarschijnlijk naar huis. Ik heb de Angolese politie gevraagd naar haar uit te kijken en een aantal van onze agenten die kant op gestuurd. Maar ik heb weinig hoop.'

Ineens zag Costa een beeld voor zich van de Bocca della Verità waar rijen toeristen braaf stonden te wachten totdat ze hun hand in de opening van een waterleiding uit de Romeinse tijd konden steken. Ze geloofden dat hij eraf gebeten zou worden als ze logen, zoals Gregory Peck Audrey Hepburn had wijsgemaakt in *Roman Holiday*. Dit was het centrum van Rome, klaarlichte dag, vlak bij het drukke Lungotevere, waar de veiligheid op straat nooit een probleem was geweest.

'Hoe heeft dit kunnen gebeuren, Leo?' vroeg Teresa woedend. 'Waarom heeft niemand dit opgepakt?'

Hij fronste. 'Susanna Placidi had de ervaring niet, net zo min als de verbeeldingskracht of de kennis. Of de getuigen. We denken dat degenen die het overleefden werden afgekocht, zoals Laetitia Candido. We hebben geen enkele getekende verklaring waar we in de rechtszaal wat aan hebben. Voor zover wij weten zijn de meeste slachtoffers naar huis teruggekeerd, ongetwijfeld met een hoeveelheid geld die ze met hoereren nooit bij elkaar zouden kunnen verdienen. Of ze zijn dood en liggen in die gruwelkamer daar in Vicolo del Divino Amore. Wat hebben we wel? Een paar anonieme e-mails waarin die merkwaardige en onverklaarbare term, de Ekstatici, wordt genoemd, en wat vreemde, schunnige graffiti die nergens op leek te slaan tot Rosa hier een en een bij elkaar optelde. In de tussentijd ging Placidi gewoon voorbij aan alles wat bruikbaar kon zijn en stapte op die grijnzende aristocraten af in de veronderstelling dat ze direct hun handen naar voren zouden steken zodra ze een politie-insigne zagen.'

'Waarom deed ze dat?' vroeg Costa. 'Ze moet bewijs hebben gehad.'

Hij zag dat Rosa Prabakarans gezicht op onweer stond. 'Het was een routine follow-up. We hadden Malaspina's kenteken gespot via een beveiligingscamera. Dat was alles. We volgden gewoon de normale procedure en...'

Ze wachtten. Ze schudde haar hoofd. 'Je moet hem ontmoet hebben om het te begrijpen. Hij lachte ons uit. Heel subtiel. Hij zei niets belastends. Dat was niet nodig. Ik was daar met Placidi en we wisten allebei meteen dat hij het was. Hij wílde dat wij het wisten. Dat was zijn bedoeling en...'

Gefrustreerd haalde ze haar schouders op. 'Toen deed ze wat

Malaspina de hele tijd al had gewild, volgens mij. Ze bracht het hele circus op gang, eiste DNA, aanhoudingsbevelen, dat soort dingen. We hadden niets behalve een kenteken en het zelfgenoegzame lachje op die bekakte kop. Het was onmogelijk. Ongelooflijk. Ze gingen vrijuit omdat we geen bewijs hadden, en we hebben zelfs nooit geprobeerd om ze deze boodschappen ten laste te leggen.'

Falcone stak een hand uit naar de foto van de man en ging met een vinger over zijn fijne, donkere gelaatstrekken. 'Het is helemaal niet ongelooflijk. Het is precies gegaan zoals hij het in zijn hoofd had voor het geval we achter hem aan zouden gaan.'

Rosa fluisterde iets minder fraais.

'Ik weet het, ik weet het,' zei Falcone met een gekwelde zucht. 'Je hebt het Placidi proberen te vertellen. Maar dit is een zeer ongewone zaak, en wij hebben nu eenmaal moeite met alles wat zich buiten de gangbare paden begeeft. Zou ik dezelfde fout hebben gemaakt als je bij me was gekomen? Ik zou in ieder geval wel een paar antwoorden hebben gewild. Bij zeden hebben ze niet zo veel verbeeldingskracht. Daar houden ze zich met verkrachting bezig. En dit' – zijn blik zwierf in de richting van het raam – 'lijkt over heel wat meer dan dat te gaan.'

Hij staarde naar de berichten. 'De Ekstatici. Waarom zouden rijke, machtige jonge mannen zo graag een arme straathoer willen betrappen op een moment van echte vervoering? Ontwikkelde mannen als zij?'

'Ontwikkeld?' vroeg Rosa, duidelijk geïrriteerd door het woord.

'Ontwikkeld,' herhaalde de inspecteur. 'Luister naar de woorden. Lúíster. Ze denken dat ze een soort poëzie aan het schrijven zijn. Het lijkt wel of ze geloven dat ze aan een of andere voorstelling meedoen, aan iets wat niet echt is. Ik weet het niet. Dit zijn geen geboren criminelen...'

'Dat zou je niet zeggen als je sommige van de vrouwen had gezien die ze verkracht en bloedend op straat hadden achtergelaten,' beet Rosa hem toe. 'En die hadden dan nog geluk gehad.'

'Het zijn geen gewone misdadigers,' hield Falcone vol. 'Wat betekent dat we de hoop maar beter kunnen opgeven hen met onze gebruikelijke methoden te pakken te krijgen. Als we hen behandelen op de manier zoals zij dat het liefste zouden zien – de manier die ons ook het best zou bevallen – dan gaan we nogmaals op onze bek. Teresa zal ervoor zorgen dat haar mensen elke steen en elk vlokje stof in dat afschuwelijke oord onder de microscoop nemen om een verband met deze mannen te vinden, afgezien van de vingerafdrukken en het DNA waar we nu niets mee kunnen. Ik heb agenten op twee continenten het veld in gestuurd om te proberen iemand te vinden die met naam en toenaam in een verklaring wil worden vermeld.'

Hij staarde hen aan om te benadrukken dat hij iets duidelijk wilde maken. 'Maar als we hen formeel onder surveillance plaatsen met het weinige dat we hebben, dan kúnnen en zúllen ze weer terug naar hun advocaten stappen, om ons voor het gerecht te slepen wegens intimidatie, en ze zouden winnen. Ik ben niet van plan dat te laten gebeuren.'

Teresa Lupo trok het stapeltje foto's naar zich toe en legde een vinger op het kwaadaardige, zelfvoldane smoel van Franco Malaspina. 'Jij denkt te weten wat hier aan de hand is, Leo. Het is tijd om dat met ons te delen.'

Hij zuchtte en schudde zijn hoofd. 'Ik weet erg weinig. Dit is puur giswerk. Ik kan dit niet ter sprake brengen in de Questura. Jullie kennen allemaal het beleid op het moment. We hebben een nieuwe *commissario*, de man die vorige week uit Milaan is overgekomen. Ik heb deze zaak nog maar nauwelijks met hem besproken. Zo gaan die dingen. Management is belangrijker dan de misdaad. Verwacht niet van mij dat ik een gevecht aanga dat ik niet kan winnen.'

'Maar wat denk je?' hield Teresa vol.

Hij haalde diep adem. 'Het enige wat ik kan verzinnen is dat het hier om een vreemde broederschap gaat, en dit een soort overgangsrite is, ontsproten aan hun gedeelde liefde voor de kunst, aangezien dat het enige is wat ze naast hun afkomst gemeen hebben. Ik geloof dat Véronique Gillet er ook deel van uitmaakte, een actief lid was dat hier vrijwillig naartoe kwam om door toedoen van een of misschien meer van hen dood te gaan. De onverwachte komst van Aldo Caviglia veranderde dat alles. Nu hebben ze die moordkamer niet meer, of het schilderij dat misschien een bijzondere betekenis voor hen had. Dus wat moeten ze nu?'

'Ze geven het op,' zei Costa meteen. 'Ze keren terug naar hun leventjes van rijke, geslaagde burgers die in besloten kring het gezelschap van hun criminele vrienden zoeken en zich gedeisd houden in het openbaar. En dan...'

Het was zo overduidelijk en zo simpel allemaal. Niets van dit alles was gebeurd uit een dringende behoefte of een gewone criminele aandrang. Als Falcone gelijk had – en dat had hij meestal – dan was het hele dodelijke intermezzo gewoon een spel, een bloederige kwajongensstreek geweest. Werd het risico te groot, dan keerden de mannen, zelfgenoegzaam en veilig, terug naar hun ogenschijnlijk onschuldige levens met hun herinnering aan het kwaad dat ze hadden aangericht en hun vaste overtuiging dat de autoriteiten daarvan wisten. Hun advocaten maakten een einde aan de verdenking die nog restte en die hun schade kon berokkenen. De politie zou vergeefs hopen op een nieuwe actie van hen, zodat ze de zaak konden heropenen.

'Dat is ook wat ik ervan denk,' was Falcone het met hem eens. 'Dus op dit moment kunnen we alleen watertrappelen of... een beetje creatief zijn.'

Niemand zei iets. In zijn ogen lag een blik die Costa maar al te goed kende. Dit was het moment waarop de zaak ophield routine te zijn. Dat was ook de reden waarom zij hier waren.

Falcone liep naar het lange moderne dressoir en kwam terug met een nieuwe laptop. Hij plaatste hem op het bureau en zette hem aan. Razendsnel verschenen er drie foto's op het scherm: live videobeelden, zo te zien gemaakt door camera's die hoog aan een muur bevestigd waren en de hele straat bestreken.

De lenzen waren gericht op drie figuren die iedereen in de kamer nu wel kende: Pasquino, Il Facchino en Abate Luigi, drie vuile stenen beelden, vochtige, misvormde gedaanten in de winterregen. Falcone drukte nog een paar toetsen in. Het scherm werd gevuld met rijen en rijen minuscule videobeeldjes, afkomstig van alle beveiligingscamera's op alle bekende plekken in het *centro storico* die elke agent van onderzoeken in het verleden kende.

'Obsessieve mannen reageren op obsessieve handelingen. Graaf Franco Malaspina is niet de enige die boodschappen kan schrijven,' mompelde Falcone en hij gooide een stapeltje papieren op tafel, elk met het kleine, merkwaardige wapen van de Ekstatici aan het hoofd en volgekrabbeld met de grote hanenpoten die Costa herkende als het handschrift van Falcone zelf.

2

Drie uur later liep Costa samen met Leo Falcone zwijgend naar het Palazzo Doria Pamphilj, keurig in het pak, het witte overhemd en de das die hij van huis had meegebracht, intussen nadenkend over wat hij had gehoord. Teresa was teruggegaan naar de Questura om de moeilijke – misschien zelfs hopeloze – jacht voort te zetten op een of andere aanwijzing in de overweldigende hoeveelheid materiaal die ze uit de Vicolo del Divino Amore tevoorschijn haalde. Peroni en Rosa leerden de fijne kneepjes van het surveillancesysteem dat Falcone had weten los te peuteren van een aantal kennissen in de beveiligingsbranche. Het was geavanceerd spul, heel anders dan alles wat Costa ooit bij de rijkspolitie had gezien. Falcone moet aan een paar belangrijke touwtjes hebben getrokken. Daarnaast werd elk van de pratende standbeelden bovendien nog gecoverd door drie camera's, allemaal geschikt voor nachtopnamen. De computer downloadde elke seconde een opname. Als iemand dicht genoeg bij een standbeeld kwam om er een boodschap op te kunnen plakken, dan klikte het monitorsysteem aan en liet een waarschuwingssignaal horen. Op die manier wist degene die dienst had wat er op de verschillende locaties aan de hand was, zonder dat hij met zijn ogen aan het scherm vastgekleefd hoefde te zitten. Het was beter dan in dit vreselijke winterweer ergens in een portiek te moeten staan.

En bovendien was er genoeg ander werk te doen. Falcone had alles wat er over de drie verdachten aan documenten bestond weten op te sporen, van krantenknipsels tot interne rapporten voor eigen gebruik uit politiearchieven en die van de veiligheidsdienst. Wat openbaar gemaakt was, was bedroevend voorspelbaar. Op een paar verkeersincidenten na hadden de kranten er geen bewijs voor dat Franco Malaspina, Giorgio Castagna en Emilio Buccafusca iets anders waren dan de rijke, bevoorrechte individuen waar zij zich voor uitgaven. Maar naar Malaspina, en alleen naar hem, was in het verleden wel onderzoek gedaan, niet minder dan vijf keer, door de politie, de Carabinieri en de Direzione Investigativa Antimafia. Ze waren allemaal op niets uitgelopen na heftige juridische bedreigingen en potentiële getuigen die ineens niets meer te zeggen hadden. Hij was een man die wist hoe hij het systeem naar zijn hand kon zetten. In sommige opzichten leek het wel of hij meende dat het zijn eigendom was.

Op het Piazza del Collegio Romano hield Falcone halt. Hier scheidden hun wegen zich: de inspecteur ging terug naar de Questura, terwijl Costa op verzoek van de inspecteur een ontmoeting met Agata Graziano had. Ze zouden elkaar treffen in de galerie in het privépaleis, dat schuilging achter de drukke winkelstraat, de Corso.

'Ben je tevreden over mijn aanpak?' vroeg Falcone. 'Wees eerlijk.'

'Ik ben tevreden.'

'Je bent erbij betrokken. Je hebt misschien het gevoel dat dat niet genoeg is. Maar dit spel kan lang gaan duren, Nic. We moeten improviseren. We moeten ze uit hun schuilplaats lokken. Daar in die rijkeluishuizen van ze, waar ze zich met hun advocaten verschanst hebben... zijn ze onaantastbaar. Als we ze de straat op kunnen krijgen, dan zijn we op eigen terrein. Dan hebben we een kans ze te pakken.'

Nadat ze het appartement hadden verlaten, waren ze met zijn tweeën naar twee van de standbeelden gelopen, naar Pasquino en Abate Luigi, en zodra er even een gat viel in de stroom voorbijgangers hadden ze gauw de neergekrabbelde boodschap opgeplakt met bovenaan het gekopieerde embleem van de Ekstatici.

De woorden waren van Falcone, een adaptatie van een rijmpje van Dante uit een boek dat van de inspecteur zelf was.

Aanschouw de zonnewende, broeders!
Wanneer de schaduwen korter worden,
Van kastanje, doorn en donker wordende mond.
Nu valt het licht van de waarheid op liefde, het goddelijke en wereldse.
Nu verlies je voor altijd je Venus.

Het was een obscure boodschap voor obscure misdadigers, een die Falcone aan Gianni Peroni moest uitleggen, die desondanks sceptisch bleef. De winterzonnewende was over drie dagen. Vanaf dat moment werden de dagen langer en de middagschaduw korter. Hij had de boodschap voor de Ekstatici, hoopte de inspecteur, cryptisch maar in hun eigen taalgebruik vervat en daarbij de drie hoofdpersonen bij name genoemd: wat in de Vicolo del Divino Amore was gebeurd zou gauw aan het daglicht komen. Bovendien was het schilderij, kennelijk hun talisman bij hun activiteiten, niet meer in hun bezit en dat zou ook zo blijven.

'Dit zijn arrogante kerels,' had Falcone opgemerkt nadat ze het laatste bericht hadden aangeplakt. 'Arrogant, en ik vermoed dat sommigen bang zijn. Met een beetje geluk zal dit een reactie oproepen. Iemand raakt misschien in paniek, hangt misschien een antwoord van henzelf op.'

'Denk je dat ze dat risico nemen?'

De inspecteur fronste. 'Het risico is een deel van de kick. Dat lijkt mij tenminste. Waarom blijven ze ons anders achtervolgen? Het lijkt wel een stierengevecht. Ze voelen zich meer levend naarmate ze zich dichter bij de horens bevinden. Hoe dan ook zullen ze willen reageren. Ze houden van die pratende standbeelden omdat ze openbaar zijn en dat streelt hun ijdelheid. Geen gewone misdadiger zou op die manier de aandacht op zijn werk vestigen. Dit tuig denkt dat ze bijzonder zijn. Misschien als we ze een koekje van eigen deeg geven...'

Hij keek Costa aan met een bedroefde blik. 'Er was echt niets wat je voor Emily had kunnen doen, hoor.'

'Hoe weet jij dat zo zeker?' pareerde Costa meteen met onbedoelde norsheid. 'Je was er niet bij.'

'Dat weet ik omdat ik jou ken,' antwoordde Falcone meteen. 'Als er iets gedaan had kunnen worden, dan had jij dat gedaan.

Niet dat je onder deze omstandigheden iets aan die wetenschap hebt. Het is alleen maar natuurlijk dat je jezelf de schuld geeft. Ik hoop alleen dat je in de loop van de tijd een manier kunt vinden om je van die pijn te bevrijden.' Hij fronste. 'Ik spreek namens ons allemaal, Nic. Je hebt vrienden. We geven om je. We denken dat je dit verdriet vanbinnen los moet laten.'

Costa wist niet wat hij moest zeggen. Falcone was van nature een kille man. Dit moest niet gemakkelijk voor hem zijn geweest.

'Ik zal rouwen wanneer ik daar klaar voor ben,' zei hij eenvoudig. 'Wanneer ik er tijd voor heb.'

'Reken daar maar niet op,' antwoordde Falcone.

'Wat bedoel je daarmee?'

'Malaspina is een man met veel vrienden. Mensen als hij kunnen trucs bedenken waar jij nooit opgekomen zou zijn, nog in geen miljoen jaar. Vraag me niet het uit te leggen.'

Geld en positie waren belangrijk in Rome en dat zou altijd zo blijven. Falcone kon geen enkele gelegenheid voorbij laten gaan... noch de kans er een te creëren. Costa was zich daarvan bewust. 'Waarom heb ik ook weer een nieuwe afspraak met Agata Graziano?' vroeg Costa. 'Mag ze naar buiten wanneer ze maar wil?'

'Helemaal niet. Ze heeft even dispensatie,' antwoordde Falcone. 'Heeft ze dat niet tegen je gezegd? Agata Graziano is een heel bijzondere vrouw. En ik heb goede redenen om dat te zeggen.'

Hij wachtte. Falcone had heel onkarakteristiek zijn mond voorbijgepraat en daar had hij nu spijt van.

'Kom ik daarachter?' vroeg Costa.

'Ik denk dat ik het je nu maar moet vertellen,' verzuchtte Falcone met iets van een blos op zijn wangen. 'Al wil ik niet dat dit verder gaat dan ons tweeën. Iets meer dan twintig jaar geleden stond mijn huwelijk op instorten door een stomme fout van mij. Het werd me duidelijk dat ik nooit vader zou worden. Ik was niet de enige,' ging Falcone snel verder. 'Het was een soort traditie onder een paar van ons die in dezelfde positie verkeerden. Je kwam soms gemakkelijker de dag door als je er wat liefdadigheid naast deed. Dus in dat opzicht bezien was mijn generositeit nogal zelfzuchtig. Net als bij Franco Malaspina.'

'Dat had ik nooit kunnen bedenken.'

'Natuurlijk. Ik denk dat jij ook nooit gedacht had dat er mensen waren die wisten van jouw gewoonte om elke dag een bedelaar wat te geven.'

'Daar ben ik mee opgehouden,' gaf Costa een beetje beschaamd toe.

'Je bent getrouwd. Je vond een partner. Je stond op het punt een eigen gezin te stichten. Het was alleen maar natuurlijk. Ik...' Falcone moest om zijn eigen gêne lachen. 'Ze zeiden dat ik een bepaald meisje moest helpen in het weeshuis van het klooster. Zij kozen haar voor me uit, natuurlijk. Het toeval wilde dat ze Agata Graziano uitkozen, al ben ik er niet zeker van dat ze ooit echt een kind is geweest. Ik ontmoette haar voor het eerst toen ze negen jaar was en even ernstig, ongemakkelijk en nieuwsgierig naar alles was als nu.'

Dus dat was de relatie. Daar was Costa nooit opgekomen.

'Moest ze een non worden?'

'Zuster! Ze hoort bij een andere orde.'

'Sorry: zuster.'

'Nee,' antwoordde Falcone duidelijk voorzichtig. 'Ze had alles kunnen doen wat ze wilde. En dat deed ze in zekere zin ook: ze ging naar de universiteit, studeerde. Ik keek in stilte toe, van een afstandje, en bracht haar drie tot vier keer per jaar een bezoek. Nam haar af en toe mee uit. Ik zag hoe ze opgroeide, wat fantastisch was, maar niet bijzonderder dan bij ieder ander kind, denk ik zo. Maar ik wist al toen ze nog klein was dat ze niet als anderen was. Tja... Ik stel me zo voor dat iedereen dat denkt.'

Zijn scherpe ogen namen Costa op. 'In die twintig jaar heb ik haar geen enkele keer ook maar de geringste wens horen uiten om dat klooster te mogen verlaten en ik heb haar beslissing nooit ter discussie gesteld. In die intelligente kop van haar tuimelen al genoeg moeilijke ideeën rond zonder dat jij er nog meer aan toevoegt.'

'Je hebt vast gelijk.'

'Dat heb ik. Vergeet dat niet. Als iemand dat schilderij van je kan doorgronden is het Agata wel. Waarom denk je om te beginnen dat ik om haar heb gevraagd? Gebruik altijd iemand die je kent, Nic. Denk daaraan als alles de komende jaren steeds gecompliceerder wordt. Doe je voordeel met Agata's kennis. En...' Er gleed even een uitdrukking van twijfel en heimelijke zorg over

Falcones getaande kop. 'Zorg voor haar. Ik ben bang dat ze niet zo veerkrachtig is als ze zelf denkt. Ik moet nu weg. Echt...'

Costa dacht aan de kleren die Falcone uit de boerderij over had laten komen en dat hij erop had aangedrongen dat hij ze die avond aan zou doen. Het waren zijn mooiste kleren.

'Waarom moet ik zo opgedoft naar een galerie, Leo?' vroeg hij.

De inspecteur kuchte in zijn vuist. 'Heb ik dat niet gezegd?'

'Nee.'

'Ah. Na afloop is er een feestje in de galerie. Van het personeel van het Barberini. Ik dacht dat je dat wel leuk zou vinden.'

Costa snapte er niets meer van. 'Een feestje? Wil je dat ik naar een feestje ga?'

Heel even, in kortstondig schuldbesef, boog Falcone het hoofd. 'Het is niet zomaar een "feestje". Het is in het Palazzo Malaspina. Je zult daar in burger zijn, als gast. Niemand kan zijn beklag doen over intimidatie. Gewoon een ideetje van me...'

Costa knikte en begon te begrijpen hoe het zat. 'Hij zal er ook zijn. Malaspina.'

'Dat denk ik wel,' gaf Falcone toe. 'O...' Hij keerde zich nog even om terwijl hij wegliep. 'Veel plezier, hè?' droeg hij hem nog op, en toen was hij verdwenen.

Het lied van Solomon

1

Hij trof haar aan in de Saletta del Seicento, precies waar hij had verwacht: voor het middelste schilderij aan de lange muur, bij Caravaggio's prachtige afbeelding *Vlucht naar Egypte,* waarop de bejaarde Jozef de bladmuziek ophoudt voor een etherisch mooie engel die viool speelt voor een sluimerende Maagd en Kind. Agata Graziano werd vergezeld door een tengere man met glanzend goudblond haar en een gezicht dat wel enigszins leek op dat van het goddelijke wezen met de viool, al was hij iets ouder en meer door zorgen getekend. Zowel Agata als hij waren echter geconcentreerd bezig met het schilderij dat zich aan de linkerkant van het werk bevond: een andere Caravaggio, deze keer de sluimerende, boetvaardige Maria Magdalena.

Ze draaide zich om en glimlachte naar hem toen hij aankwam.

'Raadsels,' zei ze. 'Alleen maar raadsels. Herken je die vrouw hier?'

'Fillide Melandroni,' zei Costa meteen.

'Inderdaad. Een van de drukste dames van haar tijd en hier is ze dan, terwijl ze model zat voor zowel de Magdalena als de Maagd zelf. En' – even was er iets van onzekerheid in Agata's donkere, energieke blik te bespeuren – 'de vrouw op ons eigen mysterieuze doek. Vraag je je nog af waarom Caravaggio ten slotte Rome uit gejaagd werd? Zelfs al had hij nooit die man op straat vermoord.'

Haar blik viel op de sluimerende Magdalena, een portret waarin zowel de fysieke als spirituele uitputting van een mens zo fijnzinnig werd weergegeven dat de subtiele, intense kracht die ervan uitging Costa deed duizelen, elke keer dat hij het zag.

'En er is nog iets,' bracht ze naar voren. 'Zie je wat ze aan heeft? Dit zijn de kleren van een Romeinse prostituee. Een hoer uit Ortaccio. Zo zag Fillide eruit als ze aan het werk was.' Weer gleed die zweem van onzekerheid over haar gezicht. 'Niet dat ik nu de aangewezen persoon ben om je op dit gebied van advies te dienen. Caravaggio heeft deze waarschijnlijk in dezelfde periode gemaakt, op vijf minuten lopen afstand van waar we ons nu bevinden. Dat kun je zien aan de kleuren, de mensen, de stijl. En vooral het leven. Het was misschien 1596. Michelangelo Merisi was nog jong, niet aangetast door de harde werkelijkheid van het leven in Rome. Hij was net in het huis van Del Monte getrokken, schilderde overdag terwijl hij 's avonds naar filosofen en alchemisten luisterde. En God weet naar wie nog meer...'

Ze keek hem aan. 'Maar goed, ook dat valt buiten mijn territorium, hè? Hier is iets anders.' Haar hand wees naar de perkamentrol met bladmuziek die de bejaarde Jozef vasthield, terwijl hij vol bewondering luisterde naar de viool van de engel. 'Muziek. Echte muziek. Alexander?'

De man naast haar keek naar Costa en grinnikte. Toen begon hij te zingen, een langzame melodie zonder woorden, heel precies met een perfecte altstem, die het midden hield tussen een koorknaap en een diva.

Toen hij zweeg grijnsde hij weer, nu om de ongemakkelijke uitdrukking op Costa's gezicht. 'Maak je geen zorgen, we worden er niet uit gegooid. Dit is een van mijn kunstjes. Alexander Fairgood. Bij speciale gelegenheden verzorg ik hier af en toe de muziek.'

'Ah,' antwoordde Costa, die het begreep. Hij liep naar voren en onderzocht de bladmuziek in de ingevallen en afgeleefde, oude handen van Jozef. 'Ik dacht altijd dat het gewoon... nootjes waren.'

'Daarom zijn er raadsels,' bracht Agata te berde. 'Ze zetten je aan het denken. Zeg het hem, Alex.'

Hij was een Amerikaan maar sprak Italiaans op die moeiteloos vloeiende manier van buitenlanders die een aantal jaren in de stad hadden doorgebracht.

'Dit is wat ze een Maria-motet noemen. Middeleeuwse, religieuze muziek gewijd aan de Heilige Maagd Maria. Dit bijzondere muziekstuk is een uittreksel uit een werk van een obscure Vlaamse componist, Noël Bauldewijn. De woorden komen uit het Hooglied, 7:6 tot 7:12. Ik ken het uit mijn hoofd, in het Latijn of Grieks, Hebreeuws of Engels. God weet dat ik het vaak genoeg heb gezongen.'

Zijn heldere, zekere stemgeluid klonk opnieuw door de kamer en de gangen daarbuiten, tijdloos en met een volmaakte beheersing. Dit keer bracht hij een aantal bloemrijke en sonore versregels ten gehore, woord voor woord.

De stem van de man had een etherische helderheid die elk ander geluid in de galerij deed verstommen. Costa begreep er geen woord van.

'Het is Latijn,' meldde Fairgood en hij keek wat geïrriteerd. 'Geen probleem. Ik ben wel gewend dat te moeten vertalen voor inwoners van Rome. Alleen wel in het Engels. Ik vind het dan mooier klinken. Kun je daarmee uit de voeten?'

'Engels is prima,' zei Costa, terwijl hij op de een of andere manier wist dat hij deze vraag niet aan Agata hoefde te stellen.

Come my beloved, let us go forth into the field; let us lodge in the villages.
Let us get up early to the vineyards; let us see if te vine
Flourish, whether the tender grape appear, and the
Pomegranates bud forth; there will I give thee my love.

Kom, mijn lief,
laten we het veld in gaan,
en tussen de hennabloemen slapen.
Laten we de wijngaard in gaan, morgenvroeg,
en kijken of de wijnstok al is uitgebot,
zijn bloesems al ontloken zijn,
de granaatappel al bloeit.
Daar zal ik jou beminnen.

Fairgood grinnikte weer. 'Dat was de King James-vertaling. Nogal pikant voor een oude protestante Schot, vind je niet?'

'Is het een liefdesgedicht?' vroeg Costa. 'Een erotisch liefdesgedicht?'

'Het is het Hooglied!' antwoordde de Amerikaan, verbijsterd door Costa's onwetendheid. 'Hét erotische gedicht bij uitstek. En dat andere ding dat ik voor je op moest zoeken... Niet dat ik weet waarom, al kan ik er wel een slag naar slaan.'

Hij wierp een blik op Agata, in de hoop op opheldering.

'Wanneer ik het je kan vertellen, zal ik het je vertellen, Alex,' zei ze liefjes.

'Dat mag ik hopen,' gromde hij. 'Het is dezelfde muziek maar op andere verzen. Verzen die Bauldewijn daar nooit in het origineel neergeschreven heeft.'

Hij haalde een blaadje uit zijn zak en sprak deze keer de woorden uit in zijn ontspannen Italiaans.

Zijn linkerhand is onder mijn hoofd en met zijn rechterhand omhelst hij me.
Ik vraag jullie, o dochters van Jeruzalem, bij de reeën en hinden in het veld,
Laat mijn lief met rust zodat hij niet wakker wordt vooraleer hem dat behaagt.

Met een flauwe glimlach op zijn knappe gezicht staarde Alexander Fairgood gefascineerd naar het doek voor hen.

'Weet je,' zei hij zachtjes, 'ik dacht altijd dat dit het sensueelste doek was dat ik ooit in mijn leven gezien heb. De manier waarop die halfnaakte engel zijn gevederde vleugels naar je toe steekt zodat je ze dolgraag aan zou willen raken.' Hij wees op het luie, wetende oog van de ezel achter het grijzende hoofd van Jozef, en zijn blik die alles in zich opnam. 'Ik heb me altijd afgevraagd wat er zou gebeuren als Maria wakker werd en deze verschijning hier opmerkte naast de man die niet eens de vader van haar kind was.'

'Dat heb ik je al duizend keer gezegd,' zei Agata geduldig. 'Het onderwerp, of in ieder geval één onderwerp, omdat er hier vele zijn, is hetzelfde als dat van het Hooglied. Is liefde het product van spiritualiteit of seksualiteit? Brengt het een het ander voort? En waar op de balans bevindt zich de liefde voor God?'

Hij keek naar haar, met een plagerige, ondeugende uitdrukking op zijn gezicht. 'Dit is seks verpakt als religie, Agata. Als je eens wat meer tijd buiten dat kuise kloostertje van je doorbracht, dan wist je dat.'

'Dat doe ik, voor het geval je dat nog niet had gemerkt,' antwoordde ze geërgerd. 'Dankzij een tijdelijke vrijstelling.'

'Alleen tijdelijk dus,' mompelde hij fronsend. 'Wat jammer.'

'Dank je wel, Alex,' zei ze en ze wierp een blik in de richting van de deur.

'O,' zei hij, 'ik ben te lang gebleven.'

Zonder iets te zeggen sloeg ze haar tengere armen over elkaar.

Hij wierp een laatste blik op het schilderij voor hen. Net als het werk in de Vicolo del Divino Amore leek het te pulseren van een vibrerend, eigen leven, al leek dat hier zachter en vriendelijker van toon.

'Ik word het nooit beu hier te komen,' voegde de Amerikaan eraan toe. 'Vooral niet met fascinerend gezelschap als dit. Maar dat andere schilderij waar ik over gehoord heb...'

Zijn stem transformeerde meteen in pure, lichaamsloze zang. Er liep een huivering langs Costa's ruggengraat.

'Zijn linkerhand is onder mijn hoofd en met zijn rechterhand omhelst hij me,' zong Alexander Fairgood en zweeg toen, verrukt over de echo van zijn eigen stem die door de labyrintische zuilengangen van het Palazzo Doria Pamphilj galmde.

'Het is echt,' zei ze op lage, opgewonden toon toen de musicus weg was. Ze greep zijn arm beet, haar kleine vingers stevig in de stof van zijn jas. 'Ik wist het toen ze me er voor het eerst heen brachten. Maar dat was intuïtie. Dit zijn de feiten. Kijk zelf maar. Dit is hetzelfde model. Fillide. De muziek heeft dezelfde herkomst. De stijl, de artisticiteit, het gevoel dat het ding je geeft... Ik voel Caravaggio verdorie in de verf. Jij niet?'

'Jawel,' zei hij zacht en hij voelde een steek van bezorgdheid.

'En toch...' Ze ademde diep in en uit, niet blij met haar eigen verdwazing. 'Wat betekent het? Waarom dit onderwerp, dat hij hiervoor en hierna nooit meer heeft geschilderd? Hij moet toch begrepen hebben hoe prachtig het was? Waarom is hij ermee opgehouden?'

Dezelfde vragen bleven in zijn kop zeuren. 'Hij schilderde ons schilderij toen hij voor Del Monte werkte?'

Ze knikte heftig. 'Volgens mij wel, maar aan het einde van zijn verblijf daar. Als je goed kijkt, kun je aan de penseelvoering zien hoe oud de man is, zijn stemmingen, zijn steeds groter wordende woede en depressie. Toen hij dergelijke doeken maakte in zijn jeugd, was hij nog blij als een kind. Dat was voor de kerken hem begonnen in te huren, voor de melancholie en de angst hun intrede deden, die we voor het eerst in de Contarelli-kapel en de Matteüs-cyclus hun kop zien opsteken. Voor dood en verderf zijn geest begonnen aan te tasten. Hij woonde bij Del Monte, in het gezelschap van dichters, goochelaars en alchemisten, hun hoeren en vriendjes, en op de een of andere manier dook ergens onderweg een mecenas op, misschien Del Monte zelf wel, die hem die inferieure Caracci liet zien, wat geld in zijn zak stopte en zei... wat zei?'

'Overtref hem en durf meer,' antwoordde Costa meteen.

'Durf meer?' vroeg ze verbaasd. 'Hij probeerde zelfs zichzelf te overtreffen. Hij probeerde iets op doek te krijgen, een moment, menselijk, goddelijk, duivels, ik weet het niet... iets wat nog nooit eerder geschilderd was. En toen het klaar was... niets. Behalve dan die korte vermelding in het dagboek van Giambattista Marino, had het net zo goed niet kunnen bestaan. Vanaf zijn ontstaan is het een soort geheim geweest. Wie heeft het in bezit gehad? Waarom is het nooit tentoongesteld, ontdekt, verkocht? Waar is het al die tijd geweest? In Rome, dat spreekt. Maar waar?'

Een of ander diep, raadselachtig weten fluisterde het hem op dat moment in. 'In bezit van iemand, een of andere familie, die nooit geld nodig gehad heeft,' opperde Costa. 'Of publieke erkenning omdat ze het in bezit hadden.'

Agata Graziano keek chagrijnig. 'Dat is giswerk. Daar neem ik aanstoot aan. Bovendien, welke rijke familie heeft nou een schilderij als dit en laat het níét zien aan het publiek? Deze mensen vinden het heerlijk om de rest van de wereld te laten merken hoe gezegend ze zijn.'

'Ik ben een politieagent,' antwoordde hij schouderophalend. 'Soms is giswerk het enige wat ik heb.'

'Dan heb ik medelijden met je.' Ze pakte zijn hand, draaide zijn pols om en keek op zijn horloge. Uurwerken waren nog zo'n bezit dat zuster Agata Graziano verkoos te mijden. 'Ik kan hier niet langer blijven. Mijn hoofd explodeert.'

Ondanks zichzelf wendde Agata zich toch weer naar de muur, dit keer naar het kleinere doek van de Magdalena: Fillide Melandroni, slapend, neergezegen en gekleed in de weelderige jurk van een eind-zestiende-eeuwse hoer uit Ortaccio.

'Hoor je ooit hun stemmen?' vroeg ze zachtjes.

Hij wist meteen wat ze bedoelde. 'Natuurlijk, als ik naar de schilderijen kijk,' antwoordde Costa eerlijk. 'Dat is Caravaggio. Dit zijn geen geïdealiseerde menselijke figuren. Dit zijn de mensen die hij iedere dag tegenkwam en als we hen zien, begrijpen we dat ze dezelfde mensen zijn als die wij ook tegenkomen. Ze zijn geen geschiedenis. Ze zijn wij.'

'Dat is zo,' was ze het met hem eens, en er was een grimmige klank van zelfverwijt in haar stem te horen. 'Nog steeds. Ik weet waar ze woonden en waar ze stierven. Ik loop over dezelfde stoepen, kom langs dezelfde gebouwen, lig 's nachts wakker met dezelfde angsten en twijfels.'

Haar ogen bleven op het doek aan de muur gericht, haar aandacht verslapte geen moment: Fillide Melandroni. Al zo lang dood, slapend, in de greep van een diepe uitputting die grensde aan die van de dood.

'Soms,' zei ze langzaam, 'stel ik me voor dat ik een man op straat zie, een man met donker haar, een half baardje en een bedroefd, geschokt gezicht. Hij staart mij vanaf de andere kant van de weg aan, zonder het verkeer, zonder iets op te merken behalve de gezichten en de pijn, en dezelfde heldere, beschadigde mensheid die hij daar toen ook zag.' Ze greep zijn arm steviger beet. 'We wonen in hun wereld. Zij wonen in onze. Waarom zou iemand anders willen schilderen, behalve dan om eeuwig te leven?'

Haar donkere glinsterende ogen keken hem onderzoekend aan, voordat ze weer even teruggingen naar het schilderij van de slapende Fillide. 'En... Alexander zei het al. Hij zou er een moord voor plegen om een schilderij als dit te kunnen zien. Iemand heeft dat gedaan. Mensen zijn gestorven. De reden dat jij met mij wilt praten, is dat je gelooft dat ik jou kan vertellen waarom.'

'Dat hoop ik echt,' antwoordde hij.

'Ben jij daarmee geholpen, Nic? Jij?'

Er bestond geen enkele gelijkenis tussen Emily, zijn overleden echtgenote, en deze excentrieke vrouw, wier leven zo ver af stond van alles waar hij zich een voorstelling van kon maken, dat ze net zo goed van de maan had kunnen komen. Niets behalve een wederzijdse volharding wat één ding betrof: de waarheid moest onder ogen gezien worden, hoe verschrikkelijk die ook mocht blijken te zijn.

'Ik weet het niet, maar ik hoop het,' antwoordde hij en hij merkte dat hij haar blik volgde naar de sluimerende vrouw op het doek aan de muur.

Iets in het gezicht van Magdalena trok zijn aandacht, een detail dat hij nog nooit eerder had gezien. Hij knipperde met zijn ogen en keek toen nog eens. Eerst leek het een foutje te zijn, een scheurtje in het doek, waardoor een klein, zuiver wit stukje blootgelegd werd onder de verf. Toen Agata opmerkte wat hij zag, liep hij er dichter naartoe, zo dichtbij dat het bijna ongepast leek, maar haar onverbiddelijke arm duwde hem verder voren.

Nic Costa wist niet meer hoeveel keren hij door de deuren van de Doria Pamphilj naar binnen was gegaan, hoeveel uren hij in de schitterende gangen had doorgebracht, overweldigd door de schoonheid van de collectie en de heldere, simpele manier waarop ze tentoongesteld waren – als bij iemand thuis, niet in een museum. Hij had nog nooit dit minuscule vlekje op de wang van de slapende vrouw gezien. Agata Graziano had hem iets geleerd: hoe je moet kijken. Nu voelde hij zich door de onthulling, die zo klein en toch zo gigantisch was, als aan de grond genageld: een enkel element, oneindig menselijk, afgebeeld met de perfectie van een genie dat zichzelf nog niet bewust was.

Een enkele glazige traan was gevangen, bevroren in één moment op de wang van de sluimerende Fillide Magdalene na de kruisiging, zich bewust van de tragedie die zojuist zijn intrede had gedaan in de wereld. Een deel van haar, haar ziel misschien, huilde. Het zien van dit oneindig kleine geheim verscheurde zijn hart, haalde zijn eigen duistere tragedie tevoorschijn vanuit de diepten, precies zoals de bedoeling was geweest.

'Je begint het te leren,' fluisterde Agata, terwijl ze hem een blik toewierp waarin iets te zien was dat aan bewondering deed denken.

2

Ze liepen door het *centro storico* terwijl Agata zijn aandacht vestigde op de straten die hij zo goed meende te kennen. Hij besefte dat hij het mis had gehad. Zij begreep ze zo veel beter en in zo veel meer dimensies: waar de schilders, die ze beiden adoreerden, gewoond en gestreden hadden en ten slotte overleden waren. Het leek wel een college van de meest vrijzinnige en openhartige universiteitsdocent die er bestond. Agata had het over de maatschappij, rijk, gewelddadig, hedonistisch en toch in zeker opzicht ook diep religieus, moralistisch zelfs, die Caravaggio eerst gekoesterd en, toen hij zich steeds meer ging misdragen, afgewezen had, om uiteindelijk het doodvonnis over hem uit te spreken voor de doodslag die hem eerder tot ballingschap had veroordeeld. Terwijl ze aan het woord was, besefte Costa dat er iets was waar hij nooit eerder echt oog voor had gehad: de geest achter de penseelstreek, het intense, creatieve genie dat een eenzame rebel, zonder veel officiële opleiding, ertoe had gedreven de focus in de schilderkunst te verleggen, en wel naar het goddelijke in het wereldse, in de dieven en hoeren, de misdadigers en de zwervers in de straten van Rome.

Het was allemaal, zei ze, een kwestie van *disegno*, wat voor de schilders uit de generatie van Caravaggio niet alleen 'ontwerp' of 'design' betekende, maar zoals een van zijn tijdgenoten het formuleerde, *il segno di Dio in noi*, het teken van God in ons.

'Zie jij tegenwoordig ergens het teken van God?' vroeg ze.

'Nee,' antwoordde hij en hij haalde zijn schouders op. 'Sorry, jij?'

'Overal! Je moet goed leren kijken. Ik zal je helpen deze tekortkoming te boven te komen.'

Ze liepen voorbij het grote huis van Caravaggio's vroegere mecenas, terwijl Agata speculeerde over het gedrag van de excentrieke aartsbisschop Del Monte en zijn bizarre huishouden in wat nu het chique onderkomen van de Senaat was, dat bewaakt werd door ontelbare geüniformeerde Carabinieri. Vervolgens stevenden ze door het drukke kerstverkeer, dat zich al ruziënd een weg baande door de eeuwige verkeersopstopping bij het Piazza delle Cinque Lune, terwijl Agata maar doorging over het verleden in het heden en hem uitdaagde de nabijheid ervan te voelen. Verderop, niet meer dan drie minuten lopen, in de richting van de Corso, bevond zich het Piazza di San Lorenzo in Lucina, de plek waar Caravaggio betrokken raakte bij het dodelijke straatgevecht dat leidde tot zijn verbanning uit Rome. Op dezelfde afstand van de rivier, voorbij de Via della Scrofa, die naar de Vicolo del Divino Amore liep, lag de Tor di Nona, de toren waar na het uit de hand gelopen messengevecht een aantal van de vechtjassen gevangengezet waren. Misschien had de gewonde Caravaggio zich onder hen bevonden, tot hij met de hulp van een paar van zijn aristocratische bewonderaars in staat was geweest om aan de beul te ontsnappen.

'Ze zijn hier, Nic,' hield ze vol. 'Híj is hier. Je hoeft alleen maar te luisteren en te kijken. Kom.'

Ze sloegen de hoek om en liepen de keitjes van het piazza op. Boven hen uit torende de vroeg-renaissancistische voorgevel van de kerk van Sant'Agostino, waarvan het lichte travertijn duidelijk vijfhonderd jaar eerder geplunderd was uit het Colosseum, en nu oplichtte in het oranje licht van de straatlantaarns. Hij volgde haar de hoge, brede stenen trappen op, naar een reusachtig schip met een enorme echo. Instinctief sloeg hij links af naar het schilderij dat hij talloze keren gezien had en nu, wist hij, met nieuwe ogen zou bekijken.

'Nee,' zei ze. Ze pakte hem bij zijn elleboog en leidde hem een andere kant op. 'Daarvoor heb ik je niet mee hiernaartoe genomen.'

In de duisternis aan de rand van zijn gezichtsveld bevond zich, als een somber, oplichtend baken, de Madonna di Loreto van Caravaggio, een bijzonder fraaie Heilige Maagd met het kind

Jezus in de armen. Het heilige paar werd omlijst door de deuropening van een eenvoudig stenen huisje en staarde omlaag naar twee groezelige pelgrims.

'Áls hij naar de kerk ging,' zei ze, 'en volgens mij was dat zo, dan kwam hij hier. Ze kwamen allemáál hier naartoe. De kunstenaars en de dichters. En erger. Dit was een heiligdom voor zij die in ongenade waren gevallen. Zij hadden er het meest behoefte aan. Waar zou de kerk zijn zonder zondaren?'

Ze draaide zich om naar de ingang. Hij volgde haar voorbeeld en zag het beeldhouwwerk dat zich daar bevond, een studie van twee figuren, bleek van kleur en verlicht door een zee van kaarsen.

'Dit was ook de kerk van de hoeren,' vervolgde Agata Graziano. 'Het godsdienstig middelpunt van wat ooit Ortaccio was. De minnares van Cesare Borgia is hier begraven. En zo ook een aantal van de beroemdste prostituees van Rome, en niet bij de Muro Torto zoals de wet gebood. Je zult hun grafstenen er niet meer vinden. Ze zijn allemaal verdwenen uit een soort van' – ze fronste haar voorhoofd – 'gevoel voor decorum. Ik ben maar gewoon een nederige zuster met een zwak voor kunst. Ik weet niet meer van jouw wereld dan ik verkies te weten. Maar dit verwart me. Dat mannen iets zo graag willen, en als ze het eindelijk hebben zo vervuld van schaamte zijn. Fillide had er geen last van. Waarom zou ze? Kijk, Nic, kijk goed...'

Hij had nooit veel tijd aan die figuren daar besteed, al wist hij zich vaag te herinneren dat ze voor de gewone vrouwen van Rome een bijzondere betekenis hadden. Soms, als hij naar de Caravaggio ging kijken, had hij hen naar het grotere beeld zien sluipen, de Madonna, clandestien bijna. Ze deden een offergave in de bus, staken een kaars aan, maakten een kruisteken. Dan, met een laatste zijdelingse blik, liepen ze voorzichtig naar voren en raakten de zilveren slipper aan haar voet aan.

Hij staarde naar de kalme, mooie vrouw van steen, die majestueitelijk gezeten was onder de halve schelp van de koepel aan de bovenkant van de nis, en het kind dat met één been op haar schoot en één op haar troon stond. Costa vroeg zich af hoe hij zo blind had kunnen zijn. Boven haar haren, verlicht door het woud van brandende kaarsen in de alkoof, was een met sterren bezaaide halo te zien. Rond haar middenrif, strak onder haar borsten, liep een zilveren guirlande. Het kind was grandioos, opgestaan om de wereld tegemoet te treden, een glanzende, schitterende wapenrok om zijn middel. Omkranst door licht, omgeven door bloemen en memento's, berichten en foto's van kinderen, zo veel kinderen, ontsteeg ze de christelijke iconografie, tijdloos, als Venus die de wereld de kleine Cupido in haar armen toonde, als een prijs, een wonder.

'Waar bidden vrouwen voor als ze hier komen? Wanneer ze haar voeten zo aanraken?' vroeg hij.

'Weer vraag je dat aan de verkeerde. Dit is de *Madonna del Parto*, de Madonna van het moederschap, van de geboorte. Een idee dat ouder is dan mijn geloof. Namelijk dat de vruchtbaarheid van de mensheid bij de vrouw ligt. Dus denk ik dat ze bidden voor het kind dat ze dragen of hopen te dragen.'

Ze aarzelde. 'Misschien zelfs vrouwen als Fillide, al had haar generatie door een christelijke gevoeligheid ook al het besef, de littekens van de zonde.'

Hij dacht aan het schilderij dat in het atelier verborgen was, zijn ware boodschap verborgen onder zo veel misleiding aan de oppervlakte. En hij herinnerde zich Emily en het kind dat ze hadden verloren. Er waren geen gebeden die die pijn konden verzachten, geen kaarsen en bloemen, alleen die afgesleten, troostende aanraking van de zilveren voet van een standbeeld in de sombere buik van een oude kerk, volkomen geïsoleerd op zijn eigen stille plein, een paar stappen van de verstikkende drukte van het moderne Rome vandaan.

'Wat denk je,' vroeg Agata, op de luide, besliste toon van een priester terwijl iedereen verder fluisterde, 'dat ze zagen toen ze hier kwamen? Del Monte en Caravaggio. Galileo en Fillide Melandroni. Wat zochten ze?'

'*Disegno*,' antwoordde hij eenvoudig.

Het goddelijke ontwerp in ons.

Hij was niet in staat haar geïnteresseerd starende blik te ontwijken.

'Je bent een goede leerling, Nic Costa,' verklaarde Agata Graziano plotseling ernstig. 'Ik wou alleen dat ik een betere leraar was.'

Hij begon bezwaar te maken.

'Nee,' onderbrak ze hem. 'Een goede leraar had een paar antwoorden gehad.'

'Ik had een makkelijker vraag kunnen stellen,' opperde hij. Hij was even stil voor hij de moed had gevonden om het te zeggen. 'Wie ben jij? Waar kom je vandaan?'

Alle geamuseerdheid verdween van haar gezicht. Deze donkere, strenge en toch aantrekkelijke vrouw, in het lange zwarte kleed van de non die ze niet was, sloeg haar armen stevig om zichzelf heen. Ze keek hem aan, onzeker van zichzelf.

'Waarom wil je dat weten?' antwoordde ze.

'Ik ben nieuwsgierig. Dat is een deel van mijn werk. Het grootste deel van mijn werk, om eerlijk te zijn.'

'Nou, er valt niets te weten. Ik werd als kind in de steek gelaten, zoals zovelen. Ze dachten dat mijn moeder het soort vrouw was' – ze keek om zich heen in de kerk – 'dat er ooit van zou hebben gedroomd een gebouw als dit binnen te mogen gaan, maar er ongetwijfeld nooit knap of rijk genoeg voor was geweest. Mijn vader was een zeeman. Een Afrikaan, geloof ik, uit Ethiopië. Dat is alles wat ik weet en wil weten. De zusters hebben me opgenomen, me opgevoed en toen, toen ze iets in me zagen dat de moeite van het cultiveren waard was, zetten ze me eenvoudig op mijn huidige pad, door me een opleiding te geven. Mijn verhaal is totaal niet bijzonder, en daar ben ik dankbaar voor.'

Een schaduw van twijfel vloog over haar gezicht. 'Nu ben ik een dag of twee iemand anders. Een van jullie. Dankzij jou, inspecteur.'

'Nog een cadeau van Leo.'

Ze keek een beetje boos. 'Heeft hij het je verteld?'

Costa was zich ervan bewust dat hij iets verkeerds had gezegd. 'Alleen de essentie.'

'Waarom zou hij dat in vredesnaam doen?' vroeg ze, zonder een antwoord te verwachten. 'Bij een ander zou ik gedacht hebben dat het om misplaatste trots ging. Maar niet bij hem. Nooit. Vreemd.'

Met een kort, bevelend vingertje wees ze naar zijn borst. 'Wat Leo heeft gedaan was liefdadigheid en liefdadigheid doe je het best in stilte. Ik ben er dankbaar voor en wil er verder niets meer over horen.'

Ze staarde naar het beeld: de heldere, glanzende Madonna, een oudere godin misschien ook, met het wonderbaarlijke kind in haar armen. Er was daar iets, dacht hij, dat zelfs Agata Graziano niet kon bevatten.

'We zijn klaar met de doden,' zei ze en ze liep naar de deur. 'Voor nu in ieder geval.'

Costa staarde naar het standbeeld en aarzelde. Hij dacht aan Emily. Hij dacht eraan hoe het zou zijn om zich in dezelfde kamer te bevinden als de man die haar leven zo achteloos had beëindigd.

Leo Falcone eiste een hoge en zware prijs van iedereen die hij kende. Costa vroeg zich even af of hij die zou kunnen betalen, of hij een kamer binnen zou kunnen gaan met mannen die, wist hij, de Ekstatici waren, en doen alsof er niets aan de hand was.

'Nic?' vroeg Agata vanaf de deur. 'Kom je nog of niet?'

Hij had het niet tegen Falcone gezegd, maar het pak dat die van de boerderij had laten komen was zijn trouwkostuum geweest.

'Ik kom,' zei hij.

Het Palazzo Malaspina

1

Een halfuur later stonden ze op de trap van het Palazzo Malaspina. De ingang nam een groot deel in beslag van de smalle zeventiende-eeuwse straat die op een paar minuten afstand van het Mausoleum van Augustus lag, een plek waar Costa nog niet naar had durven terugkeren. De Vicolo del Divino Amore was zelfs nog dichterbij, en wel om de hoek, net als het kleine externe atelier van het Barberini waar het doek van Venus en haar saters zich nu bevond. Het scheen Costa toe dat alles in deze zaak samengebald was in de smalle, ontoegankelijke wirwar van donkere, armoedige steegjes hier, het labyrint dat ooit Ortaccio heette.

Ze hielden halt aan de voet van de halfronde stenen trap. Aan weerszijden was over de hele lengte een heraldische decoratie te zien: een schild van steen, ongeveer een halve meter hoog, dat in twee helften was verdeeld, een met stippen, de ander egaal van kleur. In het midden bevond zich een kale hoekige boom met drie korte horizontale takken aan de linker- en twee aan de rechterkant. Uit elke tak staken scherpe doorns, zowel aan de bovenkant als aan de onderkant. Malaspina. De kwade doorn.

Agata Graziano keek hem aan met iets van schuldgevoel op haar aantrekkelijke gezicht.

'Ik heb een beetje gelogen, Nic,' bekende ze. 'Dit is niet alleen het kerstfeestje van het Barberini. We doen het samen met een van de particuliere galeries. De reden is natuurlijk geld. We kunnen het niet meer alleen betalen.'

Hij dacht aan Falcone en besefte dat hij dit had kunnen verwachten.

'Laat me raden. De Buccafusca-galerie.'

'Ja,' antwoordde ze, onder de indruk. 'Je bent me de speurneus wel. Hoe wist je dat?'

'Dat heeft Falcone tegen me gezegd. In zekere zin dan.'

'Ah. Hij is een... interessante man. Hij mag je graag. Dat kan ik wel merken.'

'Interessant, ja,' was Costa het met haar eens.

'Ik wilde vooral dat je wist dat sommige van de dingen die je hier ziet van Buccafusca zijn,' voegde ze er aan toe. 'Niet van ons.'

'Ik kan niet wachten,' antwoordde Costa en hij volgde haar door de voordeuren naar de illustere, marmeren receptie die ingericht was onder een nis die daar uitgehouwen was in de vorm van een geschulpte halve schelp, vele malen groter dan die boven de *Madonna del Parto*. Hij zag hoe de particuliere bewakers, die Agata Graziano leken te kennen, knikten en hun pet afnamen voor ze hen voorgingen naar een vierkante, galmende hal vol zuilen en glanzende stenen fronten, een extravagante lobby die meer op zijn plek leek in een ambassade dan in een particulier huis. Een paleis als dit was voor Costa onbekend terrein, en dat kwam niet vaak voor. De familiewoning van de Malaspina-dynastie, waar nu voor zover hij wist alleen de enig overlevende nazaat nog woonde, was een enorm uitgestrekt complex dat een groot deel van dit stuk van Rome in beslag nam, en nooit zijn deuren opende voor het publiek, zelfs niet voor één dag.

Het was een fenomenale plek. De mensen zouden zich er verdrongen hebben. Kleinere stadsvilla's zoals het Palazzo Altemps waren door de staat aangekocht en in imponerende musea veranderd, voormalige aristocratische huizen die naast de rijke en gevarieerde collecties die ze bevatten op zichzelf al de moeite van het bezichtigen waard waren. De Malaspina-clan was aan een dergelijk lot ontsnapt en de familieleden hadden hun geheime, verborgen levens achter de door roet zwart geworden muren van een stadsfort geleid, dat er van buiten donker en weinig uitnodigend uitzag, maar van binnen vol licht en schoonheid was.

Voorbij de ingang bevond zich een uitgestrekte, met keien bestrate binnenplaats waarop in het midden een groot standbeeld stond van Cupido die zijn boog spande. Het gebouw rees aan alle zijden drie verdiepingen omhoog, waarvan de eerste twee blootstonden aan de elementen. Op de begane grond bevond zich een zuilengalerij en op de eerste verdieping een balkon met balustrade. Alle verdiepingen waren helder verlicht, zodat zich een zee van lichamen aftekende. Ze stonden geanimeerd met elkaar te praten: leden van een sociale klasse waarvan Costa wist dat hij er nooit toe zou behoren. Hij voelde zich hopeloos misplaatst en misschien zag Agata Graziano dat, want ze pakte even zijn arm vast, liet zelfs bijna de hare door de zijne glijden en zei: 'Maak je geen zorgen. Ik zal op jou letten als jij op mij let.'

'Oké,' mompelde hij, en toen baanden ze zich een weg dwars door een rumoerige, roddelende menigte in de zaal op de begane grond. Het insigne van de Buccafusca-galerie dook overal op, een open zwarte mond, van hebzucht of extase, dat was niet helemaal duidelijk. Alle objecten eromheen deden modern, lelijk aan.

Een schaars geklede serveerster vocht zich met moeite een weg door de menigte. '*Salut*,' sprak Agata en ze deed een graai naar twee glazen, een met jus d'orange voor haar en een met prosecco voor hem. 'Misschien doe ik straks wel met je mee.'

Hij liet zijn blik door de kamer gaan: iedereen zag er even mooi en glamoureus uit, het waren stuk voor stuk aantrekkelijke mensen, die helemaal in elkaar opgingen, en eruitzagen alsof de wereld van hen was.

'Dus zo leeft de bovenste laag van de bevolking,' merkte hij op. 'Ik heb me altijd afgevraagd wat ik miste. Misschien...'

Hij zweeg. Hij kon ze nu zien, aan de andere kant van de kamer, en hun aanblik viel samen met de beelden in zijn hoofd: van Rosa Prabakarans foto's en die vreselijke ervaring bij de graftombe van een al lang overleden keizer, niet ver van waar ze nu stonden op dit vreemde, kunstmatige feest.

Terwijl hij naar de vier keek – Malaspina, Buccafusca, Castagna en de gedrongen, niet op zijn gemak zijnde Nico Tomassoni aan hun zijde – besefte hij dat in theorie ieder van de langere mannen de man achter de bivakmuts kon zijn geweest. Maar Malaspina had iets, de statige, stramme houding van de man die zijn superioriteit als een natuurlijk gegeven beschouwde, wat Costa ervan overtuigde dat hij de man was, dat alleen hij die man kon zijn.

'Voel je je op je gemak bij de aristocratie?' vroeg Agata Graziano terwijl ze naar hem keek.

'Ik heb er niet veel ervaring mee,' gaf hij toe.

'Nou,' zei ze, en ze haalde haar schouders even op en begon zich vervolgens met een priemende elleboog en grote vastberadenheid een weg door de zee van in zijde gehulde lichamen te banen, 'laten we dan beginnen.'

2

'Kerstmis,' verklaarde Franco Malaspina, 'elk jaar hetzelfde liedje. Een feestje voor het Barberini. Een reeks cheques die moet worden uitgeschreven. Iedereen rekent op mijn vrijgevigheid, zuster Agata. Waarom ben ik hieraan begonnen? Zeg het me alstublieft.'

Agata lachte. Hij provoceerde met opzet, en opgewekt genoeg, al had Costa het gevoel dat de sfeer niet zo goedmoedig was als Malaspina deed voorkomen. De drie mannen aan zijn zijde waren weggeschuifeld toen zij aan waren komen lopen. De mannen maakten een ongelukkige, ongemakkelijke indruk, alsof ze hadden staan bekvechten en alleen opgehouden waren omdat zij hun opwachting hadden gemaakt.

Malaspina had de al te perfecte mediterrane, bruine teint die absoluut een must leek te zijn voor een bepaald type jonge Romeinse aristocraat. Zijn onverzettelijke gelaat met de geprononceerde Romeinse neus was intelligent maar op een onthechte manier, alsof het hem allemaal nauwelijks kon boeien. Buccafusca en Castagna hadden hetzelfde postuur als hij, maar hun verschijning was minder opvallend. Ze hadden het donkere haar en het bleke, ernstige gezicht van een bankier of ambtenaar, en een manier van doen die een buitengewoon beschroomde indruk maakte. Tomassoni, klein, te zwaar en zichtbaar zwetend onder de warme lampen, zag eruit alsof hij hier niet hoorde en niet kon wachten tot hij weg mocht. Ze waren met zijn drieën een stukje verderop, dicht bij een ander vreemd, modern sculptuur gaan staan en praatten zachtjes, heimelijk met elkaar.

'Je doet het omdat je ondanks je pretenties in je hart een goed mens bent, Franco,' antwoordde Agata vrolijk. 'Op een dag ben je getrouwd en heb je kinderen. Dan zul je er anders over denken, en zul je je Kerstmis herinneren zoals het was toen je klein was.'

Malaspina nam haar op van top tot teen. 'Ik bracht Kerstmis door met bedienden,' klaagde hij. 'Dat is niet hetzelfde. En natuurlijk ben ik een goede man. Lees je de kranten niet? Ik kan je de bewijzen ervoor laten zien als je wilt.' Hij aarzelde en staarde nu naar Costa. 'Dus waarom heb je een politieman meegenomen om me te ondervragen?'

'Ik ben hier niet om iemand te ondervragen,' antwoordde Costa beleefd. 'Zuster Agata en ik waren samen aan het werk. Zij stelde gewoon voor dat ik mee zou komen. Als u hier aanstoot aan neemt...'

'Waarom zou ik daar aanstoot aan nemen?'

'Niet iedereen is even dol op ons...'

'Daar hoor ik niet bij, hoor!' Malaspina hief zijn glas op. 'Op orde en gezag. Maar vooral orde. Daar drinkt u vast ook wel op, toch?'

Costa nam een slokje van zijn prosecco, niet in staat zijn blik van de man af te wenden. Franco Malaspina was niet zoals hij had verwacht. Van dichtbij, in levenden lijve, leek hij heel aimabel, indrukwekkend, en toch slecht op zijn gemak, met hen en met zichzelf, zowel openlijk als enigszins onder de oppervlakte. Costa moest bekennen dat hij geen hoogte kreeg van die kerel. De stem kwam hem niet bekend voor. En zijn lichaamsbouw, zijn houding... die konden van zoveel mannen in Rome zijn.

'Natuurlijk, Agata,' ging Malaspina verder, 'als ik ooit trouw, dan zou ik dat eigenlijk met jou moeten doen. Stel je de publiciteit eens voor die dat zou opleveren. Eindelijk heb ik dan de laatste maagd in Rome gevonden die de moeite waard is.'

Ze zei niets.

Malaspina keek naar Costa en tikte tegen de zijkant van zijn neus. 'Agata is een fan van Dante, zoals wij allemaal, al is het dan om andere redenen. Zij ziet zichzelf als Beatrice. Mooi, kuis, verleidelijk. En dood.'

Hij lachte om zijn eigen grapje. Hij was de enige.

'Je bent te intelligent om zo'n domme vergelijking te maken,' protesteerde Agata. 'Jij kent Dante net zo goed als ieder ander. Hij hield van Beatrice en ze stierf. Daardoor ontdekte hij dat er een hogere liefde bestond dan de fysieke. Een spirituele liefde.'

Costa hield zijn adem in. Iets in Agata's woorden had een plotselinge kilte in Franco Malaspina's ogen veroorzaakt. Heel even, maar onmiskenbaar. Moeilijk te duiden. Was het woede? Somberheid? Verdriet zelfs?

'Je lijkt de paus wel,' kreunde de man. 'Het is Kerstmis. Zelfs voor een heiden als ik is dit niet het moment om het over de dood te hebben.'

Agata knikte instemmend.'Ik word ook geacht als de Heilige Vader te klinken, toch?'

'Nee. Het is zo'n verspilling, Agata. Zo'n mooie vrouw. Iemand met gevoelens. Ik weet dat je die hebt. En dat weet jij ook. We zijn allemaal mensen, dezelfde kleine dieren met dezelfde verlangens en angsten. Wat is het probleem?'

Hij keek haar diep in de ogen. 'Wees toch net als de rest van ons, nu vrijmoedig en kuis achteraf,' mompelde Malaspina en hij keek hoe ze een stap naar achteren deed, dichter naar Costa toe. 'Niemand weet het. Is dat jouw God? Een spion in de slaapkamer?'

Ze schudde met een kleine vuist naar zijn borst, nog steeds lachend.

'Dit doet hij nu de hele tijd,' zei ze tegen Costa, half ernstig, half voor de grap. 'Het is een van zijn vaste trucs.'

'Trucs,' antwoordde Malaspina zachtjes. 'Jij neemt een politieman mee naar mijn palazzo en beschuldigt *míj* van trucs.' Franco Malaspina staarde naar Costa, zonder iets te zeggen en vol zelfvertrouwen. Zijn gebit was onnatuurlijk volmaakt. Zijn blik, helder, onbevreesd, hield de zijne vast. Met glinsterende ogen vroeg hij: 'Waarom ben je hier?'

'Dat heb ik al gezegd,' hield Costa vol. 'Ik werd uitgenodigd voor een feestje. Dat is alles. Als dat een probleem is...'

De man haalde diep adem alsof het keurige antwoord hem teleurstelde. 'Jij bent de vent wiens vrouw is doodgegaan. Dat heb ik ergens gezien. In de krant, denk ik. Ze namen foto's van je tijdens de begrafenis. Hoe voelt dat?'

'Franco!' kwam Agata tussenbeide. 'Doe niet zo onbeschoft.'

'Maar ik ben nieuwsgierig,' bracht hij daartegen in. 'Hij hoeft toch niet te antwoorden? Niet als hij zich beledigd voelt.'

'Ik voel me niet beledigd,' onderbrak Costa hen. 'Hoe voelt wat precies?'

'Om te worden gevolgd door dat journalistentuig. Nieuwsgierige klootzakken, die je leven binnendringen. Wanneer je niets verkeerds hebt gedaan. Dat ken ik.'

'Niet op deze manier,' antwoordde Costa wrang.

'Nee.' En toen was hij weer anders. Hij leek oprecht van streek. Bijna boetvaardig. 'Mijn gedrag was aanmatigend. Het spijt me. Om de vrouw van wie je houdt te verliezen... Ik had het nooit mogen vragen. Dat was onbeschoft. Alsjeblieft...'

Malaspina's rechterhand was naar hem uitgestoken. De hand waarvan Costa toen hij de zaal binnen was gekomen nog had geloofd dat die Emily van het leven had beroofd.

'Schud hem alstublieft,' zei de man. 'Aanvaard mijn verontschuldigingen en mijn condoleances. Het is ons aller lot op een dag alleen achter te blijven.' Weer gleed die vreemde, verloren uitdrukking over zijn gezicht. 'Ik heb gelukkig nooit iemand verloren die belangrijk voor me was. Een vader die altijd weg was telt niet echt mee.'

'Dank u,' zei Costa en hij pakte zijn hand. Hij had een buitengewoon krachtige greep, sterk en vasthoudend. Toen was het voorbij en deinde Malaspina op zijn hakken van voor naar achter, enigszins in verlegenheid gebracht door zijn eigen daden.

'Jij weet iets van Caravaggio, hè?' vroeg hij op conversatietoon.

'Een beetje,' bekende Costa.

'Alleen zijn kunst, vermoed ik. Niet de man. Het leven. Wat hem maakte tot wie hij was.'

Costa beaamde dat. 'Alleen de kunst.'

'Nec spe, nec metu,' zei Malaspina zacht.

Costa schudde zijn hoofd. Agata schoot hem te hulp. 'O nee, niet weer die onzin, Franco. "Zonder hoop of angst." Dat was het motto van een bepaald soort Romeins burger in die tijd.' Ze keek even de kamer door, naar Buccafusca en Castagna, althans die indruk kreeg Costa, en wendde zich toen weer tot Malaspina. 'Aha, dus je hebt Domenico Mora gelezen, Franco?' vroeg ze hem. 'Of zeg je gewoon na wat de anderen tegen je zeggen?'

'Ik lees,' antwoordde hij meteen, al was hij enigszins uit het veld geslagen door de vraag. 'Dat doen we allemaal.'

'Ik snap het niet meer,' bekende Costa.

'Ze hebben een soort club, Nic,' legde ze uit. 'Mannen die geen vriendin hebben, hebben dat wel vaker, geloof ik. Ze denken dat het hun plicht is zich als verwaande blaaskaken te gedragen als ze daar toevallig zin in hebben, omdat een echte Romeinse heer zo doet en al vijf eeuwen of zo gedaan heeft.'

'Een ridder zondigt zonder vrees,' viel Malaspina hen in de rede. Hij klonk alsof hij iets citeerde. 'Want daarin, en daarin alleen, ligt ware adel.' Toen glimlachte hij alsof het allemaal een grapje was. 'Maar alleen onder de juiste omstandigheden. Het merendeel van de tijd ben ik zo ongeveer een heilige.'

Agata Graziano keek naar hem als een leraar naar een dom kind. 'Ja, net als Caravaggio, maar hij bracht wel de laatste vier jaar van zijn leven door op de vlucht voor een aanklacht wegens moord terwijl hij zijn talent verspilde,' merkte ze op. 'Geweld in naam van de eer. Wat heeft het hem opgeleverd?'

'We hebben het nog steeds over hem, toch?' Vervolgens keerde hij zich zonder waarschuwing naar Costa toe en vroeg: 'Ben jij betrokken bij het onderzoek naar de dood van Véronique Gillet en die hoertjes?'

'Ik ben bij geen enkel onderzoek betrokken,' zei Costa eenvoudig. 'Ik meende dat ik dat duidelijk gezegd had. Vanavond' – hij hief opnieuw zijn glas – 'drink ik vooral met veel plezier uw wijn. Waarom?'

'Omdat ik haar kende, natuurlijk,' antwoordde Malaspina. 'We kenden haar allemaal.'

'Arme Véronique,' voegde Agata eraan toe. 'Ik heb haar een of twee keer ontmoet, al was het maar kort. Het is zo'n klein wereldje. Niet dat ze nou echt veel zei. Ik begreep nooit waarom ze zo vaak naar Rome kwam, om eerlijk te zijn. Het Louvre kocht nooit iets en leende ook nooit iets uit.'

'De Fransen hebben twee eeuwen geleden al gestolen wat ze wilden hebben,' mopperde Malaspina. 'Wat is er gebeurd?'

'Ik zou het niet weten,' antwoordde Costa schouderophalend. 'Zoals ik al zei, het is mijn zaak niet.'

Agata schudde haar hoofd. 'Ze was toch vermoord? Wat voor andere verklaring kan er zijn?'

Malaspina zuchtte en zei toen: 'Véronique was een heel zieke vrouw. Ze had hoe dan ook niet lang meer te leven. Dat heeft ze me verteld. Misschien was ze niet echt zo'n onschuldige partij, agent. Heb je daar wel eens aan gedacht?'

'Ik denk helemaal niets.'

Dat antwoord beviel hem niet. 'Je hebt toch wel een mening?'

'Een mening?' Costa leegde zijn glas en gaf het aan een serveerster die langsliep. Een volgend glas sloeg hij af. 'Uit het weinige dat ik ervan weet zou ik afleiden dat ze erbij betrokken was. Maar ik betwijfel of een vrouw in haar eentje zo veel mensen op rij zou kunnen vermoorden. Ze moet hulp hebben gehad. Misschien iemand die de aanstichter was van dat alles.' Hij wierp een blik op Agata, terwijl hij zich afvroeg of hij zou zeggen wat hij wilde zeggen. Toen herinnerde hij zichzelf eraan dat plicht soms voor kiesheid kwam. 'Ze had kort voor ze stierf seks gehad.'

'Nou, dat is dan in ieder geval een troostrijke gedachte,' zei Malaspina. 'Zeg eens. Denk je dat dat schilderij echt is?'

'Hebt u het gezien?' vroeg Costa.

Malaspina lachte. 'Natuurlijk heb ik het gezien!' antwoordde hij. 'Al dat geld dat ik aan het Barberini geschonken heb... Als ze me er niet bij zouden roepen voor een privébezichtiging bij zoiets als dit, dan zou ik willen weten waarom.' Hij genoot van Agata's onbehagen. 'O liefje. Je hebt het misplaatste gevoel dat het ding een beetje van jou is. Dat is jammer voor je.'

Hij boog zich naar voren om haar bijdehante gezichtje te bestuderen. 'Het wordt niet voor niets "privilege" genoemd, schat. En... is ie echt?'

Costa besloot tussenbeide te komen. 'Het schilderij maakt deel uit van een serieus onderzoek, meneer. En ook al is dit mijn zaak niet, toch zou ik willen voorstellen dat deze vraag niet in het openbaar wordt gesteld. Om redenen van –'

'Ik zal hem beantwoorden,' viel Agata hem in de rede. 'Beroepshalve zal ik nog vele weken niet in staat zijn hier iets met zekerheid over te zeggen. Maar alle tekenen zijn er. We hebben vanmiddag een aantal testresultaten binnengekregen van het pigment en het doek. Ze stammen inderdaad uit eind zestiende, begin zeventiende eeuw. De röntgenfoto's laten zien dat het een maagdelijk werk is, met niets anders eronder dan wat voorbereidende schetsen. Alle karakteristieke kenmerken... de incisies, de stilistische bijzonderheden die wij met de kunstenaar associëren. En er is meer...' Ze glimlachte met duidelijke genegenheid naar Costa. 'Als ik voor een Caravaggio sta, dan voel ik iets. Ik word er een beetje duizelig, een beetje opgewonden en meer dan een beetje bang van. Herken je dat, Nic?'

Hij knikte. 'Zeker.'

'En ik niet?' vroeg Malaspina boos. Zijn wangen waren roodverhit en hij keek bepaald kwaad. De transformatie was onmiddellijk en verbijsterend. 'Denk je soms dat ik niet zo opmerkzaam ben als jullie twee? Nou?'

'Ik zou het niet weten, Franco,' zei ze liefjes. 'Jouw ware gevoelens over wat dan ook zijn mij totaal niet bekend. Ik zal er een oordeel over vellen als ik er tekenen van zie.'

Malaspina knikte met zijn hoofd naar de kamer om hem heen. 'Je kunt maar beter aardig tegen me zijn, Agata. Dan mag je misschien straks hier komen kijken als ik in een gulle bui ben. Dit wordt dan de enige Caravaggio die het plebs niet zal bezoedelen. Het Palazzo Malaspina is niet het Doria Pamphilj. Je zult moeten smeken om binnen te mogen komen.'

Ze staarden hem allebei een tijdje aan zonder iets te zeggen. Het was alsof er ineens een andere man tegen hen praatte.

'Wat bedoel je?' vroeg ze ten slotte. 'Het schilderij is onder de hoede van het Barberini. Niemand heeft het erover gehad dat het naar een andere plek zou worden overgebracht.'

'Dat komt dan nog wel. En gauw ook. Heb ik het je niet gezegd? Het verbaast me dat de politie er nog niet achter is. Die bouwval waar ze het hebben gevonden is van ons. Het bezit van de Malaspina-familie is de afgelopen drie eeuwen onveranderd gebleven. We hebben nooit ook maar één vierkante meter verkocht. Ik bezit hier zo veel dat ik het een taaie klus vind om het allemaal bij te houden. Er is een hele buurt vlak bij het Piazza Borghese die we ooit van een paus hebben overgenomen. Gokschulden of een vrouw, het een of het ander. Niets nieuws onder de zon.'

'Het feit dat het atelier in de Vicolo del Divino Amore in uw bezit is, betekent nog niet dat het schilderij ook van u is,' bracht Costa te berde.

'Nee? Praat maar eens met mijn advocaten.' Zijn doordringende, zwarte ogen hielden Costa's blik gevangen. De man lachte hen nu met genoeg kracht toe om te zorgen dat wat hij zei goed tot ze door zou dringen, en tegelijk bracht hij het zo subtiel dat ze zich af zouden vragen of ze wel konden geloven wat ze hoorden. 'Als dit schilderij niet van mij is, van wie dan wel? Bij afwezigheid van duidelijke aanspraken op eigendom vervalt dit aan de huurbaas. Ik heb dat nagevraagd bij die nietsnut van een agent die we in dienst hebben voor dergelijke dingen. Die ruimte is in geen jaren verhuurd. Voor zover die idioot wist stond het leeg, wat dan wel de vraag oproept waarom hij er geen nieuwe huurder voor zocht. Als niemand anders er aanspraak op kan maken, is het van mij.'

'Zo mag de wet dan luiden,' beaamde Costa. 'Maar bezit –'

'Je luistert niet naar me,' blafte Malaspina en hij raakte voor het eerst sinds Costa aan hem was voorgesteld bezield. 'Advocaten. Hoe meer je er hebt, hoe meer je wint. Nu ik Agata's mening ken, ga ik er morgen aanspraak op maken en eens kijken of iemand naar de rechter durft te stappen om dat te betwisten. Ik betwijfel of het een lang gevecht wordt. Daar zou je dankbaar voor moeten zijn, toch? Weer een zorg minder.'

'Ik zou niet op premature uitspraken wachten,' antwoordde Costa en hij keek de kamer rond, zich afvragend wat de anderen aan het doen waren.

'Het is van mij!' Malaspina's stem klonk hoog en schril.

Costa staarde hem aan. 'Het is niet van u, meneer. Nog niet, misschien wel nooit. Het is bewijs in een moordzaak, waarin een aantal vrouwen onder uiterst gewelddadige omstandigheden de dood hebben gevonden. Het is misschien wel het doorslaggevende bewijs. Dat zullen we nog zien.'

'Advocaten!' schreeuwde Malaspina. Agata deed een stap naar achteren. Costa hield voet bij stuk. 'Ik zal je overspoelen met advocaten. Ik stuur ze naar je huis. Ik zal zorgen dat ze 's nachts als je alleen in bed ligt, stenen tegen je ramen gooien. Dat schilderij is van mij.'

'Ooit, misschien,' gaf Costa toe. 'Maar nu nog niet. En ook niet binnenkort. Wat voor aanspraak u er ook op kunt maken, wij zijn van de politie en als het gaat om fysiek bewijsmateriaal zijn wij degenen met de meeste rechten.' Deze gedachte kwam uit het niets opzetten en hij vond het leuk om hem uit te spreken. 'Dat wat we al in ons bezit hebben, blijft ter plekke.' Hij zweeg even voor het effect. 'Herkenbaar en geëtiketteerd.'

'Jij –'

'Zolang deze zaak open blijft,' viel Costa hem in de rede, 'is dat schilderij in beheer van de politie, veilig buiten bereik van iedereen. Als we eenmaal iemand in de gevangenis hebben kunnen zetten voor deze verschrikkelijke misdaden' – hij glimlachte naar Malaspina – 'dan kunt u het misschien een keer zien.'

De man vloekte en met een plotselinge, scherpe polsbeweging smeet hij de inhoud van zijn glas in Costa's gezicht. 'Je hebt geen idee wie je voor je hebt, sukkel,' beet hij hem kwaadaardig toe.

Costa haalde een zakdoek tevoorschijn en zonder enig zichtbaar teken van woede veegde hij de wijn van zijn gezicht.

'Volgens mij begin ik daar een aardig idee van te krijgen,' merkte hij kalm op.

Hij keek Malaspina in de ogen en vroeg zich af wat hij daar zag. Woede, zeker. Maar ook een irrationele vertwijfeling die aan angst en wanhoop grensde. Deze man wilde niet gewoon het schilderij dat zij achter slot en grendel in het Barberini-atelier bewaarden hébben, nee, hij snákte ernaar, als een verslaafde naar zijn volgende shot.

3

'O jeetje,' kreunde Agata nadat Malaspina ervandoor was gegaan. 'We hebben een sponsor van streek gemaakt. Ik moet zeggen dat hij vanavond sneller op zijn tenen getrapt is dan anders. Hij vond het niet fijn dat jij hier was, Nic.' Agata gluurde naar hem. 'Ik denk dat iets hem van zijn stuk heeft gebracht, jij?'

'Ik weet het niet. Is zijn gedrag altijd zo labiel?'

Ze dacht na over de vraag. 'Soms. Franco heeft niet veel op met mensen, volgens mij. Met zichzelf nog het minst. Er zit een somberheid in die man die ik niet begrijp. Weet je, hij maakte ooit zelfs een opmerking over mijn huidskleur. Alsof die van hem veel anders is. Al die rijkdom. Wat kan een mens zich nog meer wensen? En toch...' De glimlach verdween. 'Je kijkt van buitenaf naar de kunstwereld en denkt dat het er alleen maar om schoonheid en intellectuele scherpzinnigheid gaat. En ja, soms is dat zo. Maar lelijkheid en jaloezie, obsessie en soms hevige rivaliteit komen net zo goed voor. Wij zijn ook levende, ademende mensen, en al probeer ik al dat soort dingen zoveel mogelijk te ontlopen, helemaal mogelijk is dat niet. Om te kunnen werken moet je wel sterk genoeg zijn om deze problemen onder ogen te kunnen zien. Véronique Gillet...'

Ze aarzelde.

'Nou...?'

'Ze was een heel vreemde, heel droevige vrouw. Ze maakte me een beetje bang. Er was zoiets geobsedeerds aan haar, aan de manier waarop ze altijd bij hen moest zijn. Ze was enorm op iets gebeten, ik weet niet wat. En ze maakte een verloren indruk.'

Haar donkere hoofd met de warrige haardos had in de richting van Malaspina en zijn kennissen geknikt en toen staarde ze Costa recht aan. 'Ik ben geen wereldse vrouw, maar dit moet ik wel bekennen. Ik zou niet echt verbaasd zijn als Véronique deel had uitgemaakt van Franco's zielige groepje herrieschoppers.'

Ze verstijfde in haar vormeloze zwarte jurk en begon met de crucifix om haar nek te spelen.

'Weet je wat ze doen?' vroeg hij.

Meteen, met de scherpte die hij al begon te verwachten, was ze achterdochtig. 'Nee, waarom zou ik? Ik hoop dat jij en Leo me niet voor de gek houden. Ik heb beloofd dat ik jullie zou proberen te helpen met dat schilderij, om dat tot op de bodem uit te zoeken. Meer niet.'

'Meer niet,' beaamde Costa.

Ze keek nog niet overtuigd. 'Franco en die idiote vrienden van hem zijn gewoon een stel verlate pubers die een stom spelletje aan het spelen zijn. Véronique was anders. Duisterder, op de een of andere manier. Echt. Ik ken Franco nu een jaar of vijf of langer. Hij is afwisselend om gek van te worden en heel charmant, afhankelijk van zijn humeur. Hij geeft elk jaar heel gul aan het Barberini en ook andere liefdadige doelen, geloof ik. Zo'n man is het. Hij is een aristocraat. Hij heeft het gevoel dat hij kan doen wat hij wil. Of je accepteert dat, of...'

Ze keek de kamer rond. Flarden muziek kwamen van de aangrenzende gang naar binnen drijven. Een strijkkwartet, dat een vreemd soort atonale jazz speelde. Bij Malaspina, dacht Costa, moest alles net anders zijn dan je zou verwachten.

Haar glas was leeg. Hij pakte een volle aan van een serveerster die langsliep. Ze nam het van hem aan, glimlachte en ruilde toen de jus d'orange om met een prosecco van het dienblad.

'...of je zult nooit zijn wereld binnentreden.'

'Wat voor spel?' vroeg hij, en het zichtbare ongemak dat deze vraag opriep vervulde hem met verbijstering.

'Een geheim spel. Ik weet het niet, maar speculeren staat vrij natuurlijk. Zo moeilijk zal het toch niet zijn? Vrouwen. Drank. Een beetje voetbalvandalisme misschien, want dat schijnt opnieuw in te zijn bij de aristocratie. Als hij in het atelier komt, praat Franco altijd nogal indirect over wat hij heeft uitgespookt. Dat maakt deel uit van het genoegen, volgens mij. Kijken hoe ver hij kan gaan tegenover een nederig wicht van de kerk. Het werkt niet. Ik ben niet achterlijk.'

Haar ogen stonden helder en intelligent. 'Hoe kan ik mijn werk goed doen, en tegelijk blind zijn voor de zwakheid van de mens? Of de kwaadaardigheid? Ik meende het wat het Mora-boek betrof. Al die idiote ideeën over deugd door geweld. Dat is niet nieuw. Mannen als Malaspina en de rest gedragen zich in Rome al eeuwen zo. Misschien wel millennia. Sommigen zien het bijna als een verplichting.'

Ze moest het aan zijn gezicht gezien hebben.

'Je hebt nooit van Domenico Mora gehoord, hè?'

'Moet dat?'

Ze grinnikte. 'Als je een zeker soort man wilt kennen, dan: ja! Domenico Mora was een militair uit Bologna. Hij schreef een boek, *Il Cavaliere* getiteld. Het was een antwoord op een traktaat over hoofsheid, *Il Gentilhuomo*, door Girolamo Muzio. Mora had als officier een andere visie op het leven. Zijn hypothese was dat een echte heer niemand iets verschuldigd was en dat hij het aan zijn stand verplicht was dat bij elke gelegenheid te laten blijken. Door confrontaties, geweld, onbeschoftheid en arrogantie.'

'Ook tegenover vrouwen?'

'Vrouwen waren niet belangrijk in Mora's wereld, behalve om de gebruikelijke redenen. Het enige wat ertoe deed was iemands status. Mora zei iets in de trant van dat de bron van het genot dat men ontleent aan het beledigen van anderen gelegen is in het gevoel dat je door de verwonding die je hebt toegebracht laat zien dat je superieur bent aan hen. Voor mannen als Caravaggio en al die andere jonge kerels was het een manier van leven. Ruzies, duels, dood, zelfs.' Ze aarzelde, dacht aan iets. 'Het opvallende aan Michelangelo Merisi was dat hij naar huis ging als het voorbij was en zulke verfijnde taferelen van zo'n grote schoonheid schilderde. Hem moet ik zijn excessen wel vergeven, net zoals de paus ten slotte deed, al was het veel te laat. Maar een ander, groter idee bleef hem dwarszitten. *Disegno*. Hij wist dat hij dat in zich had en dat bezorgde hem pijn. Hij zou zónder zoveel gelukkiger geweest zijn. Al zou hij dan natuurlijk nooit een doek geschilderd hebben dat ergens naar leek.'

Van de andere kant van de kamer klonk plotseling een hees gelach op: Malaspina paradeerde tussen de mensen door, het glas hoog, zijn donkere gezicht vertrokken van een soort kortstondig manisch plezier. Costa zag nog net Nino Tomassoni, aan de buitenkant van de menigte, naar de man staan staren, met een uitdrukking van angst vermengd met haat op zijn gezicht.

'Ze worden hier niet blij van,' zei Costa.

'Is ongeluk zo zeldzaam? Caravaggio moet de ongelukkigste man van Rome zijn geweest, maar hij had ook momenten waarop hij een glimp van de hemel opving. Franco en zijn misdadige vriendjes zullen het licht heus ook wel zien. Vandaag flirten ze nog met deze belachelijke ideeën. Over vijf jaar hebben ze vrouwen en kinderen, en maken ze zich druk over de toestand in de maatschappij. Het is gewoon een fase. Dat is alles.'

Er klonk nog meer gelach, dit keer van een aantal vrouwen, in hun schitterende, dure avondjurken. Ze luisterden naar Malaspina, die luidkeels een grove mop vertelde zodat iedereen hem zou kunnen horen.

'Ik kan me niet voorstellen dat ik getrouwd zou zijn,' ging Agata zacht verder. 'Het lijkt zo'n... verlies van identiteit. We zijn zo lang bezig met uitzoeken wie we zijn. En dan gooien we dat allemaal zomaar ineens weg.'

Agata Graziano keek naar Costa, een onbekende uitdrukking, besluiteloosheid, angst misschien, op haar gezicht. 'Vergeef me, maar ik moet dit vragen. Voordat je helemaal rood wordt en weigert antwoord te geven, moet je dit weten: ik vraag het niet zomaar uit nieuwsgierigheid. De vraag heeft direct te maken met dit vreemde schilderij dat Leo en jij naar mij toe hebben gebracht. Nou?'

Hij vroeg zich af of er iets was, een aspect van het mens-zijn, dat deze vrouw niet wilde begrijpen, zelfs als ze weigerde, uit angst, aarzeling of een of andere innerlijke overtuiging, er zelf aan deel te nemen. 'Vraag maar,' antwoordde Costa.

'Wat was er eerst toen je je vrouw ontmoette? De spirituele of de fysieke kant?'

Die woorden waren zo onverwacht dat hij in lachen uitbarstte, ongegeneerd, met een plotselinge, onwillekeurige opwelling van emotie die hij niet meer gekend had sinds Emily stierf.

'Ik heb geen idee.'

'Denk er dan alsjeblieft eens over na.'

'Dat kan ik niet. Het is geen bewuste beslissing, eerst het een en dan het ander. Liefde is' – hij was zich ervan bewust dat hij rood werd – 'niet zo gepland. Misschien een beetje van allebei, kan ik me zo voorstellen.'

Het was een goede en interessante vraag en hij wilde met heel zijn hart dat ze hem niet had gesteld omdat de gedachte, wist hij, hem voor eeuwig zou achtervolgen.

'Die twee leken... onlosmakelijk verbonden. Ik weet niet hoe je de een van de ander zou moeten scheiden.'

Haar pientere ogen sprankelden, en keken hem aan. 'Als het niet bewust is, waar komt het dan vandaan?'

'Ook atheïsten worden verliefd,' antwoordde hij. Hij zag waar ze heen wilde.

'Dat bewijst niets. Een blinde man kan jou of mij niet zien. Betekent dat dat wij niet bestaan? Dus vertel het me. Wat komt het eerst?'

Hij schudde geïrriteerd zijn hoofd. 'Dat is geen goede vraag. Ik kan hem niet beantwoorden. Niets is zo simpel.'

Hij probeerde een verklaring te bedenken, een die ergens op sloeg, zowel voor hemzelf als deze nieuwsgierige, intelligente vrouw uit een ander leven. 'Er gebeurt iets,' zei hij. 'Wát precies weet je pas achteraf, denk ik.'

'Er gebeurt iets? Duidelijker alsjeblieft.'

'Een moment. Een woord. Een blik. Een gedachte... een herinnering. De herinnering van een gebaar. De manier waarop iemand een kop koffie oppakt of om een flauw grapje lacht. Een glimlach. Een frons. Het...' Nic Costa zuchtte en opende zijn handen, niet wetend wat hij verder nog moest zeggen.'Het spijt me.'

'Waarom?' vroeg ze. 'Je hebt me mijn antwoord gegeven.' Agata Graziano keek nerveus naar haar voeten en vroeg: 'Gebeurt het ook op dat moment, Nic? Dat op het schilderij is afgebeeld? Is dat het moment dat je het echt weet?'

'Nee,' zei hij meteen.

'Je bent nu wel heel erg rood geworden,' merkte ze op.

'Wat verwacht je dan? Dit is geen gespreks-... niet iets waar je over praat. Met niemand. En al helemaal niet...'

Maar de Ekstatici wilden dat intense, intieme moment vangen voor zichzelf. Dat was de reden waarom ze in de straten van Rome vrouwen verkrachtten en vermoordden. Ze wilden iets begrijpen. En, al gaf ze dit niet graag toe, Agata Graziano ook.

'Je bedoelt: al helemaal niet met iemand als ik?' diende ze hem van repliek. 'Ik zou juist gedacht hebben dat ik degene bij uitstek was. Iemand die geen enkele interesse in de materie heeft.'

'Ik kan je alleen de waarheid vertellen zoals ik die zie.'

Ze schudde haar hoofd, boos ineens, dit keer op zichzelf. Haar donkere haar glansde onder de lichten van de brandende kroonluchters. 'Ik word gek van dit irritante schilderij. Het is een spel, een grap, een raadsel, net als Franco en zijn stomme vrienden. Waarom heeft hij nooit meer iets dergelijks geschilderd? Niet omdat hij het niet kon. En wat betekent het in godsnaam echt? Caravaggio was Annibale Carracci niet. Hij was geen man die pornografie schilderde voor iedereen die met een volle beurs voor zijn deur stond.'

Een plotselinge vlaag van ergernis, die duidelijk voor hem bedoeld was, gleed over haar gezicht. 'Het zou allemaal veel makkelijker zijn geweest als je op die laatste vraag "ja" had kunnen antwoorden.'

'Waarom?'

'Omdat het dan een persoonlijker dimensie zou hebben. De ontdekking van God in een klein, intiem, fysiek moment. Maar dat is het niet. Het is meer dan dat. Of minder. O...' Er ontsnapte een milde vloek aan haar lippen. 'Dit is jouw schuld. En die van Leo Falcone. En nu...' Ze pakte opnieuw zijn pols beet, draaide hem om en keek op het horloge. 'Het is laat en ik zit in de problemen. Dat is al maanden niet gebeurd. En ik ben nog niets wijzer geworden. Wat nog erger is. Mannen!'

Hij vond haar woede leuk. Het maakte haar op de een of andere manier kwetsbaarder. 'Het spijt me dat je koets in een pompoen veranderd is.'

'In tegenstelling tot Assepoester heb ik geen koets nodig. Of sprookjes. Bovendien dragen mijn zusters me op handen. Dat is de reden dat ze me zoveel toestaan. Dus je vergelijking is niet erg gelukkig gekozen.'

'Ik ben heel wat wijzer geworden,' voegde hij eraan toe. 'Ik weet dat we een schilderij hebben dat een vrouw lijkt af te beelden, geen gewone vrouw, maar een of andere godin, op het toppunt van extase. Dat ze omringd is door mannen, van wie er één een refrein uit een erotisch gedicht zingt, het Hooglied. Ik wist hier vanochtend nog niets van. Het enige wat ik wist was' – de woorden ontglipten hem voordat hij ze tegen kon houden – 'dat dit op de een of andere rare manier met Emily's dood te maken heeft. En als ik erachter kon komen hoe, zou ik dat ook beter begrijpen.'

Ze sloeg haar armen over elkaar en staarde hem aan. 'Je zult nooit opgeven, hè?'

'Niet voor ik het weet,' antwoordde hij zonder een moment te aarzelen.

'Wat precies weet? Alleen een naam? Een identiteit?'

Costa schudde zijn hoofd. 'Nee. Meer dan dat. Ik wil begrijpen wat hier de oorzaak van is. Ik wil het moment kennen waarop deze duisternis zijn intrede deed, uit het niets...' Deze gedachte stemde hem al somber terwijl hij hem uitsprak. 'Om ons te besmetten.'

'Dat is een interessante zoektocht,' zei ze zacht, bedachtzaam knikkend.

Toen greep ze hem bij zijn mouw en keek opnieuw op het horloge. 'We hebben tijd om nog een keer gaan kijken,' drong ze aan. 'Ik zit toch al in de problemen. Erger kan het niet worden.'

'Gaan we terug naar het atelier?'

'Precies.'

'Waarom?'

'Omdat je een genie bent.'

'O ja?' vroeg hij.

'Ik denk van wel. We gaan dit raadsel voor eens en altijd oplossen, hoop ik. Ga je mee?'

Ze wist dat er maar één antwoord kon zijn. Costa probeerde niet om te kijken toen ze weggingen, Falcones woorden indachtig. Het was belangrijk hun niet nog meer excuses te geven om naar een advocaat te rennen. Toch vroeg hij zich af of ze zouden kijken, Malaspina en Buccafusca, Castagna en de kleine, onbeduidende man die, zo wist hij, Tomassoni heette, een naam die hem nog steeds ergens aan herinnerde, maar hij kon er maar niet achter komen waaraan.

Maar ze waren nergens te bekennen. Dat was merkwaardig. Dit was het huis van Franco Malaspina. En in zekere zin was het ook zijn feest. En toch had Costa het vage vermoeden dat de man vertrokken was en dat hij zich samen met zijn mede-Ekstatici in de donkere Romeinse nacht gewaagd had.

Onthullingen

1

Gianni Peroni had geen apparaat nodig om hem te vertellen dat er iets mis was. Hij bleef het grootste deel van die avond aan het scherm gekluisterd, terwijl Rosa een aantal persoonlijke documenten met betrekking tot Malaspina en zijn vriendenkring bekeek die Falcone naar hen toe gestuurd had. Teresa Lupo was in de keuken bezig het eten klaar te maken, knorrig over het gebrek aan voortgang in het atelier aan de Vicolo del Divino Amore. Ze waren niets opgeschoten die dag; haar team zat nog steeds tot over zijn oren in het bewijsmateriaal, maar dat ene ding dat de misdaden direct in verband zou kunnen brengen met iemand in het bijzonder hadden ze niet.

'Hou nou eens op met dat vunzige gegluur,' verordonneerde Teresa en ze keerde terug naar de tafel. Er stonden drie borden, boordevol gnocchi met veel tomatensaus en kaas eroverheen. 'Je kunt toch niet de hele avond naar dat ding zitten kijken. Bovendien zei Leo nog... dat het zou piepen als iemand in de buurt van de standbeelden kwam.'

'Ik kan zelf wel piepen,' protesteerde Peroni en hij nam met zijn vork een flinke hoeveelheid gnocchi, waarvan het grootste deel rechtstreeks op zijn witte overhemd terechtkwam.

'Sorry,' mompelde Peroni en hij drukte een vettige vinger tegen het computerscherm.

Toen hij hem wegnam konden ze net een schim van een gestalte waarnemen, onduidelijk en onherkenbaar onder de straatlantaarns.

'Hij daar,' zei hij alleen maar.

Het was een man in een donkere jas, met opgezette kraag. Zijn gezicht was in de donkere avond niet te onderscheiden. Dat was het probleem met beveiligingscamera's, het productiesysteem, en deze speciale camera's die Falcone had geregeld. Het was bewakingsapparatuur, geen identificatiesysteem. Ze gaven te weinig details, zodat Peroni niet kon zien hoe de man er echt uitzag.

De twee vrouwen lieten hun eten in de steek en kwamen aan weerszijden van hem zitten.

'Hoe zit dat dan met hem?' vroeg Teresa.

'Luister naar iemand die weet wat er zich in deze straten afspeelt. Ik heb mijn hele leven burgers van Rome in deze stad rond zien lopen en ik weet wanneer het foute boel is. Het is een ijskoude nacht in december, het zeikt van de regen, niemand blijft buiten in dat weer. Behalve hij.'

'Heeft hij iets gedaan, Gianni?' vroeg Rosa.

'Nee,' antwoordde de grote man, op die opzettelijk kinderachtige toon waarvan hij zich bediende als hij een punt probeerde te maken. 'Dat is nu net zo gek.'

Teresa nam een vork vol eten, waarvan het meeste haar mond bereikte, en zei toen, nog steeds kauwend: 'Dus hij staat daar gewoon. Maar waar?'

'Abate Luigi,' antwoordde Peroni meteen. 'De eerste akte van *Tosca*. Weet je wel?'

'Als je zo doorgaat met me onder de opera te bedelven, dan neem ik je nog eens een keer mee naar een van die vervloekte dingen.'

Hij draaide zich om om haar aan te kijken. 'Dit is werk,' protesteerde Peroni.

'Het is gewoon een man op straat,' zei Rosa. 'Hij staat daar alleen maar.'

'Het is geen straat,' hield hij vol. 'Het is een doodlopend stuk dat nergens heen gaat. En ja, hij staat daar alleen maar, maar ik zweer je dat hij ook steeds naar dat beeld kijkt.'

Hij nam nog een hap, en zei toen: 'Hij wil van dichtbij gaan kijken, maar hij durft niet. Voor zover zij weten zijn er verschillende boodschappen op elk van de standbeelden aangeplakt. Dit is er een van Malaspina's bende. Misschien de man zelf wel. Dat voel ik gewoon.'

Teresa gaf hem vrolijk een klap op zijn hoofd. 'Het is een man op straat die waarschijnlijk op een van die chique prostituees van jou staat te wachten. Wees reëel. Bovendien zei Leo dat je alleen mocht kijken om te zien waar hij heen ging. Verder niets.'

'Verder niets?' vroeg Peroni verbijsterd, en Rosa viel hem bij met een aanmoedigende kreet. 'Kijk eens naar het plaatje op dit stomme ding. Het is avond. Er is geen maan. We kunnen hem niet identificeren. Zolang we hier blijven zitten, kunnen we niks uitrichten. Misschien...' – hij schudde met de vinger naar het scherm – '...zouden we er met gebruik van al die andere camera's waarmee Falcone ons heeft opgezadeld, achter kunnen komen waar hij heen gaat. Maar ik geloof het niet. Dit is gewoon een hoop plastic troep. Die vangt de boeven niet voor ons. Het kan niet de telefoon pakken en om back-up vragen. Het is...'

Hij zweeg, ontevreden over zichzelf. Durfde hij maar te denken dat hij geen dienst meer had, zodat hij een biertje kon openmaken.

'We willen allemaal iets doen, Gianni,' zei Teresa en ze nam zijn verweerde gezicht in haar handen en plantte, tot Rosa's verlegenheid, een lawaaiige kus op zijn lippen.

'Ik ga écht wat doen,' hield hij vol. 'Wacht maar af.'

Teresa dook opnieuw met een theatrale kus op hem af. Toen ze klaar was, kreunde Rosa, keerde haar ogen af van het scherm en zei: 'Niet nu. Onze vriend gaat weg.'

Peroni vloekte.

'Heeft hij iets gedaan?' vroeg Rosa.

'Ik heb niets gezien...'

Weer dat zeurende toontje.

'Wat nou...?'

'Ik verbeeldde het me alleen maar,' onderbrak hij haar, en hij voelde zich even ellendig en somber als op de dag van de begrafenis. Een gedachte bleef maar door Peroni's hoofd malen: als *híj* zich al zo voelde, hoe moest de gevoelige Nic Costa zich dan wel niet iedere dag voelen? 'Eten jullie. Ik kijk wel.'

'Eten...' zei Teresa en ze schoof het bord onder zijn neus.

Hij duwde het weg en mompelde: 'Later.'

Gianni was niet bepaald iemand die puur op zijn instinct afging. Zeker niet als zijn enige bron van informatie een kunstmatige medium was: een bewakingscamera die gericht was op een oud standbeeld op het kleine, armetierige pleintje voor een of andere kerk, in de buurt van een van de drukste straten van Rome. Desalniettemin ontdekte hij dat dat biertje hem niet veel meer zei, zelfs niet toen de man met opgezette kraag uit het zicht van de camera verdween en naar het noorden in de richting van het Piazza Navona liep. Er was daar nog een camera die deel uitmaakte van Falcones heimelijke beveiligingssysteem dat, zoals hij met zoveel woorden begrepen had, aangesloten was op het camerasysteem van het *centro storico* door een speciale regeling die getroffen was buiten de normale kanalen van de Questura om.

Zo stonden de zaken ervoor, en dat zou ook zo blijven tot ze deze kerels ingerekend hadden. Daar had hij geen problemen mee. Hij voelde zich er alleen niet bij op zijn gemak dat hij zich daarvoor moest afzonderen in de knusse warmte van het appartement van Leo Falcone, met een bord lekkere gnocchi dat naast hem koud stond te worden.

'Noordwaarts,' zei Peroni, in de wetenschap dat dit de gestalte in het donker naar het meest opvallende van de standbeelden zou brengen, Pasquino. Deze bevond zich aan het einde van de straat waar ze nu waren, misschien niet meer dan een minuut te voet hiervandaan als hij rende, zo snel als hij kon.

Hij checkte de camera's op weg ernaartoe en zag niets. Er waren zo veel smalle achterafstraatjes, zo veel met keien bestrate stegen die dit deel van de stad doorsneden. Dit was het Rome van de renaissance, niet gebouwd op het stinkende moderne verkeer of de gretige lens van een of andere videocamera die verdekt in een of ander hoekje opgehangen was, de grijze eenogige lens permanent op de onophoudelijk in beweging zijnde wereld onder hem gericht. Dit was een afstandelijke, zielloze versie van politiewerk die hij stompzinnig vond. Voor je het wist was het een obsessie, en dat was het voor Nic al, meende hij, wat de zaken alleen maar erger maakte.

'Eten...' mompelde Peroni, en hij nam een grote hap.

Toen richtte hij de camera op Pasquino, zonder dat hij verwachtte iets anders te zien dan een paar restaurantgangers die midden in de week door de motregen drentelden en overlegden waar ze zouden gaan eten.

De vork bleef op een vingerbreedte afstand van zijn mond steken. Tomaat en knoflook, gnocchi en kaas dropen in een gestage dikke vloed op het toetsenbord.

'Gianni,' zei Teresa ongemakkelijk.

'Daar is hij. Kijk. Hij is het.'

Er moeten die avond honderden mannen in de straat gelopen hebben met hun gezicht in hun opstaande kraag gedoken, verborgen voor de regen.

'Je weet niet...' begon ze, waarop hij ineens een paar van de foto's van tafel graaide en ze over de toetsen uitspreidde.

'Lang, goedgebouwd, jong...' mompelde Peroni. 'Het kan elk van hen zijn. Stapte hij nu maar eens in het licht, zodat we zijn gezicht konden zien.'

'Het kan iedereen zijn,' antwoordde Teresa, zonder erg overtuigd te klinken. Ze zagen de gestalte in de natte regenjas in de richting van het standbeeld aan het einde van de straat slenteren, tegen de muur van een doorgang naar het Piazza Navona. Falcones pesterige gedicht zat er nu al vier of vijf uur op. De e-mail waarin hierover werd opgeschept, was rond dezelfde tijd verzonden. Het was een idioot idee, dacht Peroni. Geen enkele misdadiger bij zijn volle verstand zou ooit op de uitdaging in zijn gegaan. Maar Falcone leek deze kerels op de een of andere manier te begrijpen, hij snapte dat dit een wedstrijd was, een uitdaging, een dodelijke afleiding, waarvan het genoegen zonder meer evenredig was aan het risico.

De man in de glimmende jas liep naar het standbeeld van Pasquino toe, een tweeduizend jaar oude torso die daar vochtig van de regen stond, bezaaid met boodschappen, waarvan één zeer recent.

'Ga ervoor,' zei Peroni. 'Doe iets. Wat dan ook.'

Hij liep voorbij het standbeeld en de affiches, wendde zijn hoofd nauwelijks in die richting. Er gebeurde niets. Niets.

'Shit,' gromde Teresa. 'Ga je dat eten nog opeten of hoe zit het?'

Zijn ogen bleven aan het scherm gekluisterd. Er was iets gaande. De gestalte had zich omgekeerd, alsof het sterker was dan hijzelf. Hij bevond zich nu al achter de lage ijzeren reling die het standbeeld uitsluitend tegen slecht geparkeerde auto's beschermde.

Ze keken met zijn drieën. Met zijn rug naar de camera haalde hij iets uit zijn jaszak en met een aantal razende, heftige bewegingen krabde en trok hij aan het papier op het steen, ondertussen angstige blikken om zich heen werpend.

'Laat je gezicht zien,' mompelde Peroni. 'Laat je gezicht zien. Laat je gezícht zien...'

Een laatste uitval naar het steen en een regen van snippers daalde neer op het van regen doorweekte plaveisel.

Peroni stond zich al in zijn jas te wurmen voor iemand er een woord tegen in kon brengen. Tegen de tijd dat hij hem over zijn forse gestalte heen had gedrapeerd, was Rosa ook klaar om weg te gaan.

Dergelijke dingen deed hij anders nooit. Maar op dat moment leek het de juiste handelwijze. Gianni Peroni haalde zijn dienstrevolver uit zijn leren holster, trok het magazijn eruit, keek of dat vol was en sloeg het met een klap weer dicht.

'Geweldig,' kreunde Teresa. 'Wat word ik nu geacht Leo te vertellen als hij belt?'

'Hou het scherm in de gaten.' Hij graaide naar de headset van zijn mobiel en zette hem op. 'Probeer of je kunt zien waar hij nu heen gaat.'

'En Leo?' vroeg ze weer.

Rosa was al bij de deur.

'Wij gaan naar Navona,' commandeerde Peroni. 'We beslissen wel als we daar zijn.'

Hij kuste haar vluchtig op haar wang. Er was geen tijd om de bezorgdheid en angst in haar ogen te registreren. 'Zeg tegen Leo dat de klootzak deze keer niet de kans krijgt er zo gemakkelijk vandoor te gaan.'

2

Het was een koude nacht. In de aangrenzende gebouwen waren geen lichten aan. De buitenpost van het Barberini was gevestigd in een vleugel van het Palazzo Malaspina die zo ver van het hoofdgebouw afgelegen was dat hij zelfs het geluid van de muziek niet kon horen, waarvan hij wist dat die daar klonk. Hetzelfde gold voor de stemmen: mannen en vrouwen aan de vooravond van kerst, die zich verheugden op de feestdagen en blij waren dat ze vrij hadden van hun werk en tijd met hun familie konden doorbrengen. Er was, voor zover hij kon zien, niemand anders in het gebouw aanwezig, behalve de gewapende medewerker van het particuliere beveiligingsbedrijf, dezelfde man die hem die ochtend het gebouw in had gelaten en dat nu zonder verbazing en weer even opgewekt deed.

'Zuster Agata,' berispte de man haar. 'U werkt te hard. U en uw vriend hier verstoren mijn nachtrust.'

'Ga rustig verder,' zei ze zacht. 'Maar niet snurken.'

Toen voerde ze hem zwijgend en peinzend met zich mee, nog steeds met de twee uitpuilende plastic tassen vol papieren en referentiemateriaal in haar handen, die ze toen ze in het Palazzo Malaspina waren aangekomen had achtergelaten bij een verbaasde jongen van de garderobe. Ze liepen de lange donkere gang in die langs de gesloten kantoren voerde, naar de ruimte waar het schilderij zich bevond. Costa was er niet helemaal bij. Hij voelde zich een speelbal van zijn gedachten en emoties, die betrekking hadden op de zaak en wat er gebeurd was, over hemzelf en zijn verlies. Hadden Malaspina en zijn groep echt het paleis verlaten? Hij had geen idee, en het feit dat ook dat besef wat ongemakkelijk op een afstand bleef, maakte hem duidelijk dat hij nog niet zo ver was dat hij weer kon denken als een agent. Emily's dood stond nog steeds in de weg, en hij had geen idee hoe lang dat obstakel nog zou blijven bestaan en of hij eigenlijk wel wilde dat het zou verdwijnen.

In dat grote paleis waren veel plaatsen waar Malaspina en zijn vrienden naartoe konden zijn gegaan. Maar als Falcone zijn werk had gedaan, dan hadden ze nu iets om over na te denken: een pesterige boodschap op de pratende standbeelden. Een anoniem telefoontje naar het Palazzo Malaspina had hen daar inmiddels van op de hoogte gebracht. En dan was er Costa's eigen aanwezigheid bij de man thuis. Verklaarden deze voorvallen Malaspina's gespannen en agressieve gedrag? Dat was mogelijk, wist hij. Het was ook mogelijk dat Malaspina nu al met zijn advocaat zat te overleggen over een mogelijk nieuwe aanklacht wegens intimiderend politieoptreden. Costa had zijn uiterste best gedaan hem daar geen grond toe te geven. De manier waarop Falcone hun ontmoeting had geregeld, hield in dat er in de Questura geen formele instructie te vinden zou zijn die een dergelijke aanklacht ondersteunde. Maar toch...

Een deel van hem begon zich af te vragen hoe hij zou reageren als deze mannen erin slaagden te ontsnappen aan de verantwoordelijkheid voor hun daden. Net als elke politieagent in dienst herkende hij de hartslag, de temperatuur van een onderzoek. De voortekenen waren er al. De aanwezigheid van Grimaldi, een advocaat, met zijn norse gezicht, die zei: 'Dit gaat nu al de verkeerde kant op.' De voortdurend bezorgde blik in Falcones ogen, de manier waarop de inspecteur bereid was om buiten zijn boekje te gaan, de manier waarop hij ieder professioneel risico voor hemzelf en degenen van wie hij gebruikmaakte aan zijn laars lapte... Al die aanwijzingen maakten Costa duidelijk dat een mislukking bepaald geen vergezochte optie was. Als de Ekstatici verder nooit meer iets illegaals zouden ondernemen, dan hadden ze bijzonder weinig kans om hen te pakken.

Maar, fluisterde een klein stemmetje in zijn binnenste, dan zou er ook niemand meer sterven of na een ranzig afspraakje op straat worden meegenomen naar een donkere en sombere uithoek van de stad om daar te worden onderworpen aan een gewelddadig gericht, puur voor het genoegen van een aantal playboys en hun aanhangers. Dat zou ook een goed resultaat zijn en hij wist voldoende afstand te bewaren, zelfs op dat moment, om zichzelf de allerbelangrijkste vraag te stellen: in hoeverre wilde hij rechtvaardigheid en in hoeverre alleen maar wraak?

Wat had Bea gezegd, de dag van de begrafenis? *In hemelsnaam, Nic, laat iets van die pijn los.* Hij had niet gehuild, niet echt, nog niet. De strakke knoop van verdriet en woede zat er nog steeds. In gezelschap van Teresa en Peroni, en tot op zekere hoogte zelfs van Falcone, kon hij makkelijk doen alsof die niet bestond, tot ze subtiel het gesprek op dit onderwerp begonnen te brengen. En praten met Agata Graziano, een vrouw van de Kerk, een vrouw zoals hij nog nooit had ontmoet, ook dat zelfbedrog was mogelijk. Maar de knoop bleef en smeekte om bevrijding, als een soort diepzwarte tumor vanbinnen die erop wachtte te worden weggesneden.

Toen bereikte Agata de deur van haar kamer, haar aandacht bij haar compacte, besloten intellectuele universum, en deed het licht aan. Opnieuw was Costa diep onder de indruk van het schilderij, dat in het schijnsel van het harde kunstlicht leek te stralen met een hevigheid en kracht die nu zelfs nog feller was dan overdag.

Ze liep naar de computer en opende de afbeelding van een bekend schilderij op het scherm: een gewonde man op de grond, een beul die met een mes in zijn hand over hem heen gebogen stond. 'Wat kun je me hierover vertellen?' wilde ze weten. Moeiteloos keerde ze terug in de rol van leraar.

'*De onthoofding van Johannes de Doper*, Valletta, Malta. Caravaggio schilderde het toen hij buiten Rome in ballingschap leefde. Hij probeerde een ridder te zijn en slaagde daar niet in.'

Ze leek niet onder de indruk. 'Om als aspirant-ridder te worden aangenomen in de orde van de Heilige Johannes moest hij een eed afleggen die ongeveer als volgt luidde: "Neem het juk van de Heer aan, want het is zoet en licht. Wij beloven je geen lekkernijen, alleen brood en water, en een bescheiden habijt van nul en generlei waarde." Wel een beetje een achteruitgang na het Palazzo Madama en de libertijnse kliek rond Del Monte. Geen wonder dat de arme knul het niet volhield. Je geeft me alleen historische feiten, Nic, verdorie. Die kan ik zelf ook wel opzoeken. Ik wil meer. Ik wil inzicht.'

Hij was moe. Hij wilde niet verdergaan. Costa wilde slapen, een pauze van deze wereld waar Agata hem in had meegesleurd. Er zaten te veel onbehaaglijke dimensies aan. Het was het universum dat Caravaggio om zichzelf heen had gecreëerd, en het was te echt, te vol van vlees en bloed en lijden.

Maar desondanks waren de herinneringen nog steeds daar. Hij had zo'n groot deel van zijn leven, voor hij Emily leerde kennen, in het gezelschap van deze man doorgebracht. Het was onmogelijk om een dergelijke band nu te verzaken.

Costa zuchtte en wees naar de stervende Johannes de Doper op de smerige stenen van zijn gevangeniscel aan zijn verwondingen, en naar de beul, die op het punt stond zijn werk af te maken met een kort mes dat hij achter zijn rug vandaan had getrokken. 'Hij heeft het getekend,' zei Costa vermoeid. 'Het is het enige schilderij waar hij ooit zijn naam onder heeft gezet. Die is zichtbaar in het bloed dat uit de nek van de heilige stroomt.'

'Echt?' vroeg ze. 'Ben jij op Malta geweest? Heb je zijn naam daar gezien?'

'Ik kan niet overal heen gaan waar een schilderij van hem hangt, Agata. Kan dit niet wachten tot morgen?'

'Nee.' Ze fronste haar voorhoofd. 'Ik ben ook nog nooit op Malta geweest. En ze staan niet toe dat het schilderij op reis gaat. Het is het enige belangrijke werk van hem dat ik nooit heb gezien. Misschien ooit, op een dag. Maar nu. Kijk!'

Ze hamerde op de toetsen van het toetsenbord en zoomde in op het middelpunt, de stervende man, en toen, nog dichterbij, op de poel van bloed, dat in een dikke, levensechte stroom uit zijn nek was gevloeid.

'Gebruik je ogen, Nic, geen kennis uit de tweede hand. Er is geen naam. Dat heb je in een boek gelezen, net als iedereen. Schilderijen, daar moet naar gekéken worden, niet over gelezen. Wat Caravaggio in het bloed van de heilige schrijft, is *f.michel.* Wat, afhankelijk van je gezichtspunt, *frater Michelangelo* betekent, om zijn blijdschap aan te geven dat hij aspirant-ridder werd. Of misschien *fecit*, om aan te geven dat hij het schilderij had gemaakt. Ik weet wel wat ik geloof. Drie maanden later was hij weggestuurd uit de orde, van Malta zelfs, uitgestoten als "een rottend en stinkend ledemaat", zoals het oordeel luidde dat ze hem staande voor dit identieke meesterwerk gaven. Over dankbaarheid gesproken.'

Hij schudde zijn hoofd. 'Ik geef het op. Ik ben moe. Ik ben stom. Ik zie geen enkel verband.'

Ze pakte zijn pols beet en trok hem terug naar het schitterende doek dat de kamer beheerste.

Costa stond voor de naakte, roodharige vrouw die zo dichtbij was dat ze wel echt leek, met haar bleke, mollige rug naar hem toe, de mond open, de benen verleidelijk uiteen, en een voor eeuwig vastgelegde zucht. Ze werd bekeken door de wellustige sater met Caravaggio's gezicht, en in zijn handen de muziek die duidelijk uit dezelfde bron afkomstig was als die in het Doria Pamphilj, eerder die dag.

'Blijf hier staan totdat je iets ziet,' droeg ze hem op. 'Concentreer je op het gebied onder de romp van deze dame, alsjeblieft. Laat het decorum maar even voor wat het is. Nu moet ik even iets gaan halen.' Met die woorden verliet ze de kamer.

Hij sloot even zijn ogen, probeerde zich te concentreren en focuste toen op het schilderij. De naakte, vrouwelijke vorm zweefde voor zijn ogen. Het was de verleidelijkste, dromerigste compositie die hij kende, van haar volmaakte, verzadigde lichaam tot de wellustige sater en de twee cherubijnen – *putti,* alledaagse symbolen op religieuze renaissanceschilderijen, al hadden ze hier een aardser en geiler karakter, volkomen gefixeerd als ze waren op de orgastische schreeuw van de vrouw. In de linkerhoek zong er eentje. De ander hing in een volmaakt blauwe lucht en schonk achteloos een ambrozijnachtige vloeistof uit een zilveren kan, waarbij de dunne witte stroom de beker eronder deed overlopen – hij kon dit alles zien nu hij geleerd had van dichtbij te kijken. De vloeistof stroomde over de rand, in de richting van een punt achter de centrale figuur. Het punt zelf werd aan het zicht onttrokken door de romp.

Hij vond het moeilijk zich te concentreren op het gebied dat ze had aangewezen. Op dit deel van het doek was niets te vinden: geen object, geen intrigerende samenvloeiing van pigment, geen diepte of ook maar de geringste poging die te creëren. Wat hij zag, onder de zachte welving van de stevige dijen van het naakt, was een vlekje rood fluweel, dat niets van de glans en uitdrukking van de rest van de stof had, de sprei waar ze op lag. Hij staarde en dacht na. Toen ze terugkwam met iets in haar handen waar hij niet naar durfde te kijken, zei Costa: 'Dit klopt niet.'

'Ga door,' spoorde Agata hem aan.

'Jij hebt tegen me gezegd dat er röntgenfoto's van waren gemaakt. Dat er onmogelijk iets onder of overheen geschilderd kon zijn.'

Ze deed iets met haar handen, ter hoogte van haar middel. Hij durfde nog steeds niet te kijken. 'Voor een politieagent ben je soms opvallend weinig precies. Ik zei dat het duidelijk was dat dit niet over een ander werk heen geschilderd was.'

'Misschien is het gerestaureerd.'

Ze schudde haar hoofd. 'Er is niet het geringste spoor van wat voor restauratiewerk dan ook. Volgens mij heeft dit doek jarenlang in een opslag gelegen. Eeuwen misschien. Zelfs toen het tentoongesteld werd heeft er ongetwijfeld een gordijn voor gehangen, dat alle daglicht tegen zou houden – mochten mensen dom genoeg zijn het een plekje in de buurt van een raam te geven. Het hoefde nooit te worden gerestaureerd. Wat je ziet is grotendeels wat Caravaggio iets meer dan vier eeuwen geleden heeft geschilderd.'

Grotendeels.

'Hier,' zei hij meteen en hij wees naar de simpele, effen verfvlek. 'Ik had het idee dat dit het gevolg was van restauratiewerkzaamheden. Het mist diepte, substantie, belangstelling of zelfs maar het opzettelijk ontbreken daarvan, wat ik zou verwachten bij een deel van het doek waar hij niet erg veel belang aan hechtte.'

Ze zei niets, keek hem alleen maar aan met dat alerte, donkere gezicht van haar, glimlachend.

'Dat had ik kunnen schilderen,' zei Costa. 'En ik kan niet schilderen.'

'Dat kun je leren,' antwoordde ze, grinnikend.

Eindelijk keek hij naar waar ze mee bezig was. Hij kon het nauwelijks geloven.

'Wat is dat?' vroeg hij, terwijl hij het antwoord wel wist. 'Wat ben je aan het doen?'

'Dit is een acetonmengsel,' zei Agata en ze doopte het kleine, stevige kwastje dat ze in haar rechterhand had diep in een blikje waar een doordringende en karakteristieke geur vanaf kwam.

Ze liep dichter naar het doekoppervlak toe, haar ogen op het deel onder de vlezige welving van de dijen van het naakt gericht. 'Wat denk je dat ik aan het doen ben? Ik haal wat verf weg.'

3

Peroni rende naar Pasquino en voelde zijn ouder wordende benen onder hem protesteren. Hij was niet snel genoeg meer. Tegen de tijd dat hij bij het verweerde standbeeld aankwam, waar nu over de rommel aan de voet overal pas afgescheurde papiersnippers lagen, was er in de gestaag vallende winterregen geen spoor meer van hun man te zien, geen donkere gestalte die zich over het enorme, nu bijna helemaal lege stadion van het Piazza Navona haastte.

Rosa, die hem makkelijk bij kon houden, wierp hem een zijdelingse blik toe, een die hij herkende omdat hij Costa tegenwoordig vaak op dezelfde betrapte. Een blik die zei: 'Ik ben jonger dan jij, en sneller. Laat mij maar.'

'Teresa,' blafte hij in de richting van het microfoontje van de telefoon bij zijn hals. 'Heb je gezien waar hij naartoe is gegaan?'

Hij was er nog steeds niet blij mee dat Rosa op de zaak was gezet. Ze had geen ervaring. Ze was boos over de manier waarop Susanna Placidi haar ideeën over deze zaak had genegeerd. Maar vooral was ze, volgens Peroni, nog steeds getekend door de akelige zaak-Bramante van afgelopen lente, een duister, gewelddadig onderzoek waarin de jonge *agente* aangevallen was door een man die even wreed en bedreven met de politie had gespeeld als de Ekstatici nu leken te doen, en er evenveel genoegen in schepte.

'Wat ben ik?' snauwde de stem in zijn oor terug. 'Ben ik ineens van de beveiliging of zo? Natuurlijk heb ik dat niet gezien. Die camera's hangen niet overal.'

'Kijk in het noorden,' opperde Rosa. 'Hij zou niet het Navona op gelopen zijn als hij een andere richting uit wilde. Dan zou hij teruggegaan zijn.'

Ze had ingebeld in de *conference call*. Dat had Peroni kunnen weten. Al die jonge mensen waren zo slim als het om dergelijk speelgoed ging. En Malaspina en zijn maten waren dat ook. Maar speelgoed beschermde je niet voor altijd, aan welke kant je je ook bevond.

'Ik zoek,' antwoordde Teresa. 'Dit zou allemaal zo veel gemakkelijker zijn als we om back-up zouden kunnen vragen.'

'Dat mogen we niet!' schreeuwde Peroni. 'Dat weet je.'

Het was even stil op de lijn. 'Ik weet het, ik weet het. Ik zei het alleen maar. Ik wil niet dat jij te voet door Rome gaat rennen alsof je een tiener bent. Je bent oud, je bent niet fit en je bent te zwaar.'

'Het zeikt de lucht uit, ik ben op zoek naar een moordverdachte en ik heb geen idee wat ik nu moet doen,' snauwde hij terug. 'Ik stel jouw persoonlijke evaluatie van mijn fysieke toestand op dit moment echt enorm op prijs.'

Hij hijgde en zijn hart roffelde als een op hol geslagen trommel. Ze had gelijk en hij wou dat hij wist hoe hij dat feit kon verbergen.

'Nou?' vroeg de patholoog.

Rosa rende waarschijnlijk nog harder dan Costa, dacht hij. Nic was iemand van de lange afstand, gebouwd op uithoudingsvermogen, niet op snelheid.

'Vind die vent en dan kan Rosa eropaf.'

Hij keek naar de jonge vrouw in de goedkope zwarte jas. Als hij weer terug bij zeden was geweest, zou hij zich afgevraagd hebben waarom ze nou net op een avond als deze op straat was en kriskras door het koopavond- en uitgaanspubliek heen fladderde dat dapper genoeg was om de regen te trotseren. Ze luisterde naar ieder woord, met verwachtingsvol glanzende ogen.

'Jij doet niets zonder mijn toestemming,' droeg hij haar op en hij stak om zijn punt kracht bij te zetten zijn vinger in de lucht.

'Meneer,' zei ze en ze salueerde even.

Peroni hoorde een bekende zucht van opluchting in zijn oortelefoontje.

'Kijk,' verklaarde Teresa. 'Dat was makkelijk, zeg. Ik vond hem zonet. Ik denk tenminste dat hij het is. Als hij het is, gaat hij inderdaad naar het noorden. Hij rent niet. Hij wandelt zelfs. Ik stel me zo voor dat hij denkt dat hij aangezien wordt voor de zoveelste idioot die zich op koopavond laat natregenen.'

'Waar?' brulde Peroni.

'Rechtsaf, langs dat grappige oude kerkje, Sant'Agostino. Weet je, als ik van een gokje hield – en daar hou ik van – dan zou ik zeggen dat hij teruggaat naar de plek waar dit allemaal begonnen is. De Vicolo del Divino Amore. Of daar in die buurt. Hoe noemde Nic die ook weer?'

'Ortaccio,' mompelde Peroni toen het hem te binnen schoot. Vervolgens zag hij Rosa Prabakaran er steeds sneller de pas noordwaarts in zetten, voorbij Bernini's met schijnwerpers verlichte Rivierenfontein. De afstand tussen hen werd al snel veel groter, tot het hem onmogelijk leek hem te overbruggen.

Er waren nog een paar stalletjes van de kerstmarkt open. Mannen waren de doorweekte stoffen poppen van La Befana, de heks, aan het opbergen. Ze haalden zuurstokken naar binnen uit de regen en dekten de kerststalletjes af toen die geteisterd werden door de veranderlijke winterwind. Hij keek omhoog en zag hoe de maan gevangen zat tussen een voortijlende rij zware donkere wolken. Een spiraal van rondwervelende vormen, spreeuwen meende hij, tolde door de lucht. Het was Kerstmis in Rome, koud, nat en zwanger van een zekere betekenis, zelfs voor een afvallige katholiek als hij.

De laatste tijd kende Gianni Peroni steeds vaker momenten waarop hij wou dat hij nog wist hoe hij moest bidden. Het ging hem niet om de handelingen of de woorden. Hij wilde simpelweg het gevoel terug dat hij als kind had gehad, dat hij via een heldere, levende lont verbinding kon zoeken met iets vriendelijks, warms en eeuwigs. Iets wat betekenisvol en toch onbegrijpelijk was, wat het nog troostrijker had gemaakt voor het eenzame, geïsoleerde kind dat hij geweest was.

Hij vloekte kort tegen de regen en ging achter haar aan, met bonzend hart en een hoofd op zoek naar antwoorden.

4

Het was alsof je een chirurg aan het werk zag. Agata Graziano trok een felle, witte lamp naar zich toe en boog zich voorover naar de onderkant van het doek. Met een tamponneerkwast bracht ze de pasta op, in kleine vierkantjes, een per keer. Vervolgens haalde ze hem snel weg met een vloeistof die naar terpentine rook.

Ze werkte langzaam, geduldig, met vaste hand, zo vast zelfs dat Costa zich niet kon voorstellen dat een dergelijke precisie mogelijk was.

En terwijl ze zo voortzwoegde kwam er langzaam iets tevoorschijn vanonder het pigment dat erop gekwakt was en vervolgens gevernist werd om het te verbergen.

Hij verloor ieder besef van tijd. Ze stuurde hem weg om wat water te halen, voor haar, niet voor waar ze mee bezig was. Toen hij terugkwam keek hij naar haar. Tot vandaag had hij deze vrouw, Agata Graziano, nog nooit gezien en toch had hij nu het gevoel dat hij haar kende, voor een deel althans. Er lag een uitdrukking in haar ogen – van opwinding, aarzeling, misschien angst, een beetje – waarmee hij zich verwant voelde en die hen met elkaar verbond. Dit schilderij bevatte iets wat ze wilde weten, móést weten met dezelfde niet-aflatende honger als hij voelde. Er was een zekere wanhoop die ze deelden en hij vroeg zich af welke pijn die bij haar had veroorzaakt.

'Ik kan niet werken terwijl jij over mijn schouder staat te kijken,' zei ze na een tijdje.

Zweetdruppels stonden op haar voorhoofd in rijtjes kleine, heldere pareltjes. Ze had een gespannen, serene uitdrukking van absolute concentratie op haar gezicht. Toen ze hem eindelijk naar zich toe wenkte, keek hij op zijn horloge. Ze was niet meer dan vijfentwintig minuten met het doek bezig geweest. Het hadden wel uren geleken. Wat hij zag toen hij naast haar ging staan, was nieuw en totaal onverwacht. Agata had niet alleen een handtekening blootgelegd. Ze had iets anders gevonden, iets wat niet meteen duidelijk was, omdat hij in geen enkel werk uit deze periode iets had gezien dat ook maar de geringste gelijkenis vertoonde met wat de kunstenaar in de oorspronkelijke versie had geschilderd.

Het was groot als een kinderhand, een plasje witte, melkachtige vloeistof, van dezelfde kleur als de straal die uit de kan van de cherubijn kwam en over de rand van de beker naast de bleke dijen van het naakt stroomde. De vloeistof had dezelfde kleverige structuur als hij had gezien in de poel van bloed dat uit de nek van de stervende Johannes de Doper was komen stromen. De straaltjes die ervandaan liepen vormden letters, in hetzelfde vloeiende, onregelmatige handschrift als op het doek in de co-kathedraal te Valletta: het handschrift van Caravaggio zelf.

'Wat is dat, Nic?' vroeg ze met trillende stem. 'Die substantie. Vertel het me.'

'Het zou... melk kunnen zijn. Ik weet het niet. Ik heb nog nooit iets dergelijks gezien.'

'Dit was een particuliere opdracht. Het hing achter een gordijn. Misschien in de slaapkamer van een opdrachtgever. Misschien in het paleis van Del Monte waar God mag weten wat allemaal voorviel. Melk?'

Hij begreep haar vraag – en het antwoord. Agata had hem eerder die dag verteld wat voor truc de kunstenaar hier uithaalde, aldus op ideeën voortbordurend die ook al bij hem opgekomen waren. Dit doek daagde de kijker uit zich een mening te vormen over het geportretteerde, en provoceerde de toeschouwer om een tafereel dat op het eerste gezicht vrij onschuldig aandeed in iets heel anders te transformeren, in iets wat illegaal, geheim, ongelooflijk intiem was – maar dat gebeurde alleen als er een levend menselijk wezen aanwezig was dat als de laatste katalysator werkte.

'Het gaat hier om het naspel, na de seks,' zei Costa. 'Op Malta schreef hij in warm bloed. Hier schrijft hij in...' Hij staarde naar de wellustige kop van de sater, het gezicht van Caravaggio zelf. 'Hij schreef in iets wat zijn eigen sperma moest verbeelden.'

Ze pakte zijn arm beet. Costa boog zich naar voren om de woorden te lezen, terwijl zij ze hardop voorlas: *fra. michel l'Ekstatista.*

'Broeder – daar kan hier geen twijfel over bestaan – Michelangelo Merisi, de Ekstaticus, een verzonnen woord,' zei Agata. 'Dit is onmogelijk. Ik snap er zelfs nog minder van dan eerst. Wat is in vredesnaam een Ekstaticus?'

Hij kon geen woord uitbrengen. Hij had niet de moed het haar te vertellen.

Ze smeet de vochtige en nu misvormde kwast op de stenen vloer en vloekte weer. Toen drukte ze haar kleine vuisten tegen elkaar en hief haar gezicht met gesloten ogen naar het plafond.

'Waarom kan ik dit niet begrijpen? Waarom?'

Van zo dichtbij was er iets anders wat hem opviel, en hij wist waarom Agata het niet had opgemerkt. Het enige wat haar interesseerde was het doek. Al het andere was irrelevant. Hij herinnerde zich weer de woorden van zijn oude leraar. *Kijk altijd naar de titel.*

Costa liep naar de tafel waar ze haar gereedschappen en instrumenten bewaarde, vond een kleine beitel en liep ermee naar het doek.

'Wat denk jij in godsnaam dat je gaat doen?' wilde ze weten.

Hij plaatste de beitel onder het naamplaatje. Daar zat een nauwelijks waarneembare ruimte.

'Als we dit ding toch uit elkaar halen, dan kunnen we dat beter goed doen. Toen jij zei dat ik hier moest gaan staan om naar dat stuk van het schilderij te kijken, viel me iets anders op. Dit klopt ook niet.'

Hij stak de beitel onder het bordje, draaide en wrikte het hout weg.

Agata kwam bij hem staan kijken, volkomen in trance.

'O, mijn god...' fluisterde ze.

5

Dit was geen werk voor haar. Teresa Lupo vond het moeilijk haar aandacht op meer dan tien minuscule videoschermen tegelijk te houden. Op elk scherm waren dezelfde soort figuren te zien, mensen in donkere winterjassen, die voortploeterden door een in natte sneeuw veranderende regen die bovendien steeds heviger werd. De man, als hij het nog steeds was, was verder naar het noorden gelopen, door het labyrint van renaissancestraatjes die omgevormd waren in de winkelstraten en kantoren van het moderne Rome.

Het begon belachelijk te worden. Rosa rende vergeefs door de zwarte straten. Peroni probeerde haar buiten adem bij te houden. Zelfs als Teresa de telefoon had gepakt en om back-up had gevraagd, betwijfelde ze of ze in een nacht als deze veel kans hadden om een eenzame figuur in een donkere jas op te sporen, iemand wiens gezicht ze nooit hadden gezien.

Toen, tot haar verbazing, zag ze hem. Hém. Het was op het middelste scherm van de monitor. Hij had haltgehouden bij een automaat in de Via della Scrofa om geld te pinnen, zijn zwarte gestalte perfect vastgelegd door de bewakingscamera die daar was opgehangen om de locatie in de gaten te houden. Ze keek toe. Het apparaat hoestte geld op. Talloze bankbiljetten die rechtstreeks in zijn jaszakken verdwenen. Niet de hoeveelheid die je voor een avondje stappen opneemt. Een sjaal zat dicht om zijn gezicht geknoopt. Ze kon niet zien wie hij was. Maar dit was dezelfde man, wist Teresa. Dat moest wel: zijn houding, de kleren, de schichtige manier waarop hij zijn hoofd gebogen hield... Meteen belde ze Rosa, om haar de juiste kant op te sturen, met Peroni, die zwaar in de lijn ademde, op enige afstand achter haar aan.

Toen, terwijl ze Peroni's raspende luide stem iets hoorde schreeuwen dat ze niet kon verstaan, ging de vaste telefoon op tafel. Ze wist dat ze die moest negeren. Maar aangezien dit het appartement van Leo Falcone was, kon het niet anders of hij had zo'n nieuwe draadloze telefoon, met een schermpje waarop je het nummer van de beller kon zien en diens naam als je die bewuste persoon in het telefoonboek had opgenomen.

Het schermpje lichtte inderdaad op en er was *Questura – Falcone* te zien. Typisch iets voor hem. Hij had zelfs zijn eigen kantoornummer opgeslagen.

'Wat?' riep ze nadat ze had opgenomen.

Er viel een pauze. Falcone hield niet van geschreeuw, tenzij hij het zelf was die schreeuwde. 'Ik belde alleen maar even om te vragen of er schot in de zaak zit.'

'We hebben hem, Leo,' schreeuwde ze terug. 'Hij kwam en probeerde dat stomme affiche van jou van het beeld af te trekken.'

'Je hebt hem gezien? Je zag wie het is?'

'Nee! Kijk je wel eens naar die speeltjes van jou voor je ze aan andere mensen geeft om ermee te werken? Je kunt de gezichten van de mensen niet goed zien. Vooral niet als ze hun kraag hebben opgezet. Heb je wel gemerkt wat voor weer het buiten is?'

De korte stilte die volgde was zo typerend voor hem dat ze het wel kon uitschreeuwen. Leo Falcone had veel talenten en een ervan was de feilloze gave om in je stem iets te horen wat je wanhopig voor hem verborgen probeerde te houden.

'Ik heb gezegd dat jullie moesten proberen hem te identificeren, visueel of door na te gaan waar hij naartoe ging,' zei hij. 'Verder niets. Nou?'

'Peroni gaat door het lint, Leo. Emily is dood, weet je nog?' krijste ze. 'We kunnen niet allemaal onze emoties zo opkroppen als jij...'

Dat was onnodig, oneerlijk en eigenlijk gewoon wreed. Falcone leed net zozeer onder het verlies als ieder ander. Misschien maakte zijn onvermogen om dat te laten merken het zelfs erger. Daar zou ze nooit achter komen.

'Het spijt me –' begon ze.

'Waar is hij?' viel de kalme, rustige stem haar in de rede. 'Waar is Peroni? En Prabakaran?'

Ze ratelde meteen de straatnamen op. Toen werd zonder iets te zeggen de verbinding verbroken.

'Graag gedaan,' mompelde Teresa en ze deed de headset van de mobiel weer op. Het duurde even voor tot haar doordrong dat zowel Rosa als Peroni via de krakende lijn om aanwijzingen aan het schreeuwen waren.

'Hij is net bij een pinapparaat in de Via della Scrofa geweest en gaat nog steeds naar het noorden,' zei ze zonder na te denken. 'Naar het Palazzo Malaspina. Ergens daar in de buurt. En ik denk dat Leo ook onderweg is, dus wees voorzichtig.'

Peroni zei iets wat niet bij hem paste. Hij klonk oud, dacht ze. Oud, en chagrijnig wat zijn baan betrof. En dat was niet alleen vanwege Emily of de ellende die daarop was gevolgd.

'Wees voorzichtig,' mompelde ze weer tot niemand in het bijzonder en toen zweeg ze. 'Hij heeft geld opgenomen. Een heleboel geld.'

Een gedachte kwam bij haar op. Het was puur intuïtie, maar even had ze de indruk gekregen dat dit een vreemde, merkwaardige handeling voor de man was. Iets wat hij duidelijk niet vaak deed. En dat hij dat geld vervolgens zo in zijn jaszakken propte en niet in een portefeuille, nee, dat was vreemd.

'Volgens mij is het Franco Malaspina,' zei ze zachtjes. 'Of iemand anders die niet gewend is een hoop geld op zak te hebben. Dat is toch zo met rijke mensen?'

De figuur in het zwart was stil blijven staan onder een straatlantaarn. Ze keek toe terwijl hij een pakje sigaretten uit zijn jas haalde en er een opstak. Op het zwart-witscherm was een klein wit lichtpuntje te zien. Hij leek zo kalm, zo zeker van zichzelf. Een seconde lang viel het licht van een voorbijrijdende auto op zijn gezicht. Met een snelle beweging van haar vinger zette ze de video stop, spoelde terug en bevroor het beeld. Het zou Malaspina kunnen zijn. Er waren niet genoeg details te zien om dat uit te kunnen maken.

Er kwam geen behulpzaam verkeer meer voorbij. De straten waren leeg. Het werd al laat.

De gestalte stond een stukje van de bijna overstromende goot vandaan toen een donker en glanzend nieuw busje aan kwam rijden. Het stopte vlak bij hem. Er stapte een man uit. Hij droeg een parka met capuchon, waarvan het koordje strak onder zijn kin was getrokken. Onherkenbaar als ze waren in hun gelijksoortige outfit, wisselden de twee een aantal woorden.

Ze keek naar wat er nu zou gebeuren en was met stomheid geslagen.

De tweede man ging naar de achterkant van het busje, haalde iets tevoorschijn wat de lengte had van een kinderarm en begon dit onder de straatlantaarn aan een nadere inspectie te onderwerpen. Hij overhandigde het aan zijn collega. Snel, met een rappe professionele bedrevenheid die ze zou verwachten van een soldaat of een politieagent die te veel tijd had doorgebracht met schiettraining, boog de eerste man in het zwart opnieuw naar de laadruimte van het busje en haalde er een flinke zwik patronen uit, stopte er een aantal in het repeteermagazijn, en verstopte toen het geweer met afgezaagde loop onder zijn jas voor hij het portier dichtsloeg.

Daarna stapten beide mannen in het busje en reden weg. Naar het noorden. Naar het Palazzo Malaspina. Naar Ortaccio.

'Gianni!' schreeuwde ze in de halsmicrofoon. 'In godsnaam! Peroni!'

Haar stem weergalmde in Leo Falcones lege eetkamer. De telefoon liet alleen maar ruis horen.

6

Hij voelde zijn hart tegen zijn ribben bonzen, terwijl zijn adem in korte, pijnlijke stoten kwam. Peroni rende een of ander donker, naamloos zijsteegje van de Via della Scrofa door, en zag voor hem de korte donkere gestalte van Rosa, die langzaam maar zeker de afstand tussen hen steeds groter maakte.

'Leo?' blafte hij in de microfoon om zijn hals. 'Leo?'

Om hem heen rezen de muren hoog op: vijf of zes verdiepingen met appartementen, boven winkels die volgestouwd waren met kerstcadeaus. Boven de sieraden en schilderijen, designkleding en meubels twinkelden lichtjes, boven al die kostbare, typische glamourartikelen die in dit deel van de stad op de begane grond uitgestald waren.

Desondanks merkte hij dat hij het uitbrulde en op iedereen die hem zag overkwam als een gek, dat hij uitsluitend tegen zijn halsmicrofoon gericht de duisternis in schreeuwde: 'In hemelsnaam, man. Er lopen hier twee idioten met geweren rond. Vergeet de regels en vraag om ondersteuning.'

Er volgde geen antwoord. Teresa had hem gezegd dat Falcone al onderweg was vanaf de Questura. Nam hij back-up mee? Twee gewapende kerels die 's nachts door Rome struinden... Er waren voldoende redenen voor. Maar als ze van de Ekstatici waren... Peroni wist voldoende van het labyrintische Italiaanse juridische systeem om te begrijpen dat Falcone zo zijn bedenkingen zou kunnen hebben. Dankzij goede advocaten en bodemloze fondsen zouden ze waarschijnlijk wegkomen met een simpele boete voor het bezit van een wapen in de openbare ruimte, en zou ieder vooruitzicht op een veroordeling voor Emily en de doden in de Vicolo del Divino Amore de grond in worden geboord.

Even daarvoor was Rosa links de hoek omgeslagen, recht de wirwar van oude, kronkelige straatjes in, waar deze vrouwen waren opgegraven, uit de koude grijze Romeinse aarde, uit het afval van eeuwen, gewikkeld in plastic als stille, donkere rupsen die gevangenzitten in een cocon.

Hij luisterde naar de zangerige klank van een andere vrouwelijke stem, opgewonden en ademloos over de open lijn, die de namen opdreunde van straatjes zo oud en zo obscuur dat hij nooit goed had begrepen wat ze eigenlijk betekenden.

Naar adem snakkend en zijn leeftijd vervloekend leunde hij tegen een muur die vochtig was van de regen en zwart van roet en vervuiling.

'Wacht op mij,' hijgde hij.

'Hoe lang?' wilde ze weten.

'Zeg me waar. Het atelier, hè?'

'Nee,' zei Rosa bezorgd. 'Dat dacht ik ook. Maar ze zijn een zijstraat eerder afgeslagen. Ze rijden om de achterkant van het Palazzo Malaspina heen. Naar het Piazza Borghese. Misschien...'

Ze aarzelde. 'Weten we zeker dat dit de juiste mensen zijn?' vroeg ze. 'Dit lijkt eerder op een overval of zoiets.'

Het was Teresa die antwoordde. Peroni voelde zich opvallend dankbaar, simpelweg bij het horen van haar stem alleen. 'Zij zijn het,' was het enige wat ze zei. 'Leo? Jezus, man, ben je daar?'

Stilte.

'Wacht op mij,' commandeerde Peroni en hij begon weer te rennen, met loodzware benen van de inspanning. Zijn lichaam was nat en klam van het koude zweet.

7

Costa staarde naar de titel die hij met de beitel had blootgelegd. Agata had zijn arm inmiddels losgelaten. Ze zat op haar hurken en bestudeerde de woorden met een vergrootglas dat ze tussen de gereedschappen op de tafel achter haar vandaan gehaald had.

De letters bleken in een archaïsche letter gegraveerd te zijn, dezelfde die was gebruikt op het bordje dat eroverheen had gezeten, al waren deze eleganter, persoonlijker. De gedachte kwam bij hem op dat de twee misschien wel uit dezelfde tijd stamden, en dat de laatste vlak nadat het schilderij af was over de eerste heen was bevestigd als om het, inderhaast misschien, aan het zicht te onttrekken.

De tekst luidde: *Evathia in Ekstasis.*

'Dat zegt me niks,' bekende hij.

'Dat zegt alles,' mompelde ze, en hij kon de opwinding in haar stem horen.

Ze tilde het glas op zodat hij de woorden beter kon zien. Toen hij er van dichterbij naar keek, zag hij dat ze helemaal niet gegraveerd waren. Het was gewoon een trucje van de kunstenaar. Ze waren op het hout geschilderd op een manier die de groef van een beitel moest suggereren. Ook hier waren krasjes te zien, fijne lijntjes, net als op het schilderij.

'Hij schilderde de titel?' vroeg hij. 'Caravaggio? Waarom zou hij dat doen? Dat was toch zeker beneden zijn waardigheid?'

'Hij had er de beste reden voor die er bestaat. Omdat niemand anders het wilde doen. Omdat niemand anders het durfde.'

Costa stapte naar achteren en dwong zichzelf zijn blik van het schilderij af te wenden. De vrouw daar, haar mond half geopend in die eeuwige zucht, leek zo levensecht dat hij het gevoel had warm vlees aan te zullen raken als hij een vinger uitstak en die zomaar op haar bleke, perfecte huid zou leggen. 'Dit was een particulier schilderij,' zei hij. 'Voor de slaapkamer van een man. Verborgen achter een gordijn. Ik begrijp nog steeds niet waarom hij er zelf een titel onder moest schilderen. Waarom dat zo snel moest worden bedekt.'

Ze was teruggegaan om het glas water te pakken dat hij voor haar had gehaald, en dronk er nu met kleine slokjes van, haar blik alert en bedachtzaam, enigszins verduisterd door angst.

'Evathia is Grieks voor Eva. *Evathia in Ekstasis* betekent *Eva in extase.* Dit is Venus helemaal niet, al bestaat er her en der een traditie om die twee met elkaar te associëren. Herinner je je de *Madonna del Parto* nog? Maria met Jezus op schoot. Of Venus met Cupido. Het verschil is soms moeilijk te zien. Ze worden allebei geassocieerd met de lente, met geboorte en vruchtbaarheid.'

'En dus?' vroeg hij.

'Dus, stel je eens voor, Nic. Stel je voor dat de eigenaar van het schilderij begreep hoe gevaarlijk het was, zelfs verborgen achter een gordijn. Om zichzelf te beschermen liet hij de kunstenaar er een nieuwe titel onder graveren. Daarna werd het perspectief anders, tenzij je ingewijd was in het geheim. Het schilderij was onschadelijk gemaakt. Wij waren onschadelijk gemaakt. Hij niet natuurlijk. Of...'

Haar blik liet hem niet los. 'Of degenen die later kwamen en wisten wat het in werkelijkheid was, die het in de erop volgende jaren in hun bezit hadden. Wanneer een niet-ingewijde toegestaan wordt om het doek te zien, ziet diegene de nieuwe naam, niet de echte. We vergapen ons aan de prachtige verzadigde vrouw en de appel, en nemen aan dat het Venus is met het fruit dat Paris haar gegeven had. Niet iets anders, het cruciale geschenk dat Eva van de boom plukte. We zien een wellustige figuur met een baard en nemen aan dat hij een soort sater is. Maar waar zijn zijn hoorns? Waar zijn de bokkenpoten? Dit is helemaal geen sater. Dit is...'

Ze kreeg een wazige blik in de ogen. Ze dacht in stilte na en was diep geschokt door wat haar aldus duidelijk werd. '...blasfemie. En pornografie.'

Zijn hoofd tolde van de beelden, andere doeken, andere werken van Caravaggio terwijl zijn geest uit alle macht probeerde iets wat hierop leek te vinden, zozeer dat hij meende Michelangelo Merisi's lijfelijke aanwezigheid in deze kamer te kunnen voelen.

'Het is de bedoeling dat we getuige zijn van datgene wat alleen God ooit heeft gezien. Adam en Eva nadat ze voor het eerst gemeenschap hadden gehad,' mompelde Agata, bijna in zichzelf. '"En Adam bekende Eva, zijn vrouw." Genesis 4:1, vlak na hun verbanning uit de Hof van Eden. De heer zei: "Ziet, de mens is geworden als een van ons, die kennis heeft van goed en kwaad." Vol van die wetenschap bedrijven ze de liefde en verliest de wereld haar onschuld. Zeven verzen later vermoordt Kaïn Abel. Lust en het boze zijn op de mensheid losgelaten, met alle gevolgen van dien. Caravaggio schildert precies dat moment waarop de wereld voorgoed veranderde, toen met één enkele extatische zucht de doos van Pandora werd geopend en alles dat we nu goed en kwaad noemen naar buiten kwam vliegen, om nooit meer te worden opgesloten.'

Het was koud in het atelier en doodstil. Ze wierp een blik op Costa. Schuldgevoel en angst hadden hun sporen achtergelaten op haar donkere gezicht.

'Dit is het moment van de zondeval. Het moment dat nog nooit iemand had durven afbeelden omdat het té intiem was, té schokkend,' mompelde ze. 'Caravaggio ambieert hier zowel religieus als wereldlijk te zijn en ons te betrekken in zijn schuldgevoel daarover, aangezien dit doek alleen een van beide wordt dankzij onze aanwezigheid, vanwege ons aandeel aan die oorspronkelijke zonde.'

Ze schudde haar hoofd en staarde hem aan. 'Waarom heeft Leo Falcone me dit gegeven? Waarom aan mij?'

Als ze gelijk had, en een andere gedachte leek onmogelijk, dan was dit zonder meer het ergste schouwspel waar je een vrouw als Agata Graziano mee kon confronteren. Het was iets wat een zuster als zij nooit verondersteld werd onder ogen te krijgen. Misschien, en hij realiseerde zich dat dit een gedachte was die hem sinds ze elkaar voor het eerst hadden ontmoet had achtervolgd, riep het twijfels in haar wakker, over zichzelf, haar roeping, haar geloof zelfs, twijfels die al jarenlang in dat intelligente hoofd van haar hadden rondgezworven.

Ze verdiende de waarheid, dacht hij. 'Omdat Franco Malaspina's misdadigersbende zichzelf de Ekstatici noemen,' zei Costa zacht, misselijk van schuldgevoel. 'Omdat we ze tegen moeten houden.'

Wild dansten haar haren om haar schuddende hoofd. 'Wat? Wát?'

'Sorry, Agata. We wisten het niet.'

'Mijn dispensatie is bij deze voorbij,' beet ze hem toe, des duivels, haar ogen schitterend van woede. 'Breng me terug naar mijn klooster. Dit alles gaat me niet langer meer aan.'

Ze sloeg haar armen stevig om haar smalle gestalte. Costa wist niet wat hij moest zeggen of doen om deze vrouw te troosten. Hij kon alleen maar raden naar de innerlijke strijd die op dat moment in haar woedde. En toch... Ze kon haar ogen niet van het doek af houden. Ze zou er niet gemakkelijk van loskomen.

'Ik breng je wel,' zei hij. 'Alsjeblieft...'

Toen klonk er een onverwacht geluid, dat hen beiden deed opspringen van schrik. Zijn telefoon kwam ineens tot leven en maakte in zijn hoesje een schril, elektronisch geluid dat totaal niet op zijn plek was in een atelier, een onwelkome indringer uit een andere wereld.

Costa haalde hem tevoorschijn en probeerde te luisteren. Maar dat lukte niet. Het aanzwellende geluid van stemmen was daar debet aan, boze stemmen, die schreeuwden, brulden, aan de andere kant van de deur, in de lange donkere gang waar de bewaker in het blauwe pak zoetjes had zitten sluimeren met een revolver aan zijn riem.

Terwijl ze luisterden, te zeer uit het veld geslagen om iets te zeggen, werd de lucht verscheurd door het gebulder van een wapen. Costa werd overmand door een plotselinge opwelling van ijzige doodsangst. Hij herkende het specifieke timbre van dat geluid. Hij had het eerder gehoord, in het modderige gras aan de voet van het mausoleum van Augustus, het moment dat Emily uit het leven was weggerukt.

Agata was op weg naar de deur, woest.

Hij rende naar haar toe, greep haar ruw om haar middel en hield haar met kracht tegen. Twee kleine bruine vuisten sloegen op zijn borst. Agata Graziano's betraande ogen staarden hem vol razernij en angst aan.

Hij was een agent buiten dienst die een hersenschim achterna zat, zonder enige officiële ondersteuning. Dat betekende van alles. Maar op dat moment betekende het vooral dat hij geen wapen bij zich droeg.

'We moeten ons ergens verstoppen,' zei Costa en hij keek zoekend de kamer door.

Verderop in de gang vond een tweede explosie plaats, die weerkaatste tegen de dikke stenen muren van deze afgelegen, half vergeten vleugel van het Palazzo Malaspina. Daarna was de lucht vervuld van de scherpe, droge geur van munitie en het geluid van iemand die pijn leed.

8

Te veel donkere straatjes, te veel verontrustende mogelijkheden raasden door het hoofd van Leo Falcone. Hij had Peroni zijn oproep over de open lijn horen brullen. Toen had hij een enkel bevel uitgevaardigd, voor hij zijn Lancia keihard over de zwarte glibberige keitjes in dit labyrintische deel van het *centro storico* joeg.

De twee mannen waren niet onderweg naar de Vicolo del Divino Amore, maar naar Agata's laboratorium. Dat kon maar één ding betekenen. Ze wilden het schilderij.

Hij had zijn geluk tot het uiterste op de proef gesteld, door een eigen, mogelijk illegale, geheime operatie op te zetten, met als enig doel Malaspina en zijn medeplichtigen in de gaten te houden zonder officiële goedkeuring. Als het tot een gegarandeerde en onbetwistbare veroordeling zou komen, nam hij de consequenties wel voor lief. Maar bestond er het geringste, het miniemste spleetje waar deze gladjanus zich doorheen kon wringen, dan was hij verloren. Ze zouden opnieuw ontkomen, en dan voorgoed. Zijn carrière zou voorbij zijn, tegelijk met die van Peroni en waarschijnlijk ook die van Costa en Rosa Prabakaran. Zijn eigen lot baarde hem niet veel zorgen, maar hij wilde niet dat de anderen het moesten delen. Peroni mocht dan nog zo hard schreeuwen, Falcone was vastbesloten niet om assistentie te vragen, tot hij er zeker van was dat het zowel noodzakelijk als zinvol zou zijn.

De lange, fraai gestroomlijnde auto spoedde zich door de Via della Scrofa, op nog maar een minuut, misschien twee, afstand van het half verborgen straatje waarin de buitenpost van het Barberini was gevestigd.

Er was ook nog een andere agent in de buurt, herinnerde Falcone zich, op het feest in het paleis vlakbij. Hij wilde hem er, gezien het verleden, niet graag bij betrekken. Maar ze kwamen mensen te kort. Ze hadden hulp nodig.

Hij blafte Costa's naam in de telefoon, die reageerde op het geluid van zijn stem. Eén woord was voldoende.

'Nic?'

In afwachting van een antwoord vroeg hij zich af hoe het was geweest een avond in gezelschap van de aantrekkelijke en charmante zuster Agata Graziano door te brengen in Franco Malaspina's extravagante paleis, een van de weinige grote stadsvilla's in Rome waar Leo Falcone in zijn hele carrière nog niet binnen was geweest. Costa verdiende een aantal uren in aangenaam gezelschap, een aantal uren waarin zijn geest afgeleid zou zijn van de pijn die, zo wist Falcone, in hem huisde en daar zou blijven tot deze zaak was gesloten. De telefoon ging onwaarschijnlijk vaak over voor er werd geantwoord. Falcone luisterde naar het fragmentarische, gefluisterde gesprek en hoorde toen met toenemend afgrijzen hoe halverwege de verbinding werd verbroken.

'Waar ben je?' blafte hij. 'Waar bén je?'

Tientallen mogelijkheden krioelden door zijn hoofd en hij keerde zijn wagen door een scherpe U-bocht te maken op het Piazza Borghese, waarbij hij het stalletje omver reed van een krantenverkoper die zijn waar aan het inpakken was voor de nacht. Vellen kerstcadeaupapier vlogen de lucht in.

Hij probeerde uit alle macht de auto weer in bedwang te krijgen en slaagde er ten slotte in hem razendsnel tegen het verkeer in door de smalle straat te jagen die naar het atelier leidde.

Op een paar meter van de ingang van het kantoor van het Barberini stampte hij op de rem en bracht de Lancia tot stilstand. Falcone vloog de auto uit, haalde zijn revolver tevoorschijn en hield hem in de aanslag. Tot zijn opluchting zag hij in de steeg twee bekende figuren vanuit zuidelijke richting naar hem toe komen lopen, de een snel en jong, de andere ouder, buiten adem en moeizaam.

Er was daar slordig een busje geparkeerd, waardoor de hele

straat was geblokkeerd. Het achterportier stond open. Binnen was niets of niemand te zien.

In de deuropening kwam een gevaarlijke geur hem tegemoet: die van munitie. Ergens, voorbij het licht in de deuropening, hoorde hij de zwakke kreten van een man en nog verder weg klonk boos en woedend geschreeuw.

Hij stond hier nog steeds over na te denken toen ze bijna tegelijkertijd bij hem aankwamen. Peroni's gezicht was bleek en bezorgd, zijn adem kwam in korte stootjes.

'Meneer...' begon Rosa Prabakaran.

De grote man duwde haar opzij. 'We moeten naar binnen zien te komen,' zei hij met klem. Op de een of andere manier haalde hij ergens de kracht vandaan om een wapen tevoorschijn te trekken en laag tegen de zijkant van zijn lichaam te houden. 'In godsnaam. Nic is daarbinnen. Je hebt de lijn open laten staan, jij oude gek. We hebben alles gehoord.'

Falcone was, niet voor het eerst, verrast over deze domme vergissingen. Ze leken steeds vaker voor te komen. Iedereen werd ouder.

'Dat klopt,' zei hij en hij knikte. Hij herinnerde het zich nu. Op het privésysteem dat ze gebruikten bleven conferentiegesprekken net zolang open tot ze werden gesloten. Dat was ongetwijfeld de reden dat Peroni als een haas hiernaartoe was gekomen: sneller dan goed voor hem was.

Falcone keek naar de revolver in Rosa Prabakarans hand. Het was duidelijk dat ze nog nooit in woede naar haar wapen had gegrepen. De revolver trilde in haar vingers

'Blijf achter me,' commandeerde hij. 'Doe steeds wat ik zeg.'

Hij pleegde het telefoontje waarvan hij wist dat het nu onvermijdelijk was en vroeg zich af hoe lang het hen zou kosten om te reageren. Op een stille, natte avond voor kerst was de Questura zelden op zijn best, zelfs wanneer een inspecteur om dringende assistentie vroeg bij een schietincident. De meest recente statistieken hadden laten zien dat het politieauto's tussen de tien en twintig minuten kostte om te arriveren bij een incident buiten het centrum van de stad, waar de toeristen zich bevonden. En het sprak voor zich dat niemand in deze uitgestorven, stille straten zijn wachtronde liep. Hij stond er alleen voor.

Leo Falcone stapte met een gestage, vastberaden tred het schemerige licht in de deuropening van de buitenpost van het Barberini binnen en werd zich, zodra hij de drempel over was, bewust van de duidelijke en doordringende geur van menselijk bloed.

9

Er was een opslagruimte. Het kostte hem al zijn kracht om haar daarheen te trekken, met zijn hand over haar mond geslagen en zijn armen stevig om de ruwe stof van haar zwarte jurk heen, aangezien ze hem steeds schopte en sloeg. De deur stond op een kier. Costa duwde hem open met zijn voet, greep haar nog steviger vast en sleurde hen beiden naar binnen, het donker in. Ze verzette zich de hele tijd en vocht in zijn armen om zich te bevrijden. Ze vielen tegen de planken aan. Blikken verf vielen op de vloer. Er stonden oude ezels, stoffig en al jaren niet gebruikt.

'Nic!' krijste ze.

Hij trok de deur dicht en toen, in het zwakke schijnsel dat door de kieren aan de boven- en onderkant naar binnen viel, duwde hij haar naar de andere kant van de kleine, besloten kamer en hield haar tegen zich aan. In het halfdonker glinsterden haar ogen van emotie.

'Ze hebben wapens,' zei hij simpel. 'Ze hebben mensen vermoord. We houden ons koest. We wachten.'

Ze staarde hem aan en trok zich los uit zijn greep. Ze ging met haar rug tegen de planken staan die hij net kon zien in het gele licht dat afkomstig was uit de andere kamer. De rommel van jaren had zich daar verzameld: muffe boeken, kleine doeken die in jute waren gewikkeld en het ene palet na het andere met reeds lang opgedroogde verf.

'Waarom heb je me hierbij betrokken?' fluisterde ze met duidelijke verbijstering. 'Wat heb ik gedaan?'

Hij wierp een blik op de deur. 'Je wist genoeg om het schilderij voor ons te ontsluiten,' antwoordde hij meteen. Toen, voor ze weer iets kon zeggen, legde hij zijn vinger tegen zijn lippen.

Daar had je ze, buiten, ze bewogen snel, maakten ruzie. Boze stemmen. Twee. En een geluid verder weg: een man die pijn had, die jankte, smeekte om hulp. De bewaker ongetwijfeld, vanuit de gang voorbij de entree.

Eén stem kwam hem bekender voor dan de andere, van het feestje in het Barberini die avond. Franco Malaspina. Het was duidelijk dat Agata hetzelfde dacht. Ze luisterde geschokt en sloeg haar kleine, donkere hand voor haar mond.

Het lawaai dat de twee maakten werd steeds luider. Het was duidelijk wat ze wilden. Het schilderij. Het was groot, en kon misschien door één man gedragen worden, maar met zijn tweeën was het veel gemakkelijker. Ze hadden het erover hoe ze het doek mee konden nemen, waar ze het mee moesten bedekken, hoe ze verder moesten gaan.

En ze waren anders: de ene vol vertrouwen, uit de hoogte, de andere klonk bang, bezorgd.

Uiteindelijk nam de zwakkere het woord: 'Jij hebt hem neergeschoten,' klaagde hij op hoge en vrouwelijke toon. 'Jij hebt hem neergeschoten. Jezus.'

'Waarom denk je dat we deze dingen meegenomen hebben?' zei de tweede stem.

'Hij leeft nog!'

Er viel een stilte. Costa keek naar Agata. Ze stond op het punt in te storten.

De brutalere indringer nam het woord. 'Dat regel ik wel op weg naar buiten. Krijs niet zo. Je kunt het bloed er later af wassen. Help me nu met dit ding. We hebben geen tijd...'

Agata kreeg een glazige blik in haar ogen. Ze struikelde. Haar elleboog raakte iets, een archiefdoos, overdekt met stof, die op het randje van de plank had gestaan. Toen hij in de duisternis heen en weer begon te schommelen, greep ze er vergeefs naar, waarbij haar wild graaiende vingers nog meer smoezelige objecten op de grond deden vallen, en een kakofonie van geluid voortbrachten die hun aanwezigheid kenbaar maakte.

Het werd stil in de andere kamer.

Toen was er een stem te horen, de stem die hij meende te kennen. Hard en vol zelfvertrouwen zei hij: 'Ik vroeg me al af waarom het licht aan was. Slordig...'

10

Het was meer dan een jaar geleden dat Leo Falcone voor het laatst een wapen had afgevuurd en dat was op de schietbaan geweest, een vaste verplichting die hij als een administratief klusje beschouwde. Inspecteurs schoten geen mensen neer. En als hij het kon voorkomen, dan deed ook geen van zijn agenten dat. Daar had je geen politie voor.

Hij probeerde zich te herinneren wat hij nog wist van de manier waarop je veilig een gebouw binnen moest gaan. Dat was niet veel. Dus bleef hij dicht tegen de muren van de gang voorbij de ingang, met zijn oude, rokerig gele muren. Het pleisterwerk bladderde af vanwege het vocht onder het oude steen van het paleis waar de gang als een soort postscriptum aan was toegevoegd, weggestopt in de zoom van een hoop metselwerk dat zich, nooit bezocht en onbekend, in dit vreemde en voor Falcone steeds vijandiger deel van de stad uitstrekte.

Met zijn rechterarm naar achteren gestrekt om ervoor te zorgen dat Peroni en Rosa achter hem bleven, deed Falcone een aantal snelle stappen, hard tegen de muur aan gedrukt, zonder iets te zien. Ergens voor hem hoorde hij stemmen. Een helder licht gaf het atelier aan waar hij voor het eerst Agata Graziano had benaderd en om hulp had gevraagd, een besluit dat hij nu ten diepste betreurde. Er klonken echter geen schoten meer. Daar putte hij enige voldoening uit. Toen bewoog hij weer naar voren, zijn revolver in de lucht, duidelijk zichtbaar en klaar om te vuren, en gebaarde de twee figuren achter hem om snel de nis in te schieten.

Falcone meende zich vagelijk te herinneren dat zich daar een bewaker van middelbare leeftijd ophield.

Rosa ging eerst en kroop achter zijn gebarende hand vandaan. Falcone staarde de gang door, draaide zich even om naar Peroni en knikte dat hij moest wachten. Toen keken ze elkaar aan, beiden met die vertrouwde blik van gedeelde verbijstering in hun ogen. Rosa had plotseling een hoge, schrille kreet geslaakt. Falcone draaide zich om, beet haar op zachte toon een vuile opmerking toe in de hoop dat die haar de mond zou snoeren en stak de gang over.

Op de vloer bevond zich een gestalte in uniform die zwaar gewond rechtop en met beide handen zijn bloederige buik vasthoudend tegen de muur aan zat, een blik van enorme angst in zijn ogen waaruit het bewustzijn snel aan het verdwijnen was.

Falcone hoorde hem iets zeggen wat 'help me' had kunnen zijn.

'Er zijn mensen onderweg,' zei de inspecteur en hij stormde terug de gang in toen hij een vlaag van razernij in zich op voelde wellen. Vastberaden ging hij voorwaarts, met zijn wapen voor zich uit gestoken, zonder te weten of de vrouwelijke *agente* en Gianni Peroni, zijn enige ondersteuning op dat moment, achter hem aan kwamen.

11

Costa haalde diep adem, ging toen voor Agata staan en keek om zich heen, op zoek naar iets, wat dan ook, dat als wapen dienst zou kunnen doen. Hij was nog steeds aan het zoeken toen de oude houten deur die zich tussen hen en het atelier in bevond explodeerde in een bulderende uitbarsting van hitte en vlammen. Het schot uit het geweer kwam er dwars doorheen en sloeg in op slechts een meter van waar hij zich had opgesteld in de hoop haar te kunnen beschermen. Een dunne, uitwaaierende wolk van loodhagel kwam overal rondom hen neer, ketste van de hoge muren af en bestrooide hun hoofden en schouders met kleine, hete vuurballetjes.

Agata schreeuwde. Costa's oog werd door iets geraakt: stof of een scherfje. Hij was zich bewust van de loop van het wapen dat met geweld door de deur, of wat er nog van over was, heen gestoken werd en van de gestalte die erachteraan kwam; volledig in het zwart en met de bekende bivakmuts op.

Hij hield het geweer in zijn armen. De ogen achter de spleetjes in de muts staarden hen duister en kwaadwillend aan. De man zocht in zijn zakken naar meer patronen. Hij stak ze nonchalant in de mond van het vuurwapen, alsof hij een weekendje jagen was.

Het kostte hem niet meer dan een seconde om binnen te komen. Veel te kort voor Costa om tot de aanval over te gaan.

In plaats daarvan hield hij zijn armen wijd, waarbij zijn vingers in het duister graaiden, een zinloos gebaar. 'Je hebt de vrouw niet nodig,' zei hij beslist. 'Neem mij als je wilt. Maar haar niet. Ze heeft geen idee waar dit over gaat. Ze heeft geen idee wie jij bent.'

Zonder het te beseffen was hij steeds verder teruggedeinsd, tot hij de achterste muur van de opslagruimte raakte. Ze zat klem achter zijn rug en hurkte bibberend tegen de muur aan.

De lange, dodelijke vorm van het wapen kwam omhoog, geladen nu.

'Die trut heeft altijd een soort afwijking in het bloed gehad,' zei de gestalte, met een laag doods stemgeluid, dat deels herkenbaar was, en deels iedere menselijkheid ontbeerde.

Hij bracht met gemak het geweer omhoog, het gemak van de jager, alsof het een tweede natuur van hem was.

Het kwam nu volledig op timing aan, dacht Costa, iets wat je onmogelijk kon weten. Hij wist niet eens zeker wat zijn hand op de plank had gevonden, alleen dat het hard en zwaar was en makkelijk beet te pakken.

Zodra het geweer in horizontale positie werd gebracht, pakte hij de metalen handgreep stevig beet en slingerde het ding met zoveel kracht als hij maar kon opbrengen naar voren. Het oude blik met verf vloog van de plank af naar de vorm in het zwart, die zo ver naar voren was gekomen dat hij scherp afgetekend werd tegen het heldere licht in het atelier achter hem. Het knalde recht in zijn gezicht. Toen het blik zijn wollen bivakmuts raakte, schoot het deksel eraf.

Een stroom pigment in de kleur van oud bloed stroomde over de zwarte stof. Het blik dreunde tegen de grond. Uit de bedekte mond klonk een schreeuw. Het was iets, dacht Costa. Het was...

...niets.

Voor hij opnieuw kon aanvallen, deed de man een stap naar achteren, veegde met een mouw de verf van zijn gezicht en bleef toen staan, woedender dan ooit, het wapen razendsnel weer in zijn handen.

Costa smeet iets anders van de plank, iets wat niet zo zwaar of onhandig was. Het stuiterde terug van de muur en raakte net de loop van het geweer toen deze opnieuw werd afgevuurd.

Vuur en hitte en een afschuwelijk, oorverdovend lawaai vulden de lucht. Zijn linkerschouder werd geraakt door iets wat hem met kracht pijnlijk naar achteren slingerde. Duizelig en zich bewust van een steeds heviger wordende, brandende pijn die door zijn lichaam joeg, viel hij tegen Agata aan, wier tengere armen er bijna in slaagden zijn val tegen de harde grond te breken.

Nog een keer, dacht hij. Hij wist wat er aan de hand was zonder dat hij hoefde te kijken. Dat was alles. De man met het geweer kwam steeds dichterbij, met de intentie hier voorgoed een einde aan te maken.

Costa negeerde de brandende, zich snel verspreidende pijn in zijn schouder en stortte zich naar voren. Hij greep de loop beet, legde zijn rechterhand met de palm omlaag over de twee gapende gaten en duwde het geweer omhoog, naar het plafond, wachtend op het moment dat de pijnlijke verschrikking weer zou beginnen, op het moment dat de patronen door zijn vlees heen drongen en hun misschien een paar minuten langer in dit leven gaven.

12

Falcone zag een lange, gespierde man in het zwart met een bivakmuts op, die, wapen op de vloer, met het schilderij worstelde. Hij brulde de eerste woorden die bij hem opkwamen, met een stem die hard en krachtig klonk en geen tegenspraak duldde. De man stak zijn handen omhoog en begon te ratelen met een hoge falsetstem vol angst.

'Hou je kop!' schreeuwde Falcone en hij riep naar Rosa dat ze hem onder schot moest houden.

Aan de andere kant van de kamer gebeurde iets. Het was in de belendende ruimte, achter het schilderij, voorbij de felle, doordringende lampen die zich daarboven bevonden.

Peroni kwam naast hem staan, met zijn wapen omhoog.

'Hoe goed kun je schieten, Leo?' vroeg hij.

Hij durfde niet te antwoorden en keek in plaats daarvan vol wanhoop toe hoe drie figuren de deur uit kwamen tuimelen, de eerste ook helemaal in het zwart, zijn geweer dat door Costa's zwoegende arm in de lucht gehouden werd door terwijl de jonge agent, zijn rechterschouder overdekt met bloed, zijn jas aan flarden door de hagel, de indringer het licht in duwde.

Agata Graziano vocht net zo hard. Ze schopte, sloeg en schreeuwde naar de gezichtloze aanvaller.

Het leek wel eindeloos te duren eer Falcone en Peroni bij hen waren, terwijl Rosa de tweede man op bevel van de inspecteur in de gaten bleef houden. Aan één gewapend persoon had je je handen al vol. Dergelijke situaties ontspoorden algauw in complete chaos. Terwijl Falcone zijn pistool op het hoofd van de eerste kwade man richtte, stevig ingesloten in de mêlee van lichamen voor hem, besefte hij dat het zo niet ging lukken. Ze konden niet vuren, omdat in die zee van rondzwaaiende armen, het strakke kluwen van lichamen dat ze geworden waren, de een niet meer van de ander onderscheiden kon worden.

Eén seconde, niet langer, was er een gelegenheid. Costa ging neer toen zijn benen onder hem vandaan werden geschopt door de langere, sterkere gestalte in het zwart, maar was ondertussen wel in staat de lange grijze omtrek van de geweerloop omlaag te trekken, waarbij hij ten slotte het hele wapen aan de greep van die sterke donkere armen ontworstelde.

Op dat moment beging Falcone een fout, en hij wist het meteen. Hij keek naar Costa en moest zichzelf dwingen niet automatisch te vragen: 'Gaat het?'

Tegen de tijd dat hij zijn aandacht weer had bij datgene wat werkelijk van belang was, was de hele situatie veranderd.

De man in het zwart had Agata Graziano stevig in zijn armen. Ze was doodsbang en razend. De loop van een klein handwapen drukte hard tegen haar slaap en maakte een duidelijke en pijnlijke deuk in de olijfkleurige huid. De tweede indringer wierp een blik op Rosa Prabakaran, en hinkte toen, zonder dat zij daartegen protest aantekende, naar de deur van de opslagruimte, waar hij zwijgend en onderdanig bleef staan.

Falcone hield zijn wapen recht voor zich uit, gericht op degene om wie het ging. 'Je laat haar los,' zei hij eenvoudig.

Het was het beste dat hij in huis had en hij wist meteen hoe zwak het klonk. Toen gebeurde er iets wat maakte dat hij zich oud voelde, dom en volstrekt incompetent.

In een ruimte met vier agenten, van wie drie gewapend en een gewond – al was dat dan oppervlakkig, meende Falcone – lachte dit gemaskerde en moordlustige schepsel, luchthartig, zonder angst. Alsof niets van dit alles hem raakte en dat ook nooit zou doen.

Hij trok Agata Graziano dichter tegen zich aan in een stevige, hebberige greep, waarbij hij haar als schild gebruikte. Met zijn vrije arm om haar keel liet hij het wapen in zijn rechterhand abrupt naar één kant zwenken, in een hoek van negentig graden van de dreiging voor hem vandaan.

Voor Falcone een woord kon uitbrengen schoot hij twee patronen leeg in de schedel van de gemaskerde figuur naast hem.

Ze worstelde hulpeloos, haar ogen van pure verschrikking wijd opengesperd, haar voeten door de kracht van zijn grip bijna in de lucht bungelend. Costa, die op slinkse wijze over de stenen platen naar de benen van de man was gekropen, stopte meteen. De loop van de kleine zwarte revolver drukte opnieuw tegen de slaap van de doodsbange vrouw.

'Als het schilderij niet binnen dertig seconden buiten is,' zei de stem achter het masker, een kalme, mannelijke stem, beheerst, aristocratisch, 'dan schiet ik deze slimme hersens hier, baf, uit haar schedel.'

13

Het regende. Er waren nog steeds geen politiewagens te bekennen. Alleen de Lancia van Falcone, en een stukje verderop in het smalle steegje onder een eenzame straatlantaarn het busje, met de achterportieren open.

Falcone en Peroni hadden het doek in hun armen en volgden de gemaskerde man die Agata ruw met zich meesleurde, de revolver voortdurend tegen haar voorhoofd aan. Rosa kwam op Falcones instructie achter hen aan.

Geen van hen kon iets uitrichten. Agata was een gijzelaar, in handen van een man die geen boodschap had aan onderhandelen. Costa greep zijn pijnlijke schouder beet. Hij voelde hoe de loodkorrels in zijn vlees vraten, en hoe het bloed uit de wond zijn kleren aan zijn huid deed plakken. Onzichtbaar voor de figuur in het zwart pakte hij het wapen op dat door de dode indringer op de vloer achtergelaten was. Het bungelde nutteloos in zijn linkerhand, de enige die hij nog kon gebruiken. Nergens was een geluid te horen, geen sirene, geen piepende banden in de stille nacht.

'Ik geef de voorkeur aan de auto,' zei de stem achter het zwartwollen masker, en zijn greep om Agata's nek verstrakte nog. Hij hield haar nu zo stevig vast dat haar gezicht strak stond van de spanning. 'Sleutels.'

Falcone haalde een hand van het schilderij en griste ze uit zijn zak tevoorschijn. In de koude nachtlucht stak hij ze voor zich uit.

'Jij,' blafte de man tegen Rosa.

'Ik doe het wel,' zei Costa en hij duwde het wapen, zonder acht te slaan op de pijn, onder zijn jasje achter zijn broekriem. Toen ging hij voor de jonge *agente* staan om de sleutels van Falcone aan te pakken, zonder ook maar één moment zijn ogen van Agata en de man af te wenden.

'In het contact,' commandeerde de stem achter het masker. 'Start de motor.'

Costa opende het portier aan de bestuurderskant, ging even achter het stuur zitten, wekte de krachtige motor van de Lancia meteen de eerste keer tot leven en stapte uit.

Een grote vrachtwagen stond aan het begin van de steeg en blokkeerde de uitweg. Er was maar één manier om weg te komen, en dat was langs het verlaten busje van de indringers. Een smalle doorgang. Niet gemakkelijk. Terwijl hij bij het voertuig vandaan liep, hield Costa halt, staarde in Agata's ogen in de hoop dat ze het zou begrijpen. Misschien hadden ze nog een laatste kans.

Falcone trok de achterklep omhoog en manoeuvreerde met hulp van Peroni het doek naar binnen terwijl Costa standhield op niet meer dan een meter van de gemaskerde man en Agata vandaan, die stil en gespannen in zijn nu knellende greep was.

'Ik kan ook in haar plaats gaan,' zei hij weer, zonder te bewegen.

'Met jou is het niet zo leuk.'

Costa stak zijn bebloede rechterarm op en wees naar het gezicht achter het masker. 'Als er ook maar een schrammetje of blauwe plek op het gezicht van deze vrouw te zien is, de volgende keer dat ik haar zie, dan leg ik je hoogstpersoonlijk om.'

Er klonken woorden die hij niet kon verstaan. Vervolgens duwde de man in het zwart Agata aan de bestuurderskant naar binnen, en beval haar om op de passagiersstoel te gaan zitten, waarbij hij voortdurend de revolver tegen haar hoofd aan drukte en de vier agenten naast het voertuig in de gaten hield, bedacht op elke beweging, hoe gering ook. Ze maakten geen enkele kans, wist Costa. Hij wist wat hij deed. Ten slotte liet hij zichzelf, zodra zij op haar plek zat, behendig in de auto vallen, wurmde zijn voeten op de pedalen en pakte het stuur met zijn vrije linkerhand beet.

De deur ging dicht. Costa hoorde hoe de elektronische sloten dichtklikten. Hij vroeg zich af hoe vaak Agata in haar hele leven in een auto had gezeten. Ze woonde in het hartje van de stad. Ze was, in haar eigen ogen, een werkende vrouw, die de bus en de metro nam, geen dure taxi's en auto's.

Hij betwijfelde of ze er een idee van zou hebben hoe ze een portier open moest krijgen dat door middel van een centraal deurvergrendelingsysteem afgesloten was, zelfs al wist ze waar de schakelaar zat.

Even hing het gemaskerde hoofd uit het open raampje. 'Als jullie achter me aan komen, gaat ze eraan,' zei hij met een vast, diep stemgeluid waarin niet de geringste aarzeling te bespeuren was.

14

Costa draaide zich om en liep, zich bewust van het bloed dat uit zijn schouder vloeide, enigszins hinkend weg met de bedoeling zich naar de achtergelaten bus te begeven. Terwijl hij daarmee bezig was, haalde hij stiekem het wapen achter zijn riem vandaan en hield het losjes in zijn linkerhand. Nog voordat de Lancia in beweging kon komen, perste hij zich al door de smalle spleet tussen het busje en de stenen muur, die nauwelijks breed genoeg was voor één persoon, een smalle ruimte in de duisternis waar hij in kon verdwijnen. Aan de andere kant... hoopte hij maar dat de schutter dit nog niet had bedacht. Hij vermoedde dat er – net – genoeg plaats was voor Falcones auto. Maar alleen als hij heel voorzichtig in de eerste versnelling door de tussenruimte manoeuvreerde.

De krachtige cilinders van de sedan kwamen plotseling brullend tot leven. De banden gierden over de koude, vochtige keitjes van het straatje. De glanzende auto reed achteruit. Vanuit zijn positie in het donker naast het busje zag Costa wat hij had verwacht. De bestuurder had zijn aandacht bij belangrijker zaken dan het verkeer gehad. Toen hij achterom keek zag hij de vrachtwagen die aan het begin van het straatje de meest logische uitweg blokkeerde. Er was maar één andere route, en wel langs het busje. Langs hém.

De Lancia bewoog nu langzaam naar voren, in de richting van de open ruimte aan de andere kant. Costa wachtte en bewoog zich achter het open achterportier verder naar voren, met bonzend hart en alle krachten verzamelend die hij nog in zich had.

Hij was zich ervan bewust dat hij maar een paar seconden had, niet meer.

Het tandenknarsende kabaal van metaal dat langs metaal schraapte klonk op toen Falcones kostbare bezit zich door de smalle kloof tussen het busje en de andere muur heen begon te wurmen. Hij hoorde de banden over de stenen gieren toen de bestuurder even stopte en aan het stuur draaide om een vrijwel onmogelijk bocht te nemen.

Daar verscheen langzaam maar zeker de glanzende motorkap. Costa wist dat hij een heel kleine kans had, namelijk het moment waarop het rechterportier heel even vrij zou zijn, voor ook de rest van het voertuig het obstakel gepasseerd zou hebben en ze in de nacht zouden verdwijnen, op weg naar een plaats en een lot waar hij alleen maar naar kon raden.

De Lancia sprong naar voren, nu bijna vrij. Hij kon de machtige motor vol verwachting horen brullen.

'Dat ga ik niet toestaan,' mompelde Costa in zichzelf, en schatte vervolgens instinctief het precieze moment in waarop hij het portier in zijn volle breedte voor zich zou hebben. Toen, terwijl hij 'Neer, neer, neer,' schreeuwde, stak hij zijn gewonde arm naar voren.

Door het glas zag hij haar gezicht, bang maar alert, en die ene blik was voldoende. Ze was er klaar voor. Ze was snel. Hij zag hoe haar eigenzinnige hoofd naar haar schoot dook, richtte het wapen in zijn goede hand op de donkere gestalte achter het stuur en loste een enkel schot door de bovenkant van het zijraampje, en bad dat het raak zou zijn.

Een ongelooflijk bulderend geweervuur volgde, en het geluid van brekend glas. Scherpe en stekende glassplinters sprongen in zijn gezicht. Hij sloeg zijn goede hand door het raampje en ragde toen met de schacht van zijn geweer in de opening die ontstaan was, om die zo groter te maken, hij ramde met het wapen in het rond, en schreeuwde woorden die hij niet kon horen of verstaan. Het was nu groot genoeg om zijn bebloede rechtervuist erdoorheen te steken en naar het slot te zoeken. Maar zij had het al voor hem gevonden. Het bijrijderportier van Leo Falcones politieauto zwaaide open, raakte hem tegen de borst, zodat hij naar achteren wankelde terwijl een ander lichaam naar buiten schoot, zijn maaiende armen in.

'Nic...!' schreeuwde ze.

'Achter me...!'

De anderen wrongen zich nu door de nauwe spleet aan de zijkant van het busje. Er was niet genoeg ruimte voor hen allemaal. Hij kon het beeld van dat afgezaagde geweer niet uit zijn hoofd krijgen. Hij had Emily al eens op deze manier in de steek gelaten. Twee keer... was ondenkbaar.

'Achter me!' blafte hij weer en hij voelde haar slanke lichaam zich langs zijn pijnlijke, protesterende schouder persen, naar een veilige plek of wat daarvoor door moest gaan.

De Lancia brulde boos. De man achter het stuur was nog in leven, razend. Maar niet stom genoeg om zich in een gevecht te storten dat hij toch niet kon winnen.

Hij slaagde erin nog een schot af te vuren met zijn zwakke linkerhand. Tegen die tijd baande de auto zich met geweld een weg naar de open ruimte toe, zonder acht te slaan op de door steen en metaal veroorzaakte schade. Eenmaal vrij kwam hij plotseling en gewelddadig tot leven. De banden draaiden wild in het rond op de zwartglimmende stenen. Met grote snelheid schoot hij langs de tegenoverliggende muur de vrijheid tegemoet. Hij keek toe, het geweer losjes in zijn hand, zijn vingers te moe, te pijnlijk om nog een schot te lossen, terwijl het voertuig in een wilde, centrifugale boog de wirwar van straten in verdween die hij opnieuw als Ortaccio was gaan zien, een web van kronkelende oude gangen die naar bijna overal in de stad konden voeren.

Costa leunde naar achteren tegen het portier van de vrachtauto en sloot zijn ogen.

Hij voelde zich zwak en dom, bijna verlamd door de naschok en de wond aan zijn schouder. Maar meer dan wat ook voelde hij zich opgetogen. Dit keer was het de man met het masker en zijn dodelijke geweer niet gelukt.

'Je bent gewond,' zei ze boos, alsof het op de een of andere manier zijn schuld was. 'Waar zijn de doktoren? Leo? Waar zijn de doktoren?'

'Onderweg,' zei Falcone.

Toen hij zijn ogen weer opendeed, stond de inspecteur naast haar en boog zich voorover om naar zijn schouder te kijken.

'Hij overleeft het wel,' merkte de inspecteur op. 'Nu, Agata...'

'Hij overleeft het wel! *Hij overleeft het wel!*' ging ze tekeer. 'Wie zégt nou zoiets?'

'Ik overleef het wel,' kwam Costa tussenbeide en staarde haar aan. Hij kon nog maar half geloven dat ze de snelheid en het besef had gehad om de minuscule opening die hij had gecreëerd te benutten.

'Agata... Heb je hem herkend?'

Ze hield op en keek hen allebei aan. 'Herkend?'

'Was het Franco Malaspina?' vroeg hij en hij merkte hoe Falcone plotseling teleurgesteld lucht naar binnen zoog toen hij die woorden uitsprak.

'Hoe kan ik dat weten, Nic? Ik heb zijn gezicht nooit gezien.'

'Die vent kende je,' merkte hij op.

'Dat klopt,' beaamde ze. 'Maar desondanks... Het enige wat ik gehoord heb was die door het masker gedempte stem. Misschien. Ik weet het niet.'

Haar heldere ogen staarden hem door de nog steeds vallende regen aan, en stelden een vraag waar ze geen antwoord op wilde hebben. Waarom hij dit zo nodig had. Omdat ze half en half het antwoord wel wist.

'We weten dat het Franco is,' zei hij zacht. Het kon hem niet meer schelen wat Falcone dacht. 'Ik heb het je gezegd. Zij zijn de Ekstatici, Malaspina en de rest. Zij hebben die vrouwen in de Vicolo del Divino Amore vermoord. Mijn vrouw. We wéten het. Die vent is zo rijk, machtig en slim, dat we verdomme niets kunnen bewijzen. Niet zonder aanknopingspunt. Niet zonder het geringste flintertje bewijs. Iets waardoor hij zijn hand zal overspelen.' Hij wist dat hij dit beter niet kon zeggen. Provocatie. Een getuige erin luizen. Het kon hem geen barst meer schelen. 'Een eenvoudige, positieve identificatie zou voldoende zijn.'

Falcone staarde naar zijn schoenen. Peroni en Rosa kwamen langs de andere kant van het busje naar hen toe lopen. Costa wist waar ze geweest moesten zijn. Binnen. Een plek die op dat moment, even, bijna irrelevant leek te zijn.

'Is dit waar, Leo?' vroeg ze. 'Dat je Franco al de hele tijd verdenkt? Je hebt me hierin betrokken terwijl je wist wat voor man hij is?'

Falcone stak zijn armen omhoog in een smekend gebaar. 'Ik was wanhopig, Agata. Dat waren we allemaal. Het spijt me. Als ik ook maar één moment had kunnen denken...'

'Is het waar?'

Falcone bestudeerde opnieuw zijn voeten. 'Dit is niet de manier waarop we deze dingen aanpakken,' zei hij op diepe, wanhopige toon. 'Er zijn procedures en regels wat het vergaren van bewijsmateriaal betreft. Een getuige op ideeën brengen... Als ik jou als getuige oproep, zit ik ook nog eens met het probleem van je bescherming. Hij is gevaarlijk.' Hij zweeg even, terwijl hij aarzelde om verder te gaan. 'Véél gevaarlijker dan je denkt. Ik wil er niets meer over horen. Niets meer.'

Ze hoefde niet lang na te denken. 'Het was Franco Malaspina,' zei ze. 'Ik weet het zeker. Ik ken zijn stem heel goed. Ik heb hem mijn naam horen uitspreken. Daar. Maak er gebruik van, Leo. Ik zal dit ook in de rechtbank verklaren. Maak er gebruik van, Leo!'

De inspecteur schudde zijn hoofd en zuchtte. 'Doe dit niet. Je kunt niet meer terug.'

'Ik zeg het tegen jou en tegen iedereen in Rome die het wil horen.'

Falcone haalde zijn portofoon tevoorschijn en liet een oproep uitgaan voor de onmiddellijke arrestatie van Malaspina, Buccafusca, Castagna en Tomassoni. Hij gaf de waarschuwing voorzichtig te zijn, aangezien de mannen gevaarlijk en in het bezit van een wapen zouden kunnen zijn.

'En een dokter,' hield Agata Graziano vol. 'Voor Nic. En die mannen binnen.'

Peroni kuchte in zijn grote vuist. 'Die mannen binnen hebben geen dokter meer nodig,' zei hij. 'Volgens mij kun je Emilio Buccafusca dus wel van dat lijstje schrappen. Aan de portefeuille die ik op het lijk aantrof te zien, doet hij al niet meer mee.'

In de verte verbrak een sirene de stilte van de nacht. Uit de richting van het mausoleum van Augustus kwam een blauw flitslicht de steeg door schieten, als een of andere rare kerstdecoratie die zojuist van de boom ontsnapt was.

De nieuwe commissario

1

Binnen een kwartier krioelde het hele gebied rond het Barberini-atelier tot aan het Piazza Borghese van de politieauto's en agenten. Voor de gestolen auto van Falcone was door de hele stad een opsporingsbevel uitgevaardigd, tot dusver zonder resultaat. Costa was onderzocht door iemand van de geneeskundige dienst en naar het ziekenhuis gestuurd, waar zijn gewonde schouder kon worden verzorgd. Agata week geen moment van zijn zijde. Op de plaats delict waren ze inmiddels begonnen met het verzegelen van het atelier om aan het lichaam van Emilio Buccafusca te kunnen beginnen, onder toezicht van Teresa Lupo, die razendsnel ter plekke was en de leiding over haar team op zich had genomen zonder dat iemand haar daartoe opdracht had gegeven. Er waren hulptroepen en activiteiten in overvloed. Een verdachte was dood, de andere vermist, en het verband van beide heren met de eerdere zaken in de Vicolo del Divino Amore was duidelijk.

Falcone had zich blijer moeten voelen dan het geval was. Het was Franco Malaspina achter het masker. Hij wist het zeker. Maar Agata's identificatie was uiterst vaag. Hij was tot stand gekomen onder druk van Costa en het resultaat van botweg iets voorzeggen. Zelfs in een rotzooi als deze, met overal bewijsmateriaal, behield een rijke, machtige Romeinse aristocraat nog wel wat vrienden. Mogelijk had hij voldoende invloed om de voortgang in de zaak te verstoren, zozeer zelfs dat er binnenkort misschien wel geen zaak meer zou blijken te zijn.

Er waren nog steeds te veel onbekende factoren. Een ervan kwam op dat moment door de regen naar hem toe stappen, een lange, magere gestalte, ongeveer even groot als hij, maar met een volle bos wuivend zwart haar, vochtig van het weer, al kon dat de man duidelijk niet veel schelen. Sinds Vincenzo Esposito uit Milaan was overgekomen om in de Questura de positie van *commissario* te vervullen, had Falcone nog niet veel tijd met hem doorgebracht. Hij had geen idee wat hij van hem moest vinden. Eigenlijk wist niemand dat, aangezien hij in niets leek op zijn voorgangers; allemaal burgers van Rome die van onderaf opgeklommen waren in het korps. Een paar jaar jonger dan Falcone, met een zachte manier van praten en, tot afgrijzen van de dienstdoende agenten, hevig geïnteresseerd in alle details van het onderzoeksproces: Esposito was een raadsel voor al diegenen aan wie hij leiding gaf en daar leek hij niet mee te zitten.

Falcone had na zijn aanstelling krantenknipsels door zitten kijken. Het enige wat daaruit naar voren was gekomen, was een illustere, zij het rustige, carrière met als een van zijn belangrijkste wapenfeiten de arrestatie in Reggio di Calabria van een deel van de 'Ndrangheta-clan toen hij daar gestationeerd was. Dat had geleid tot de succesvolle vervolging van een aantal rijksambtenaren wegens omkoping in verband met bouwcommissies voor openbare werken in zijn geboortestad. Dat waren daden van een ambitieus agent. Iemand die, hoopte Falcone, niet op zijn strepen ging staan als er buiten het boekje moest worden gegaan. Maar het was ook mogelijk dat hij zou worden geschorst, samen met diegenen die hij had weten te verleiden tot de onrechtmatige surveillanceoperatie tegen de Ekstatici, als het stof van deze nacht eenmaal was gaan liggen. Maar misschien kon hij zich er nog uit kletsen, eventjes althans.

De vorige ochtend pas had hij Esposito in een gang van de Questura ontmoet, tussen een vergadering met het team dat met de lijken in de Vicolo del Divino Amore bezig was en een bezoek aan zijn eigen appartement om Peroni, Costa, Teresa Lupo en Rosa Prabakaran te briefen. Ze hadden even een paar woorden gewisseld – het soort dingen dat politiemannen midden in een lastig zaak zeggen.

Falcone had zich wat laten ontvallen, min of meer opzettelijk, in de wetenschap dat Esposito op de hoogte was van de belangstelling die ze voor Malaspina koesterden en de moeilijkheden die dat al had veroorzaakt.

De man had geluisterd en eenvoudig gezegd: 'Ook de rijken zijn, helaas, onder ons.'

Waarna hij zichzelf had geëxcuseerd en vervolgens, even achteromkijkend, de gang door was gelopen naar een van die eindeloze managementvergaderingen die Falcone er altijd aan herinnerden waarom hij geen *commissario* wilde zijn.

Het leek Esposito niet al te veel te deren dat hij uit zijn bed was gesleurd. Hij maakte een energieke, geïnteresseerde, zelfs ietwat geamuseerde indruk. 'Jij hebt steeds nieuwe verrassingen voor me,' merkte de man opgewekt op. 'Ik heb zojuist met die jonge Indiase medewerker van je staan praten. Ik was in de veronderstelling dat we één onderzoek hadden. Nu blijkt dat het er twee waren.'

'Ik was van plan, meneer...'

'Niet nodig,' viel de *commissario* hem in de rede. 'Ik verwacht niet dat je me steeds alles vertelt. Tenzij het absoluut noodzakelijk is.' Hij stampte met zijn voeten en klapte in zijn handen. Duidelijk om zich een houding te geven. Zo'n koude nacht was het niet. 'Nou, is het dat?'

'Volgens mij niet op dit moment.'

'Goed. Niemand heeft je auto gezien. Vind je dat niet raar?'

'Heel raar,' gromde Falcone. De auto was één keer gezien, op de Lungotevere, bij het nieuwe museum voor de Ara Pacis. De politiewagen die hem had herkend was in een zijstraatje vast komen te zitten achter een andere auto die voor rood stond. Tegen de tijd dat ze de grote weg op reden was de gestolen auto nergens meer te bekennen.

'Tenzij hij zich in dat verdomde paleis om de hoek bevindt, hè?'

'Het is er groot genoeg voor,' gaf Falcone toe. 'Maar het lijkt wat vergezocht, ja. Een ondergrondse parkeerplaats lijkt mij de meest voor de hand liggende plek. Als hij een misdadiger was, zou ik zeggen dat hij waarschijnlijk gebruik had gemaakt van zo'n vrachtauto die ze bij autodiefstal inzetten. Je rijdt de laadbak in en geen haan die er meer naar kraait.'

Deze opmerking leek Esposito te amuseren. 'Áls hij een crimineel is? Ik heb het dossier gelezen. Die beesten hebben op zijn minst zeven vrouwen vermoord en God weet hoeveel anderen aangerand, alleen maar voor die vieze plaatjes van ze...'

'Ik weet niet of het wel zo simpel ligt.'

'Ik wel. Malaspina heeft de vrouw van een je eigen agenten vermoord. En vanavond een van zijn eigen kompanen, vlak voor je eigen ogen. Áls...'

'Ik bedoel als hij een beroepsmisdadiger was. Deel uitmaakte van een of andere organisatie.'

'Een misdadiger is een misdadiger,' stelde de *commissario* nogal cryptisch. 'Dus je verdachte is verdwenen. En dat schilderij waar hij zo gek op is ook.'

'Ik vind die kerel,' hield Falcone vol.

'Dat mag ik hopen. En die jonge agent van je? Costa? Is hij zwaargewond?'

'Ze zijn nog wel een paar uur bezig om de loodkorrels uit zijn schouder te pulken. Niet erg prettig, maar ook niet fataal. Hij is een echte... doorzetter. Soms meer dan goed voor hem is.'

'Dat heb ik gehoord. Dan moet hij zijn rust nemen. Hij heeft ook al niet genoeg rouwverlof opgenomen.'

'Ik weet het.'

Esposito keek hem scherp aan. 'Heb je ideeën, *ispettore*?'

'Een aantal. Voor later. Ze zijn nog onvoldoende ontwikkeld.'

'En voor nu? Denk goed na. Het is belangrijk. Weet je zeker dat het Franco Malaspina was? Absoluut zeker? We moeten op onze tellen passen met een man als hij. Als we het nog eens verknallen, is hij waarschijnlijk voorgoed op vrije voeten.'

'Zuster Agata Graziano, een vrouw van de Kerk, heeft hem herkend.'

Falcone was zich bewust van de hapering in zijn stem. Esposito ook.

'Een gemaskerde man die vrijwel niets zei, als ik Prabakaran goed heb begrepen,' merkte de *commissario* op.

Esposito keek naar de massa lichamen en voertuigen om hem heen, het forensisch onderzoeksteam dat bezig was de witte overals aan te trekken, de georganiseerde chaos die op ieder belangrijk incident volgde – een noodzakelijke afwikkeling van procedures en bureaucratische voorschriften die zo dwingend op papier waren vastgelegd dat elke leidinggevende ze uit zijn hoofd kende. Het leek hem niet erg te interesseren.

'Ik zou er heel wat blijer mee geweest zijn als we deze vent achter het stuur van je auto hadden kunnen arresteren,' klaagde hij. 'Dat zou alles heel wat simpeler maken en dat is ongetwijfeld de reden dat het niet zal gebeuren. Hebben we echt al deze mannen en vrouwen nodig? Verdomd kostbare overuren op dit uur van de nacht.'

'Degenen die niets te zoeken hebben op de plaats delict wachten af, meneer.'

'Totdat een of andere rechter uit zijn bed is gesleurd en je carte blanche heeft gegeven in het Palazzo Malaspina?'

'Lieve hemel, nee,' antwoordde Falcone verschrikt. 'Dat verwachten ze juist. Als Malaspina er is heeft hij allang een alibi klaar. Zo niet... maar dat is niet relevant. Zijn advocaten hebben ons volledig klemgezet. We kunnen niet om een huiszoekingsbevel vragen zonder hen eerst op de hoogte te stellen, en dat zou betekenen dat het verhoor pas op zijn vroegst plaats zou kunnen vinden als het allang dag is.'

De *commissario* straalde. Voor het eerst sinds lange tijd voelde Leo Falcone zich bepaald opgewekt. Iets zei hem dat hij misschien niet ontslagen zou worden. Nog niet.

'Dus?' vroeg Esposito zich af.

'Dus heb ik om huiszoekingsbevelen gevraagd voor de huizen van Giorgio Castagna en Nino Tomassoni. Castagna woont in de Via Metastasio, op twee minuten naar het zuiden. Tomassoni heeft een huis aan het Piazza San Lorenzo in Lucina. Dat is bijna even dichtbij.'

Esposito leek in zijn nopjes. 'Ik ken Rome. Ik heb geen routebeschrijving nodig. We zouden erheen kunnen lopen. Maar dat doen we natuurlijk niet. Ik wil dat dit wordt gedaan zoals het hoort.'

'Meneer...'

'Eigenlijk...' Hij legde een gehandschoende vinger tegen zijn lippen en dacht na. Vincenzo Esposito had een bleek, lang gezicht met zachte contouren, als de boeren uit Piemonte die Falcone als kind op vakantie in de bergen altijd zag, of op de saaie geïdealiseerde schilderijen die zo populair waren in het noorden. Het was moeilijk je deze man in vuur en vlam van woede of bezieling voor te stellen.

'Pak jij Tomassoni,' droeg hij hem op. 'Dan breng ik een bezoek aan Castagna. Samen met *agente* Peroni. Wat vind je daarvan?'

'Eh, nou ja, zoals u wilt,' antwoordde Falcone, die een beetje uit het veld geslagen was door de directheid van deze interventie. 'Peroni?'

'Interessante man. Ik heb zijn dossier gelezen. Ik heb de dossiers van jullie allemaal gelezen.'

Falcone deed er het zwijgen toe.

'Ik hou van die stad van je,' verklaarde Esposito. 'En wat dacht je ervan, zullen we dan nu eens wat misdadigers gaan arresteren?'

2

Hun bestemming lag in een andere donkere smalle steeg in een deel van Rome waar Gianni Peroni een hekel aan begon te krijgen. Hij was moe en maakte zich zorgen. Ook over zijn nieuwe *commissario*, die zo vriendelijk leek en hem bij zijn naam naar zich toe geroepen had, waarbij hij hem zelfs op de schouder geklopt had. Terwijl ze naar het adres reden waar Georgio Castagna geacht werd te wonen.

Commissario Esposito wierp een blik op het armoedige straatje en de glanzende deur die tot een woonhuis behoorde, niet tot een appartementencomplex zoals je er normaal gesproken zou verwachten.

Ze hadden tien andere mannen bij zich, onder wie een *sovrintendente*, Alfieri, die niet bepaald blij was te ontdekken dat Esposito hem niet als de hoogste officier ter plekke beschouwde.

'Waarom ben jij een *agente*?' vroeg de *commissario* nonchalant, terwijl ze van de straat af naar de ingang keken en ondertussen nadachten over een manier om binnen te komen.

'Omdat de leiding sentimenteel werd,' antwoordde Peroni onmiddellijk. 'Ik had eigenlijk moeten worden ontslagen. Ik was inspecteur. Ze troffen me aan in een bordeel toen er een inval werd gedaan. Mijn leven was op dat moment een beetje... vreemd.'

Esposito zei niets.

'Waarom vraagt u dat?' wilde Peroni weten. 'Want als u mijn dossier hebt gelezen, weet u dat allang.'

'Soms is het beter om de dingen te horen dan erover te lezen. Vind je niet?'

'Natuurlijk...'

'En ook omdat' – Esposito haalde zijn schouders op – 'ik een beslissing moet nemen zodra het stof is gaan liggen. Moet ik jullie allemaal een fikse uitbrander geven voor deze kleine show van jullie die buiten het boekje gaat? Of...?'

De *commissario* keek naar Alfieri, die op zijn grote voeten heen en weer schuifelde, voor een of andere gespierde *agente* die Peroni niet kende, een die nogal ongeduldig een groot, akelig uitziend instrument van de ene in de andere hand liet vallen.

'Wij voeren hier een gesprek, agent,' verduidelijkte hij. 'Een privégesprek.'

'M-meneer,' stotterde de man, 'er is hier iemand in ons midden die de nieuwe introductiecursus heeft gevolgd.'

Esposito trok een wenkbrauw op bij het zien van het grote metalen instrument in de handen van de kolossale *agente*. 'Geen houten hamers meer, hè? De zegen van de vooruitgang.' Hij wendde zich tot Peroni. 'Wat zou jij adviseren?'

'Nic en Rosa hebben hier niets mee te maken. Hij is nog steeds in de rouw. Zij volgde gewoon opdrachten op.'

'Ik bedoel, hoe zou je het hier aanpakken?'

Dat was niet moeilijk. Iedereen die een paar decennia in Rome had gewerkt, zou het antwoord meteen al hebben geweten. Maar de nieuwe generatie, mannen als Alfieri, waren gevormd door de cursussen waar ze heen gingen, niet door wat ze op straat om zich heen zagen.

'Het is een rijtjeshuis,' merkte Peroni op. 'Ik ken deze wijk goed genoeg om te weten dat er geen achteruitgang is. Het is tegen het erachter liggende gebouw aan gebouwd. In die tijd legden ze geen paden achterom aan.'

'En dus?' vroeg Esposito.

'Ik zou aanbellen,' antwoordde hij.

Esposito knikte naar de overkant van de straat en zei: 'Toe maar.'

Binnensmonds vloekend, zich ervan bewust dat hij uitgeput was en niet veel meer kon hebben, liep Peroni het straatje door, ging voor het huis staan en keek naar de bel en de verticale brievenbus in het midden van de oude houten deur.

Hij drukte op de zoemer, stak toen een dikke vinger door de brievenbus en bracht zijn hoofd zo ver hij kon naar beneden in een poging erdoorheen te gluren. Tot zijn verrassing brandde er aan de andere kant een helder licht.

Daarna stak hij opnieuw de straat over en keek Alfieri aan. 'Gebruik je speeltje maar.'

'Meneer!' antwoordde de man in een uitbarsting van bitter sarcasme. Maar hij ging er desondanks gretig vandoor, terwijl hij de forse jonge agenten voor hem instructies gaf en er duidelijk van genoot toen de metalen stormram zijn werk tegen de deur begon te doen.

Peroni bleef bij Esposito, die geen stap verzette.

'Dat was besluitvaardig van je,' merkte de *commissario* op.

'Inderdaad. Hebt u geluisterd? Toen ik dat alles zei over Nic en Rosa en dat ze niet echt deel uitmaakten van Leo's freelance avontuurtje? De een is nog altijd in de rouw, de ander een groentje.'

Esposito staarde hem verbaasd aan. 'Ik luister altijd, *agente*.'

Het metalen speeltje begon zijn werk te doen. De eeuwenoude houten deur, die daar voor zover Peroni wist misschien al een eeuw of langer had gezeten, beefde in zijn sterke scharnieren als een boom die op het punt stond te sneuvelen door de bijl van een of andere genadeloze, rancuneuze boswachter. Stof, hele wolken, verscheen rond de ingang naarmate de deurposten los begonnen te raken van het pleisterwerk en de bakstenen die ze op hun plek hielden.

'We hebben geen haast,' zei Peroni en hij legde, toen ze de straat overstaken, zijn hand op de arm van deze vreemde nieuwe *commissario*, aldus met succes hun voortgang vertragend.

'Waarom?' vroeg Esposito zonder omwegen.

Ze waren er bijna doorheen en Peroni begon zich schuldig te voelen. Hij zag al wat er zou gebeuren. De zware houten deur zou naar achteren vallen, alsof zich aan de onderkant een scharnier bevond, en op de stenen vloer neerstorten waarvan hij vermoedde dat die erachter lag.

Ze waren er nog maar een paar stappen vandaan toen het ding het eindelijk opgaf. Esposito snelde voor hem uit naar waar de actie was. Sommige bazen moesten er altijd als eerste zijn, bracht Peroni zichzelf in herinnering.

Met een knal als van een zweep schoot de deur uiteindelijk los. Peroni keek toe terwijl het ding viel en probeerde zo goed mogelijk het effect in te schatten dat het zou hebben op datgene wat hij door de brievenbus had menen te zien. De zwaartekracht was niet zijn schuld. Noch het overmatige enthousiasme van een groepje agenten, dat pas een cursus had gevolgd over het binnendringen van particuliere huizen.

'Waarom?' vroeg Esposito nog eens terwijl hij omkeek, en ondertussen verderliep om zich bij de anderen te voegen.

Peroni stopte. De massief houten plaat tuimelde achterover. Grote stofpluimen van pleisterwerk en stenen stegen op bij de sponning toen de oude en ooit zo solide constructie die het op zijn plek gehouden had onder de klappen bezweek die het van de stormram van Alfieri had ontvangen. Alles wat zich achter de deur zou bevinden...

Esposito had zijn antwoord niet afgewacht. Aangevoerd door de *commissario* in zijn zwarte regenjas drong het team de helder verlichte ruimte binnen die nu voor hen opdoemde, met de grommende geluiden van puur enthousiasme die mannen altijd lijken te maken bij gelegenheden als deze.

Lang duurde het niet. Iemand – Alfieri, veronderstelde Peroni – schreeuwde. Toen kwam de hele bende haastig weer naar buiten rennen, hun handen in de lucht wapperend van angst, een angst die bij sommigen, zo niet bij Vincenzo Esposito, aan afgrijzen leek te grenzen.

Een paar naakte benen, van een man van wiens identiteit hij vrij zeker was, sloegen rondtollend vanaf een of ander onzichtbaar punt boven hen tegen hen aan en duwden zachtjes tegen hun gezichten en handen. Door het geweld van de deur die van zijn scharnieren loskwam en achterover tegen een plek iets boven de knieën van het lijk aan getuimeld was, was het lichaam even opnieuw tot leven gekomen.

Peroni kwam naar voren, stak zijn hoofd door de deuropening, keek omhoog en zag wat hij al die tijd al vermoedde, vanaf het moment dat hij door de smalle spleet van de brievenbus een glimp van die witte, dode benen had opgevangen. Daar was het witte, misvormde naakte lichaam van een man opgehangen, dat aan een strop bungelde. Het touw leek over een vrije, oude, zwarte balk gegooid te zijn die horizontaal door de hal op de begane grond liep.

'Daarom,' zei hij.

3

Falcone kende het Piazza di San Lorenzo in Lucina goed. Het was een klein, heel oud, met keitjes geplaveid pleintje aan de kant van het Palazzo Ruspoli in de drukke winkelstraat, de Corso. Er was een kerk met zuilengalerij die meer aan een tempel uit de Romeinse tijd deed denken dan aan een gebedshuis voor katholieken, en een handvol huizen die even oud moesten zijn.

Het was een dure locatie voor een lagere ambtenaar die verbonden was aan een overheidsinstelling voor de kunsten. Toen hij daar met zijn mannen aan de rand van het pleintje stond, terwijl hun knipperlichten op de vochtige steen weerkaatsten en het lawaai van hun motoren enige beroering achter de ramen van de omringende appartementen veroorzaakte, merkte Falcone dat hij niet voor het eerst moest denken aan Costa's bewering dat de sleutel tot deze zaak op de een of andere manier in het verleden lag. Meer en meer had Falcone het gevoel dat hij een rol speelde in een toneelstuk dat zich in een ander tijdperk voltrok, een andere eeuw, een tijd die hij niet voldoende kende om de regels ervan te kunnen doorgronden of die zelfs maar in de verste verte te begrijpen.

Daar moest verandering in komen. Dat waren ze verschuldigd aan al die dode vrouwen, onder wie Emily. Maar ondanks alle voortgang die, daar was hij van overtuigd, ze de komende paar uur zouden moeten boeken, voelde Falcone zich onzeker van zichzelf. Voorzichtigheidshalve had hij naar het Palazzo Malaspina gebeld, om te informeren of de graaf thuis was. Hem was te verstaan gegeven dat deze het paleis na het feestje om privéredenen had verlaten en nog niet teruggekeerd was. Het was zelfs zonder Agata's twijfelachtige identificatie duidelijk dat Malaspina voldoende tijd had gehad om aanwezig te zijn bij die toestand in het atelier van het Barberini. Maar het was nog te vroeg, wist Falcone, om druk op de man uit te oefenen. Als hij het was geweest achter de zwarte, allesverhullende muts, had hij zich nu vast opgesloten met zijn advocaten, om een of ander alibi in elkaar te draaien. Of hij was de stad uit gevlucht.

Was het mogelijk dat een man voldoende geld en invloed had om bij afwezigheid van bruikbaar fysiek bewijsmateriaal zijn directe betrokkenheid bij verschillende bizarre moorden voor altijd in de doofpot te stoppen? Deze vraag had Falcone al dwarsgezeten vanaf het moment dat hij zich bewust was geworden van Malaspina's achtergrond. Hij haatte het te denken dat het waar zou kunnen zijn, maar hij wist voldoende van de manier van leven van diegenen in de hoogste regionen van de maatschappij om te begrijpen dat zij van tijd tot tijd leefden volgens regels en zeden die de massa's lager op de maatschappelijke ladder nooit toegestaan zou zijn. Omkoperij, corruptie, incidentele omgang met misdadigers... Ondeugden die je overal tegen kon komen in de zakenwereld, de plaatselijke en nationale overheid, en af en toe ook binnen de instanties voor ordehandhaving. Konden deze ertoe leiden dat de gruwelijke dood van een aantal onfortuinlijke vrouwen door de vingers werd gezien?

Alleen in de opvatting van een paar bevoorrechten, zoals Franco Malaspina en degenen die hij om zich heen had verzameld. Mannen als Nino Tomassoni, die nu misschien thuis in bed lag, in een oud bouwvallig gebouw dat recent geen kwast had gezien, op maar een paar meter afstand van de neonverlichting van de Corso en zijn lange sliert winkels, sommige zelfs in het holst van de nacht nog steeds met knipperende kerstverlichting.

Wat had Susanna Placidi ook alweer gezegd? Tomassoni was de zwakke schakel, misschien zelfs de verzender van de e-mails, iemand die in dit drama slechts een bijrol vervulde. Dat mocht zo zijn, maar zijn aanwezigheid had vast een reden, een die Falcone van plan was te ontdekken.

Hij draaide zich om en keek naar het team dat hij had verzameld: vier gewapende mannen, van wie een de noodzakelijke uitrusting bij zich had om de deur van het huis neer te halen, mocht dat nodig zijn.

'Volg me,' beval hij, en toen liep hij rechtstreeks op de voordeur van Nino Tomassoni's huis af. Hij legde zijn duim op de knop van de bel en liet hem daar. Na tien seconden, niet langer, knikte hij naar de man met de stormram om te beginnen met het neerhalen van de deur.

Voor beleefdheden was geen tijd. Bovendien was Tomassoni, als Susanna Placidi dan in ieder geval één ding goed had gehad, een kleine man die heel goed door middel van puur machtsvertoon kon worden geïntimideerd.

'Zodra jullie binnen zijn,' droeg Falcone de mannen om hem heen op, 'wil ik dat jullie zoveel mogelijk lawaai maken. Ik sta de buren wel te woord.'

Dat beviel hen wel. Hij keek toe hoe de deur uit zijn hengsels schoot in een wolk van stof.

'Iedereen naar binnen,' verordonneerde hij. 'De man kan gewapend zijn en gezelschap hebben.'

Hij was de eerste die naar binnen stapte, door het stof dat het gevolg was van de laatste hamerslag. En de eerste die tot stilstand kwam, verbijsterd door wat zich achter de drempel bevond.

Toen de grijze wolk uit de geforceerde ingang was verdwenen, zag hij een tafereel voor zich dat wel uit een andere eeuw afkomstig leek. Het interieur van Tomassoni's huis, de verblijfplaats, zoals Falcone al gehoord had van de inlichtingendienst, van een alleen levende man die onbekend was bij zijn buren, iemand die zijn dure woning in het centrum van de stad had geërfd van ouders die jaren geleden naar de Verenigde Staten waren geëmigreerd, leek in niets op wat hij had verwacht; het was eerder een filmset of theaterdecor dan een woonhuis in de eenentwintigste eeuw.

Ook al was het nu na drieën 's nachts, overal flakkerden gasvlammetjes in glazen lampen langs de lange muren van de smalle hal. Ze wierpen een zwakke oranje gloed over het interieur. Ernaast hingen schilderijen in vergulde lijsten. Aan weerszijden van de hal stonden enkele, met elegant houtsnijwerk versierde en vergulde stoelen. Ze waren antiek maar versleten, met gescheurde roodfluwelen zittingen en rugleuningen. Ze maakten een wankele indruk en waren waarschijnlijk niet geschikt om op te zitten. De vloer was van stoffig steen, in eeuwen niet geveegd. Een bedompte lucht kwam hem tegemoet, het soort dat Falcone associeerde met de slecht onderhouden, nooit geluchte huizen van verarmde vrijgezellen die kind noch kraai hadden, oorden waarin het stonk naar rottend eten en eenzaamheid.

'Dit is griezelig,' zei iemand achter hem. 'Het lijkt wel een museum of zoiets.'

Dat klopte, dacht Falcone. Het was net een museum, en ook al wist hij niet waarom, op de een of andere manier vond hij dat een bemoedigend idee.

'Kamer voor kamer, verdieping voor verdieping,' gaf hij hun zacht te verstaan. 'Ik heb geen idee hoe dit huis in elkaar steekt. Het is...'

Niet van deze tijd.

Woorden die hem zomaar te binnen schoten.

'Ik wil dat iemand aan de achterkant gaat kijken om te zien of daar een andere uitgang is. Zo ja, blokkeer deze dan. Ik wil...'

Zijn mobiel ging. Het was Vincenzo Esposito. Hij klonk geschokt, ietwat uit zijn doen, wat ongetwijfeld een zeldzame ervaring was voor de man.

Falcone luisterde en verwerkte het nieuws. Esposito zou de rest van de nacht in Castagna's huis blijven en had opdracht gegeven tot permanente bewaking van Agata Graziano in het ziekenhuis in San Giovanni, waar ze met Costa heen gegaan was.

'Verlies niet nog meer getuigen,' verordonneerde de nieuwe *commissario* met een grimmig en diep stemgeluid over de telefoon.

'Nee meneer,' antwoordde Falcone en hij verbrak de verbinding.

Het huis had drie verdiepingen en geen achteringang. Daar was alleen een kale muur, met op geen enkele verdiepingen ramen. Niet overal was gasverlichting. In andere delen zorgden zwakke, gele peertjes voor de verlichting, die doorgaans aan een enkele draad zonder fitting of lampenkap aan het plafond hingen. Er waren geen tapijten en er was ook nauwelijks meubilair, geen spoor van menselijke aanwezigheid.

Vele raadsels over de aard van de Ekstatici bleven hem achtervolgen. Het atelier in de Vicolo del Divino Amore was er maar één van. Falcone was ervan overtuigd dat het een plek was die ze alleen maar af en toe gebruikten, *in extremis*, wanneer hun spelletjes de norm van simpele decadentie overschreden naar een gebied dat veel gevaarlijker, en ongetwijfeld verleidelijker, was. Ze waren een organisatie die een thuisbasis nodig had. Malaspina was te intelligent en voorzichtig om toe te staan dat die in zijn eigen paleis zou zijn. Buccafusca en Castagna waren eveneens bekende mannen in de stad, en het zou waarschijnlijk vragen oproepen en achterdocht opwekken als hun illegale activiteiten zich afspeelden in gebouwen die bekend waren bij het publiek, zoals een kunstgalerie, of de pornostudio's in de buurt van Anagnina waar Castagna's vader zijn groezelige imperium had gevestigd. En dus was Nino Tomassoni de ideale oplossing, een rustige, onbelangrijke, lagere ambtenaar die aan de kunstgalerie van de Villa Borghese was verbonden en op zichzelf woonde in een huis vlak bij de buurt die ooit bekendstond als Ortaccio.

De begane grond deed vooral dienst als opslagruimte en was afgeladen met rotzooi: oude meubels, dozen vol oude kranten en tijdschriften, waaronder veel pornoblaadjes, en heel wat zakken met huisvuil. Op de eerste verdieping troffen ze een grote slaapkamer aan met een wanordelijk tweepersoonsbed, waarop lakens lagen die eruitzagen alsof ze weken niet gewassen waren. Verder was er een kleine kamer met één enkel matras dat geen tekenen van recent gebruik vertoonde. De verdieping daarboven bevatte een kleine studeerkamer, met een computer die aan bleek te staan toen Falcone het toetsenbord aanraakte. Er was een e-mailprogramma geopend. Hij riep een van de jongere agenten erbij.

'Kun je zien wat hier onlangs vandaan is gestuurd?' vroeg Falcone.

De man viel aan op het vettige toetsenbord. 'De berichten, zowel verzonden als ontvangen, gaan terug tot vier maanden geleden,' antwoordde de *agente* na een aantal seconden.

'Prima. Haal de computermensen van het forensisch team erbij. Zeg dat ze dit ding mee moeten nemen voor analyse. Maar' – hij hield de man tegen voor hij van de gore stoel bij de tafel met de computer op kon staan – 'zeg me eerst of er ook berichten aan Susanna Placidi zijn.'

Opnieuw ratelde het toetsenbord. Er verscheen een aantal e-mails op het scherm. Vertrouwde berichten. Falcone glimlachte en klopte de agent op zijn schouder.

'Voortgang,' zei hij. 'Dat is een woord dat we al een tijdje niet hebben gehoord. Laten we een kijkje gaan nemen op de volgende verdieping.'

Hij ging hen voor op de smalle, steile trap en had het vage gevoel dat dit een andere plek zou zijn, anders op een manier die hem instinctief naar zijn wapen deed grijpen dat hij in de duisternis voor zich uit hield.

De deur stond open, en uit wat hij kon opmaken was de hele verdieping daarachter een grote, lege ruimte zonder enig meubilair. Een enkel dakraam bevond zich iets uit het midden van het lage puntdak. Een zwakke bundel bleek maanlicht viel naar binnen en verlichtte niets anders dan kale, versleten planken in het midden van de ruimte.

Falcone tastte naar een lichtschakelaar. Het duurde even voor hij begreep dat er geen was. Maar er was wel een gaslucht te ruiken, zwak maar duidelijk te onderscheiden, en toen zijn ogen gewend waren aan het donker zag hij de omtrekken van dezelfde gaslampen als beneden. Hij had geen idee hoe hij die aan moest steken en koesterde geen verlangen om dat uit te zoeken.

Hij nam een zaklantaarn aan van een van de agenten achter hem en zwenkte deze van links naar rechts door de ondoordringbare poel van duisternis voor hen. Er waren vormen te zien, vertrouwde vormen. En ergens vandaan, dacht hij, het geluid van beweging, heel zacht, van iemand die gestoord was door hun aanwezigheid.

'Haal meer licht,' verordonneerde Falcone op luide, gezaghebbende toon. Twee agenten liepen naar beneden, naar de busjes met materieel.

Falcone stevende naar het midden van de kamer. Hij liet de lichtbundel uit de zaklantaarn alle kanten op schijnen en nam zorgvuldig in zich op wat aldus werd onthuld.

Hij had dit misschien moeten verwachten. Voor hen bevond zich een hele reeks schilderijen, op semiprofessionele wijze tegen elkaar aan gezet en met kleden afgedekt, de een na de ander.

Van een van de dekkleden ontbrak een stuk, aan een hoek. Falcone tilde het kleed daar op en liet de lichtbundel gaan over wat zich daaronder bevond. Hij zag bleek vlees, naakte vrouwen, lichamen die in elkaar verstrengeld waren. En een stijl en flair die van kunstzinnigheid en technische vaardigheid getuigden.

'Wat is dit, meneer?' vroeg de agent die met de computer bezig was geweest.

'Haal meer licht en dan zullen we het weten.'

Falcone herinnerde zich nog goed de tijd dat hij samen had gewerkt met de kunstafdeling van de Carabinieri in Verona, met aan het hoofd de aardige Luca Zecchini, die urenlang bezig was geweest hem het uitgebreide register van vermiste kunstwerken te laten zien dat iedere agent van zijn eenheid van tijd tot tijd moest inspecteren. De omvang en de rijkdom ervan hadden hem verbaasd, evenals het feit dat er een markt was voor kunstwerken die nooit onder normale omstandigheden aan een levende ziel tentoongesteld konden worden vanwege hun roem.

Er arriveerde nieuwe, fellere lampen. Hij vroeg hun de zee van schroeiende helderheid die ze creëerden op de schilderijen te richten. Vervolgens liep hij eromheen, trok de kleden eraf, en hoorde achter zich een zacht gezoem van opwinding aanzwellen.

'Dat ken ik,' zei iemand na een tijdje.

'Dat is een versie van *De schreeuw* van Edward Munch,' legde Falcone uit. 'Ik geloof dat het al sinds 2004 uit Kopenhagen vermist wordt. Dit' – hij staarde naar een ander werk, een kleiner, ouder doek – 'is een Poussin, meen ik.'

Er waren hier schilderijen die hij uit Zecchini's register meende te herkennen, werk van misschien wel Renoir, Cézanne, Picasso en een serie oudere kunstenaars die hij niet kende, tenzij het allemaal heel goede vervalsingen waren.

Hij begaf zich naar de hoek die het verst van hem af was, een deel van de zolder waar het maanlicht niet kwam en die bovendien nog in de schaduw lag van een groot met kleden bedekt schilderij dat schuin neergezet was en de hele ruimte daar afdekte.

'En wat we hier zien, heren,' ging Falcone verder, 'is een opslagplaats voor gestolen kunstwerken, een die zich jarenlang onder onze neus hier in Rome heeft bevonden.'

Falcone zweeg en hield zijn revolver stevig vast.

'Zou het niet passend zijn,' voegde hij eraan toe, 'als we tegelijk met deze objecten ook de zogenaamde eigenaar zouden mogen begroeten?'

In een snelle beweging trok hij de juten lap van het schilderij weg en stapte erachter. Daar zat de man in elkaar gedoken, zonder een woord te zeggen, op de vloer, de handen om zijn knieën geslagen, het hoofd diep tussen zijn benen verborgen.

Nino Tomassoni had een groezelige, gestreepte pyjama aan en stonk naar zweet en angst.

'Dit is een fraaie verzameling,' zei Falcone droog. 'Zou je ons willen vertellen waar hij vandaan komt?'

De man op de vloer begon als een kind heen en weer te schommelen.

'Ik vroeg iets,' voegde Falcone eraan toe.

De man mompelde iets.

'Pardon?'

'Hij vermoordt me...' stotterde de ineengedoken gestalte.

De uitdrukking in zijn bolle ogen was er eerder een van angst dan van waanzin. Falcone vroeg zich af hoelang Tomassoni zich daar schuil had gehouden en hoe hij het nieuws over de gebeurtenissen van die nacht te weten was gekomen. Er was zo veel te vragen, zo veel manieren waarop deze vreemde, kleine man hun de middelen kon verschaffen waardoor ze ten slotte zouden kunnen doordringen in de duistere diepten van het Palazzo Malaspina, om voor altijd een einde te maken aan de spelletjes van de eigenaar.

'Niemand gaat je vermoorden, Nino,' zei hij rustig. 'Niet zolang je onder onze hoede bent. Maar deze schilderijen...'

Falcone liet zijn blik door de kamer gaan. Dit was op zich al een miraculeuze vondst. Hij kon nauwelijks wachten om Vincenzo Esposito te bellen en hem het nieuws te vertellen. 'Ik vrees dat dit er niet goed uitziet.'

Uit belangstelling tilde hij de jute over een klein doek aan zijn linkerhand op en staarde naar een wirwar van geometrische vormen en menselijke ledematen die hem, misschien ten onrechte, aan Miró deden denken.

'Heeft hij het schilderij hierheen gebracht?' vroeg hij.

De man zei niets en bleef op de vloer zitten, de handen om de knieën, zwijgend en wrokkig.

'De Caravaggio?' hield Falcone aan. 'Nadat hij hem vannacht uit het atelier heeft meegenomen en ondertussen ook nog even je vriend Buccafusca vermoordde, heeft hij hem toen hierheen gebracht? En zo ja, mag ik hem dan zien?'

'Dat beest was niet mijn vriend,' mompelde de gestalte op de vloer, nog steeds heen en weer schommelend.

'Wat je wilt,' merkte Falcone schouderophalend op. 'We komen er toch wel achter. Ik bood je vooral de gelegenheid te laten zien dat je bereid bent om mee te werken. Zonder dat...'

Tomassoni stak vanaf de vloer een beschuldigende vinger naar hem uit. 'De Caravaggio was van mij! Óns. Is dat altijd geweest. Al vanaf het begin.'

Hier snapte Falcone niets van. 'Dat begrijp ik niet.'

'Nee, natuurlijk begrijp jij dat niet! Hij is van ons!' Treurig wierp hij een blik op de afgedekte doeken. 'Het is de enige die van ons is. En nu heb ik hem niet eens meer. Nu...'

Hij zweeg.

Falcone glimlachte. Het was een soort antwoord. Verhoren als deze begonnen altijd met een klein, schijnbaar onbeduidend teken van instemming. Dat was voldoende.

'Misschien zou je je willen aankleden,' stelde hij voor. 'Dit wordt een lange dag. Een pyjama past daar niet echt bij. Neem ook wat andere spullen mee. Wat je ook maar mee wilt nemen uit dit huis van je. Ik denk dat je wel een tijdje in hechtenis zult blijven. Je zult veilig zijn, dat beloof ik je.'

De man kwam aarzelend overeind. Hij was klein en had overgewicht, was misschien een jaar of vijfendertig. Noch Malaspina's soort, noch diens klasse. Nino Tomassoni moet iets anders in de aanbieding hebben gehad, iets bijzonders waardoor hij zich in deze kringen kon bewegen.

'En bedankt voor die berichten,' voegde Falcone er nog aan toe. 'De e-mails die je naar mijn collega hebt gestuurd. Die zullen voor je pleiten. Wat de affiches op de standbeelden betreft...'

De blik op Tomassoni's gezicht beviel hem niet. Die was boosaardig en vol rancune.

'Nou?' wilde Tomassoni weten.

'Was dat ook jouw werk?'

'Tja, voor wat het waard is,' antwoordde hij. 'Ik ga mijn spullen pakken.'

'Wacht even.' Falcone bukte en pakte het ding van de vloer dat hij daar al meteen had zien liggen. Het was een specialistische radio, en toen hij hem aanzette was meteen duidelijk dat hij op een politiekanaal was afgestemd. Het was niet zo moeilijk in te zien hoe Tomassoni had kunnen weten wat er die avond was gebeurd. Het nieuws van Buccafusca's dood was via de zender verspreid. Dat hijzelf nu gevaar liep, moest hem al vrij snel daarna duidelijk zijn geworden.

'Dit is ook illegaal,' merkte de inspecteur op. 'Hopelijk heb ik binnenkort voldoende reden het te negeren.'

De kleine man vloekte opnieuw en schuifelde door het gedrang heen, haastte zich een verdieping lager en ging de slaapkamer binnen. Hij sloot de deur achter zich.

Hij was daar zo snel dat Falcone een achterstand van een fiks aantal passen had opgelopen. Hij ging tekeer tegen de agenten op de overloop die Tomassoni gewoon door hadden gelaten.

'Rossi,' schreeuwde hij tegen de man die het dichtst bij de deur stond, 'waar denk jij verdomme dat je mee bezig bent, dat je een verdachte op die manier een deur voor je neus dicht laat slaan? Ga naar binnen en hou hem in de gaten.'

Hij wist wat er gebeurd was zodra hij het kabaal hoorde: een hard, herhaald geratel dat dit oude, kwetsbare gebouw waarin ze zich bevonden tot op zijn grondvesten deed schudden.

'Op de vloer!' riep Falcone en hij duwde de man die het dichtst bij hem stond op de grond. Hij zag de rest doodsbang hun voorbeeld volgen. Een stortbui van losgeraakt pleisterwerk daalde op hen neer. Door het oorverdovende geweld van geweervuur begon het eeuwenoude behang te rimpelen.

De agent die zich het dichtst bij de deur bevond, trapte hem open en trok zich vervolgens terug achter de muur. Falcone kon nog net zien wat er aan de andere kant van de drempel aan de hand was, en probeerde te begrijpen hoe dit kon gebeuren.

Hij had de auto's buiten onbeheerd achtergelaten omdat hij iedereen nodig had. Nu zag hij iemand boven op een ervan staan, mogelijk de jeep vlak onder het raam, die een of ander repeteergeweer, een machinegeweer of pistool, zo door het raam heen in het dansende, schuddende lichaam van Nino Tomassoni leeg schoot.

Met wild zwaaiende armen rolde hij over de vloer, met de bedoeling de stortvloed aan patronen die het gebouw in gepompt werden te ontwijken, naar de trap, vond hem, en dook toen, op de voet gevolgd door twee andere mannen met hetzelfde idee, half struikelend omlaag naar de begane grond. Zich aan de vochtige muur vastklampend baande hij zich een weg naar de ingang en de eerder door hen ingebeukte deur.

'Volg mij,' beval Falcone met zijn pistool in zijn hand en hij keek naar de glanzende keitjes en de flauwe straatverlichting, zich afvragend wat hij daar aan zou hebben tegen de man buiten.

Het lawaai was opgehouden. Tegen de tijd dat hij de koude nachtlucht door de lege ruimte aan de voorkant heen voelde stromen, was daar een ander geluid voor in de plaats gekomen: een motor die op volle toeren draaide en gierend over de keitjes heen raasde.

'Verdomme!' vloekte Falcone.

Hij stormde de straat op, terwijl de anderen tegen zijn rug aan stonden te schreeuwen en hij hun weer toebrulde dat ze hem dekking moesten geven.

De gestalte bevond zich niet langer op het dak van de jeep. Falcone had geen idee waar hij heen gegaan was. Een zwarte slakachtige Porsche coupé reed over de vettige keitjes en beschreef een snelle boog in de ruimte voor de oude kerk.

Voor zijn ogen verdween hij achter een groep politiewagens, en daar rende Leo Falcone alweer verder, met mannen aan zijn zijde, goede mannen, kwade mannen met verhitte koppen en wapens in hun handen.

'Volg me!' bulderde hij weer en met zijn uitgestrekte arm dwong hij de anderen achter zich.

Een enkel salvo uit het repeteergeweer ratelde door de nachtlucht aan de andere kant van het konvooi blauwe wagens. Hij liet zich bij het voorste busje onder raamniveau vallen, zich ervan bewust dat dun metaal geen bescherming bood tegen moderne munitie.

Het duurde een seconde, niet langer. Toen gingen ze ervandoor. Dit was een waarschuwing, geen doelbewuste actie. Falcone hief zijn wapen op en richtte het op de overkant van de open ruimte van het Piazza di San Lorenzo in Lucina, in de richting van de kerstverlichting die nog steeds brandde in de Corso, zich ervan bewust dat de mannen om hem heen precies hetzelfde deden.

'Niet vuren,' zei hij vastberaden. 'Níét vuren.'

In de verte liep een ongeordend groepje feestvierders met rare kerstmutsen op hun hoofd over straat, een clubje vrolijke, jonge gasten op weg naar huis. Ze maakten zich naarstig uit de voeten toen de Porsche brullend de straat op stoof, in de richting van het Piazza Venezia en de open wegen van Rome.

'Neem hierover contact op met de meldkamer,' beval hij en hij blafte hun het kenteken van het zwarte voertuig toe terwijl hij terugliep naar de deur. 'Alsof ze dat niet allang kennen.'

Hij sprintte de trap op naar de slaapkamer. In de ruimte begon het naar gas te stinken. 'Zoek uit waar die lucht vandaan komt,' baste hij tegen de agent die het dichtst bij hem stond. 'Het laatste wat we hier kunnen gebruiken is een explosie.'

Nino Tomassoni lag op de vloer van zijn vuile slaapkamer, de mond open, ogen die naar het plafond staarden en gebroken glas over zijn hele, van bloed doordrenkte, gehavende lichaam.

'Daar gaat onze getuige,' merkte Rossi op met een openhartigheid waar volgens Falcone niemand wijzer van werd. 'Zijn er nog meer?'

'Nog maar één,' mompelde Falcone. 'Franco Malaspina zal haar met geen vinger aanraken, dat zweer ik.'

De Via Appia Antica

1

Toen Nic Costa zijn ogen opendeed bevond hij zich op een plek die vertrouwd rook: naar bloemen en dennennaalden.

Er waren ook mensen, in een kamer die niet op die hoeveelheid berekend was.

Kerstmis, zei Costa tegen zichzelf, en hij was met een schok klaarwakker, ging rechtop zitten in zijn eigen bed, in het huis aan de rand van de stad, met een zwaar hoofd, zijn hersens nog te zeer verdoofd door de ziekenhuismedicijnen om veel activiteit te kunnen ontplooien.

Hij reikte naar het horloge naast zijn bed, met het gevoel alsof er een vrachtwagen over zijn schouder heen gereden was. Hij zag dat het inmiddels 23 december was, bijna vier uur 's middags. Door slaap en medicijnen was hij meer dan een halve dag kwijt. Vervolgens liet hij zijn blik door de ruimte dwalen. Zijn ogen fixeerden zich op het enige vaste punt dat ze tegenkwamen: de man die daar zat.

Franco Malaspina droeg een grijs, duur, perfect gesneden zakenkostuum en zat ontspannen op de slaapkamerstoel waar Emily 's avonds altijd haar kleren op had gelegd. Hij staarde terug naar Costa, de benen over elkaar geslagen, zijn kin in zijn handen, en keek erbij alsof dit de natuurlijkste situatie ter wereld was.

'In godsnaam, wat...' mompelde Costa verrast, zich ondertussen afvragend waar zich een wapen zou kunnen bevinden in deze ruimte die zo vertrouwd, zo privé, en op dat moment tegelijk zo vreemd voor hem was.

Malaspina haalde zijn benen van elkaar, gaapte toen, zonder één andere spier te bewegen. Hij had de sterke, brede, atletische schouders van een machtig man. In het heldere daglicht dat door de ramen naar binnen stroomde, leken zijn donkere Siciliaanse trekken opvallend veel op die van Agata Graziano.

'Dit was hun keus, niet de mijne,' protesteerde de man met zijn ontspannen, aristocratische accent. 'Reageer je woede maar op hen af.'

Costa's aandacht dwaalde naar de anderen in de kamer. Alle ogen waren op hem gericht. Een aantal daarvan kende hij. Sommigen, vooral mannen die net als Malaspina in pakken gehuld waren, waren vreemden. In hun midden bevond zich een vrouw van middelbare leeftijd met kortgeknipt lichtblond haar. Ze droeg een zwarte rechterstoga over het jasje van haar donkerblauwe pak en zat op een eetkamerstoel in het midden van de kamer, alsof zij aan het hoofd stond van wat hier gaande was.

'Wat is hier aan de hand?' vroeg Costa.

'Dit is een gerechtelijke hoorzitting, agent,' zei de vrouw meteen. 'Uw meerderen achtten het van belang dat wij hierheen zouden komen om te wachten tot u wakker werd. Dat was hun recht. Mijn naam is Silvia Tentori. Ik ben politierechter. Deze mannen hier zijn de advocaten van graaf Malaspina. De Questura wordt vertegenwoordigd door...'

Toni Grimaldi stond naast Falcone, met Peroni aan zijn andere zijde. Ze keken geen van allen blij.

'Ik dacht dat hij niet graag graaf genoemd werd,' was Costa's onmiddellijke reactie. Zijn hoofd deed pijn.

Naast Falcone zat Agata Graziano. Ze zag er kwetsbaar uit, afwezig en ongewoon van streek.

'U kent de rechterlijke macht,' merkte Malaspina op. 'Ik heb er geen moeite mee. Het is tegenwoordig toch allemaal alleen nog maar een formaliteit. U mag me Franco noemen.'

'Ga mijn huis uit...' Hij probeerde overeind te komen maar kon het niet, niet gemakkelijk, niet snel.

Agata Graziano stond op van haar stoel, pakte die op en kwam naast hem zitten. Costa kon niet voorkomen dat hij zag hoeveel pijn dit Leo Falcone deed.

'Nic,' zei ze zacht. 'Het spijt me. Dit had nooit mogen gebeuren.'

Ze keek Malaspina dreigend aan. 'Zijn advocaten hebben dit zo geregeld. Als er een andere mogelijkheid was geweest. Als ik dit op de een of andere manier had kunnen voorkomen –'

'Je zou *signora* Tentori ook gewoon de waarheid kunnen vertellen,' onderbrak Malaspina haar. 'Dan' – hij keek nadrukkelijk op zijn horloge – 'zou ik verder kunnen gaan met mijn bezigheden.'

'De waarheid,' mompelde Costa.

'De waarheid?' bauwde Malaspina hem nonchalant en geamuseerd na. 'Hier heb je de waarheid. Na de festiviteiten, waar ik de gastheer was ten behoeve van het museum van deze ondankbare vrouw, was ik gisteravond in mijn eigen huis, tot elf uur, toen ik een afspraak buiten de deur had met iemand die voor mij in zal staan. Daarna ontving ik een telefoontje waarin me verteld werd dat de politie onderzoek naar me deed. En dus' – hij haalde zijn schouders op – 'deed ik wat elke goede burger zou doen. Ik ging naar de Questura. En zat daar van even voor enen tot vijf uur in de ochtend, toen inspecteur Falcone hier er uiteindelijk in slaagde de tijd vrij te maken om mij te woord te staan.'

'Ik wist niet...' onderbrak Falcone hem.

'Dat is niet mijn fout,' antwoordde Malaspina.

'De anderen,' zei Costa. 'Castagna. Tomassoni.'

Malaspina's donkere gezicht werd plotseling rood van woede. 'Mijn vrienden bedoel je? Vergeet Buccafusca niet. Ze zijn dood, vermoord en jij zit daar een beschuldigende vinger naar mij uit te steken terwijl je op zoek zou moeten naar diegene die dit op zijn geweten heeft. Ik wil hun families zien. Ik wil hen helpen de noodzakelijke regelingen te treffen. Maar het enige wat ik te horen krijg, zijn deze stomme beschuldigingen. Weer. Ik zeg jullie... Er is een grens aan wat een man kan verdragen voordat hij doorslaat, en jullie hebben die grens net overschreden. Om onder deze omstandigheden te horen te krijgen dat je onder verdenking staat... Van misdaden die begaan zijn toen ik op jullie eigen Questura zat, om mijn hulp aan te bieden, in welke vorm dan ook...'

Costa begreep de blik in hun ogen. Wanhoop. Hij kon alleen maar raden naar de afgelopen nacht en wat die hun gebracht had: dood en teleurstelling. Malaspina geloofde dat hij opnieuw gewonnen had en deze informele gerechtelijke hoorzitting, in aanwezigheid van zijn advocaten die aan zijn lippen hingen, was duidelijk een formaliteit die, naar hij hoopte, dat feit zou bezegelen. En dan was er nog het genoegen om het huis binnen te gaan van een man wiens vrouw hij vermoord had. Daar had je het, het staarde hem recht in zijn gezicht.

Maar zijn timing was niet perfect.

'Emilio Buccafusca was vermoord... Dit schilderij was gestolen... voor je naar de Questura ging,' bracht Costa te berde.

Malaspina boog zich naar voren, als een schoolmeester die een trage leerling iets duidelijk wil maken. 'Toen ik een etentje had. Met iemand die voor me in kan staan.'

Een van de grijze mannen in grijze pakken zei: 'Mijn cliënt neemt er aanstoot aan dat u tijd verspilt met deze onzin, terwijl u eigenlijk op zoek zou moeten zijn naar de echte misdadigers in deze zaak.'

'En ik neem er aanstoot aan dat de man die mijn vrouw heeft doodgeschoten glimlachend in mijn slaapkamer zit,' diende Costa hem onmiddellijk van repliek. 'Stel uw vragen, en maak dan dat u wegkomt. Maar ik zeg u wel...' Hij wees naar Malaspina. 'Ik ben nog niet klaar met hem...'

De vrouw met de toga om haar schouders zuchtte en zei: 'Ik vraag me af of dit verder nog zin heeft. Van een dienstdoende politieagent...'

'Een die gisteravond neergeschoten is tijdens de vervulling van zijn plicht,' vulde Peroni aan. 'Door deze kloot–'

Een blik van Falcone legde hem het zwijgen op.

'De bedoeling van deze bijeenkomst,' vervolgde de vrouw, 'was het verzoek van de politie te bespreken om ongehinderd het Palazzo Malaspina te mogen doorzoeken en DNA-monsters van graaf Malaspina te nemen. Tenzij er nog iets anders is wat u op dit moment aan dat lijstje wilt toevoegen, inspecteur?'

'Dit is voldoende,' antwoordde Falcone. 'Meer hebben we niet nodig.'

De vrouw pakte haar aktetas en haalde een aanzienlijke stapel papieren tevoorschijn. 'Bij een vorige zitting heb ik bepaald dat het u niet toegestaan is graaf Malaspina om DNA-monsters te vragen, zonder dat er duidelijk en onbetwistbaar bewijs overlegd kan worden dat hem met deze gebeurtenis verbindt, en daar bent u tot op heden niet in geslaagd. Er bestaan zekere regels aangaande intimidatie. Voor een individu dat wordt geïntimideerd door de staat staan bepaalde wegen open.'

'Gisteravond zijn vier mannen om het leven gekomen,' bracht Falcone te berde. 'Een van hen was een onschuldige bewaker. *Sovrintendente* Costa had wel vermoord kunnen worden. Zuster Agata...'

'Dit alles is volkomen irrelevant wat graaf Malaspina betreft, tenzij u bewijzen voor zijn betrokkenheid heeft,' verklaarde ze met een norsheid die geen tegenspraak duldde. 'Hoe vaak moet ik dat nog zeggen?'

'Dat weet ik niet,' blafte Falcone terug. 'Aangezien u degene lijkt te zijn die deze verzoeken altijd behandelt, denk ik nog veel vaker.'

Grimaldi legde een hand tegen zijn hoofd. Er ontsnapte hem een luide kreun. De vrouw draaide zich om en wierp hem een boze blik toe.

'En staat u nu toe dat uw agenten me beschuldigen?'

'Er is maar één persoon in deze kamer die wij beschuldigen,' antwoordde Grimaldi. 'Kom alsjeblieft ter zake, Falcone.'

'Ik merk alleen op,' voegde de inspecteur er ijzig aan toe, 'dat ik het opvallend vind dat onveranderlijk de naam van Silvia Tentori op de rol verschijnt zodra het onderwerp van een strafvervolging van Franco Malaspina ter sprake komt. Het is... verhelderend om te ontdekken dat de rechterlijke macht tegenwoordig zo efficiënt werkt dat het in staat is ons magistraten toe te wijzen die al bekend zijn met de zaak die we hen voor willen leggen.'

'Dit duurt niet lang,' mompelde de vrouw. '*Sovrintendente*?'

Costa knikte naar haar toen hij Falcones verbitterde, gelaten gezichtsuitdrukking gewaar werd. 'Wat wilt u weten?'

'Ondanks een zoveelste aanvraag ten behoeve van een huiszoeking en monsters met betrekking tot graaf Malaspina, zijn uw collega's er nog steeds niet in geslaagd het bewijsmateriaal te overhandigen dat hem met een van deze misdaden verbindt. Op de identificatie van *signora* Graziano en u gisteravond na, hebt u helemaal niets. Vertel eens, bent u daar zeker van?'

Costa keek naar de zittende aristocraat, die hem ontspannen opnam en met een vinger tegen zijn lippen op een antwoord wachtte, een naar het zich liet aanzien zelfgenoegzaam lachje op zijn gezicht. 'Ik weet het zeker.'

'En hoe is dat mogelijk?' vroeg ze. 'De man had een muts op.'

'Ik herkende zijn stem. De klank ervan. De manier waarop hij tegen zuster Agata sprak.'

De advocaat in het grijze pak boog naar voren. 'Tot gisteravond had u de graaf nog nooit ontmoet en toen hebt u slechts kort met hem gesproken. Daar zijn getuigen van.'

'Ik heb al eens eerder met hem gesproken. Toen ik hem volgde vanuit de Vicolo del Divino Amore, de dag waarop hij mijn vrouw heeft vermoord.'

De sfeer in de kamer was ijzig en er hing een ongemakkelijke stilte. Toen voegde de advocaat eraan toe: 'Een andere gemaskerde man, in een andere gehaaste situatie. Daar komt bij dat, als dit waar was, u dit zeker meteen aan de Questura zou hebben gerapporteerd. U zou niet teruggekeerd zijn naar het atelier van het Barberini om naar dit schilderij te gaan kijken. Eens te meer vanwege de persoonlijke aard van deze zogenaamde identificatie.'

Hij liet dit voor wat het was. Het had toch geen zin.

'En met wat voor leugenachtige klootzak heeft hij gisteravond dan zogenaamd zitten eten?' vroeg Costa. 'Toen hij dat schilderij heeft gestolen en Emilio Buccafusca vermoordde?'

De advocaat snoof.

'De graaf heeft met mij gedineerd, thuis. We waren met zijn tweeën. Mijn vrouw was er niet. We waren samen van elf uur tot kwart voor één, toen er van zijn huis werd gebeld met de mededeling dat de politie naar hem had gevraagd. Daarna heb ik hem meteen naar de Questura vergezeld, om de assistentie te verlenen die nodig was.'

'Dan,' antwoordde Costa, 'zal ik, als ik klaar ben met zijn leugens, die van u aan de kaak stellen.'

Silvia Tentori wierp hem een woedende blik toe. 'Bedankt, agent. Zo is het genoeg. Ik erken de rechtsgeldigheid van deze identificatie geenszins. Die is duidelijk zuiver ingegeven door persoonlijke vijandschap.'

'Het is de waarheid,' hield Costa vol.

'Dat betwijfel ik,' zei de vrouw. 'Dan blijft er nóg een zogenaamde identificatie over. *Signora* Graziano.'

'Zuster...' corrigeerde Agata haar zachtjes. Een plotse vlaag van woede in Silvia Tentori's ogen maakte duidelijk dat ze dit niet op prijs stelde.

'U beweert dat u graaf Malaspina kunt identificeren als zijnde de man die u gisteravond in het atelier hebt gezien?'

Alle ogen in de kamer waren op haar gericht. 'Dat denk ik wel.'

'Dat dénkt u wel?' wilde de rechter weten. 'Wat betekent dat? We weten dat u zijn gezicht nooit hebt gezien. Hoe is dat dan mogelijk?'

'Ik ken Franco al jaren. Ik ken zijn stem. Ik weet hoe hij tegen mij praat.'

Silvia Tentori knikte terwijl ze luisterde. 'En werd u geassisteerd bij deze identificatie?' vroeg ze. 'Heeft een van deze politieagenten u ooit op het idee gebracht dat deze man, wiens gezicht u nooit gezien hebt, wiens stem u alleen tijdens een gewelddadige roofoverval gehoord hebt, dat dat graaf Malaspina geweest zou zijn?'

Ze schudde haar hoofd. 'Nee. Ik bedoel... Nic en ik... praatten erover.'

'U praatte erover. Wanneer? Wat werd er gezegd? Details graag.'

Agata maakte een uitgeputte indruk. Nic had de neiging om tegen hen allemaal te schreeuwen dat ze moesten maken dat ze wegkwamen. 'Zuster Graziano is zelf het slachtoffer van een gewelddadige aanval geweest,' maakte Costa duidelijk. 'Het ligt voor de hand dat ze op sommige punten een beetje wazig is.'

Zodra de woorden zijn mond verlaten hadden, wist hij dat hij een stommiteit had begaan.

'Aha,' zei de rechter met zichtbaar genoegen. Ze keek openlijk, alsof ze lak aan hem had, naar Malaspina, die zijn nagels zat te bestuderen, en voegde eraan toe: 'Maar we hebben hier met een ernstige beschuldiging te maken, en om die nou te baseren op een paar woorden die nauwelijks te verstaan waren, van een man wiens gezicht ze nooit heeft gezien...'

'Dat weet ik,' hield ze vol. 'Zeg eens iets tegen me, Franco.'

Malaspina wendde zijn blik van zijn vingers af en staarde haar aan. 'Iets zeggen?'

Ze gaf geen krimp. 'Zeg eens: "Die trut heeft altijd een soort afwijking in het bloed gehad."'

Hij dacht even na, en sprak de woorden toen uit met een nauwgezet, weloverwogen aristocratisch Romeins accent, een dat wel en niet leek op het accent dat ze de vorige avond hadden gehoord.

'Nou?' vroeg Silvia Tentori. 'Word ik geacht hier iets uit af te leiden?'

'Hij was het,' zei ze. 'Ik weet het. Hij weet het. We weten het allemaal.'

Malaspina schudde zijn hoofd, stond toen op en liep naar het raam met uitzicht op een grijze, grauwe winterdag en een veld vol sluimerende wijnstokken. Hij legde zijn handen als vanzelfsprekend op het kozijn. Hij zag eruit alsof hij zich uitstekend op zijn gemak voelde, alsof het huis van hem was.

'Dit is belachelijk, Agata,' zei de man. 'Ik weet dat je altijd een hekel aan me hebt gehad. Je bent niet de enige. Afgunst ligt overal op de loer. Maar om nu zo'n beschuldiging uit je duim te zuigen. Kom... Laten we eens kijken hoe ver je bereid bent te gaan met deze vendetta.'

Achter hem bevond zich een boekenplank. De helft van de boeken was van Emily, Engelse en Amerikaanse literatuur, oude boeken over geschiedenis en reizen en klassieke verhalen die ze keer op keer moest hebben gelezen. De rest was van Costa of van de familie, een verzameling teksten die in jaren niet was ingekeken, Gramsci en Pinocchio, de hardboiled thrillers uit de jaren veertig waar zijn vader zo gek op was geweest, en de modernere *gialli* door Italiaanse schrijvers.

En er was nog een boek, dat in jaren niet opengeslagen was.

Franco Malaspina pakte de gehavende familiebijbel van de plank. Zijn vader had er per se een in huis willen hebben, in weerwil van zijn overtuigingen. Van tijd tot tijd verwees hij ernaar, en niet altijd om iets te bewijzen.

De man smeet het zwarte, versleten exemplaar met zijn ezelsoren en gescheurde bladzijden door de kamer. Het kwam op haar schoot terecht. Onwillig greep ze het ding beet om te voorkomen dat het op de grond viel.

'Kijk me aan, Agata, en zweer op dat kostbare object van jou, dat je zeker weet dat ik het was gisteravond.'

Haar ogen waren gesloten, ze was niet in staat een woord uit te brengen. De bijna onzichtbare omtrek van een traan biggelde langzaam, als bij de Magdalena in de Doria Pamphilj, over een wang naar beneden.

Het was een verloren zaak. Costa wist het. Moeizaam hees hij zichzelf uit bed en ging op de rand zitten, waarbij hij eerst haar zwijgend, berouwvol aankeek en toen Malaspina.

'Ga mijn huis uit,' zei hij weer en hij voegde er toen met een blik op de rechter en de advocaten aan toe: 'En neem die wezens daar met je mee. Je merkt het wel, Malaspina, wanneer ik voor jou kom.'

'Dat is een bedreiging!' krijste Silvia Tentori. 'Een ronduit schaamteloze bedreiging van een man tegen wie je niet het geringste bewijs hebt! Ik zal hier aangifte van doen. Ik zal alles wat hier gebeurd is rapporteren. We wonen niet in een politiestaat waar jullie zomaar iedere onschuldige burger kunnen bedreigen.'

Hij voelde een dreinende, doffe pijn in zijn achterhoofd, maar Costa wist dat dit op de een of andere manier betekende dat zijn krachten begonnen terug te keren, niet dat ze hem in de steek lieten. Het leven, had zijn vader af en toe gezegd, hing vaak af van je vermogen om jezelf van de vloer op te hijsen en opnieuw het strijdperk binnen te gaan.

'Nee, *signora,*' zei hij zacht. 'We wonen in een wereld waarin de wet een instrument is geworden dat de goddelozen beschermt en niet de onschuldigen.'

Een herinnering aan de vorige dag schoot hem te binnen, aan één enkel nuttig feit dat Rosa Prabakaran te berde had gebracht en dat hij had opgeslagen terwijl hij zich afvroeg of hij het ooit zou kunnen gebruiken.

'"Ren, vlug, arme Simonetta,"' citeerde Costa. '"Een afwijking in het bloed." Jij haat zwarte vrouwen, Franco. Waarom is dat? Zou je ons dat willen vertellen?'

Die was raak en dat voelde goed. Malaspina's donkere gezicht werd nog een tikje donkerder.

'Ik heb zo het idee,' ging Costa verder, 'dat het iets persoonlijks is. Een of andere ervaring. Iets wat je weet, wrok misschien...'

Naast hem bewoog Agata, plotseling geïnteresseerd. Ze kwam glimlachend overeind en liep naar Malaspina toe, bracht haar gezicht dicht bij het zijne en onderzocht zijn gelaatstrekken met dezelfde nieuwsgierige, microscopische belangstelling die ze normaal bewaarde voor een schilderij.

'Iets persoonlijks? Waarom zou dat zijn, Franco?' vroeg ze. 'De Malaspina's zijn verwant aan de De' Medici, toch? Is dat de connectie? O! O!!' Verrukt klapte ze in haar handen. 'Ik denk dat ik nu snap hoe het zit. In Florence, in het Palazzo Vecchio, hangt een prachtig levensgroot portret van Alessandro de' Medici van Giorgio Vasari. De eerste zoon. Een donkere man, Franco. Met zijn helm, zijn wapenuitrusting en zijn lans. En een zwarte slavin, Simonetta, als moeder.' Ze aarzelde om het volgende te benadrukken. 'Waar zijn haat vandaan kwam voor iedereen die hem aan zijn afkomst herinnerde. Ben jij ook zo, Franco? Ben jij ook eigenlijk meer een De' Medici? Is het bloed waar je de grootste hekel aan hebt in feite je eigen bloed?'

Het effect was verbijsterend. Malaspina kwam furieus, onbeheerst van zijn stoel overeind en begon een reeks hatelijke bedreigingen en smerige obsceniteiten te spuien, zo gewelddadig en extreem dat zijn eigen advocaten aan kwamen snellen in een poging hem het zwijgen op te leggen. Ze sleurden hem, terwijl hij bleef schreeuwen, mee de kamer uit, de trap af en de tuin in. Daar ging hij nog een aantal minuten door met omhoog in de richting van het raam brullen.

Elke zin was als een klap in haar gezicht. Agata Graziano had nog nooit woorden of dreigementen als deze gehoord, of verwacht dat haar luchthartige pesterij zo'n reactie zou losmaken. Ze luisterde geschokt, bleek, met een wazige blik in de ogen, tot ze er niet langer tegen kon en haar kleine, volmaakte handjes over het warrige haar boven haar oren legde.

2

Vijf minuten later, nadat Silvia Tentori de slaapkamer had verlaten onder het uiten van allerlei waarschuwingen en bedreigingen naar niemand in het bijzonder, bracht Peroni de koffie binnen die Bea zojuist voor hen allemaal had gezet en zei: 'We hadden hem kunnen arresteren voor die scène zojuist. Dreigende taal en gedrag.'

'Maar voor hoe lang?' vroeg Costa. 'Je hebt die advocaten gezien.'

Agata keek nog steeds geschokt en een beetje beschaamd over het effect dat haar woorden op de man hadden gehad. De hoorzitting was over. In de gebruikelijke juridische zin gesproken hadden ze geen poot om op te staan. En toch...

'Je raakte daar een gevoelig punt,' opperde Falcone. 'Maar wat voor een?'

'Ik heb geen idee,' antwoordde Agata. 'Ik deed gewoon naar tegen hem, om hem te pesten vooral. De familie Malaspina was verwant met de De' Medici, dat weet iedereen. Zij overleefden toen de De' Medici uitstierven. Hij maakt af en toe racistische grapjes. Dat vond ik altijd vreemd. De mogelijkheid bestond dat hij in de verte verwant was aan Alessandro en dat betekende dat hij zelf ook zwart bloed in zich had. Maar goed. Het idee dat hij zo heftig zou reageren...' Ze schudde nadenkend haar hoofd. 'Ik moet het gewoon bij schilderijen houden,' zei ze. 'Dit gaat me allemaal boven de pet.'

'Ja, dat zou beter zijn,' beaamde Costa.

Ze glimlachte flauwtjes. 'Goed. Mag ik dan nu naar huis alsjeblieft? Ik ben moe en ik heb heel wat verplichtingen verzuimd. Ik kan verder toch niets meer voor jullie doen.'

Leo Falcone keek haar openhartig aan. 'Ik ben bang dat dat niet zal gaan. *Commissario* Esposito zal hier zometeen zijn met doctor Lupo. We willen de zaak doornemen. Misschien dat je daarbij zou kunnen zijn, al was het maar bij een deel van het gesprek.'

Ze lachte. 'Ik ben een zuster die heeft ingestemd je te helpen één enkel schilderij te identificeren, Leo. En dat ben je kwijtgeraakt, zodat mijn werk erop zit. Ik heb nederiger dingen te doen nu. Ik hoor hier niet thuis.'

Falcone fronste en keek ongemakkelijk. 'Agata, jij bent de belangrijkste getuige in een onderzoek waarin alle anderen vermoord zijn. Die bewakers die de *commissario* gisteren hiernaartoe heeft gestuurd zijn niet tijdelijk. Ze staan nu ook buiten. Ze zullen daar blijven zolang ik dat wil. Je kunt niet terug naar het klooster tot dit achter de rug is. We kunnen je daar niet beschermen. Je moet ergens op een privéplek zijn, die gemakkelijk beveiligd kan worden en die toegankelijk is.'

Met een weids gebaar spreidde ze haar armen. 'Waar dan?'

De oude inspecteur zei niets en staarde alleen maar schuldbewust naar de vloer.

'Waar?' vroeg ze weer.

Costa probeerde Falcones blik te vangen. Dat bleek onmogelijk.

3

'Nee,' zei hij opnieuw toen ze samen aan de eettafel zaten. Bea had hun nog meer koffie en gebakjes voorgeschoteld en vervolgens Pepe mee uit wandelen genomen. 'Dat vind ik niet goed. Dit is een particulier huis. Malaspina kent het. En bovendien...'

De reden was in zoverre persoonlijk dat hij het moeilijk vond hem met deze mensen te delen. Misschien kwam het door de aanwezigheid van *commissario* Esposito. Misschien lag het probleem bij hemzelf. Het voelde soms al raar om Bea in huis te hebben. Een andere vrouw...

'Nic,' onderbrak Falcone hem, 'voor het geval je de boodschap nog niet hebt begrepen, Franco Malaspina heeft vele bondgenoten en eindeloze financiële reserves. Als hij dat wil, kan hij Agata op elk adres waar we haar onderbrengen achterhalen. Dit huis heeft een lange oprit, kan gemakkelijk worden bewaakt en we kennen het.' Hij aarzelde. 'We hebben dit eerder gedaan. Het werkte. Totdat jij de regels overtrad.'

'Willen jullie alsjeblieft niet over mij praten alsof ik een of andere gehandicapte ben?' viel Agata hen in de rede. 'Wat word ik geacht hier te doen voor zolang als ik hier moet blijven?'

'Wat doe je anders?' vroeg Teresa belangstellend.

'Slapen, bidden, denken, eten, schrijven...'

Teresa haalde haar schouders op. 'Dat kun je overal doen. En Nics huishoudster is ook hier. Dus je hebt een chaperonne.'

'Een chaperonne?' vroeg Agata woedend. 'Waarom zou ik een chaperonne nodig hebben?'

'Ik dacht gewoon...' stotterde Teresa. 'Misschien zou dat het makkelijker maken voor de moeder-overste of wie er dan ook maar je meerdere is. Sorry. Ik heb geen verstand van nonnen.'

'Ze is geen non,' onderbrak Falcone haar vermoeid. 'En ze heeft ook geen chaperonne nodig. Maar je moet wel ergens ondergebracht worden waar je veilig bent. En...' Hij nam een slok van Bea's sterke koffie. 'Ik hoop niet voor lang. Er zijn... wegen.'

Geen van hen, Teresa, Esposito of Falcone, keek erg overtuigd.

'Je schilderij is weg, Leo,' merkte Agata opnieuw op. 'Je hebt zojuist op je donder gehad van de rechter, terwijl jij gehoopt had dat ze je carte blanche zou geven om het Palazzo Malaspina binnen te kunnen gaan en mee te nemen wat je maar wilt. Tenzij ik de situatie verkeerd begrepen heb, heb je geen enkel wetenschappelijk bewijsmateriaal in deze zaak...'

'We komen om in het wetenschappelijk bewijsmateriaal!' schreeuwde Teresa, verbijsterd. 'Helaas heeft het nu alleen nog maar betrekking op dode mensen. Buccafusca, Castagna en Tomassoni, die in dat vreselijke huis in de Vicolo del Divino Amore dingen deden waar een vrouw als jij zich geen voorstelling van kan maken.'

'Ik ben een zuster in een religieuze orde, doctor,' zei Agata kil. 'Ik ben geen kind.'

'Nou, zúster,' kaatste Teresa terug, 'laat me je dit zeggen. Ik heb daar de afgelopen weken in dat gruwelijke huis geharde politieagenten zien overgeven. Dus speel niet de heldin tot je weet waar je het over hebt. Waar het om gaat is dit. Ik heb meer dan genoeg voor wat ik onder normale omstandigheden nodig zou hebben. Maar vingerafdrukken, vezels, DNA-gegevens... Ik heb er helemaal niks aan, tenzij ik ze ergens mee kan vergelijken op een manier die acceptabel is voor de rechter.'

Agata sloeg haar armen over elkaar en keek hen allemaal een voor een aan. 'Nou, dan kan ik hier dus nog wel maanden zitten.'

Dit keer kwam *commissario* Esposito tussenbeide. 'We hebben op dit moment nog veel meer openingen om te onderzoeken. Er bevonden zich zeventien doeken in dat krot van Nino Tomassoni aan het Piazza di San Lorenzo in Lucina.'

Ze knipperde met haar ogen en vroeg duidelijk verbaasd: 'Waar?'

'In het huis van de man,' antwoordde de *commissario*. 'Zeventien doeken. Elf hebben we kunnen identificeren aan de hand van het register van gestolen kunstwerken. Het gaat hier om werken die zijn gestolen uit musea helemaal tot Stockholm en Edinburgh aan toe. Tomassoni en – bij implicatie, nemen we aan – Malaspina, maakten kennelijk deel uit van een of ander illegaal kunstsmokkelnetwerk dat op zeer grote schaal opereerde. Misschien verklaart dit waarom het zo gemakkelijk is voor onze interessante graaf om toegang te verkrijgen tot het criminele circuit als hij iemand met hun specifieke vaardigheden nodig heeft. Het zijn gewoon zijn eigen mensen.'

'Tomassoni's huis? Ik wist niet waar hij woonde. Was dat aan het Piazza di San Lorenzo?' Ze keek Costa recht aan toen ze aan het woord was. Ook nu weer knaagde de naam aan hem.

'Ja,' beaamde Falcone. 'Is dat belangrijk?'

'Ik ben maar een nederige zuster, Leo. Wat zou een klein vrouwtje als ik nu kunnen weten?'

Costa spande zich tot het uiterste in om het zich te herinneren. 'Die naam betekent iets,' zei hij. 'En ik kan me niet herinneren wat.'

Allen zwegen, keken naar Agata Graziano, en wachtten.

'Vragen jullie dit aan mij?' zei ze ten slotte. 'Ik dacht dat ik geacht werd alleen maar de zwijgende logé te zijn.'

'Ja,' spoorde Costa haar aan. 'We vragen het aan jou.'

'In wat voor vreemde wereld wonen jullie?' observeerde Agata Graziano. 'Met al jullie procedures en jullie wetenschap, jullie computers en rigide denkwijzen. Komt het nooit bij jullie op dat als een antwoord zichzelf niet in het heden manifesteert, dat misschien komt doordat het dat liever in het verleden doet?'

Ze keek naar Costa. 'Wat heb ik je gezegd, Nic? Toen we gisteravond door deze straten liepen? Die geesten zijn altijd bij ons, altijd. Alleen een dwaas luistert er niet naar.'

'Wij zijn politieagenten,' gromde Falcone. 'Geen spokenjagers.'

'Dan zal ik hier misschien eeuwig moeten blijven. Ik vind dit niet acceptabel, Leo. Ik geef je een week om Franco Malaspina in te rekenen. Daarna ga ik naar huis, naar de normale wereld. Of nu, als je er niet mee instemt.'

Falcones smalle, getaande gezicht werd rood van opwinding.

'Nee! Dat kan niet. Je kunt geen tijdslimieten aan dergelijke dingen stellen. Met wie denk je dat je te maken hebt?'

'Ik heb zojuist gezien hoe Franco Malaspina me dat duidelijk maakte. Ik ben een vrije vrouw. Ik kan doen wat ik wil. Ga dus maar gauw aan de slag. Misschien als jullie wat harder op die computers van jullie rammen. Of nog weer nieuwere wetenschappelijke snufjes vinden voor jullie spelletjes –'

'Het is een oude naam,' kwam Costa tussenbeide, in de hoop de gemoederen wat tot bedaren te brengen. 'Tomassoni.'

'Het is een oude naam,' beaamde ze. 'En dan is hier nog een feit waarvan ik betwijfel of een van jullie het weet, ondanks al jullie prachtige speeltjes en middelen. Ik zou het wel gezegd hebben, maar het leek me niet echt relevant tot vandaag. Misschien is het dat nog steeds wel niet.'

Agata stond op en liep naar de rij boekenplanken naast de open haard. Deel na deel uit de dagen van Costa's vader stond daar naast elkaar stof te verzamelen langs de muren. Ze pakte twee kloeke delen op, boeken over kunst die jaren geleden waren aangeschaft, en liep ermee terug naar de tafel, waar ze de bladzijden begon door te bladeren, ongetwijfeld op zoek naar iets waarvan ze al wist dat het zich daar moest bevinden.

'Het is een bekend feit,' zei ze, 'dat Caravaggio een tijdje in de Vicolo del Divino Amore heeft gewoond. Het was niet bepaald de gelukkigste periode in zijn leven. Het was nadat hij het hedonistische paradijs in Del Montes Palazzo Madama had verlaten. Hij had weinig geld. Hij hield er slechte vrienden op na. Heel slechte vrienden. Dit was Ortaccio, vergeet dat niet. De Romeinse Lusthof.'

Ze vond wat ze zocht in een van de boeken, legde het voor hen neer en bedekte met een servetje van tafel wat daar te zien was.

'Ik heb elke centimeter van Rome doorkruist in de voetstappen van die man,' voegde Agata eraan toe. 'Ik weet waar hij woonde en at, waar hij hoereerde en vocht. Niemand kan er ooit helemaal zeker van zijn, maar dit moet je nooit vergeten: in Caravaggio's tijd hielden mensen registers bij. Ze noteerden details van misdrijven en onroerendgoedtransacties, kleine civiele ordeverstoringen en geld- en schuldkwesties. Veel van die registers en archieven bestaan nog steeds.'

Ze glimlachte naar hen. 'Buiten jullie bereik, weliswaar, veilig in de archieven van het Vaticaan, waar jullie geen enkele jurisdictie hebben. Maar een kleine en nieuwsgierige zuster van de Kerk, die een beetje in geschiedenis is geïnteresseerd...'

Costa staarde haar gebiologeerd aan, en hij was niet de enige. 'Heb je de straat in de archieven opgezocht?' vroeg hij.

'Natuurlijk heb ik dat gedaan! De eerste keer al dat Leo me vertelde dat het schilderij daar gevonden was. Dat zou iedereen toch hebben gedaan?'

'En...?' vroeg Teresa.

'Het huis waar Caravaggio woonde was hetzij dat bewuste huis, hetzij een van de twee aan weerszijden ervan. Specifieker kan ik niet zijn. De straat had toen een andere naam en een andere nummering. Maar in het kerkregister is opgenomen dat Caravaggio daar in 1605 gewoond heeft, met een jongen – bediende, leerling, minnaar, wie zal het zeggen? Hij was tot armoede vervallen en voortdurend in kloppartijen en ruzies verwikkeld.' Ze zweeg even. 'Het was zijn huis toen hij de man vermoordde wiens dood hem noodzaakte Rome te ontvluchten.'

Iedereen zweeg en op Costa na had iedereen zo zijn twijfels.

Het was Peroni die het eerst het woord nam. 'Agata,' merkte hij zo vriendelijk mogelijk op, 'dit was honderden jaren geleden.'

'Caravaggio doodde die man op 28 mei 1606 toen hij woonachtig was in wat wij nu kennen als de Vicolo del Divino Amore. Binnen een paar dagen was hij voorgoed uit Rome verdwenen; hij was voortdurend op reis – Napels, Malta, Sicilië – en afhankelijk van de steun van bondgenoten en mecenassen, voor zijn eten en om hem uit de handen van de beul te houden.'

'Lang geleden,' herhaalde Falcone, terwijl hij naar het boek op tafel staarde en zich, net als de rest van hen, afvroeg wat erin stond.

'Ze vochten op straat,' ging ze verder, hem negerend, 'waarom weten we niet. Toen het voorbij was, was de man dood. Zijn naam was Ranuccio Tomassoni. Hij stierf in het huis waar hij en zijn familie al bijna twee eeuwen woonden en voor zover ik weet daarna steeds gewoond hebben. Aan het Piazza di San Lorenzo di Lucina.'

Costa sloot zijn ogen en lachte. 'Hoe kon ik dat nou vergeten zijn?'

'Je bent het vergeten,' zei ze meteen, 'omdat je het zag als geschiedenis en irrelevant achtte voor het heden. Voor de zoveelste keer: dat is het niet. Dit zijn geen stoffige verhalen over mensen die er niet meer zijn. Het zijn ónze verhalen en interessant genoeg zijn het ook de verhalen van Franco Malaspina, Nico Tomassoni en de rest geworden.' Ze schudde haar hoofd. Ze maakte een uitgeputte indruk, maar het onderwerp gaf haar duidelijk ook energie. 'Iets heeft hen in de stroom van wat er toen gebeurde geduwd. Misschien dat schilderij dat zo veel voor hen betekent. Misschien... Ik weet niet... Kijk...'

Het was niet het schilderij dat ze verwachtten, maar een uit een volgend boek. 'Caravaggio schilderde dit toen hij op Malta was.'

Het was een donkere studie van een oudere man, die halfnaakt op zijn bed lag te schrijven. De Heilige Hiëronymus. Weer een van de doeken in Valletta die Costa, wist hij, op een dag in het echt moest gaan zien.

'In deze periode van zijn leven deed Caravaggio niets zonder goede reden,' vervolgde ze. 'Geld. Overleven. De voorbijgaande vriendschap van invloedrijke mannen. We weten bijvoorbeeld zeker dat dit werk geschilderd was op verzoek van iemand die hem van het vasteland van Italië naar de tijdelijke veiligheid van de Tempeliers in Valletta had helpen ontkomen. Een paar maanden later was Michelangelo Merisi opnieuw op de vlucht nadat hij weer een andere misdaad had begaan. De Tempeliers probeerden die nog te verbloemen, omdat ze bang waren dat Caravaggio ook schande over hen zou brengen. Deze mecenas bleef hem helpen. In Sicilië. Helemaal tot aan het einde, toen hij terugkeerde naar het vasteland omdat hij weer naar Rome wilde.'

Ze nam een slokje water uit een glas dat op tafel stond. 'De naam van die man was Ippolito Malaspina. Ik heb dat feit nooit aan Franco gekoppeld. Maar ik weet wel zeker dat hij een directe afstammeling van hem moet zijn. De man had nogal wat kinderen. Het kasteel dat Franco nog steeds in Toscane heeft en vanwaar hij van tijd tot tijd kunstwerken voor tentoonstellingen in het Barberini laat overkomen, was het landgoed waar zijn voorvader samen met zijn familie woonde voor hij met Caravaggio naar Malta vertrok.'

Haar donkere ogen staarden hen aan. 'Er bestond een connectie tussen de clans van de De' Medici en de Malaspina's. Misschien dat Franco's woede daarvandaan komt. Wat moet ik jullie nog meer laten zien? Zijn dit dingen om aan een of ander jong agentje door te geven in de hoop dat die het begrijpt? Zelfs ik begrijp ze niet. Misschien in de loop van de tijd.' Ze keek even naar Costa. 'Met wat hulp en inzicht. Maar...'

Ze leunde naar achteren, sloot haar ogen een paar seconden, sloeg toen haar armen over elkaar en keek *commissario* Esposito dreigend aan. 'U zorgt voor de boeken die ik nodig heb. Een computer. Een agent die research buiten de deur kan doen en komt brengen en halen wat ik nodig heb. Morgen ga ik naar dat huis van Tomassoni. En het atelier in de Vicolo del Divino Amore.'

'Geen aangename plek,' merkte Teresa hoofdschuddend op.

'Zoals ik steeds al zeg, ik ben geen klein kind. Als jullie deze dingen voor me regelen, zal ik jullie helpen. En als jullie er niks mee kunnen, is er nog geen man overboord.'

Iedereen zweeg, zelfs Costa.

'*Commissario*,' verklaarde Agata. 'Ik ga hier niet zitten leren breien of zo. De keus is aan u.'

'Goed dan,' snauwde Vincenzo Esposito. 'Geef zuster Agata wat ze nodig heeft. Regel beveiliging voor haar, Falcone. *Agente* Prabakaran zal als tussenpersoon fungeren. De details van haar bezoeken naar buiten blijven binnenskamers. Franco Malaspina is veel gevaarlijker dan wij in de gaten hebben gehad. Als zijn talenten zich zo ver uitstrekken dat hij magistraten naar zijn pijpen kan laten dansen en kunst kan smokkelen, dan kent hij mannen die overal toe in staat zijn. Net als hijzelf.'

'Goed,' zei Agata en ze verwijderde het servetje van de bladzijde in het tweede boek, een oude biografie van Caravaggio, een van Costa's favorieten, en hield die omhoog zodat iedereen het kon zien.

Wat ze zagen was een zwart-witreproductie van een portret van een heer, die een bol gezicht paarde aan een bleke gelaatskleur, een dubbele kin en grote, zeer bolle ogen. Hij zat op een met fluweel beklede stoel en droeg de kostbare, weelderige kleding van iemand van aanzien.

Agata liet haar vinger over het onaantrekkelijke gezicht van de man gaan. 'Jullie moeten me zometeen verontschuldigen. Ik ben moe. Ik moet rusten. Ik wil wat tijd voor mezelf hebben. Dit is uit de Maltezer periode van Caravaggio,' zei ze. 'Het heeft vanaf het begin van de negentiende eeuw in het Kaiser Friedrich Museum in Berlijn gehangen. Helaas werd het doek vernietigd toen de stad aan het einde van de Tweede Wereldoorlog gebombardeerd werd. Wat jullie hier zien is een portret van Ippolito Malaspina, geschilderd door Caravaggio, vlak voor hij uit Valletta wegvluchtte.'

Costa staarde naar het gezette, bloedeloze individu in de enigszins belachelijke galakledij. Hij had het gezicht van een zwakke en wellustige ambtenaar. Het was verleidelijk om in het gezicht van de geportretteerde tekenen van sarcasme of spotternij te zien; pesterige grapjes die Caravaggio niet vreemd waren.

'Deze ziekelijke idioot lijkt helemaal niets op dat varken dat zojuist hier was!' zei Teresa, met een vinger naar het portret priemend.

'Precies,' antwoordde Agata zacht en ze sloeg het boek dicht.

4

Om acht uur 's avond stond Bea onder aan de trap met haar voet te tikken. Ze keek een beetje boos. 'Ik zou bijna zeggen dat dit het ergste meisje is dat je ooit mee naar huis hebt genomen, Nic,' mompelde ze, misschien maar half voor de grap.

'Ik zou haar geen meisje noemen als ze het kan horen,' zei hij. 'En het lijkt me ook niet helemaal juist om te zeggen dat ik haar heb meegenomen.'

'Nee,' mopperde ze. 'Het lijkt er eigenlijk meer op dat ze hier is opgesloten, toch? Met mij als bewaker.'

Bea vond het niet prettig dat er mannen aan het begin van de oprit stonden. Ze had steeds het gevoel dat ze hun met enige regelmaat koffie, water en *panini* moest brengen. De laatste keer was ze Peroni tegengekomen, die zo hard als hij kon een schunnig Toscaans liedje aan het zingen was. Costa wist dat hij dit vooral deed om het moreel op te peppen. Peroni's manier om onder dergelijke omstandigheden een team draaiende te houden was vooral door wat lucht in de situatie te brengen. Hij kon niet verwachten dat Bea dat begreep en dus was de ontmoeting tussen hen beiden nogal kil verlopen.

'En... ze is nog steeds niet in bad geweest. Ze mag dan geniaal zijn, maar wat mij betreft gedraagt die arme meid zich vergeleken met normale mensen bijna dierlijk.'

'En die normale mensen zijn wij dan natuurlijk. Agata leeft anders dan wij. Maar als je terug wilt naar je appartement...'

'Doe niet zo raar. Je kunt toch niet verwachten dat een vrouw als zij met een man alleen onder een dak verblijft? Dat zou niet goed zijn. En daar komt bij... dat iemand je gisteravond neergeschoten heeft, voor het geval je dat was vergeten.'

'Grove hagel,' antwoordde hij. 'Ach, dat glijdt gewoon langs me af. Je kent ons Costa's toch? We voelen niets. Echt. Het is lastig. Maar dat is alles.'

'Mannelijke arrogantie...' mopperde ze. 'Over vijf minuten staat het eten op tafel. Ik zou het fijn vinden als iemand de moeite zou nemen het te komen opeten. Ik heb al een aantal keren geroepen. Geen reactie. Praat jij met haar. Ik geef het op.'

Met die woorden beende ze terug naar de keuken en liet Costa peinzend achter aan de voet van de trap.

Dit was een ongemakkelijke situatie, maar het was zijn huis.

Hij ging de trap op naar boven en liep door naar de grootste logeerkamer, die Bea snel in orde had gemaakt, met schone lakens op het bed, en handdoeken en zeep in de badkamer. Het was een prachtige kamer. Hij was van zijn broer geweest toen die jong was en had het fraaiste uitzicht van het hele huis, helemaal tot aan de Via Appia Antica. Er was nauwelijks een teken van het moderne leven te zien, geen wegen, alleen een enkele telegraafpaal die naar het gebouw toe leidde en in een hoek voorbij de wijnstokken en de cipressen aan weerszijden van de oprit omhoogstak.

Hij klopte op de deur en zei: 'Er is eten.'

'Dat weet ik.' Verder niets.

'Kom je?'

'Ja.'

Hij stond op het punt om weg te gaan toen ze eraan toevoegde: 'Kom binnen, Nic. Alsjeblieft. Ik wil je iets vragen.'

Met een zucht deed hij de deur open. Agata zat voor de kaptafel naar zichzelf in de spiegel te staren met een verwilderde en angstige uitdrukking op haar gezicht. Ze droeg een witte katoenen blouse en een zwarte broek. Haar haren waren strak naar achteren gebonden, waardoor de ontembare krullen weggetrokken werden uit haar gezicht, dat hoekig was en heel aantrekkelijk, zag hij nu. Het was het gezicht van een schildersmodel, niet mooi in conventionele zin, niet echt knap zelfs, maar wel een waar je naar bleef kijken, staren zelfs, omdat er zo'n intensiteit van leven en gedachten uit sprak, en zo'n – het woord leek op de een of andere manier toepasselijk – gratie.

'Kijk wat ze me hebben aangedaan,' klaagde ze. 'Ik vroeg om boeken en informatie. Komen ze me deze kleren brengen en krijg ik te horen dat ik ze aan moet doen om er minder verdacht uit te zien. Waarom?'

'Castagna, Buccafusca en Nino Tomassoni zijn dood,' opperde hij. 'Of je het nu leuk vindt of niet, jij bent de enige getuige à charge die we hebben. Deze voorzorgsmaatregelen...'

'Franco heeft gewoon een hekel aan iedereen die zwart is. Of zelfs maar half zwart is. Dat hebben we vandaag allemaal kunnen zien.'

Ze kon niet ophouden met in de spiegel naar zichzelf te staren. 'We hebben thuis niet van die grote spiegels,' mompelde ze. 'Of eigen kamers met bedden die groot genoeg zijn voor vier personen. En dit huis...'

Ze stond op en liep naar het raam. 'Ik kan van hieraf zelfs geen lichtjes zien. Of een menselijke stem horen of een auto of bus.'

'De meeste mensen vinden dat een voordeel.'

Ze draaide zich om en staarde hem stomverbaasd aan. 'Wat? Om de klanken van de mensheid te ontlopen? Ik heb mijn hele leven in de stad gewoond. Die ken ik. Dat zijn de geluiden van zijn ademhaling. Waarom willen mensen van alles wegrennen? Waar ben jij bang voor?'

'Voor morgen,' antwoordde hij, schouderophalend. 'Soms ook voor vandaag.'

Ze lachte, bijna. 'Nou, bedankt hoor. Dat is iets wat ik van jou heb geleerd. Ik was nooit ergens bang voor, tot jullie in mijn leven kwamen. Nu zie ik om elke hoek een man met een geweer, en ik kijk naar een schilderij – een schilderij van Caravaggio – en ik vraag me af of het mijn geloof aan het wankelen zou moeten brengen. Bedankt hoor.'

'Dit is de wereld, Agata,' antwoordde hij nederig. 'Het spijt me dat we jou daarin hebben gesleept. Ik weet zeker dat je binnenkort terug kunt naar waar je vandaan bent gekomen. Alleen niet vandaag.'

Het bleef even stil, ze had kennelijk weinig zin om te praten.

'En jij?' vroeg ze toen eindelijk.

'Ik vind mijn weg wel,' antwoordde hij. 'Op de een of andere manier. Op voorwaarde dat ik af en toe eet. En eet je dan nu met ons mee? Alsjeblieft?'

5

Om kwart over negen kwam Rosa Prabakaran de dingen brengen waar Agata om had gevraagd en ging toen weg. Costa keek toe hoe Agata voorzichtig de spullen uitpakte, waarbij ze ongelooflijk veel zorg besteedde aan een aantal oude academische boekwerken en een laptop met aan de onderkant het logo van het Barberini, maar nauwelijks aandacht schonk aan twee plastic tassen met daarin haar persoonlijke bezittingen uit het klooster.

Bea staarde naar het schamele hoopje goedkope, veel gedragen kledingstukken en vroeg: 'Is dat alles?'

'Wat heb ik nog meer nodig dan?'

Bea liep de kamer uit en kwam terug met haar armen vol zachte handdoeken, waarvan sommige zo groot waren en er zo verdacht nieuw uitzagen dat Costa zich afvroeg of ze ze misschien die middag had gekocht, tegelijk met doosjes zeep en andere, minder goed te herkennen toiletartikelen.

'De waterleiding in dit huis heeft soms kuren,' verklaarde ze. 'Als je zover bent zal ik je inwijden in de mysteriën van de badkamer.' Toen liep ze naar boven.

Agata keek haar na toen ze wegliep. 'Wat is Bea van jou, Nic?'

'Een vriendin van de familie. Mijn vader en zij waren... erg goede vrienden, ooit. Dat ging voorbij. Maar het gevoel van verbondenheid bleef bestaan.'

'Vindt ze me maar vreemd?'

'Waarschijnlijk wel,' gaf hij toe.

'En jij?'

'Je bent geen gewone logé.'

'Wie wel?'

Hij kreunde. Agata gaf zich niet gauw gewonnen. Ze had erop gestaan dat ze naar haar kamer wilde om te werken. En nu... 'Ik moet even met de mannen buiten gaan praten. Je hebt je spullen. Is er verder nog iets wat ik voor je kan doen?'

'Ja. Er is hier een kamer met wat kunstmaterialen. Die kant op...' Ze wees naar de achterkant van het huis, naar het vertrek waar hij sinds Emily's dood nog niet naar binnen was gegaan. 'Wat is dat voor plek? Ik kon er niets aan doen, maar hij viel me op en misschien dat ik iets nodig heb.'

'Ik zal hem je laten zien,' zei hij en hij ging haar voor.

Het atelier was schoon en netjes, al rook het er nogal vochtig, zoals altijd als de ruimte een tijdlang niet was gebruikt en niet werd verwarmd. Overal lag werk van Emily: lijntekeningen van gebouwen, schetsen, studies, ideeën, gekrabbel. 'Was je vrouw een kunstenares?' vroeg Agata.

'Architect. Althans, dat wilde ze worden. Als ze klaar was met haar studie.'

'Het kost tijd om goed te leren bouwen,' reageerde ze en ze pakte een schets op van het dichtstbijzijnde stapeltje. Het Uffizi in Florence, van dat weekend in oktober toen hij, voor het eerst sinds ze waren getrouwd, in de zomer de tijd had gevonden om vrij te nemen. Hij vond het niet gemakkelijk er nu naar te kijken.

'Ze kon goed tekenen,' merkte Agata op. 'Heel goed. Kunst en architectuur gaan hand in hand, maar dat weet jij ook. Sorry, ik moet je niet als een idioot behandelen.'

Ze keek de kamer rond en huiverde. Het was koud. Het enige wat ze aanhad was de goedkope, dunne witte blouse en de al even goedkope broek die uit het klooster afkomstig waren. Het budget van de Questura strekte zich niet uit tot kleding, al had Rosa zachtjes tegen hem gezegd dat ze van plan was dit de volgende ochtend recht te zetten. Op de een of andere vreemde, subtiele manier waren ze begonnen Agata Graziano te adopteren, een beschermende, isolerende muur om haar heen te leggen, en niet alleen om Franco Malaspina en zijn boeven van haar weg te houden. Voor een deel leek ze te delicaat om alleen losgelaten te worden in de wereld waar zijzelf in woonden. Costa vroeg zich af of dit wel eerlijk was, of zelfs maar een juiste interpretatie van de feiten.

'Ik zou hier niet rond moeten neuzen. Het is privé. Het spijt me.'

'Het is maar een kamer,' zei hij en hij glimlachte. 'Maak er vooral zo veel gebruik van als je wilt. Vóór Emily werkte mijn zus hier. Ze is ook een kunstenaar. Het heeft...' De witte muren waren nu grijs en hadden behoefte aan een lik verf. Hij herinnerde zich nog het geluid van stemmen in het huis toen hij jong was en dat hij dan af en toe hierheen kwam voor wat rust. Dan zat hij te kijken hoe zijn zus bezig was met een of ander vreemd, abstract doek waar hij helemaal niks van begreep. '...heeft gezelschap nodig,' mompelde hij en hij merkte dat de gedachte een scherpe, prikkende sensatie in zijn ogen opriep.

Ze merkte het en zei snel: 'Welterusten, Nic. Ik moet nodig eens gaan kijken wat Bea me wil vertellen over die badkamer van jou.'

6

Hij wachtte aan de voet van de trap, zich afvragend of hij misschien in de buurt moest blijven, voor het geval het niet goed zou gaan tussen hen. Maar na een tijdje hoorde hij hun stemmen klinken van boven, blije stemmen, gevolgd door het stromen van water en de geur van zeep en shampoo die de treden af kwam drijven.

Als Bea een dochter had gehad, zou die de leeftijd van Agata gehad hebben. Hij had een glinstering in haar ogen gezien toen deze intelligente, slonzige vrouw de deur binnen was gekomen. *Die arme meid gedraagt zich vergeleken met normale mensen bijna dierlijk.*

De omschrijving amuseerde Costa. Hij was heel treffend, maar op de een of andere manier ook belachelijk. Agata was juist een ongelooflijk beschaafde vrouw. Ze koos er alleen voor dat niet aan de buitenkant te laten zien.

Hij vond zijn jas, liep de inrit af naar de mannen in de politieauto, die de toegang blokkeerde. Het was een koude, heldere nacht, vol sterren en het licht van een wassende maan.

Peroni zat daar met een agent die Costa niet herkende. Ze luisterden naar de radio – oude, beroerde Italiaanse jazz, het soort dat Gianni iedereen opdrong zodra de gelegenheid zich voordeed – en dronken koffie uit een thermoskan.

'Kan ik iets voor jullie halen, heren?' vroeg hij toen ze het raampje hadden laten zakken.

'Een paar vrouwen, wat wijn, wat eten,' reageerde Peroni meteen. 'Het eten alleen is ook goed. Heb je wat?'

'Jullie weten waar de keuken is. Ik ga naar bed.'

'Hoe gaat het met de schouder?' vroeg Peroni ineens ernstig.

'Pijnlijk. Maar onnodig om je zorgen over te maken. Alles verder oké hier?'

'Jawel,' zei Peroni knikkend. Hij meende het. 'Beter dan het zich liet aanzien. Weet je, toen die linke klootzak hier vanmiddag zo vol van zichzelf naar buiten stormde, vond ik dat niet. Ik dacht... daar heb je het weer. Een of andere, rijke zakkenwasser neemt weer eens een loopje met ons. Maar dat denk ik niet meer. Ik heb geen idee waarom. Waarschijnlijk puur het gevolg van beginnende dementie. Maar volgens mij... krijgen we hem, Nic. Wij zijn hier. Op het bureau werken nog eens honderd capabele mannen en vrouwen aan de zaak. De nieuwe *commissario* staat ook aan onze kant. Het gaat lukken op de een of andere manier. Ik zweer het.'

Hij draaide zijn hoofd opzij en keek uit het raampje. 'Weet je waarom ik daar zo zeker van ben? Dat komt door dat verschrikkelijke detail dat Rosa aan dat hoertje ontfutselde dat ervandoor ging. Het idee dat die beesten die vrouwen zo fotografeerden. Je weet wel, net als ze...'

Hij wist het. Costa meende dat hij ook begreep waarom. Het was precies het moment dat op het doek was vastgelegd. Agata had het heel precies beschreven: *het moment van de zondeval*. In de kreten van die vrouwen, hoe onecht ook, waar ze ook door waren veroorzaakt, seks of geweld of – en dat moest hij stilzwijgend erkennen – de nabijheid van de dood, lag een of ander geheim genot waar de Ekstatici meer dan wat ook getuige van wilden zijn.

'Ik geloof niet in God,' vervolgde Peroni, 'maar ik weet zeker dat we mannen als hij uiteindelijk te pakken krijgen. Alleen Malaspina is nog over, en we zullen hem krijgen. '

Costa beaamde dat. 'Dat is zo,' zei hij. Toen liep hij terug. Hij schonk zichzelf een klein glas in van de Verdicchio die hij nog nauwelijks had aangeraakt en ging bij het vuur zitten, in een stoel die ooit van zijn vader was geweest en zonder meer de comfortabelste in huis was.

De hond was er al, een kleine, stramme harige vorm die ineengekruld voor de brandende blokken lag te sluimeren. Op de schoorsteenmantel stond een foto. Hij pakte hem op en koesterde de – nogal zinloze – wens dat zijn vader dit had kunnen zien voor hij stierf.

Emily en hij bevonden zich op die plek in Rome waar pasgetrouwde stellen op hun trouwdag vaak gingen staan, bij de Boog van Constantijn, vlak naast het Colosseum, in hun beste kleren. Emily had een boeket in haar armen, ze glimlachte, gelukkiger dan hij haar ooit had gezien. Hij droeg een pak dat Falcone hem had helpen kopen, het beste dat hij in zijn leven tot dan toe had gehad, met een perfecte snit, en dat nu boven op Teresa's stapel bewijsmateriaal lag, uiteengereten door Malaspina's hagelkorrels, bevlekt met Costa's eigen bloed.

Levens werden bijeengehouden door onzichtbare touwtjes, verborgen lijnen die tussenstations met elkaar verbonden. Je was je die dingen niet bewust tot ze al aan de horizon van het geheugen aan het verdwijnen waren. Van het moment dat hier vastgelegd was tot aan Emily's dood lagen maar een paar korte maanden. Daar had hij op dat moment geen enkel benul van kunnen hebben, en niets kon de pijn verzachten die hij nu voelde, het verdriet, de spijt om al die ongezegde woorden, het toenemen van het aantal daden en lieve attenties dat nooit plaats zou vinden. Uiteindelijk stal de tijd alles. Die had geen medeplichtige nodig, geen arrogante, ontspoorde aristocraat die zich schuilhield achter een masker en een geweer.

Hij hoorde van boven een geluid komen, een dat hij even niet thuis kon brengen. En toen wist hij het... het was gelach. Bea en Agata hadden het naar hun zin samen, hun plezier klaterde als een waterval de trap af, ze giechelden zo ongeveer, als kinderen of als een moeder en haar dochter die samen plezier hadden om iets dat nooit, in geen miljoen jaar, zijn oren zou bereiken.

Zo had het horen te zijn. Zo had het moeten zijn.

Hij sloot zijn ogen en drukte de ingelijste foto tegen zich aan.

God heeft ons niet voor niets tranen gegeven.

Misschien was dat zo, dacht hij. Maar er stond iets tussen hem en Emily's bleke gezicht, zoals ze nog steeds leefde, nog steeds ademde in zijn herinnering. Dat iets was een gemaskerde man, een die nu in het bezit was van een stem en een gezicht, en een duistere, kwaadaardige intentie die nog niet verzadigd was.

Fragmenten uit het verleden

1

Tegen de middag verlieten ze in een konvooi van drie wagens het huis, Agata en Costa in het middelste voertuig, met een getrainde chauffeur achter het stuur. Standaardprocedure, zoals *commissario* Esposito gezegd had, net zolang tot Franco Malaspina in de gevangenis zat.

Agata was vroeg opgestaan en had het grootste deel van de ochtend alleen in het atelier doorgebracht met haar boeken en de computer. Ze had de ruimte alleen een aantal keer verlaten voor een glas water, zonder iets te zeggen. Halverwege de ochtend was Rosa gearriveerd met nieuwe naslagwerken... en nieuwe kleren. Agata had de eerste uit haar handen gegrist en de laatste nauwelijks een blik waardig gekeurd. Toen ze naar buiten kwam voor de vergadering in de Questura was ze zich, zo leek het Costa, nauwelijks bewust van het feit dat ze nu, waarschijnlijk voor de eerste keer in haar leven, kleding droeg die de meeste Romeinse vrouwen zouden beschouwen als standaard kantoorkledij: een mooie, nette, grijze pantalon met een bijpassend jasje en een crèmekleurige blouse. Met Bea's hulp leek haar haar nu min of meer in bedwang gehouden te worden, doordat het met een bandje naar achteren getrokken was. De donkere, hoekige lijnen van haar gezicht deden haar een beetje ouder lijken, wat zakelijker misschien, al werd dat effect enigszins tenietgedaan doordat ze erop stond haar oude schoenen te dragen: een paar afgedragen, zwarte halfhoge laarzen met flinke slijtplekken die eruitzagen alsof ze het grootste deel van Rome verschillende keren hadden doorkruist.

Ze had nog steeds twee overvolle plastic tassen bij zich, waarvan een zo zwaar was dat ze duidelijk naar één kant overhelde.

Agata zei niets in de auto en liep door de Questura, zonder acht te slaan op de nieuwsgierige, nu en dan bewonderende blikken die ze onderweg opving, alsof ze op weg was naar een of andere gewone academische bijeenkomst, niet een wanhopige vergadering van gerechtsdienaren die grip probeerden te krijgen op een meervoudige moordzaak waarin zij misschien wel de enige waardevolle getuige was.

Eindelijk, om één uur, toen een schaal met broodjes de tafel rond was gegaan, begon de vergadering met een samenvatting van de zaak door Falcone en van de forensische stand van zaken door Teresa Lupo. Costa, met Agata aan zijn ene en Rosa Prabakaran aan zijn andere zijde, luisterde gretig, in de hoop dat er een of andere lacune zou zijn in de uiteenzetting van wat hij al uit zijn hoofd kende, iets wat ze hadden nagelaten of verkeerd hadden aangepakt. Hij hoopte op een nieuw aanknopingspunt dat naar het Palazzo Malaspina zou leiden.

Hij hoorde er geen. Falcone beschreef uitvoerig het uitgebreide onderzoek van de Questura naar de moorden in de Vicolo del Divino Amore en op Emily. Er was zelden zo veel geld en materieel ingezet in een onderzoek in de recente geschiedenis. Dat dit nu wel gebeurde had deels te maken met de voortdurende stampij die er in de media en door het publiek over werd gemaakt. Men was alom geschokt dat dergelijke verschrikkelijke gebeurtenissen in Rome aan het licht konden komen. De kranten waren buiten zinnen vanwege het gebrek aan voortgang en publiceerden dagelijks redactionele stukken, waarin ze tekeergingen over de kennelijke onmacht van de politie. Tegelijkertijd waren ze – met het gebrek aan logica dat de journalistieke beroepsgroep af en toe was toegestaan – begonnen vraagtekens te stellen bij de kosten van de hele operatie, met duizenden arbeidsuren en buitenlandse reisjes, die zich nu van Angola uitgebreid hadden naar Nigeria en Soedan, allemaal zonder dat er vooruitgang werd geboekt.

Ook het meestal zo vruchtbare forensische traject leverde dit keer niet veel op. De nieuwe regels die van kracht waren geworden nadat door Malaspina's juridische acties het grootste deel van de gangbare procedures – de toevallige, heimelijke en moedwillige vergaring van vooral DNA-monsters – onbruikbaar was geworden. De dood van Castagna, Buccafusca en Nino Tomassoni de nacht daarvoor overstelpte Teresa Lupo's team met werk en zou hun ongetwijfeld een zee aan bewijsmateriaal opleveren die op een dag nuttig zou blijken te zijn. Maar zij noch Falcone hadden nieuw materiaal dat een directe link legde tussen Malaspina en de zaak, materiaal dat geen betrekking had op genetische identificatie, die immers verboden was.

Malaspina's advocaten stuurden de Questura terug naar het tijdperk van de intellectuele deductie, zonder veel ondersteuning van de wetenschap. Castagna's zelfmoord zou, daarvan was Teresa overtuigd, algauw vals blijken te zijn. Er was echter geen visitekaartje van Malaspina, geen telefoontje of het geringste spatje fysiek bewijsmateriaal dat hem kon verbinden met de dood van de man. Ze waren kennissen, misschien zelfs vrienden. Dat was niet zo verrassend bij twee vooraanstaande leden van Romes jongere beau monde. Met een naam in een adresboek of een paar vage e-mails op een computer hoefde je bij een rechter als Silvia Tentori niet aan te komen. Vooralsnog waren ze volledig afhankelijk van de relatie die Malaspina met de teruggetrokken Nino Tomassoni had gehad en daar, zei Falcone, deed zich zonder meer een mogelijkheid voor van geheel andere aard.

Zoals gebruikelijk in de Italiaanse ordehandhaving was pas die morgen aan het licht gekomen dat de namen van beide mannen zich op de lijst van verdachte kunstsmokkelaars van Interpol bevonden, die was overhandigd aan een deskundig team van de Carabinieri. Diezelfde lijst, had Falcone begrepen van zijn contacten binnen de Carabinieri, wees eveneens Véronique Gillet als verdachte aan, in zoverre dat men overwoog haar binnenkort voor ondervraging op te roepen, wat onvermijdelijk tot haar schorsing bij het Louvre zou hebben geleid.

'Ziek, werkeloos en op het punt gearresteerd te worden,' onderbrak Teresa hem. 'Geen wonder dat ze zich enigszins suïcidaal voelde.'

'Hebben we daar niet voldoende aan om een huiszoekingsbevel los te krijgen voor Malaspina?' vroeg Rosa.

Esposito mengde zich in het gesprek. 'Integendeel. Als Gillet of Tomassoni hem bij name hadden genoemd, dan wel natuurlijk.

Maar aangezien ze dood zijn... is Malaspina gewoon een naam op een lange lijst, als gevolg van anonieme tips. Rijke mannen trekken voortdurend dergelijke kwaadsprekerij aan. Op zich waardeloos. We hebben meer nodig dan roddelpraat.'

Ze staarden elkaar aan en Agata Graziano keek op haar beurt afwachtend naar hen. 'En?' vroeg ze ten slotte. 'Dat is het?'

'Misschien zijn er nog steeds wel mogelijkheden,' stelde Falcone voor. 'We weten dat hij geobsedeerd was door dat schilderij in de Vicolo del Divino Amore. Als we een of andere connectie kunnen vinden... We hebben geen bewijs voor de andere misdaden nodig. Het is net als de rest gestolen, zelfs als het niet op de lijst staat. Daaraan hebben we voldoende om verder te gaan.'

Ze wierp een blik op Costa en hij wist meteen waarom.

'Dat schilderij was niet gestolen, meneer,' zei hij.

'Wat zeg jij nou?' snauwde Esposito. 'Natuurlijk was het gestolen. We hebben er zo nog zeventien in het huis van Tomassoni liggen. Allemaal in de afgelopen tien jaar uit een of andere Europese kunstinstelling ontvreemd. Wilde jij zeggen dat deze anders is?'

Agata sloeg met haar kleine hand op tafel. 'Natuurlijk is het anders.'

Teresa Lupo glimlachte sluw. 'Het bevond zich op een andere plaats, heren,' zei ze. 'En was op een ezel gezet om gezien te worden. Die andere waren handelsobjecten, opgeslagen in afwachting van een koper. Ik geloof dat onze zuster hier gelijk heeft.'

'Bedankt,' mompelde Agata met een zijdelingse blik op Teresa. 'Dat klopt. Dit schilderij kan niet gestolen zijn, niet op dezelfde manier. Om een simpele reden: voor zover we weten bestond het helemaal niet. Leg me dat eens uit, Leo. Ik luister.'

'Wat is er dan gebeurd?' vroeg Esposito. Hij keek geïrriteerd toen Falcone niets zei.

'Ik heb geen idee,' antwoordde Agata en ze haalde haar smalle schouders op. 'Ik vertel jullie alleen wat er niet gebeurd is. Is dat niet ook belangrijk?'

Teresa knikte. 'Erg belangrijk. Maar als het niet gestolen was, waar heeft het dan de afgelopen vierhonderd jaar uitgehangen?'

'Hier!' schreeuwde Agata. 'In Rome. Waar het thuishoort. Waar anders? Als het verkocht was of naar het buitenland was gebracht, zouden we dat hebben geweten. Wie zou zijn mond over een dergelijk werk hebben kunnen houden? Een onbekende Caravaggio, met een geheim dat niemand kan ontraadselen?'

'Een geheim?' vroeg Falcone.

Costa schetste hem de details van de verborgen handtekening en de alternatieve titel. Ze leken met stomheid geslagen. Dit ging conventioneel politiewerk ver te boven.

'En wat betekent dat allemaal precies?' vroeg Peroni ten slotte.

Agata zuchtte en keek verwachtingsvol naar Costa.

'Dat weet ik niet,' gaf hij toe.

'Het betekent,' zei ze abrupt, 'dat dit een particulier kunstwerk was, bedoeld voor de slaapkamer van een heer. Een doek met een morele dubbelzinnigheid die daar door de kunstenaar in gelegd was en vermoedelijk geen deel heeft uitgemaakt van de oorspronkelijke opdracht, of zelfs maar opgemerkt is door de mannen die het in eigendom hadden. Voor hen was het gewoon een vorm van pornografie. Voor Caravaggio was het een dialoog met de kijker over de aard van de liefde, waarin hij aan deze vroeg zijn zienswijze te bepalen ten aanzien van de oorsprong van de hartstocht. Was het puur een aardse, vleselijke kwestie of lag er een of andere goddelijke bedoeling aan ten grondslag, een heilig plan, en bestond de uitdaging erin om dat te vinden?'

'En dit is belangrijk?' vroeg Peroni.

'Voor Franco Malaspina,' zei ze zacht, 'is dit schilderij het belangrijkste ter wereld. Waarom zou hij anders zoveel riskeren om het werk weer in zijn bezit te krijgen? Hij heeft het nodig. Zo ook Véronique Gillet. Castagna. Buccafusca. Iedereen behalve Nino Tomassoni, die volgens mij een nogal zielig, stil mannetje was.'

'Hij zei iets,' merkte Falcone op. 'Tomassoni. Vóór hij stierf. "De Caravaggio is van mij. Van ons. Het is de enige die van ons is."'

'Dan heeft Franco het van hem afgepakt,' antwoordde Agata. 'Om te genieten van wat het hem opleverde. Wat was... zeg jij het maar.'

Ze keken elkaar aan en vroegen zich af wie als eerste het woord zou nemen.

'Ik kan jullie niet helpen als ik de feiten niet weet,' klaagde Agata. 'Jullie zijn allemaal erg slechte leugenaars overigens. Hou daar alsjeblieft mee op.'

Costa waagde de sprong. 'We hebben het bewijs dat de Ekstatici foto's namen van vrouwen terwijl ze seks hadden. Dat ze probeerden het moment van passie te vangen, niet dat dat passie was natuurlijk, maar dat leek niet uit te maken.'

Ze haalde diep adem en vroeg: 'Hebben jullie de foto's?'

'We hebben er een paar,' antwoordde Teresa. 'Sommige slachtoffers behoorden tot degenen die in het atelier gestorven zijn. Anderen... zijn niet te traceren.'

'Wat laten ze zien?' vroeg Agata.

Costa nam het woord weer. 'Ze laten de vrouwen zien in de greep van seksuele extase, of een of andere marteling, of misschien zelfs wel doodsstuipen. Dat is niet uit te maken.'

Agata nam een slokje water uit het glas dat voor haar stond. 'Ze willen het moment van de zondeval ervaren,' zei ze rustig. 'De transformatie die Caravaggio's schilderij beschrijft. De seconde dat de wereld van het paradijs veranderde in wat we nu kennen. Zodra ze daar inzicht in hebben, maken ze deel uit van dat moment, iets waarvan alleen God getuige is geweest. Ze genieten van hun eigen macht over iedereen, over deze arme vrouwen. Over jou en mij. Dit is iets van Franco, niet van de anderen.'

De tengere, donkere vrouw streek geïrriteerd met haar vingers door haar haren. 'Dat moeten jullie je zelf inmiddels toch ook realiseren. Hij is een geobsedeerd mens. Dit is niet alleen maar een schilderij voor hem. Het is een behoefte. Een object van aanbidding. Een noodzaak. Iets wat als katalysator kan dienen om hem te geven wat hij wil.'

Costa keek haar aan. Hij had een bezwaar. 'Ze wisten niets van die andere titel,' merkte hij op. 'Of de handtekening onder de verf.'

'Ze móéten het hebben geweten. Misschien had Tomassoni het doorverteld als zijnde een of ander familieverhaal. Misschien hadden ze het gewoon in het doek zelf gezien. Dit is de hoogste kunst. Dat schilderij was bedoeld om een of andere bedrieglijke spiegel te zijn. Het gaf de toeschouwer precies wat deze erin zocht. Voor iemand als Franco stond dat gelijk aan het omdraaien van een sleutel in een of ander vreselijk slot. Hij vond wat hij zocht. Caravaggio had het met opzet zo geschilderd. Als ik nu een of ander saai academisch artikel aan het schrijven was, zou ik in de verleiding komen om te veronderstellen dat dit zijn wraak was op de opdrachtgever, aangezien hij duidelijk niet de gewoonte had om dergelijke dingen te schilderen, en er waarschijnlijk geen plezier aan ontleende. Hij werd betaald om pornografie te maken. In ruil daarvoor maakte hij iets oneindig veel subtielers. Grof en wellustig voor degenen die daarnaar op zoek zijn. Subtiel, spiritueel en didactisch – een waarschuwing tegen wellust en decadentie – voor degenen die dat zochten. En misschien...' Ze stopte halverwege, het leek of ze even niet wist hoe ze verder moest gaan. '...een beetje van allebei voor zij die zichzelf normaal achten. Begrijpen jullie nu wat ik wil zeggen? Of moet ik het voor jullie uitspellen?'

Niemand zei iets.

Agata kreunde. 'Franco en zijn vrienden moesten naar deze weelderig gevormde Eva kijken omdat hun daden door haar aanwezigheid belangrijker werden. Ze werden uitvergroot. Ik weet niets van deze dingen, maar ik weet wel wat extase betekent. Is het mogelijk dat dit werk een man zozeer beïnvloedt dat hij die staat niet meer kan bereiken als het er niet meer is? Gold dat misschien ook voor Veronique Gillet? Ik vraag het aan jullie omdat dit buiten mijn bereik ligt. Is dat mogelijk?'

Iedereen zweeg, totdat Teresa Lupo haar neus optrok en zei: 'Als er één ding is dat je in deze baan leert, zuster, dan is het dat het verbijsterend is waar sommige mensen opgewonden van raken. Ik denk dat je onze man precies juist hebt ingeschat. Niet dat we er wat aan hebben. In feite maakt het hem angstaanjagender dan ooit.'

Agata glimlachte. 'Echt waar? Ik zou denken dat het hem menselijker maakte. Nu zou ik graag naar de Vicolo del Divino Amore willen gaan, alsjeblieft.' Ze wachtte even en staarde *commissario* Esposito aan. 'Tenzij iemand een beter idee heeft –'

'Je hebt ons enorm geholpen,' viel Falcone haar in de rede. 'We zijn je erg dankbaar. Maar ga nu alsjeblieft terug naar de boerderij. Daar zul je veilig zijn. Alles wat je wilt zullen we laten aanrukken.'

'Wat ik wil,' zei ze bitter, 'is helpen. Hoe kan ik dat doen als je me als een gevangene behandelt?'

'Agata...' begon Falcone.

Esposito gebaarde dat hij zijn mond moest houden. 'Ze heeft

gelijk,' gaf hij toe. 'We hebben alle hulp nodig die we kunnen krijgen. Costa neemt haar mee met zijn team, aangezien jullie elkaar allemaal lijken te kennen. Falcone en ik blijven hier en nemen het weinige door dat we tot dusver hebben vergaard.' Hij staarde Agata Graziano aan. 'Maar op één voorwaarde.'

Ze luisterde, met de armen over elkaar geslagen.

'Je doet precies wat je gezegd wordt, zuster. In dit geval wat *agente* Prabakaran je adviseert, aangezien zij niet van je zijde zal wijken.'

Agata knikte en zei eenvoudig: 'Ik weet wel iets van gehoorzaamheid, *commissario*. Ik beloof het u.'

2

Een halfuur later zat Agata achter in de auto met Costa terwijl ze door de inhoud van een plastic tas aan het rommelen was: boeken, notitieblokken, pennen en potloden. Ze zei niet veel tot de wagen om het Piazza Borghese heen gereden was en boven aan een kleine steeg tot stilstand kwam, op zo'n twintig meter afstand van een kleine groep toeschouwers en een paar fotografen die daar verveeld stonden te wachten, bij de gele afzetting van tape, dat er door de regen en de modder oud uit begon te zien.

'Deze stad ziet er vanuit een auto anders uit,' overpeinsde Agata. 'Ik geef de voorkeur aan lopen. En jij?'

'Niemand die bij zijn volle verstand is, rijdt in Rome,' antwoordde hij met nadruk.

'In dat geval is dit een stad vol gekken,' klonk Rosa Prabakaran vanaf de voorbank. 'Zuster Agata, heb je er bezwaar tegen als ik een voorstel doe?'

De auto was tot stilstand gekomen. De surveillancevoertuigen bevonden zich voor en achter de auto. Er stapten agenten uit die, evenals Rosa, het terrein verkenden, met de professionele, kalme doelgerichtheid waar Costa zo van hield.

'Je kunt je leven niet in een plastic tas met je mee blijven zeulen,' zei Rosa ineens en ze stak iets over de rugleuning van haar stoel. Het was een mooie nieuwe schoudertas van zwart leer, met een glanzende zilveren gesp erop. 'Neem deze alsjeblieft aan. Een cadeautje van de Questura.'

Costa ving haar blik op. Dit was echt niet afkomstig uit het politiefonds. Het ding had alle kenmerken van de goedkope maar toch handige artikelen die de vader van Rosa in zijn stalletje vlak bij de Trevifontein aan toeristen verkocht.

'Ik ben bang dat je uit die plastic tassen dingen kwijt zult raken,' voegde ze eraan toe. 'Dit is zuiver praktisch...'

Agata nam hem van haar aan en staarde naar het glanzende leer, snoof er even aan en trok haar donkere neus op bij de geur. 'Ik red het al heel lang prima met plastic tassen,' merkte ze op.

'Je loopt nu niet meer van het klooster naar je werk en terug, een paar minuten per dag. Niet meer.' Rosa liet zich niet afschepen. 'Alsjeblieft.'

Agata haalde haar schouders op, nam het ding aan, maakte de gesp open en wilde er net de hele inhoud van een plastic zak in kieperen door deze simpelweg boven de geopende leren tas ondersteboven te houden. Toen stopte ze, staarde naar binnen, stak haar hand erin en haalde er heel voorzichtig een zwart metalen object uit. Het was een kleine dienstrevolver.

'Wat is dit?' vroeg ze. 'Nee, dat was een domme vraag. Ik weet wat het is. Waarom willen jullie dat ik zo'n ding heb? Dat is onmogelijk.'

'Wapens in de handen van mensen die niet weten hoe ze ermee om moeten gaan, hebben weinig zin,' merkte Costa op. 'Waar ben je mee bezig, *agente*?'

'Voor we weggingen schoot *commissario* Esposito me aan, meneer,' antwoordde ze. 'Hij wil dat zuster Agata er een heeft en dat ik haar uitleg hoe ze hem moeten gebruiken, zo nodig. Zover komt het niet. Maar toch...'

Agata hield de revolver voor zich uit en raakte uiterst voorzichtig het zwarte metaal aan, alsof het giftig was. 'Dat zijn jouw instructies, Rosa, niet de mijne,' mompelde ze.

'Waarom stelde *commissario* Esposito dit voor?' vroeg Costa, woedend dat de man het onderwerp niet rechtstreeks ter sprake had gebracht.

'Om operationele redenen.'

De dienstdoende bewakers begonnen om de auto heen te draaien, erop gebrand in actie te komen.

Costa hield vol. 'Wat voor operationele redenen?

Rosa fronste haar voorhoofd. 'Zuster, heb je er enig idee van wat de Camorra is?'

Ze schudde haar hoofd. Het haar bewoog niet meer. Op het crucifix om haar nek, die op de crèmekleurige blouse rustte, en de lompe, sjofele laarzen na, leek Agata Graziano niet langer op de vrouw die ze zichzelf nog steeds voelde.

'Zou dat moeten?' vroeg ze.

'Helemaal niet,' snauwde Costa, boos dat Esposito om de een of andere reden niet aan hem gevraagd had Agata over zo'n gevoelig onderwerp te benaderen. 'De Camorra zijn misdadigers.'

Agata staarde hem aan, met grote ogen van nieuwsgierigheid. 'Alleen maar "misdadigers"?'

'Het is een criminele organisatie die haar hoofdkwartier heeft in Napels, al strekken hun armen, hun tentakels zich overal in Italië, Europa en zelfs Amerika uit,' ging hij verder. 'Stel je een organisatie voor verwant aan de Siciliaanse maffia. Ik veronderstel dat je daar wel van hebt gehoord?'

'Zoals ik al eerder tegen je zei, ik ben geen monnik.'

'Juist,' antwoordde hij. 'Wat hebben wij daar in vredesnaam mee te maken?'

Rosa nam de revolver die haar aangereikt werd niet aan. 'Ze zijn voor het merendeel ook goed katholiek,' zei ze. 'Althans, dat vinden ze zelf. We hoorden vanochtend uit Napels dat een van hen, een man die af en toe inlichtingen verstrekt aan de politie aldaar, ons wilde waarschuwen voor iets wat hij had gehoord. Dat een zeker persoon uit Rome, die hij liever niet bij naam noemde, op zoek was naar iemand om een aanslag uit te voeren, en dat het ernaar uitzag dat hij daar goed voor zou betalen.' Ze staarde met een verdrietige blik in haar bruine ogen naar Agata. 'Hij zei dat het doelwit een katholieke non zou zijn.'

'Ik ben geen –'

Rosa legde haar hand op Agata's stevig ineengeklemde vingers. 'Dat weten we. Maar de naam die hij noemde was die van jou. Dit is goed nieuws, zuster, geloof me. In ieder geval zijn we nu gewaarschuwd. We weten nu ook dat niemand de opdracht heeft aangenomen. De man verafschuwde het hele idee en dacht dat de rest van de Camorra zijn mening zou delen. Maar dit is maar een kleine groep. Franco Malaspina kent er veel meer en hij heeft geld dat een meer dan duidelijke taal spreekt. Dus alsjeblieft...'

De politievrouw duwde het wapen terug over de stoel. 'Doe het voor mij,' voegde ze eraan toe. 'Ik zal je laten zien hoe je veilig met een revolver moet omgaan, mocht de nood aan de man komen. Maar dat zal het niet. We zullen je beschermen. Nic en ik' – ze wees naar de agenten aan de andere kant van het portier – 'wij allemaal. Dit zal niet nodig zijn. Het is gewoon een voorzorgsmaatregel.'

Agata uitte een milde vloek en stopte het wapen met nadrukkelijke minachting weer terug waar het vandaan kwam. 'Ik vind de tas leuk, *agente*,' wilde ze nog wel kwijt, bruusk, kortaangebonden. 'Bedankt daarvoor.'

3

Het laatste bewijsmateriaal was uit het atelier in de Vicolo del Divino Amore verdwenen, maar de geur van de dood – wee, bedorven, misselijkmakend – hing er nog. Agata deed alsof ze het niet merkte. Rosa Prabakaran en Peroni verontschuldigden zich daarentegen en gingen buiten staan. Costa begreep waarom. Misschien kwam het door het oplichten van de vloeren of was het door al die muffe, donkere aarde zelf die blootgelegd was dat de stank nu erger was dan op het moment dat het eerste lichaam was gevonden.

Er was ongetwijfeld niets van enig belang achtergebleven in het knekelhuis, dat ooit de schuilplaats van de Ekstatici was geweest. Toch stond Teresa Lupo erop, toen ze haar bezoekers rondleidde en de grimmige duistere geheimen ervan onthulde, dat ze allemaal de standaard witte overal droegen en binnen het gele tape bleven terwijl zij ieder slachtoffer met grote zorgvuldigheid en tot in de kleinste details besprak.

Agata luisterde en stelde slechts af en toe een vraag. Haar ogen waren het merendeel van de tijd wijd open van verbazing, en af en toe vertroebeld door schok en afkeer.

'Wat weet je van deze vrouwen?' vroeg ze toen Teresa haar belangrijkste uiteenzetting afgerond had. 'Wie ze waren, waar ze vandaan kwamen.'

'Niet veel,' zei Teresa bedroefd. 'Geen namen. Geen voorgeschiedenis. Hun werkterrein was de straat, waarschijnlijk de wat gevaarlijker gedeelten van de stad. Dat is wat we weten. Niet veel meer.' Ze aarzelde. 'Weet je wat aids is?'

'Natuurlijk,' antwoordde Agata zuchtend.

'Vier van hen waren hiv-positief. Een had er waarschijnlijk al aids.'

Agata schudde haar hoofd. Ze zag er merkwaardig jong uit in de witte overal. 'Arme meiden...'

'Ze waren niet de enigen,' bracht Costa te berde. 'Ook Véronique Gillet leed aan aids.'

'In wat voor wereld leven jullie?' mompelde Agata. 'En dan vinden jullie Caravaggio in vergelijking daarmee primitief. Hebben jullie ook kunstenaarsmaterialen gevonden die niet modern leken?'

Dit was een onderwerp dat de patholoog duidelijk niet interesseerde. 'Er was wat verf, en een klein aantal kwasten van een paar jaar oud. Ze waren al een tijd niet gebruikt.'

Teresa keek om zich heen. 'Dit was een atelier, toch? Het zou daar toch heel geschikt voor zijn? Zeg me of ik gelijk heb of niet, Agata.'

'Volgens mij wel,' antwoordde ze.

'Caravaggio's atelier?' vroeg Costa.

Agata wierp hem een strenge blik toe. 'Je kunt mij geen duidelijke antwoorden geven over gebeurtenissen die hier de afgelopen paar maanden hebben plaatsgevonden. En dan verwacht je van mij dat ik je meer kan vertellen over dingen die hier misschien wel, misschien niet vierhonderd jaar geleden zijn gebeurd?'

Teresa sloeg haar sterke armen over elkaar. 'Ja, zuster, dat klopt. Waarom ben je anders hier?'

Agata lachte. 'Goed dan. Laat me jullie eerst vertellen wat ik gisteravond heb gelezen, in de dodelijke stilte van Nics eenzame boerderij. Caravaggio heeft inderdaad in deze straat gewoond tot hij Rome moest ontvluchten nadat hij bij een gevecht Ranuccio Tomassoni gedood had, waarbij aan beide zijden nog meer mensen en messen betrokken waren. Het is moeilijk preciezer te zijn. In die tijd had deze straat een andere naam. Het was de Vicolo dei Santi Cecilia Biagio, en vraag me niet waarom de naam is veranderd, dat weet ik niet.'

Ze draaide zich om en keek de ruimte rond. 'Toen Caravaggio op de vlucht sloeg, maakten de autoriteiten een inventaris van zijn huis op. De meeste dingen daar waren waarschijnlijk van hem, niet van zijn vriendje of bediende.' Even gleed er een melancholische uitdrukking over haar gezicht. 'Als je de lijst van zijn bezittingen bekijkt, vraag je je af wat er met hem was gebeurd. Het was zielig. Een gitaar. Wat oud en armetierig meubilair. Enkele wapens natuurlijk, waaronder een paar duelleerzwaarden in een koffer van ebbenhout, waarschijnlijk het waardevolste wat hij bezat.'

Ze staarde hen aan. 'Daar heb je de man. Hij zag alles, leefde alles. Goed en kwaad. Wat aangeraakt was door genade en wat dat duidelijk niet was. Hij wilde het gewoon állemaal schilderen, tot in de kleinste details. Maar hier?' Agata Graziano spreidde haar armen in vruchteloze wanhoop. 'Ik weet het niet. Misschien woonde en werkte hij in dezelfde kamer. Dat deden er velen, als ze arm waren. De naam van de straat is veranderd. De nummers zijn veranderd. Ik heb geen idee. Hebben jullie niks gevonden?'

'Wij waren op zoek naar bewijsmateriaal van nu,' antwoordde Teresa. 'We zijn forensisch wetenschappers, geen archeologen. Natuurlijk hebben we ander materiaal gevonden. We zaten direct in de aarde te spitten.'

'Oude kwasten, penselen? Papieren? Iets waar wat op geschreven was?'

Teresa klaarde een beetje op en zei: 'Ik zal je laten zien wat we hebben.'

Agata volgde de patholoog naar een stapel felrode plastic dozen, die in vier lagen op elkaar gestapeld waren. Ze bevonden zich naast de achteruitgang bij de binnenplaats. De aanblik daarvan riep zo veel herinneringen op bij Costa, dat hij zich om moest draaien en even een andere kant op moest kijken, terwijl hij zich afvroeg of het echt mogelijk was om door een of ander vreemd en onverklaarbaar zesde zintuig het verleden te voelen, de aanwezigheid van een buitengewoon mens te ervaren.

Toen hij zich omdraaide was Agata druk in de dozen aan het rommelen, ze schoof gebroken vaatwerk en afval opzij en alle rommel die zich daar in de loop van de eeuwen in de Romeinse zwarte aarde had verzameld.

'Een kwast,' zei ze en ze gooide iets op de vloer, vlak bij zijn voeten. 'Waarschijnlijk uit die periode. Maar hij kan van iedereen geweest zijn. Dit is tijdverspilling. Er is niets...'

Ze zweeg. Costa en Teresa keek zwijgend toe hoe ze een object uit de doos haalde en terzijde legde. Toen dook ze met wapperende handen in de tweede doos, harkte razendsnel een minuutje door de inhoud voor ze op iets anders stuitte en dat eruit haalde.

Ze hadden nauwelijks gelegenheid om te kijken naar wat ze had gevonden of beide voorwerpen waren al in haar glanzende nieuwe zwarte schoudertas verdwenen.

Agata Graziano staarde haar kleine, zwijgende publiek aan. 'Gebeurtenissen ophalen van maanden geleden, dat interesseert me niet zo,' verklaarde ze. 'Als je het mij vraagt is het tijdverspilling om te veel bij het directe verleden stil te staan. Maar...'

Haar ogen fonkelden duidelijk van opwinding. 'Ik herinner me een gesprek dat ik met Véronique Gillet had op een avond toen die tentoonstelling in het Palazzo Ruspoli geopend werd, waar ze zo veel Caravaggio-materiaal uit het buitenland hadden.'

Costa sloot zijn ogen. Hij was verantwoordelijk geweest voor de beveiliging bij die tentoonstelling. Toen die afgelopen was, hadden Emily en hij besloten om te trouwen.

'Ik plaagde Véronique. Ze was een Française, verdorie, en die vragen erom. Bovendien hebben ze zo veel van ons gestolen en verwaardigen zich nooit iets met ons te delen. Dit was' – ze wees naar hen om haar punt te onderstrepen – 'het onderwerp van onze kleine speelse ruzie. Er was een schilderij dat hier had moeten zijn. *De dood van de Maagd*. Het Louvre wilde er onder geen beding afstand van doen. Een of ander excuus over beveiliging of conservering of zo. Het had in Rome moeten zijn, niet in Parijs, waar het werd aangegaapt door toeristen die niet het geringste benul hebben van wat ze zien. Luister nu goed. Caravaggio schilderde naar het leven. Altijd.'

'Ik zal het proberen,' antwoordde Teresa. 'Maar wat wil je daarmee zeggen?'

'Er was een schandaal toen hij dat schilderij af had. De madonna maakte een opgezwollen en dode indruk. Ze was tenslotte ook dood. Overduidelijk menselijk, bepaald geen godin in afwachting van haar goddelijke status. Erger nog, het geloof was wijdverbreid dat hij haar geschilderd had naar het lijk van een gewone Romeinse hoer die uit de Tiber was opgevist. Ik geloof dat ook. Dat blijkt toch overduidelijk. Uit hoe ze eruitziet. Uit het medeleven waarmee ze bekeken wordt door de figuren om haar heen – gewoon medeleven. *Disegno*. Hij zocht het teken van God in ieder van ons.'

Ze staarde de ruimte in, zonder iets te zien, alleen bezig met de vragen die door haar hoofd raasden.

'We weten precies wanneer dit werk gemaakt is, omdat het een opdracht van de Kerk was. Dat is in de archieven terug te vinden. Als dit Caravaggio's atelier was, moet het lijk hier gelegen hebben,' zei Agata ten slotte terwijl ze Costa aankeek, zowel vol van verbijstering als van een verschrikkelijk weten. Haar vingers wezen naar de grond. 'Híér. Vierhonderd jaar voor jullie arme zwarte vrouwen van de straat...'

'Als...' mompelde Teresa. Agata schudde de capuchon van de witte overal van haar hoofd en begon zich uit het witte plastic te wurmen. 'Ik wil nu meteen naar het Doria Pamphilj,' verklaarde ze, nog steeds met de overal worstelend. Ze stormde tussen hen door op de deur af. Niemand bewoog.

'Ik kan ook *commissario* Esposito bellen, als jullie willen,' riep ze en ze draaide zich om, met haar korte, magere armen naar hen gebarend.

'Dat zou je inderdaad kunnen doen,' kreunde Costa en hij ging achter haar aan.

4

Ze stonden in een zachte wintermotregen op het Piazza del Collegia Romano, zes politieagenten die zich verdrongen om de kleine gestalte van Agata Graziano, ineengedoken in een regenjas die Rosa Prabakaran god weet waar vandaan had gehaald. Het museum was de rest van de middag gesloten. Costa nam de taak op zich naar het kantoor te bellen, maar tegen de tijd dat hij daarmee klaar was, was de deur al open en stond een stralende bewaker hen naar binnen te wenken. Een paar woorden van Agata in de intercom, meer was niet nodig geweest.

'Zuster, zuster!' blaatte de man van middelbare leeftijd in het ouderwetse uniform. 'Kom gauw binnen! Alsjeblieft! Wat een vreselijk weer.' Hij staarde naar het legertje politieagenten en Teresa Lupo, die met haar grote voeten op de dorpel stampte. 'En uw... vrienden ook.'

'Dank je wel, Michele,' antwoordde ze en ze beende de donkere gang in. Ze stevende meteen de monumentale trap op naar boven, naar de zaal op de eerste verdieping.

Het was moeilijk haar bij te houden. Tegen de tijd dat ze boven aan de trap waren gekomen, was Agata de ingang voor het publiek al gepasseerd en liep ze gehaast door de Poussin Kamer en de Fluwelen Kamer, liet de balzaal links liggen en ging duidelijk met elke stap sneller. Vervolgens rénde ze bijna door de gesloten boekhandel om rechts af te slaan naar een reeks kamers, waaronder het zestiende-eeuwse vertrek met de twee Caravaggio's die ze nog maar een paar dagen geleden waren komen bezichtigen.

Toen ze haar eindelijk ingehaald hadden, stond ze stijf rechtop en gefascineerd voor het kleinere doek van de boetvaardige Maria Magdalena. Alleen haar schouders bewogen, als was haar kleine, gespannen lichaam in de greep van een of andere onverwachte emotie.

Costa was bezorgd. Toen besefte hij wat er aan de hand was. Ze was zachtjes in zichzelf aan het lachen, duidelijk zonder er iets om te geven wat een ander daarvan vond.

'Agata...' zei hij zacht. 'Wat is er?'

Haar schitterende ogen richtten zich op hem. Haar mond barstte open in een sprankelende, witte glimlach.

'Gaat het wel goed met je?'

'Het gaat fantastisch met me. En ik ben een idioot. We zijn allemaal idioten. Hier. Kijk hier eens naar...'

Ze stak haar hand in de zwartleren schoudertas en haalde het eerste voorwerp tevoorschijn dat hij haar uit de rode doos in de Vicolo del Divino Amore had zien pakken.

Ze moest er in de auto op weg naar het museum stiekem over hebben zitten wrijven. Het was niet langer een ondefinieerbare, stoffige vorm. Wat Agata in haar handen had was een glazen karaf die ooit werd gebruikt voor water en wijn, met zulke zachte rondingen dat hij alleen handgemaakt en erg oud kon zijn.

Agata wreef met de mouw van haar regenjas hard over de rand.

'Zeg me dat dat geen bewijsmateriaal is,' zei Teresa geschrokken.

'Het is fantastisch bewijsmateriaal. Het beste dat ik me maar kon wensen. Alleen niet voor jou. Voor mij.'

Ze keken toe terwijl Agata de flacon vlak bij de sluimerende Magdalena op het schilderij hield. Aan haar voeten bevond zich een identiek glazen object, naast wat weggesmeten sieraden, getuige van een afspraakje waar ze spijt van had, of van een leven dat op het punt stond in de steek gelaten te worden.

'Het is dezelfde karaf,' zei Agata beslist.

'Het is een karaf,' benadrukte Teresa.

'Nee. Hij schilderde naar het leven. Hij had meestal geen geld. Misschien was hij ook wat sentimenteel. Zijn leven lang duiken dezelfde objecten op – rekwisieten en modellen. Hij gebruikte wat hij kende. De dingen waarvan hij hield' – met grote genegenheid wierp ze een blik op het schilderij – 'probeerde hij te houden. Caravaggio schilderde dit werk toen hij zich nog in de gunst van Del Monte in het Palazzo Madama bevond, en samenleefde met bohemiens, alchemisten en genieën als Galileo, naast zwervers en kwakzalvers van de straat. In de zeven jaar die tussen het Magdalena-schilderij en dat smerige hol in de Vicolo del Divino Amore liggen, beleefde hij zijn opkomst en neergang, werd hij de beroemdste kunstenaar van Rome en vervolgens een opgejaagde misdadiger die gezocht werd wegens moord. Waarom? Waaróm?'

'Het is een karaf,' zei Teresa opnieuw.

'Een arme man die steeds armer wordt, verkoopt wat waardevol is voor een ander en probeert te houden wat waardevol is voor hemzelf,' verklaarde ze. 'Dit is de flacon. Net als de rest heeft hij hem meer dan eens gebruikt. Ik kan je de schilderijen laten zien als je nog steeds twijfelt. *Bacchus* in het Uffizi. *Een jongen gebeten door een hagedis* in Londen. Niets van later datum. Niets van nadat hij uit Rome gevlucht was.' Ze staarde hen aan. Haar blik duldde geen tegenspraak. 'Omdat hij het niet langer had.'

Ze hield het glas voor hen op zodat ze het konden bekijken. Onderin zat een duidelijke vlek, als oud bloed.

'Wijn, denk ik,' voegde Agata eraan toe. 'Dat was een andere reden om het te houden. Hij kon het schilderen. Hij kon er ook uit drinken.' Ze zag de scepsis op hun gezichten. 'Als Caravaggio in dat huis woonde,' ging ze verder, 'moet Franco Malaspina dat geweten hebben. Hij zei het zelf al. Het maakt deel uit van het bezit van de Malaspina's. Het is het armere stuk daarvan, in Ortaccio, maar het blijft hun bezit. Deze families houden van alles registers bij. Het meeste van wat we weten over de schilderpraktijk in de zestiende en zeventiende eeuw hebben we uit de boekhouding van hetzij de Kerk, hetzij de aristocratie.'

'Zelfs voor mij,' merkte Teresa zachtjes op, 'is dit een beetje vergezocht.'

'Nic! Vertel ze wat we op dat schilderij hebben ontdekt, voordat Franco het van ons afnam. Vertel het ze!'

'We zagen een handtekening,' zei hij. 'Die van Caravaggio. Er stond...' Hij zweeg. Al die schilderijen die ze gezien hadden, al diezelfde gezichten, objecten... tolden door zijn hoofd en vermengden zich met elkaar.

'Er stond,' viel Agata hem in de rede, '*fra. michel l'ekstasista.*

Michelangelo Merisi, de Ekstaticus. Franco had de naam van zijn moorddadige dievenbende niet uit zijn duim gezogen. Hij had hem in de geschiedenis gevonden. Of de naam had hem gevonden. Wat Buccafusca, Castagna, de arme domme Nino Tomassoni en hij gedaan hebben, kwam voort uit die ene handeling, en die heeft hen uiteindelijk te gronde gericht. Kijk...'

Ze wees naar de prachtige sluimerende vrouw met de traan die als een transparante parel op haar wang glansde. 'We kennen haar naam. Fillide Melandroni. Een prostituee, en een gewelddadige ook nog, een vrouw die voor het gerecht gesleept was, omdat ze het gezicht van haar rivalen met een mes bewerkte om hun marktwaarde te verlagen. Hier is ze Maria Magdalena. Ergens anders is ze Judith die Holofernes afslacht, Catherina die tegen een muur leunt voor ze een martelaar werd. Hier!'

Ze wees naar het schilderij dat ernaast hing, naar de figuur van Maria met het kindje Jezus in de armen, tijdens de vlucht naar Egypte.

'De heilige hoer,' zei ze zacht. 'En let ook op de jurk.' Ze wees naar het kostbare olijfgroene brokaat, naar het fleur de lis-patroon op de mouwloze, golvende jurk van de slapende Magdalena.'Dit was de kledij van een Romeinse prostituee met geld, het soort vrouw dat met kardinalen naar bed ging en na afloop met hen over kunst en filosofie praatte voordat ze 's avonds de straten van Ortaccio... ja wat... onveilig maakte met Caravaggio en zijn vrienden?'

Tot Costa's verbazing stak Agata haar hand uit en raakte heel even de zachte, bleke huid van de slapende vrouw aan de muur aan.

'Goed zowel als kwaad, en dat allebei in extremis,' zei ze zacht. '*Nec spe, nec metu*. Zonder hoop of angst. Ze maakte er zonder meer deel van uit. Franco Malaspina heeft de Ekstatici niet uitgevonden. Hij heeft ze alleen opnieuw tot leven gebracht, heeft die lelijke bende waar Caravaggio en Fillide toe behoorden uit de dood toen verrijzen, voordat alles zo vreselijk fout ging.' Agata wendde haar aandacht van de muur af. 'En dan nu een woord waarvan ik dacht dat ik het nooit uit zou spreken,' zei ze toen. 'Gisteravond las ik wat er in de boeken te vinden was over de zaak tegen Caravaggio. Daaruit kwam ik te weten dat een mogelijke reden voor het gevecht was dat Ranuccio Tomassoni de pooier van Fillide was. De man die haar aan anderen verkocht. Klopt dat?' Ze sloot haar ogen even. 'Nee, nee. Ik weet dat het klopt. Het maakt allemaal deel uit van jullie wereld, niet de mijne, maar ik kan het niet voorkomen: die van jullie dringt zich steeds meer op. Vertel me. Is het mogelijk dat de relatie tussen Véronique Gillet en Franco Malaspina een soortgelijke was? Medeplichtige. Minnares. Muze. Medeplichtige. Zou dat waar kunnen zijn?'

Costa wist niet wat hij moest zeggen. Wanneer hij Agata zo zag worstelen met deze ideeën – die hem uitermate zinnig geleken – kon hij de mengeling van opwinding en droefenis zien die ze veroorzaakten.

'Iets wat we nog steeds niet begrijpen brachten zij opnieuw tot leven,' ging Agata verder. 'Iets wat met dat schilderij te maken heeft. Met Tomassoni misschien, of een of andere connectie met Franco's eigen herkomst.' Ze keek elk van hen beurtelings aan. 'Zoveel heb ik wel begrepen uit wat ik heb gelezen. Ranuccio Tomassoni was de *caporione* van zijn wijk. De heer en meester. De man die de bendes leidde, die het gezag voerde over de straat en naar believen wraak nam dan wel een soort rechtvaardigheid deed gelden. Net zoals Franco tegenwoordig. Een tijdlang verkeerde Caravaggio in zijn gezelschap, samen met Fillide. Op de een of andere manier' – ze kneep haar ogen weer stevig dicht en probeerde zich te concentreren – 'kwamen Franco en Nino Tomassoni hierachter en bliezen het nieuw leven in met dat schilderij in het middelpunt. Toen, met de hulp van Véronique, maakten ze alles zoveel erger. Hoe? Waarom? Ik heb geen idee.'

Teresa schudde haar hoofd en zuchtte. 'Zelfs als dit waar is, dan geeft het ons nog niet genoeg bewijs om Franco Malaspina voor een rechter te slepen. Zelfs als we er een konden vinden die hij niet in zijn macht had. Ze zouden ons voor gek verklaren.'

'Het is een kwestie van tijd,' hield Costa vol. 'En werk. Hoe meer we weten, hoe dichter we bij deze man komen. Vroeger of later...'

'Nic,' wierp Teresa tegen. 'Het enige wat we hebben zijn een stuk oud glas en een hoop interessante connecties die al dan niet ergens op slaan.'

'Nee, dat is niet het enige,' zei Agata en ze reikte opnieuw in haar tas. Ze haalde er iets anders uit en wreef het hard tegen haar mouw. Er vielen stof en vuil vanaf, op de geboende vloer van het

Doria Pamphilj. Toen hield ze het voorwerp naast het schilderij aan de muur, zodat iedereen het kon zien.

Het was een stukje stof, een opzettelijk uitgeknipt vierkantje van stof ter grootte van een hand.

Agata liet het daar en niemand zei iets.

'Een memento,' opperde ze, 'aan de tijd dat Michelangelo Merisi gelukkig was en in een wereld vol licht woonde. En later iets wat troost bood, een herinnering aan dat voorgoed voorbije verleden, toen hij inmiddels in een staat van voortdurend geweld, duisternis en bloed leefde. Kijk!'

Er was hetzelfde fleur de lis-patroon op te zien als op de stof van de jurk van Fillide Melandroni, die lag te slapen als de boetvaardige Maria Magdalena. Costa stak zijn hand uit en raakte het met zijn vingers aan. De stof voelde dik en kostbaar aan. En als je de stof en het vuil van eeuwen weg dacht, zou je ongetwijfeld ook dezelfde olijfgroene kleur zien.

Het hol van de Ekstatici

1

'Nina Tomassoni kan wachten. Laat me dat standbeeld zien waar jullie naar hebben gekeken,' zei ze terwijl ze het Dora Pamphilj verlieten. 'Het is niet zo ver.'

'Dat klopt,' beaamde Teresa vanaf de voorbank. 'Maar verwacht er niet te veel van. We hebben alles wat we konden van die verdomde dingen af geschraapt, op zoek naar iets dat ons naar Malaspina zou leiden. Papier. Inkt. Spuug. Kortom, echt alles.' De patholoog zuchtte. Ze zag er ook uitgeput uit. De sfeer was nerveus en gespannen, en ademde moedeloosheid en mislukking.

Net toen ze de auto in wilden gaan, kreeg Costa een telefoontje van Falcone, die in de Questura zat. De juridische afdeling werd onrustig. Toni Grimaldi, toch al nooit de toeschietelijkste collega, zei ineens niets meer.

'We hebben de andere standbeelden ook geprobeerd,' voegde Teresa eraan toe. 'Met dat materiaal zouden we nog maanden bezig kunnen zijn. En misschien doen we dat ook wel. Ik weet het niet... We hebben iets buitengewoons nodig, iets directs. Aan alleen DNA hebben we niets. We knallen iedere keer met onze kop tegen dezelfde muur. We krijgen gewoon niets om het mee te vergelijken.'

Ze wachtte tot de andere auto's tot stilstand waren gekomen en de agenten zich hadden opgesteld rond het portier waar Agata uit zou komen. Toen stapten ze allemaal uit en gingen onder een grijze winterhemel voor het primitieve, versleten standbeeld van Pasquino staan. De avond viel over de stad, onder zwarte wolken vol regen, waarvan de onderkant bespikkeld was met langzaam bewegende zwermen spreeuwen die eindeloos hoog boven hen rondcirkelden.

'Dit is belachelijk,' siste Agata. 'Waarom zou iemand mij willen vermoorden? De rechter heeft mijn bewijsvoering al volledig naar de prullenbak verwezen.'

'Als we meer bewijsmateriaal vinden, kunnen we jou opnieuw als getuige opvoeren,' betoogde Costa. 'En dus...' Hij wilde nu niet verdergaan, maar zij staarde hem doordringend aan. 'Misschien denkt hij dat jij degene zult zijn die wellicht iets opmerkt dat de rest van ons nooit zal zien. En dat zal hem helemaal niet lekker zitten.'

'Daar heeft hij het dan goed mis, hè?' gromde ze. 'Ik ben niet eens in staat om de waarheid te ontdekken over wat er met Caravaggio gebeurd is en ik bestudeer hem al jaren.'

Net als zij had hij zo veel boeken gelezen, zo veel biografieën. En geen ervan gaf deugdelijke antwoorden op de vraag wat er gebeurd was de dag dat Ranuccio Tomassoni stierf, of waarom.

'Waarom weten we dat niet?' vroeg hij, oprecht nieuwsgierig. 'Het was een strafzaak. Daar moeten toch stukken van bewaard zijn?'

'Niks betrouwbaars. Caravaggio sloeg op de vlucht. De meeste anderen ook en toen ze terugkwamen was alles in de doofpot gestopt, de schade vergoed, reputaties hersteld. Ik weet het gewoon niet. De informatie die we hebben is afkomstig van verslagen van tijdgenoten die er alleen maar zijdelings bij betrokken waren. Vrienden van Caravaggio. Of zijn vijanden. Je zou verwachten dat er in de archieven van het Vaticaan iets te vinden zou zijn. Ik heb daar contacten. Ik heb er gekeken. Niets. Misschien laadden ze de verdenking op een belangrijk persoon. Del Monte zelf misschien wel. Maar wat heeft het voor zin daarover te speculeren?'

Ze deed een stap naar voren in de richting van het standbeeld, stak haar hand uit en raakte de steen aan. Die was nog maar pas door het forensisch onderzoeksteam schoon geschraapt. Desondanks waren de affiches teruggekeerd, met hun gewone heftigheid. Er waren vijf boodschappen aangeplakt, allemaal computerprints in een zogenaamde handschriftletter. Drie ervan leken complete onzin. Eén bestempelde een oudere politicus als misdadiger. Het laatste affiche was een scheldkanonnade, waarin de paus voor van alles en nog wat werd uitgemaakt en werd vergeleken met Hitler.

'Er is zo veel haat in de wereld,' zei Agata zacht. Ze staarde naar het verweerde gezicht van het standbeeld, waar nog maar nauwelijks een man in te herkennen was. 'Waarom besteedt de politie tijd aan dergelijke dingen?'

'Omdat het soms de moeite waard is,' deed Rosa een duit in het zakje. 'Wij hebben hier tenslotte iets gevonden. Alhoewel het meestal' – ze haalde haar schouders op – 'vooral om racistische of politieke teksten gaat. Maar we moeten dit soort informatie in de gaten blijven houden. Waar anders vind je iets wat zo... openhartig is?'

'Waar anders?' echode Agata zonder haar blik een moment van Pasquino af te wenden. 'Waar waren de andere?'

Rosa zei het haar. Toen baande de kleine, tengere vrouw in het zwart zich een weg door het groepje agenten, naar de middelste auto, en ging daar zitten wachten, volledig in beslag genomen door haar eigen gedachten.

Toen hij instapte merkte Costa dat ze hem aan zat te staren.

'Vertel me eens wat over die standbeelden, Nic,' zei ze. 'Ik moet er wel duizenden keren langs zijn gelopen. Ik zou er graag meer van weten.'

Het was goed om het over iets te hebben dat niet direct te maken had met de schilderijen van Caravaggio of met Franco Malaspina.

En dus vertelde Costa haar over Pasquino, Abate Luigi en Il Facchino en een paar andere, minder bekende standbeelden die hij onlangs had ontdekt; het merkwaardige, met een korst bedekte beeld van Il Babuino even voorbij de Spaanse Trappen, Madama Lucrezia op het Piazza San Marco, en Marforio, ooit de partner van Pasquino, tot de autoriteiten van het Vaticaan deze liggende gestalte van een zeegod naar het Campidoglio hadden verbannen.

Ze lachte om zijn verhalen, in ieder geval een beetje, en toen waren ze, een paar korte minuten later, op het Piazza di San Lorenzo in Lucina, waar het lachen haar verging.

2

Het huis van de Tomassoni was omringd door hekken en gele tape. Buiten hing een eenzame persfotograaf rond. Zonder duidelijke reden haalde hij een spiegelreflexcamera tevoorschijn en begon plaatjes te schieten zodra het konvooi van drie auto's arriveerde. De agenten uit de eerste auto sprongen naar buiten en hadden hem in een mum van tijd ingesloten. Costa droeg Rosa op Agata meteen naar het huis te brengen. Terwijl ze daarmee bezig was, zo snel en efficiënt als haar beschermeling toeliet, liep hij recht op de man met de camera af.

'Waar denk jij verdomme dat je mee bezig bent?' vroeg Costa de kerel, die vloekend en worstelend in de armen van twee agenten in burger hing.

'Mijn brood verdienen,' blafte de fotograaf terug in een zuidelijk accent. 'Dat probeer ik tenminste. Waar denken jullie klootzakken dat je mee bezig bent? Dit is een openbare weg. Ik kan doen wat ik wil.'

'Legitimatie,' zei Taccone, de *sovrintendente* die de leiding over de eerste auto had, 'en dat was geen vraag.' Hij was het identiteitsbewijs al uit de portefeuille van de man aan het trekken.

'Je hoefde er alleen maar naar te vragen,' kreunde deze. 'Dit is intimidatie. We hebben rechten.'

Costa pakte de portefeuille en keek naar de foto en de schaarse details die op het bewijs stonden. 'Carmine Aprea,' las Costa voor. 'Nou, Carmine... Waar is je perskaart?'

'Ik maak geen deel uit van het systeem, man,' antwoordde Aprea.

'Hoe weet ik dan dat jij bent wie je zegt dat je bent?'

'Bel de kranten maar. Noem ze mijn naam. Ze kennen me. Ze vinden me misschien niet leuk, maar wat kan dat schelen? Zolang ze betalen...' Hij knikte naar het huis. 'Normaal neem ik foto's van levende mensen. Maar al die lijken die jullie hier hebben... Het is een tijd geleden dat ik een paar dooien had. Verandering van spijs doet eten.'

'Paparazzo,' mompelde Taccone en hij spuugde op de grond. 'Er zijn hier geen lijken. Ga een of ander sterretje lastigvallen.'

'Hoeveel verdien jij, idioot?' kaatste Aprea terug, terwijl hij Taccone van top tot teen opnam. In elegante kleding werd de oude *sovrintendente* niet veel gezien. Het was bijna een vaste grap in de Questura. 'Ik kan jou met één foto kopen, man...'

Op dat moment kwam Peroni tussenbeide en zijn grote, lelijke gezicht vol littekens legde de kleine, zuinig kijkende man met de camera het zwijgen op.

Peroni griste de grote zwarte Nikon uit Aprea's handen en hield hem voor diens gezicht, de lens omhoog, het metalen huis op een aantal centimeters van zijn donkere neus. 'Weet jij wat een endoscoop is, Carmine?' vroeg hij.

Verbijsterd vertrok Aprea zijn donkere gezicht. 'Enigszins, het is...'

'Fout. Dit...' bulderde Peroni en hij drukte de Nikon midden in Aprea's gezicht, '...is een endoscoop. Als ik die lelijke kop van jou nog eens zie, duw ik dat ding zo ver in je reet dat je foto's van je eigen keel kunt maken. En maak nu dat je wegkomt.'

Meer hoefde hij niet te zeggen. Aprea graaide de camera uit zijn hand en maakte dat hij wegkwam, intussen net hard genoeg mopperend dat ze het konden horen. 'Grote kerels. Grote kerels. O, wat een grote kerels...'

'Schiet op jij... hé!' schreeuwde Peroni.

De fotograaf had zich omgedraaid en schoot achter elkaar plaatjes terwijl hij achteruitliep. Alleen was de lens niet op hen gericht, maar op de deur van Nino Tomassoni's huis.

Daar bevond zich Agata, die naar de buitenkant ervan stond te kijken en naar de met keien geplaveide straat alsof ze in haar verbeelding een of ander tafereel opnieuw tot leven probeerde te roepen.

'Naar binnen!' schreeuwde hij tegen Rosa. 'Zoals ik heb gezegd.'
Peroni begon te rennen. Aprea hield op met fotograferen, net lang genoeg om naar de twee vrouwen bij de deur te roepen: '*Grazie, grazie*! Ik zal zorgen dat jullie er morgen prachtig uitzien.'
Toen draaide hij zich om zijn as en rende weg, sneller dan verstandig was voor een man van zijn leeftijd. Zijn bolle zwarte vorm verdween in de wirwar van straatjes die op de rivier uitkwamen.
'Laat hem!' schreeuwde Costa tegen Peroni.
'Maar we hebben niet eens gekeken...' begon de grote man.
'Ik zei...' Hij zweeg. Er was een groter twistgesprek gaande en dat vond plaats in de deuropening van het huis van Nino Tomassoni.

Toen hij binnenkwam wapperde de lange, magere vrouw van de gemeente met een of andere kaart in zijn gezicht en schreeuwde: 'Je raakt geen ding in dit huis aan of ik ga mijn meerderen bellen en dan zit je binnen de kortste keren bij de rechter voor cultureel vandalisme.'
Costa bekeek haar legitimatiebewijs. Ze was van de afdeling stedelijk erfgoed en leek een nogal hoge ambtenaar. '*Signora*,' zei hij kalm. 'We bevinden ons midden in een ernstig onderzoek. Het gaat om een meervoudige moord. Alstublieft...'
'U mag niet zomaar een beschermd gebouw neerhalen,' krijste ze.
'In hemelsnaam, wat zeg ik nou steeds! Ik wil dit ding niet neerhalen.'
Silvio di Capua had een witte overal aan die er niet bepaald wit meer uitzag. Hij was overdekt met specie en stof. In zijn handen had hij een moker. Het zag ernaar uit dat hij hem gebruikt had.
'Wat wil je gaan doen?' vroeg Costa.
'Hier en daar een beetje breken,' smeekte Di Capua. 'Niet veel. Een beetje.'
'Je mag niet...' begon de vrouw.
Agata Graziano had zich tussen Di Capua en de vrouw van de gemeente in gewurmd. Het was duidelijk dat ze elkaar kenden. '*Signora* Barducci! Alstublieft. U kent mij. Het is belangrijk. Luister naar deze mannen.'
'U bent die non van het Barberini,' zei ze. 'Wat doet u hier?'

'Helpen,' antwoordde Agata zonder haar te corrigeren. 'Ervoor zorgen dat er zo min mogelijk kapotgemaakt wordt. Dit huis...'

De gang beneden was bezaaid met de typerende rommel die achterbleef in het kielzog van een onderzoeksteam van de politie. Desondanks was het een heel bijzondere plek. Het leek wel de vergane set van een of andere historische film, met versleten meubilair en schilderijen, en een schimmelige, vochtige geur die getuigde van ouderdom en eenzame bewoning.

'Zijn dat gaslampen?' vroeg Agata.

'Yep,' zei een stem boven aan de trap. Het was Teresa Lupo en ze leek met een nog dikkere laag steenstof te zijn bedekt dan haar medewerker.

Ze schudde het enigszins van zich af en glimlachte toen. 'En dat,' zei ze, 'is precies de reden dat we de muur neer moeten halen.'

De vrouw wapperde met haar lange armen in de lucht. 'Nee, nee, nee! Dat sta ik niet toe.'

'Laat maar zien,' beval Costa en ze liepen achter Teresa aan de wenteltrap op.

3

Het raadsel was simpel: er was gasverlichting op de begane grond en op de bovenverdieping. Op de overloop van de middelste verdieping was de verlichting elektrisch, al was die erg oud.

'En dat betekent?' vroeg Costa.

Teresa wierp een blik op Di Capua. 'Hij is de gebouwenfreak. Vertel jij het maar.'

'Dat betekent dat er iets niet klopt,' legde hij uit. 'Deze verdieping grenst aan het buurhuis. Het is hier zo'n puinhoop dat je de helft van de tijd niet weet waar je bent. Er zijn geen bouwplannen waar we wat aan hebben. Niks officieels...' Hij wierp een smerige blik naar de vrouw van de gemeente. 'Zelfs die lui van monumentenzorg hebben niks.'

'Het is behouden gebleven!' zei ze. 'Dit is verdorie een zestiende-eeuws huis.'

'Het is behouden gebleven,' beaamde Costa. 'Wat is er aan de hand?'

Di Capua pakte de moker op en tikte er, zonder acht te slaan op de kreten van *signora* Barducci, zachtjes mee op de muur aan de linkerkant, en toen aan de rechterkant.

'Dat.'

Ze hoorden het allemaal. Bij de rechtermuur was duidelijk een resonerende klank te horen die aangaf dat er zich een ruimte achter bevond.

'De gasleiding loopt over de originele rechtermuur,' legde Di Capua uit. 'Er zijn zo veel krommingen en draaiingen in het smalle trappenhuis, dat je niet kunt zien hoe het precies zit. Maar dit is niet dezelfde muur, en daarom zit die gasleiding hier niet. Hij gaat van de begane grond recht naar de bovenverdieping en naar die kamer daar.' Hij wees naar de enige deur aan de andere kant van de overloop. 'Maar niet hiernaartoe.'

Agata kwam aanlopen en klopte met haar knokkels tegen de muur. 'Het zijn wel bakstenen,' zei ze. 'Als je gelijk hebt, dan dateert dit nog van voor het gas. Deze huizen stammen uit oude en zware tijden. Hier woonde de *caporione*. Een man die bij misdadige praktijken betrokken zou kunnen zijn geweest. Het was dan niet ongewoon om een of andere verborgen, geheime opslagplaats te hebben. De meeste huizen van dit type hebben dat.'

'Precies,' was Di Capua het met haar eens en hij tilde de moker weer op.

Costa probeerde na te denken over wat er gezegd was, zich ervan bewust dat hij moe was en dat zijn schouder pijn begon te doen. 'Maar...'

Di Capua stond op het punt een klap uit te delen.

'Als het een verborgen ruimte is,' merkte Costa met stemverheffing op, 'dan moet er ook een ingang zijn.'

De moker kwam halverwege tot stilstand. Hij was zich ervan bewust dat iedereen hem aanstaarde, als verwachtten ze een antwoord.

'Misschien,' opperde Di Capua, 'was er vroeger een deur.'

Teresa gaf hem een draai om zijn oren. 'In dat geval, idioot, was hij niet erg geheim geweest, hè?'

Signora Barducci drong naar voren en ging toen voor Di Capua staan, tussen zijn hamer en de muur in. 'Dat is nog een reden waarom je niet zomaar dingen omver kunt gaan slaan. Dat...'

Ze begon een schijnbaar eindeloze reeks statuten en bepalingen af te ratelen, wetten en gebruiken, die allemaal met haar eigen gemeenteafdeling te maken hadden, en die vereisten dat er eerst schriftelijke toestemming moest zijn voor er een enkele baksteen van een beschermd gebouw in het *centro storico* aangeraakt mocht worden.

'En bovendien,' voegde ze er opgewekt aan toe, 'is het nooit bij jullie opgekomen dat deze muur wel eens een steunmuur zou kunnen zijn? Dat wanneer jullie die weghalen we het hele huis op ons hoofd krijgen? Dat heb ik eerder zien gebeuren.'

Di Capua knipperde met zijn ogen en schudde zijn kale hoofd van links naar rechts. Hij had zijn resterende haar weer lang laten groeien en zijn rondzwierende lokken verspreidden overal stof.

'Steunmuur?' vroeg hij. 'Steunmuur? Natuurlijk is het geen steunmuur. Als dat zo was, denk je dan...' Hij zweeg. Iedereen hield zijn mond, zelfs Barducci. Er was een geluid te horen, een nieuw geluid, en het kostte een paar lange seconden voor Nic Costa wist waar het vandaan kwam.

Er bevond zich iemand aan de andere kant van de muur die krabbelende geluiden maakte, als een of andere gigantische rat die rondscharrelde in het donker.

'Wat nou...' begon Teresa. En ze zweeg. Achter de stenen bevond zich een mens en ze was aan het schreeuwen.

'Agata,' mompelde Costa.

Hij keek naar boven, sloot even zijn ogen, vloekte en stormde toen met drie treden tegelijk de trap op naar de bovenste verdieping.

In de grote opkamer bevonden zich twee forensisch onderzoekers die zich snel achter een paar schilderijen terugtrokken toen hij naar binnen kwam stormen.

'Waar is ze?' schreeuwde Costa.

'Ze ging daar naar binnen,' zei de eerste, die eruitzag als een pas afgestudeerd studentje, met helblond haar en een verschrikte uitdrukking op haar gezicht.

'Waar?'

De vrouw wees naar een grote, lange vaste muurkast die bijna de hele lengte van de wand in beslag nam. Het was niet moeilijk te zien dat deze zich boven het verdachte gebied op de verdieping eronder bevond.

'We hebben haar een zaklantaarn meegegeven,' voerde het andere gerechtsdienaartje er jammerend aan toe alsof dat een soort excuus was.

Costa was al bij de deur en staarde in een poel van duisternis, zo zwart als de Styx. 'Geweldig. Hebben jullie er nog een voor mij?'

Ze haalden tegelijk hun schouders op.

Hij stapte de muurkast in en moest bijna meteen alle zeilen bijzetten om overeind te blijven. 'Agata? *Agata*?'

Het was alsof hij stond te schreeuwen in een zwart gat dat zich ergens onder hem schuilhield, en waarvan in het donker de afmetingen niet te duiden waren. Costa struikelde en slaagde erin zich vast te grijpen aan iets wat van oud, droog hout was gemaakt. Het luik, vermoedde hij, dat omhoog was geklapt.

'Waar ben je?'

Met zijn rechterbeen vond hij het gapende gat dat naar de verdieping daaronder leidde en al tastend en stotend iets wat op een trede leek.

'Nic?' zei een klein, angstig stemmetje onder hem.

Toen baande een gele lichtbundel zich een weg naar hem toe en zag hij voor het eerst wat ze had gevonden. Er was daar een valdeur en een steile, bijna verticale trap, eigenlijk een soort ladder die van verweerd, oud hout was gemaakt. Er was weinig stof op te zien, alsof deze plek regelmatig werd gebruikt.

'Het is oké,' zei hij toen hij de voet van de trap bereikte. 'Ik ben hier. Kom naar me toe lopen. Breng de zaklantaarn mee.'

Het licht draaide verder naar hem toe. Ze hield de bundel de hele tijd naar de grond gericht. Hij kon haar gezicht niet zien, maar algauw was ze dicht genoeg bij hem om haar aanwezigheid te kunnen voelen. Haar handen vonden de zijne en duwden de zaklantaarn in zijn vingers. Die korte aanraking maakte hem duidelijk dat ze beefde als een rietje.

'Alles is oké,' zei hij automatisch.

'Nee,' fluisterde ze in zijn oor. 'Dat is het niet.'

Boven en achter hen begonnen stemmen te schreeuwen. Teresa had de ingang ook gevonden. Costa riep naar hen dat ze zijn instructies moest afwachten.

De ruimte was een smalle rechthoek van misschien twee meter breed en langer dan hij verwacht had, zo'n acht meter. Groot genoeg voor een kinderslaapkamer, maar dat was het zeker niet. Ze had van het begin af aan begrepen wat het was, en ook dat er een weg naar binnen moest zijn die niet voor de hand lag, en dat die alleen van boven- of onderaf kon zijn.

Op het eerste gezicht leken er alleen wat gedeukte kartonnen dozen te staan die eruitzagen alsof ze heel wat jaren oud waren en, helemaal aan het einde, een ongeveer twee meter hoge kast.

'Ik had gedacht dat het schilderij hier zou zijn. Ik weet niet waarom. Ik droomde ervan...'

Dat zij degene zou zijn die het vond. Dat begreep hij wel. Ze moest zich enigszins verantwoordelijk voelen dat ze het kwijtgeraakt waren.

Ze trok zich van hem terug. Even voelde hij haar wang. Hij was vochtig van de tranen en ze moest begrepen hebben dat hij dat had gemerkt, aangezien ze ze vlug wegveegde met haar mouw, zoals ze het stof had weggeveegd in het Doria Pamphilj.

'Het was hier,' hield ze vol. 'Kijk!'

Haar stevige, vastberaden vingers duwden de lichtbundel naar de linker muur. Costa keek en voelde hoe de adem in zijn keel stokte.

Het was zonder meer dezelfde vorm. Dezelfde afmetingen. Er zat overal stof om het lichtgekleurde stuk muur waar het doek ongestoord jaren, misschien wel eeuwen had gehangen. Boven het ontbrekende doek had iemand in een oud handschrift iets geschreven dat leek op *Evathia in Ekstasis*.

Costa keek ernaar en dacht: zo waren ze er dus achter gekomen. Een regel, daar god weet hoe lang geleden neergekrabbeld met potlood, had Tomassoni de ware aard van het schilderij duidelijk gemaakt, wat hij vervolgens aan Malaspina had doorverteld, met zulke verschrikkelijke consequenties – consequenties die nu uiterst zichtbaar en uiterst werkelijk waren.

Waar Caravaggio's werk had gehangen hing nu iets anders. Hij wist dat zij niet al te dichtbij zou komen, en dus liep Costa naar voren en staarde naar de dingen die daar opgeprikt waren. Het waren dezelfde soort foto's als ze in het atelier in de Vicolo del Divino Amore aangetroffen hadden, kleurenprints van een beroerde kwaliteit, alsof de foto's genomen waren met een mobiel of de goedkoopste digitale camera.

In totaal waren het er misschien tien, die met punaises opgeprikt waren. Op elk was een close-up van een vrouw te zien, allemaal buitenlands, allemaal zogenaamd in de greep van extase of pijn of een naderende dood. Tomassoni had dan misschien niet graag mee willen doen, maar hij vond het duidelijk wel leuk om te kijken, om vervolgens na afloop zijn angst te ventileren in anonieme e-mails aan de politie.

'Het doek bevond zich al die eeuwen hier,' zei Agata met een kille, droevige zekerheid in haar stem. 'Toen kwam Franco erachter en nam het mee. Hij begreep wat het wilde zeggen. Hij wilde het begrijpen. Dat was precies Caravaggio's bedoeling.'

'We mogen niets aanraken,' drong hij aan. 'Voor je het weet krioelt het hier van de forensisch onderzoekers. Teresa...'

'Ik ben er klaar voor,' klonk een enthousiaste stem van boven.

Agata nam de zaklantaarn van hem over. Toen begaf ze zich naar het eind van de kamer en de kast die zich daar bevond. De zwarte houten deur stond op een kier. Ze had al gekeken. Het was wat ze daar gezien had, begreep Costa uit de manier waarop ze zichzelf schrap zette, dat haar aan het schreeuwen had gemaakt, niet de schokkende foto's in de ruimte waar ooit het schilderij had gehangen. Ze stond stil, haar vermoeide blik spoorde hem aan verder te gaan. 'Alsjeblieft. Ik heb het al gezien en hoef het niet nog een keer te zien.'

Costa liep langs haar en deed de deur open.

Daar zat een man, gekleed in een archaïsch, aan flarden gescheurd en door de ratten aangevreten fluwelen jasje. Op de plek waar ooit een menselijke nek gezeten had was een stuk van een oud okerkleurig hemd te zien. Verder was er niets meer over dan een skelet, stoffige botten en de vertrouwde grimas in een misvormde schedel.

Costa bleef even staan en dacht na. Op het borstbeen zat een soort briefje, op zijn plek gehouden door een stoffig draadje dat om de achterkant van zijn hoofd was gebonden.

Hij pakte het en las hardop de archaïsche, vreemde woorden die hem ergens bekend van voorkwamen.

Noi repetiam Pigmalion allotta,
cui traditore e ladro en paricida
fece la voglia sua de l'oro ghiotta.

'Dat ken ik,' zei hij zonder een antwoord te verwachten. 'Tenminste... het is vertrouwd... maar ook vreemd.'

'Het is de favoriete dichter van iedereen,' mompelde ze. 'In deze contreien ieder geval. Dante. Uit de *Purgatorio*, als ik het goed heb. Je hebt waarschijnlijk de moderne vertaling gelezen. Dat geldt voor de meeste schoolkinderen.'

> En dan vertellen we van Pygmalion,
> die een verrader, dief en vadermoordenaar
> werd door zijn hebzuchtige zucht naar goud.

Agata stak haar hand uit en raakte het briefje aan. Met het oog van de historicus zag ze iets wat hem was ontgaan.

'Er staan twee streepjes door het woord *paricida*,' merkte ze op. 'Wat denk je dat dat betekent?'

Hij keek. Ze had gelijk. Het was doorgestreept zoals een leraar een verkeerd woord in een huiswerkopdracht door zou strepen.

'Misschien was het laatste niet waar. En beschouwden ze hem alleen als een verrader en een dief.'

'Goed,' zei ze knikkend. 'Zo zou ik het ook zien. Ze waren als Franco. Ze vonden het leuk om te laten zien hoe geleerd ze waren, ook al was het dan niet helemaal van toepassing.'

Zelf had ze de woorden met de perfecte precisie van een dichter voorgelezen. Hij herinnerde zich wat Malaspina die avond in het palazzo had gezegd: 'Ze ziet zichzelf als Beatrice. Mooi, kuis, bekoorlijk. En dood.'

'Het spijt me. Ik dacht dat ik van nut voor je zou kunnen zijn. Maar ik maak de zaken er alleen maar duisterder op. Ik kom alleen maar met nog meer raadsels, terwijl je meer licht nodig hebt. Dit is tijdverspilling. Breng me maar ergens onder waar het veilig is, als Leo dat wil. Ik zal niet klagen.'

'Maar ik wel,' zei hij en hij schoof het bericht opzij om te kijken naar wat zich daaronder bevond, op de borstkas die te zien was door de gescheurde stof van het hemd. 'We hebben je nodig.'

'Waarom?' vroeg ze zacht. 'Zodat je eindelijk je vrouw kunt begraven? Is dat wat ik voor je geacht word te doen?'

Costa draaide zich om en keek haar aan. In het gele, schemerige licht van de zaklantaarn leek ze voor het eerst, dacht hij, op een vrouw als ieder ander. Geen deel van een vreemd soort leven waar hij geen benul van had.

'Nee,' antwoordde hij eenvoudig. 'Dat doe ik zelf wel, als ik zover ben.'

'Wat dan?' Haar blik werd verhitter.

Costa legde een vinger tegen zijn lippen. Voor één keer gehoorzaamde ze hem en zweeg. Hij liep naar de trap, blafte een paar vragen naar Teresa Lupo en Silvio Di Capua en zorgde dat ze een paar doorzichtige plastic zakken voor bewijsmateriaal naar beneden gooiden.

'Misschien kun je beter niet kijken,' zei hij toen hij terugliep naar de kast.

'Waarom niet?' wilde ze weten. 'Wat heb je gezien? Zeg het!'

'Dit...' Hij schoof het bericht opzij en wees naar de linkerkant van de borstkas van het lijk. Daar lag een object, iets wat aan een rond medaillon van dofzwart metaal deed denken of aan een ketting van dezelfde kleur. De omtrek van het embleem in het midden was nog steeds duidelijk zichtbaar, nog steeds begrijpelijk.

Drie draken met zwiepende ledematen, hun staarten om een vrouwenfiguur heen geslagen, die in hun greep kronkelde en schreeuwde, met wild rollende ogen.

'Dit is hetzelfde symbool als we aantroffen op de berichten die de Ekstatici op de standbeelden aanplakten,' zei hij. 'Nu weten we waar dat vandaan kwam. Het is een aanwijzing. Geen bewijs, maar mij hoor je niet klagen.'

'Een aanwijzing,' gromde ze en ze sloeg haar armen over elkaar.

'En dit...' Hij schoof het vergelende stuk papier met daarop Dantes woorden terzijde en scheen met de zaklamp direct op het deel van het fluwelen jasje naast het dofzwarte medaillon. Eerst had het een wilde gok geleken. Nu, in de felle lichtbundel, was het onmiskenbaar.

'Je herkent het niet, hè?' vroeg hij.

Het was een wapenembleem: een in twee helften gedeeld schild met daarop het geraamte van een boom die aan weerszijden drie korte horizontale takken vol doorns had.

'Behalve schilderijen zie ik meestal niet zoveel,' antwoordde Agata fronsend. 'Meestal.'

'Dit vind je overal in Franco's prachtige palazzo terug. Het is zijn familiewapen. De kwade doorn.'

In deze kleine, stoffige ruimte die koud en vochtig was begon Agata Graziano te lachen. 'Dat kan niet!'

'Kijk dan.'

Dat deed ze en ze schudde haar hoofd. 'Wie is dit dan in vredesnaam? Wat betekent het?'

'Eindelijk,' zei hij, 'vraag je mij eens wat.'

'Ja.'

Hij knikte. 'Als politieagent zou ik denken dat dit een slachtoffer van een moord is.'

'Dat snap ik...'

'En, gezien zijn identiteitsbewijs, iemand die ooit bekend stond onder de naam Ippolito Malaspina.'

Van schrik legde ze haar vingers tegen haar mond. 'Dat kan niet! Hoe weet je dat?' Ze zweeg, en dacht met glinsterende ogen na.

Alles in Rome heeft met elkaar te maken, bracht hij zichzelf in herinnering. Verleden en heden. En in dit geval de misdaden van vier eeuwen geleden.

'Dat doe ik niet. Maar ik kan het wel raden,' zei hij met nadruk. 'Jij hebt ons het portret dat Ippolito voor moest stellen op Malta laten zien, een aantal jaar nadat hij Rome verlaten had. Je zei zelf dat het niet leek op de beschrijving van de man die jij in alle naslagwerken had aangetroffen...'

'Dat betekent nog niet –'

'Hij had een gezin,' viel Costa haar in de rede. 'Was dat voor hij de stad uit ging met Caravaggio of daarna?'

'Ervoor. Daarna was hij voortdurend op reis en keerde nooit...' Ze zweeg even en keek hem aan. 'Hij keerde nooit terug naar huis. Ging ook nooit ergens heen waar hij al eens eerder geweest was voor zover ik me kan herinneren. Ze erfden alles toen hij stierf. En...'

Hij keek hoe ze met dit idee stoeide in dat heldere, voortdurend actieve brein van haar.

'Is het mogelijk,' vroeg hij, 'dat ze alles geërfd hebben zonder hem ooit weer te zien? Dat Franco Malaspina afstamt van de echte Malaspina's maar dat de man die met Caravaggio naar Malta ging een bedrieger was?'

'Ja,' zei ze met een diepe, vaste stem. 'Uit wat ik heb gelezen...'

'Oké,' zei Costa, haalde toen de plastic envelop tevoorschijn en staarde naar de grijze, stoffige schedel voor hem.

'Wat ga jij doen?' vroeg ze.

'Het bewijs vergaren waardoor Franco in de gevangenis komt.'

'Van een vierhonderd jaar oud lijk?'

'Waarom niet? Bij hem kunnen we niet in de buurt komen. Maar hij is een aristocraat. Zijn familielijn is in de staatsarchieven vastgelegd. Als het DNA van dit lijk gelijkenis vertoont met dat wat we uit de Vicolo del Divino Amore hebben, moeten we alleen nog bewijzen dat deze heer' – hij priemde met zijn wijsvinger tegen het fluwelen jasje – 'Ippolito Malaspina is. Dat is niet voldoende om zijn afstammeling in de gevangenis te krijgen. Maar het zal nu voor een rechtbank wel verdomd lastig worden nog langer de paar tests te weigeren die gedaan moeten worden om op de een of andere manier de waarheid te bewijzen. Meer hebben we niet nodig.'

Ze zag er niet meer bang uit. Ze zag er gefascineerd uit. 'Kun je dat doen?' vroeg ze. 'Een monster nemen van een skelet dat uit niet meer bestaat dan... bot?'

'Nee!'

De luide vrouwelijke stem deed hen allebei opspringen. Costa kon niet uitmaken hoe Teresa Lupo erin geslaagd was de trap af te dalen zonder dat ze dat hadden gemerkt. Ze stommelde hun kant op en ging voor hen staan. Ze staarde naar het geraamte en griste de envelop uit zijn handen. 'Maar ik wel,' zei ze met een brede en vriendelijke grijns in het gele licht van de zaklantaarn.

De patholoog boog zich voorover. In de hand met de handschoen had ze een instrument dat veel aan een combinatietang deed denken. Haar blik was op de open mond van de schedel gericht. Een linkervoortand ontbrak al. Teresa bevestigde de tang op de overgebleven tand, trok hem er met een snelle draaibeweging uit en liet hem in een zak vallen.

'Jij komt met mama mee naar huis,' voegde ze eraan toe, erg tevreden met zichzelf. 'En wel nu meteen.'

Ze staarde hen beiden aan. 'En jullie tweeën zouden ook naar huis moeten gaan. Jullie hebben genoeg gedaan voor vandaag.' Teresa hield de zak omhoog. 'Er is een tijd voor lekker speculeren en een tijd voor de wetenschap, kinders. Morgen is het Kerstmis. Kom dan terug en zie wat La Befana en haar elfjes voor jullie hebben.'

De avond voor Kerstmis

1

La Vigilia liet zijn rechten al gelden op Rome; de vooravond van Kerstmis, een pauze in de haastige drukte van het leven van alledag. Het konvooi reed door donkere en verlaten straten terug naar de boerderij. De feestverlichting had zijn noodzaak verloren, want iedereen was nu thuis, in gezelschap van familie en vrienden. Teresa en haar team mochten zich verheugen op het idee een nachtje door te kunnen halen met de inhoud van Nino Tomassoni's geheime schuilplaats, om zo de genetische vingerafdruk te achterhalen van een onbekende man, uit een tand in zijn schedel. Die onbekende zou misschien – Costa wist dat het vergezocht was – Ippolito Malaspina blijken te zijn. Voor de rest van de stad was dit een tijd van reflectie en van genieten van elkaars gezelschap.

En eten: zeven vissen. Een echte Romein die met La Vigilia vlees at bestond niet. Altijd vis, zeven soorten zoals de traditie wilde: een, zoals zijn vader altijd zei, voor elk katholiek sacrament. Zelfs in Costa's ouderlijk huis, dat in zijn kindertijd overtuigd communistisch – en dus atheïstisch – was geweest, meer dan welk ander gezin ook dat hij in Latium kende, zélfs bij hen was een La Vigilia zonder dat gebruik ondenkbaar.

De goddelozen hebben van tijd tot tijd ook rituelen nodig.

Toen ze bij de oprit aankwamen en de twee surveillanceauto's zich uit het konvooi losmaakten om de oprit achter hen te blokkeren, vroeg Costa zich af waarom nou net op dit moment die herinnering terug was gekomen. Hij was doodmoe en wilde, net als Agata zo te zien, alleen nog maar naar bed. Toen hield hij de deur voor haar open. Vanuit de keuken kwamen hen allerlei aroma's en geuren tegemoet drijven, geuren die hem in één klap twintig jaar terug in de tijd brachten en een enorm hongergevoel in zijn maag losmaakten.

Bea stond daar in haar mooiste avondjurk, met een wit, perfect gestreken schort voor. Naast haar zat Pepe, de terriër, keurig rechtop met een rood lint om zijn nek.

'Gelukkig kerstfeest,' zei Bea, terwijl ze hen met een buiginkje welkom heette. Vervolgens deed ze een stap naar voren om hun jassen aan te nemen.

Agata's gezicht klaarde op. Ze snoof de volle en exotische aroma's die uit de keuken kwamen drijven op. 'Wat ís dit?' vroeg ze.

'Ben jij nou een christen?' zette Bea haar op haar nummer. 'Het is La Vigilia. Kerstavond. En ik ben een oude vrijster met te veel tijd en een voorliefde voor de oude gebruiken. Dus ga alsjeblieft zitten en eet met me mee. En doe jij niet net of je vegetariër bent, jongeman, want ik heb je echt wel vis zien eten.'

'Zeven?' vroeg hij.

'Natuurlijk,' antwoordde ze alsof het een idiote vraag was. 'Ga nu naar boven en kleed je om. Dit is een speciale gelegenheid. Als de hond zich daarvoor kan kleden, kunnen jullie dat ook.'

Agata liet haar slanke vingers over de zwarte, tweedehands jas glijden. 'Dit is goed genoeg voor mij, Bea. Ik heb niets...'

Bea veegde haar handen af aan haar schort, hielp Agata uit haar jas en hield hem van zich af alsof het een ding was zonder enige waarde. 'Soms komt La Befana eerder. Zelfs voor diegenen die laat thuiskomen. Ga naar boven! Nu! Hop! Hop!'

De hond blafte.

'La Befana?' hijgde Agata, met glinsterende ogen.

Bea keek toe hoe ze snel, als een kind, de trap op rende. 'Zie je wel,' zei ze zacht, 'ze blijkt uiteindelijk toch ook menselijk.'

Ze zaten om de lange tafel in de eetkamer, Bea aan het hoofd. Ze gidste hen door het uitgestalde eten dat elke minuut verder leek aan te groeien: een salade van zeevruchten, gezouten kabeljauw, mosselen, sint-jakobsschelpen, garnalen, een kleine kreeft, en toen tot slot de lekkernij waar zijn vader altijd op gestaan had, hoe duur hij ook mocht zijn, *capitone*, een grote vrouwelijke aal, die in stukken verdeeld en gewikkeld in laurierbladen in de oven geroosterd was.

Agata zat verbijsterd en gulzig te eten. Op de een of andere manier had Bea tijdens het winkelen de tijd gevonden om een nieuwe blouse en eenvoudige blauwe pantalon voor haar te kopen. Ze droeg er haar gebruikelijke, gebutste crucifix bij. Binnen een paar minuten zaten overal saus en etensresten op, op haar kleren en de tafel. Bea hield na een tijdje op met staren. Wat kon het ook schelen.

'Dit is echt obsceen,' riep Agata uit toen ten slotte de aal op tafel verscheen.

'Vergeleken bij wat wij gezien hebben...' merkte Costa zacht op.

'Geen werk,' zat Bea erbovenop. 'Ik heb niet urenlang in die keuken staan zweten om te jullie tweeën te horen klagen over jullie dag. Dat is de regel. La Vigilia. Eet! En dan...'

'Dan wat?' vroeg Agata.

'Dan kiezen we iets uit de schaal,' antwoordde Bea. 'Wat doe jij anders in vredesnaam met Kerstmis?'

Agata haalde haar schouder op, pakte een groot stuk aal op, schoof het in haar mond en zei toen onder het kauwen: 'Bidden. Zingen. Denken. Lezen.'

'En?' vroeg Bea zonder acht te slaan op de waarschuwende blik die Costa hoopte dat hij naar haar toe zond.

'En dan... voor de nachtmis een beetje wijn drinken.' Ze hield haar hoofd scheef naar het raam. Haar haar was nu zo anders. Zij was anders. Costa vroeg zich af of hij zich schuldig moest voelen vanwege die verandering.

'Kunnen jullie hier het kanon van het Castello Sant'Angelo horen als ze dat afvuren?' vroeg ze opgewekt.

'Nee,' antwoordde hij. 'Sorry. We kunnen even kijken of het op tv is.'

'Dat is niet hetzelfde.'

Nauwgezet vulde Bea hun glazen bij met prosecco. 'Is een kanon belangrijk?' vroeg ze.

'Het betekent dat de nachtmis bijna begint,' antwoordde Agata meteen. 'Ik hou het meest van de nachtmis. Ik hou van de stalletjes in de kerken, met de kribbe en het kindje Jezus, Maria en de herders. Ik hou van de manier waarop de mensen naar elkaar kijken. Hè hè, weer een jaar goed doorgekomen. Een nieuw jaar voor de boeg.'

Ze legde haar vork en mes neer en veegde toen haar handen af met haar servet. 'Er zijn kerken in de buurt,' zei Agata verwachtingsvol. 'Prachtige, in de Via Appia. Denken jullie dat ik erheen zou kunnen gaan? Hoeveel mensen zouden daar in een woestenij als deze zijn? Jullie zouden mee kunnen komen.' Ze wierp een blik op Bea. 'Jullie allebei, bedoel ik natuurlijk. Ik zou jullie echt niet proberen te bekeren. Jullie hebben me jullie wereld getoond. Mag ik jullie dan een beetje van de mijne laten zien?'

Bea kuchte in haar vuist en staarde naar haar bord.

'Denk je dat Leo Falcone dat goed zou vinden?' vroeg Costa. 'Een kerk is wel... een érg openbare plaats.'

'Dat hoort hij ook te zijn,' zei ze zacht.

Er viel een stilte. Toen voegde ze er na een tijdje enigszins terneergeslagen aan toe: 'Ik heb nog nooit een nachtmis gemist. Mijn hele leven niet. Of het geluid van dat kanon, zolang ik me kan herinneren.'

'Het spijt me.'

Ze glimlachte naar hem. 'Maar je zou erheen gaan als je kon.'

'Zeker.'

Agata keek hem aan op een manier waar hij een beetje onrustig van werd. 'Wat zou jij hebben gedaan?' vroeg ze. 'Vroeger? Met Emily?'

Daar moest hij over nadenken. 'Vorig jaar hadden we een diner met Leo en zijn vriendin, en Teresa en Gianni,' zei hij toen de herinneringen hem eindelijk weer te binnen schoten. 'In de stad.' Hij knikte over de tafel heen naar Bea. 'Het was niet half zo goed als dit eten.'

Maar deze kerst zou anders geweest zijn, knusser, met zijn tweetjes alleen thuis. Emily was inmiddels zijn vrouw. En als ze het kind niet verloren had waar ze in de lente van in verwachting was geweest...

Deze gedachte, weer een van die pijnlijke, hypothetische sprongen van een wrede verbeeldingskracht, overviel hem. Als Emily het kind niet had verloren, zou ze nu zijn opgehouden met studeren. Dan zou ze geen reden gehad hebben om op een druilerige decemberdag bij het mausoleum van Augustus op de loer te gaan liggen, dan zou ze geen energie over hebben gehad om achter een voortvluchtige misdadiger aan te gaan op de manier zoals ze dat vroeger bij de FBI had geleerd.

Dan zouden er op dat moment twee nieuwe levens in de oude boerderij zijn geweest. Als...

Costa knipperde iets weg in zijn ogen. De twee vrouwen zaten hem aan te kijken. Hij vroeg zich af of hij zich kon verontschuldigen en van tafel gaan.

'Het spijt me,' mompelde Agata. 'Dat had ik nooit moeten vragen.'

'Nee,' antwoordde hij met klem. 'Je kunt het verleden niet ongedaan maken door het te negeren. Wat gebeurd is, is gebeurd. Ik wil niet dat iemand' – hij wierp een blik op Bea – 'me ertoe verleidt net te doen alsof het op de een of andere manier ongedaan gemaakt kan worden.'

De vrouwen wisselden even een blik. Hij zag wel dat ze hoopten dat hij het niet had gemerkt.

'Het is de stilte,' zei Agata, gauw van onderwerp veranderend. 'Die schreeuwt gewoon in mijn oren. Is dat raar? Dat ik het verkeerslawaai mis? De bussen? De mensen bij mijn raam die te veel gedronken hebben en zo hard, zo slecht zingen dat ik er onder de dekens om moet lachen?'

'Natuurlijk niet,' antwoordde hij. 'Je mist wat vertrouwd voor je is. Dat is alleen maar natuurlijk. Je mist de achtergrond van de wereld die je kent. Je mist waar je van houdt.'

'Net als jij,' zei ze snel zonder nadenken, haar glas in de hand. Haar ogen glansden helder van leven en belangstelling. 'O, sorry. Net als...'

Haar vingers schoten naar haar gezicht. Ze had de wijn te snel, te gulzig gedronken. Iets in die besliste gereserveerdheid van haar, die zo onveranderlijk aanwezig was geweest vanaf de eerste keer dat hij haar had ontmoet, in het Barberini-atelier aan de achterkant van het Palazzo Malaspina, brokkelde nu zienderogen af.

'Dat bedoelde ik niet,' stotterde ze. 'Het komt door het eten, de drank. Het komt door mij. O... ó...' Agata rende de kamer uit, terwijl tranen in haar ogen opwelden. Ze vloog de gang in.

Costa knipperde met zijn ogen. 'Wat heb ik gezegd?'

Bea zuchtte en verklaarde: 'Niets.'

'Wat is er dan?'

'O, denk eens na, Nic. Het arme kind heeft nog nooit zoiets

meegemaakt als dit. Ze is niet gewend aan familie. Of aan het idee dat twee mensen eerlijk met elkaar kunnen praten. Die verdomde kerk, om iemand dat aan te doen. Ik vraag me af of ze in haar hele leven zo veel goed eten en prosecco heeft gehad als vanavond. Dat, en God weet wat jij haar hebt laten zien. Het is mijn fout. Sorry. Deze maaltijd was een idioot idee.'

'Je mag niet zo over haar oordelen,' zei hij met een plotselinge korte uitbarsting van woede.

Bea stak haar hand uit en raakte zijn wang aan. 'Dat doe ik ook niet. Geloof me. Ik probeer alleen maar te helpen. Om haar te laten zien hoe het buiten die gevangenis van haar is.'

'Zo ziet zij dat niet. Dat zijn jouw zaken niet. Die van mij ook niet.'

'Nee?'

Het was een te lange dag geweest. Zijn uitgeputte hoofd tolde van een overvloed aan ideeën en beelden en mogelijkheden. Zijn schouder deed pijn. Het leek wel of hij door overactiviteit zijn brein gekneusd had.

'Je hebt echt niet het flauwste idee, hè?' vroeg ze scherp.

'Nee...' antwoordde hij zacht. Ergens vandaan doemde een vage, verontrustende gedachte op en hij wou dat hij daar gebleven was. Bea stak hem de schaal met de kleine cadeautjes erin toe.

'Je kunt er net zo goed een pakken.'

Dat deed hij. En het was net als altijd, zelfs toen hij nog een kind was. De regels, de wetten die dit spel regeerden, eisten dat één klein doosje leeg was, en zoals gewoonlijk was dat het zijne.

'Dit is je dag niet,' verklaarde Bea. 'Ga nu naar bed en laat alles, inclusief je jonge vriendin Agata, verder over aan mij.'

2

Hij kende het huis zo goed dat hij het gevoel had dat hij de oude stenen kon horen ademen terwijl ze sliepen. Toen hij wakker werd, was het drie uur 's nachts op de wekker bij zijn bed en was er, ergens anders, iemand wakker.

Costa deed een ochtendjas aan en ging naar beneden. Ze was waar hij dat het minst verwacht had, in het atelier, en het zag er totaal anders uit dan hij zich herinnerde.

Ze had een serie foto's ergens vandaan – hij veronderstelde dat Rosa ze had gebracht – van het vermiste schilderij. Caravaggio's sensuele, vlezige verbeelding van Venus – of Eva, daar was hij niet meer zeker van – stond op een aantal van Emily's ezels. Sommige opnamen waren van het heel schilderij, andere waren close-ups en een aantal zelfs van heel fijne details. Agata zat bij het bureau op het puntje van de schilderkruk naar de grootste foto's te staren. Ze dacht na, met de vinger tegen haar wang, even alert als altijd kennelijk, met naast zich een grote stapel documenten en iets wat op een oud boek leek.

'Het ziet er nu eigenlijk niet meer zo uit,' zei hij.

Ze sprong op, verrast, misschien een beetje gegeneerd door zijn verschijning. Ze had nog steeds de kleren aan die Bea voor haar had gevonden, de blouse met de etensresten erop. Ze was helemaal niet naar bed geweest.

'Hoe bedoel je?' vroeg ze en ze legde haar elleboog op de papieren alsof ze niet wilde dat hij die zag.

'Je hebt de handtekening gevonden. En de echte naam.'

Ze fronste haar voorhoofd.

'Je hebt de naam gevonden. En trouwens, nu ik de kans heb gehad erover na te denken, ben ik er niet zeker van dat het echt zo belangrijk is. Caravaggio speelde een spelletje met hen. Door iets te schilderen waarvan zij dachten dat ze het voor zichzelf konden houden omdat het zo choquerend was...'

Ze wees naar het gezicht van de sater, van de kunstenaar zelf. 'Hij maakte er ook deel van uit. Van de Ekstatici. De man had gevoel voor humor, weet je. Hij lachte hen vierkant uit en zichzelf misschien ook wel.'

Costa kwam naast haar staan. De foto deed het schilderij geen recht. Het werk leek op de een of andere manier afstandelijk nu, miste de kracht en betekenis waar je niet omheen kon als je het doek voor je neus had. Het bezat iets dat het moderne medium van de camera niet over kon brengen.

'Dat betekent niet dat hij deel uitmaakte van wat het ook was dat ze uitspookten. Misschien kende hij hen en nam hij alleen maar een opdracht aan.'

'O, praat toch niet zo'n onzin.' Ze wierp hem een vernietigende blik toe. De leraar in haar was teruggekeerd. 'Weet je nog hoe hij het heeft ondertekend? Waarom zou hij zichzelf een Ekstaticus noemen als hij geen deel uitmaakte van de club? Hoe had hij dan de naam gekend kunnen hebben? Sluit je ogen niet voor de waarheid, Nic. Michelangelo Merisi was half engel, half duivel. Dat zijn de meeste mensen, maar hij meer dan een ander. We weten dat hij betrokken was bij wrede en strafbare handelingen. Uiteindelijk moest hij er zwaar voor boeten. Hij hoorde bij hen. Ik kan het gewoon voelen. Dat is het enige wat ergens op slaat. Ik wou alleen...' Ze zweeg en krabde op haar hoofd.

'Waarom ben je nog steeds wakker?' vroeg hij.

'Hoe kan ik nu slapen?' antwoordde Agata, zonder veel overtuiging. Ze staarde hem aan. 'Zeg me dat eens. Als er een manier was waarop ik erachter kon komen waarom het die eerste keer allemaal zo fout was gegaan, met Caravaggio en Tomassoni en zo. Waarom een of andere domme, kinderachtige bende schurken ineens overging op moord en bloeddorstige haat. Net als met Franco is gebeurd. Zou dat helpen?'

'Je begrijpt het nog steeds niet, hè?' constateerde hij, geïrriteerd bijna. 'Wat wij doen.'

'Jullie stellen feiten vast en ondernemen vervolgens actie. Natuurlijk begrijp ik dat.'

Costa schudde zijn hoofd. 'Nee, dat doe je niet. Soms leiden die feiten nergens toe. Je moet ze door middel van giswerk, met je verbeelding invullen.'

'Dat idee stuit me tegen de borst. Het is niet empirisch. Niet wetenschappelijk.'

'En dat is de Bijbel wel?'

'De Bijbel is wel een empirisch feit.'

'Dat is Teresa's laboratorium ook, maar Franco Malaspina heeft die weg afgesneden. Een luxe die we niet meer hebben. Emily en die vrouwen zijn dood. Franco Malaspina en zijn medeplichtigen waren daar op de een of andere manier verantwoordelijk voor. Wat we nodig hebben zijn ordinaire, duidelijke, onbetwistbare feiten die hem met die vrouwen verbinden. We kunnen er geen vinden. En dus in plaats daarvan...'

'Giswerk,' gromde ze. 'Zou het helpen als je begreep hoe dat zat met de Ekstatici?'

'Ik zou het niet weten. Waarom?'

Ze aarzelde en nam hem nieuwsgierig op. 'Ik was gewoon nieuwsgierig. Het spijt me van vanavond,' zei ze op lage, nerveuze toon. 'Soms zeg ik zonder nadenken wat me voor de mond komt.'

'Te veel wijn.'

'Dat was een smoesje. Ik heb die wijn nauwelijks aangeraakt. Alleen, ik...' Ze keek hem nog steeds niet aan. 'Ik hoor niet thuis op een plek als deze. Het is werelds, intiem en persoonlijk op een manier die ik niet begrijp. Ik weet dat dat egoïstisch is. Het spijt me.'

'Dat geeft niet.'

'Dat moet je niet zeggen. Dat geeft wel. Al dat heerlijke eten. De moeite die Bea heeft genomen.' Ze haalde haar tengere schouders op en sloeg haar armen om de witte bloes met de vlekken. 'Ik had nooit verwacht dat ik ooit zou deelnemen aan zo'n avond. Ik wist eigenlijk niet eens dat er zoiets bestond...'

Agata liep vlug naar het bureau, dat nog steeds bezaaid lag met Emily's tekeningen.

'Denk je dat ik mijn leven vergooi?' vroeg ze hem van de andere kant van de kamer. 'Eerlijk antwoord geven.'

'Is dat zo?'

'Het is heel oneerlijk om een vraag met een wedervraag te beantwoorden. Geef antwoord alsjeblieft. Kijk eens naar je vrouw. Ze tekende, ze dacht na, ze probeerde dingen te creëren. Op een dag zou je een gezin gehad hebben, veronderstel ik. En ik...' Ze fronste haar wenkbrauwen, er verscheen een uitdrukking van chagrijnige ontevredenheid op haar gezicht. 'Ik staar naar schilderijen en probeer er leven in te vinden. Waarom? Voor mezelf. Omdat ik het echte leven niet onder ogen durf te zien. Het is egoïstisch, obsessief, onnatuurlijk.'

'Ik kan je daar geen antwoord op geven,' zei hij.

'Waarom niet?'

'Omdat ik je niet goed genoeg ken. En zelfs als dat wel het geval was, dan zou dat nog aanmatigend zijn. Om aan een ander te vragen of je bestaan waardevol is... dat moet je zelf uitmaken.'

Ze dacht daarover na. 'Maar je vond Emily's leven waardevol,' merkte ze op. 'Dat vind je nog steeds. Ik zie haar in je ogen, als een mist die er altijd hangt. De herinnering aan haar is wat je voortdrijft, meer dan ik ooit bij iemand anders heb gezien. Ik kan me niet voorstellen hoe je je zult voelen als die behoefte om Franco Malaspina voor de rechter te slepen niet wordt bevredigd.'

'Dat is niet aan de orde.'

'Misschien wel.'

Ze kwam naar hem toe en ging weer voor hem staan. 'Je bent nu al grijs stof en oude botten aan het doorvlooien om een antwoord te vinden. Hoe wanhopig moet een man zijn om dat te doen?'

'Ik noem het liever vastberaden.'

Agata lachte. Niet op de manier zoals toen ze elkaar pas hadden ontmoet. Deze manier van lachen was open, vrolijk en zorgeloos. 'Weet je,' mompelde ze. 'Vroeger bekeek ik de mensen in jouw wereld met medelijden. Zo veel pijn. Zo veel zorgen.' Ze trok een ontevreden gezicht. 'En ook zo veel leven.' Haar handen lieten het zilveren kruis aan de ketting los. Ze streek nerveus een losse streng achter haar oor, keek hem toen recht aan en zei: 'Ik moest mezelf vanavond de vraag stellen of ik echt weer terug naar het klooster wilde. Of dit leven – jouw soort leven – niet eerlijker was. Ik heb die vraag nooit eerder onder ogen durven zien. Maar hij is er altijd geweest. Voor dit begon te spelen. Dat zie ik nu wel in.'

'Agata...'

In haar donkere ogen brandde de gretige nieuwsgierigheid die nooit ver weg was. 'Het is erg laat, Nic. Ik denk dat ik naar bed moet.'

Zijn hoofd was zwaar. Hij voelde zich onzeker, wist niet wat hij moest doen, moest denken.

Toen gingen de lichten in de gang aan en hij hoorde het geluid van voetstappen op de oude houten vloer en niet lang daarna het gekef van een hond.

Bea verscheen in de deuropening en deed de grote, felle spots aan die Emily in het plafond van het atelier had geïnstalleerd voor haar werk. Costa stond met zijn ogen te knipperen in het felle licht.

'Het... Het spijt me,' stotterde Bea gegeneerd. 'Ik hoorde stemmen. Ik wist niet –'

'Dat geeft niet,' viel Agata haar snel in de rede. 'Er waren dingen met betrekking tot de zaak die we moesten bespreken. Nu we dat hebben gedaan, kan ik slapen. Welterusten.'

Ze liep bij hen vandaan, kuste Bea op haar wang en verliet de kamer.

'Welterusten,' zei Costa tegen het kleine, lichte figuurtje dat in de richting van de trap verdween.

Een afwijking in het bloed

1

Eerste kerstdag was grijs en nat, de bewolking hing zo laag dat hij bijna de toppen raakte van de stakerige monumenten waar de horizon voorbij de Via Appia mee bezaaid was. De vrouwen waren al beneden, aangekleed en klaar voor wat de dag zou brengen. Peroni zat bij hen, hij zag er ronduit beroerd uit.

'Koffie,' verordonneerde Agata, terwijl ze haar kop optilde. '*Buon Natale*!'

Van de geur van Bea's cappuccino werden zelfs de doden wakker. Dankbaar en gulzig dronk hij zijn kop leeg, en nam er wat fruit en zoete broodjes bij. Toen ging Bea verder met de ceremonie die de vorige avond was onderbroken: de schaal en de cadeautjes.

Deze keer kreeg hij een dasspeld. Peroni had een goedkope sleutelhanger te pakken met een minizaklantaarntje aan het kettinkje en slaagde erin de indruk te wekken dat hij er ongelooflijk blij mee was. Bea greep een van de overgebleven twee doosjes, ze maakte ze niet open maar drukte Agata de laatste in haar handen.

'Dit is doorgestoken kaart,' mompelde ze, maar ze nam het desondanks aan.

Er zat een klein zilveren crucifix in.

'Hij is prachtig,' zei Agata dankbaar. 'Ik zal het bij speciale gelegenheden dragen. Het is te mooi' – ze trok haar neus op – 'voor iets anders.'

'Wat je wilt,' zei Bea ontspannen en ze maakte haar doosje open. Er zat iets soortgelijks in, ongetwijfeld afkomstig uit dezelfde collectie: een broche in de vorm van een vlinder. Ze keek naar de twee mannen. 'Maak nu dat jullie wegkomen, jullie beiden, en voer het gesprek dat jullie willen voeren. We willen het niet horen.'

'Gesprek?' begon Costa en hij merkte toen dat Peroni hem meetrok de woonkamer in. Zijn gezicht had evenveel uitdrukking als een steen.

Ze gingen zitten. Peroni wees achterom naar de keuken. 'Dat is de koppigste, halsstarrigste vrouw die ik ooit ontmoet heb. Bij haar vergeleken is Teresa een heilige, goddomme. Ongelooflijk...'

'Bea?'

'Nee, Bea niet.'

'Ik heb geslapen, Gianni,' zei hij snel. 'En jij spreekt in raadselen. Alsjeblieft...'

Costa luisterde en wenste even dat hij dat niet hoefde.

Zelfs de maffiosi vieren Kerstmis. De aanvankelijk onduidelijke tip van de informant in Napels had een vervolg gekregen. De avond daarvoor had een van de hoogste capo's in dezelfde stad een even hoge politiefunctionaris mee naar huis genomen voor een traditioneel La Vigilia-diner. In de loop van de maaltijd had de maffiabaas zijn kennis verteld dat de 'Ndrangheta uit Calabrië de opdracht hadden gekregen Agata Graziano om zeep te helpen. De 'Ndrangheta vormden een gesloten club, waar de politie zelden toegang toe kreeg, professionele misdadigers die vrijwel nooit opdrachten van buitenstaanders aannamen. Als ze dat wel deden, gaven ze niet op tot de opdracht uitgevoerd was.

'Heb je het tegen haar gezegd?' vroeg Costa.

'Natuurlijk heb ik het tegen haar gezegd,' antwoordde Peroni. 'Hoe kun je zoiets geheim houden? Falcone heeft alles geregeld. We hebben een onderduikplek voor haar in Piemonte waar ze in kan. Zo nodig kunnen we haar een nieuwe identiteit geven, een plek in het getuigenbeschermingsprogramma...'

'Daar zal Agata niet mee instemmen. Geen minuut.'

'Waarom niet?' wilde Peroni weten. 'Dit zijn serieuze lui. Malaspina wil haar dood hebben. We kunnen haar hier niet fatsoenlijk beschermen. Falcone heeft zijn besluit genomen. Ze moet hier weg. Vandaag. Nu.' Hij sloeg zijn armen over elkaar. 'Zeg het haar. Ik heb het al gedaan. Ze wil niet. Ze zegt dat als we door blijven zeuren, ze een taxi terug naar dat klooster van haar neemt en ons de rekening stuurt.'

'Je zou haar kunnen proberen te dwingen,' stelde Costa voor.

'Niet de wijsneus uithangen, meneer. We kunnen haar niet dwingen. Als ze hier weg wil en door Rome wil zwerven tot ze dood is, kunnen we niets doen om dat te voorkomen. Het is een vrije vrouw.'

'Ik weet niet of dat echt waar is,' hoorde Costa zichzelf zeggen.

'We kunnen haar niet tegenhouden. Ze is vastbesloten bij onze volgende vergadering aanwezig te zijn. Teresa heeft er om twee uur een belegd in het huis van Tomassoni. Daarna moeten we naar het mortuarium. Falcone, de idioot, heeft haar dat laten weten.'

'Ze heeft ons geholpen, Gianni,' maakte Costa duidelijk. 'We zouden nog steeds met Toni Grimaldi zitten kissebissen als zij er niet was geweest.'

'Ze zal ons niet veel meer kunnen helpen als ze dood is. Bovendien...'

Costa staarde naar het beschadigde, ongelukkige gezicht van de man die in de afgelopen paar jaren een van zijn beste vrienden was geworden. Er stak meer achter Peroni's sombere gemoedstoestand dan Agata Graziano's besliste weigering om Rome te verlaten.

'Bovendien wat?'

'We zitten nog steeds met Grimaldi te kissebissen. De geluiden die van boven komen zijn weinig positief. Van het soort dat mensen maken als ze voor vervelende beslissingen staan.'

Peroni's grote boerengezicht met al die littekens, die Costa tegenwoordig nauwelijks meer opmerkte, vertrok zich tot een boze, chagrijnige frons.

'Zoals?' vroeg Costa.

'Ik weet het niet, maar ik heb het beroerde gevoel dat we daar gauw achter gaan komen. Malaspina begint ons op alle mogelijke manier parten te spelen. Er raken andere krachten bij betrokken. De Carabinieri hangen continu aan de lijn. Volgens mij is dat precies wat hij wil. Overal komen onderzoeken langzaam tot stilstand vanwege problemen het bewijs rond te krijgen. Het nieuws doet de ronde, Nic. Die klootzakken begrijpen dat ze alleen maar de armen over elkaar hoeven te slaan en nee te zeggen tegen een uitstrijkje of vingerafdruk, en de hele zaak komt onder op de stapel voor de advocaten.'

'Hoe weten ze dat verdomme?'

Peroni keek hem aan alsof hij gek was. 'Omdat we in Rome zijn. Omdat mensen mensen zijn. Er wordt gepraat. Niks nieuws onder de zon. Iedereen begint zich te realiseren wat het probleem is. Als we niet kunnen bevestigen wat we hebben, zal Malaspina gewoon met zijn vingers wapperend in de lucht voor ons lopen paraderen zonder dat we hem iets kunnen maken.' Peroni's scherpe, doordringende ogen keken hem zonder te knipperen aan. 'Die kerels uit Calabria zullen hun kans grijpen en verdwijnen, zonder dat er een enkele voetafdruk terug naar het Palazzo Malaspina te herleiden is. We zijn al genoeg mensen kwijt. Laten we er niet nog meer kwijtraken.'

Costa stond op en liep de keuken in, waar hij Agata op een kruk aantrof, diep verzonken in een van Bea's vrouwenbladen. Ze maakte een verbijsterde indruk.

'Volgens mij is er iets belangrijks waar we het over moeten hebben –' begon hij.

'Het antwoord is nee,' viel ze hem in de rede. 'Ik heb Leo gebeld en het hem nog eens duidelijk gemaakt terwijl jullie aan het praten waren. Hij... legt zich erbij neer. De vergadering met Teresa is om twee uur. Ik zou onderweg graag even bij mijn zusters langsgaan als dat mag.'

Ze keek naar hem op en glimlachte: een andere vrouw, dezelfde? Hij wist het niet. Op het gezicht van Agata Graziano zag hij op dat moment iets wat hij niet herkende bij haar, maar bij een andere vrouw zou hij het slinksheid noemen.

'Zullen we gaan?' vroeg ze en ze pakte de zwartleren tas op die Rosa Prabakaran een dag eerder voor haar had meegenomen, een die bij haar evenzeer op zijn plaats was als bij iedere andere vrouw in Rome.

2

Ze bracht een uur door in het klooster, een grijs anoniem gebouw dicht bij de rivier en de brug naar het Castello Sant'Angelo. Mannen mochten niet voorbij de hoge, houten deur, en dus werd ze vergezeld door Rosa Prabakaran en twee andere vrouwelijke agenten, die niets wijzer naar buiten kwamen. Agata was gewoon naar haar kamer en de kapel gegaan, had met een paar andere zusters gesproken, was in de bibliotheek een paar boeken gaan bekijken en toen net op tijd teruggekeerd, zodat ze de vergadering met het forensische onderzoeksteam zouden halen.

Het huis aan het Piazza di San Lorenzo in Lucina was onherkenbaar. De helft van het plein was nu afgesloten zodat de forensische onderzoekers vrije doorgang hadden. Het eeuwenoude, door motten aangevreten meubilair op de begane grond was verwijderd. Er liep voor bezoekers nu een gesteriliseerde plastic tunnel door de voordeur. In de ruimte tussen het plastic en de muur waren mannen en vrouwen in witte overals op handen en knieën minutieus elke spleet in de oude vloer en elk stofje in de hoeken aan het onderzoeken. De route leidde de hele, draaiende middentrap over, en vormde een steriele cocon waar ze doorheen zouden gaan tot ze op de bovenste verdieping waren aangekomen, want, zoals Teresa zei, hier was het werk grotendeels klaar en er was genoeg ruimte om een vergadering te houden.

Halverwege hield Agata halt en staarde naar de plek waar ze de dag daarvoor oog in oog had gestaan met de schedel van het skelet waarvan Costa hoopte dat het van Ippolito Malaspina zou blijken te zijn. Dit gedeelte van het gebouw had een transformatie ondergaan. Silvio di Capua had duidelijk deze ronde tegen de mensen van monumentenzorg gewonnen. Gigantische steunpilaren van ijzer waren naar binnen gebracht en strekten zich uit van de vloer tot het plafond. Werklui hadden de muur steen voor steen verwijderd en de rechthoekige ruimte daarachter blootgelegd. Nu je er zo in kon kijken leek hij veel kleiner. De kast was er nog steeds, leeg nu. De dozen met documenten die langs de tegenoverliggende muur hadden gestaan waren ook verdwenen.

Hij kende Teresa's methoden goed. Ze was een vrouw die zich altijd liet leiden door prioriteiten en een instinct bezat voor wat ze als eerste moest aanpakken. Het forensische onderzoek van het vreemde geraamte dat Agata gevonden had zou zonder meer boven aan haar lijstje staan. Maar ze begreep net als ieder ander dat dit geen ongecompliceerde zaak was, geen jacht op belastend bewijsmateriaal. Dat hadden ze al. Wat ze nodig hadden was een aanwijzing – een connectie die Franco Malaspina aan dit onderkomen, vervallen gebouw verbond en bewees dat hij deel uitmaakte van de Ekstatici, zo onweerlegbaar dat zelfs de meest sceptische of omkoopbare rechter er niet omheen kon.

Welke verwachtingen hij ook gekoesterd mocht hebben, ze verdwenen als sneeuw voor de zon zodra ze de bovenste verdieping bereikten. De doeken waren netjes aan één kant van de ruimte tegen elkaar aan gezet. Toni Grimaldi stond er in zijn grijze pak vlakbij, een korte sigaar in zijn hand en een sombere uitdrukking op zijn gezicht.

'O, fantastisch,' mompelde Peroni, een beetje te luid.

'Gelukkig kerstfeest, heren,' zei Grimaldi alvorens hij gapend het juten kleed optilde dat over een van de doeken hing. Hij kneep de ogen half dicht naar wat hij daar zag en voegde eraan toe: 'Dit spul is miljoenen waard, zeggen ze.'

Agata stapte eropaf en trok het kleed helemaal weg. 'Poussin,' verklaarde ze, heel even haar wenkbrauwen fronsend. 'In ieder geval, dat wordt het geacht te zijn. Leo?'

Falcone kwam bij het raam vandaan, waar hij naar het Piazza had staan staren. 'Poussin, inderdaad,' beaamde hij. 'Maar als jij denkt dat het een vervalsing is, kun je dat het beste nu tegen die lui in Stockholm zeggen, want die houden er andere ideeën op na.'

'Het is hun schilderij,' antwoordde ze en ze staarde toen naar de nieuwkomer.

'Hoe staat het met uw zaak, zuster?' vroeg Grimaldi onder haar intense blik.

'Ik heb geen zaak.'

Hij haalde de schouders op. 'U bent misschien niet de enige. Laat me mijn positie duidelijk maken. Vandaag... eerste kerstdag... luister ik naar wat jullie te zeggen hebben. Daarna beslis ik of ik jullie toesta naar de rechter te stappen. Nogmaals. Beschouw mij als iemand van de rechterlijke macht. Voor jullie hen kunnen overtuigen, moeten jullie eerst mij overtuigen. Slagen jullie daar niet in...'

Hij trakteerde hen allemaal op een humorloze grijns. Grimaldi had vrijwel altijd de uitdrukking op zijn gezicht die Costa associeerde met juristen van de Questura, een die zei: 'Ik zal jullie ervan weerhouden stomme dingen te doen, omdat ik weet dat ik dat kan.' Hij was daarnaast een van de slimste en meest volhardende mannen die ze hadden, een fatsoenlijke, toegewijde politieman die, als hij dacht dat het erin zat, elke minuut van de dag zou werken om een veroordeling los te krijgen.

'Franco heeft al die schilderijen gestolen, toch?' vroeg Agata en ze maakte met haar slanke arm een zwaaiende beweging die de hele kamer omvatte. 'Is dat niet genoeg?'

'Bewijs het maar,' antwoordde Grimaldi.

Er verschenen rimpels van ongenoegen op Falcones lange, magere gezicht. 'Je weet dat we dat niet kunnen. Nog niet. Maar kijk eens naar het indirecte bewijs.'

'Ik heb de afgelopen weken niet veel anders gezien,' antwoordde de jurist. 'Laat het me als volgt samenvatten. Nino Tomassoni was betrokken bij een netwerk van kunstsmokkelaars. En volgens de Fransen was die Véronique Gillet dat ook. Malaspina kende hen allebei, de vrouw misschien zelfs intiem.'

'Hij ging met haar naar bed,' zei Costa. 'Dat zei hij tegen me.'

'Is het een misdrijf om met een verdachte naar bed te gaan?' vroeg Grimaldi en hij spreidde in een dramatisch gebaar zijn grote armen.

Peroni nam het woord. 'Toni, we kennen elkaar al vele jaren. Ik begrijp dat je voorzichtig bent...'

'Dit heeft daar niks mee te maken. Dit gaat gewoon over gezond verstand en de juiste handelswijze. Jullie hebben niets. Zelfs die vreselijke foto's die jullie hebben gevonden. Hebben jullie ook maar één vrouw kunnen opsporen die kan worden verhoord?'

Falcone liep rood aan. 'Die zijn óf dood, óf terug in Afrika. Geef ons een kans, man. Wat tijd.'

'Je hebt geen tijd, Leo. Dit onderzoek heeft de Questura al handenvol geld gekost aan boetes. En waar zijn jullie? Malaspina heeft ons volledig klemgezet. Je kunt hem nog niet eens om de simpelste test vragen omdat hij die klungelige onderzoeken van jullie tegen jullie gebruikt heeft –'

'Die waren niet van ons,' onderbrak Falcone hem.

'De wet maakt geen onderscheid tussen competente politieagenten en incompetente. Voor de rechter zijn jullie allemaal hetzelfde. Dat is de reden dat jullie geen uitstrijkjes van deze man kunnen maken. Of van wie dan ook die er geen zin in heeft, als ze eenmaal deze ontsnappingsmogelijkheid kennen. Alsjeblieft zeg, je hebt ons al genoeg werk bezorgd. Weet je wat op dit moment onze prioriteit is?'

'Om die klootzak achter de tralies te krijgen?' vroeg Peroni, nu even duivels als Falcone.

'Kom met beide benen op de grond, Gianni,' diende de advocaat hem van repliek. 'Aangezien er geen arrestatie ophanden is, moet onze prioriteit nu zijn om die principe-uitspraak die Malaspina tegen jullie voor elkaar heeft gekregen, onderuit te halen.'

Falcone draaide zich om en keek hem aan. 'Principe?' herhaalde hij.

'Principe. Moet ik het voor je uitspellen?'

Agata, die er duidelijk niets van snapte, zei: 'Voor mij wel.'

'Goed dan,' stemde Grimaldi in. 'Als ik de afzonderlijke bepaling, die Malaspina voor elkaar heeft weten krijgen, probeer aan te vallen, dan open ik alle dozen van Pandora waar jullie hem van hebben voorzien. De intimidatie. De niet-bewezen en niet-bewijsbare aantijgingen. Bewijs dat niet voldoet aan de meest fundamentele wettelijke regels. De uiterst persoonlijke manier waarop jullie in dit onderzoek te werk zijn gegaan.'

'De man is een oplichter en een moordenaar,' klaagde Falcone.

Grimaldi was niet onder de indruk. 'En een aristocraat met meer geld en relaties dan de meesten van ons in meerdere levens bij elkaar zouden kunnen scharrelen. Denk na. Bekijk het door onze ogen.'

Costa begon misselijk te worden. 'Door jullie ogen?' vroeg hij.

De jurist aarzelde. Hij leek net zo min van zijn positie te genieten als zij. 'We moeten keuzes maken. Tenzij je heel gauw met iets op de proppen kunt komen. Bijvoorbeeld vandaag. Of morgen op zijn laatst...' Hij kuchte in zijn vuist, gegeneerd door wat hij ging zeggen. 'Zonder dat zal ik de *commissario* moeten adviseren om het onderzoek terug te schroeven, deze man met rust te laten in de hoop dat we tot een of andere overeenkomst kunnen komen.'

'Wat betekent dat, verdomme?' blafte Peroni.

'Dat betekent' – Grimaldi keek diep ongelukkig – 'dat ik praktisch moet zijn. Als jullie hem er niet bij kunnen lappen, moet ik mezelf een algemenere vraag gaan stellen. Is het geen tijd om aan de toekomst te gaan denken? Aan al die mannen als hij die dankzij diezelfde truc aan vervolging ontkomen? Als ik met Malaspina tot een regeling kan komen, zodat hij ons verder met rust laat en we die ontsnappingsmogelijkheid kunnen dichten zonder verder nog naar het verleden te kijken, wat toch al lastig zal zijn...'

Het was stil in de kamer. Zelfs het handjevol onderzoekers op de plaats delict was opgehouden met werken en draaide zich naar de grote jurist in zijn grijze pak om hem verbaasd, verbijsterd aan te staren.

'Het is toch niet bepaald waarschijnlijk dat Franco Malaspina die kunstjes van hem opnieuw zal gaan flikken, hè?' Grimaldi zag eruit als een in het nauw gedreven man. 'Zeggen jullie maar wat we moeten doen: er niet in slagen om een moordlustige klootzak die het moorden eraan heeft gegeven achter de tralies krijgen? Of een manier vinden om de zakkenwassers te pakken die op het punt staan ermee te beginnen?'

De man deed een beroep op Teresa Lupo. 'Jij bent de gerechtelijke onderzoeker. Zeg jij het maar. Wat heb je liever? Hij vrij op straat, terwijl hij nooit meer een vrouw in zijn leven zal durven aanraken? Of hij vrij op straat terwijl jij nog steeds met je handen op je rug je werk probeert te doen. Nou?'

Het was Agata die het woord nam. 'Ik ben maar een zuster,' zei ze, hem aanstarend. 'Maar volgens mij kun je een man alleen beoordelen op wat hij heeft gedaan, niet op wat hij misschien zal gaan doen. Deze misdaden...' Ze ving Costa's blik op. 'Als je die negeert, wat voor rechtvaardigheid blijft er dan nog over?'

'Prima!' riep de jurist uit. 'Ik ben een man van de wet, zuster. Rechtvaardigheid laat ik over aan priesters en nonnen als u.' Hij priemde met een vinger in de richting van Teresa Lupo. 'Vertel, wil je je speeltjes terug of niet?'

De patholoog staarde hem alleen maar aan en schudde haar hoofd. 'Weet je,' zei ze zacht, 'net als ik denk dat ik over mijn gewoonte om mensen te willen slaan heen aan het groeien ben, komt er iemand als jij op mijn pad. Zou je je mond willen houden en eens even luisteren? Ik ben hebberig, ik wil het allebei. Laten we onze zaken hier nu snel afhandelen en dan naar het mortuarium gaan om naar wat botten te staren. En als dat niks oplevert –'

'Dan ga ik naar huis, naar mijn gezin,' onderbrak Grimaldi haar. 'Dus heb je nou iets wat Malaspina met deze plek verbindt? Iets?'

De twee forensische wetenschappers staarden elkaar ongerust en voor één keer zwijgend aan.

De waarheid was dat er weinig was wat ze naar Malaspina konden terugkoppelen. Een aantal gestolen schilderijen die tientallen miljoenen euro's waard waren en in een periode van zeven jaar uit diverse openbare instellingen door heel Europa gestolen waren. Een aantal documenten, die in de dozen in de verborgen kamer waren gevonden en die duidelijk maakten dat Nino Tomassoni zijn huis beschikbaar had gesteld als een soort opslagplaats voor de bende die bij de diefstallen was betrokken. De foto's op de lege plek aan de muur waar de Caravaggio ooit had gehangen. Een velletje papier dat de betrokkenheid van Véronique Gillet aantoonde: een van haar Louvre-mailadres verzonden e-mail, waarin melding werd gemaakt van de verplaatsing van een Miró van Barcelona naar Madrid, tijdens welke reis het schilderij gestolen was. Ten slotte het duidelijke bewijs dat het Tomassoni was geweest die berichten naar de Questura had gestuurd in een anonieme poging de aandacht van de politie op de misdaden te vestigen.

'Dat is alles?' vroeg Grimaldi. 'Geen spoor van Malaspina in terug te vinden. Geen vingerafdruk. Niet één enkel document...'

'In de e-mails die Tomassoni naar de Questura stuurde, werd Malaspina genoemd,' bracht Teresa te berde.

'Niet-bevestigde roddel van een dode man,' merkte de jurist op.

'Geef ons tijd,' smeekte Falcone. 'We zijn overspoeld met materiaal. We kunnen niet alles verwerken wat we hebben. Dit kan weken duren. Maanden.'

'Je hebt geen maanden, Leo,' antwoordde Grimaldi met duidelijk ongeduld. 'Ik wou dat ik kon zeggen dat je die wel had. Maar deze zaak is inmiddels ook een politieke kwestie geworden. De mensen van justitie bellen. Iedereen is aan het bellen. Overal begint het nu spaak te lopen, niet alleen bij ons, ook bij de Carabinieri, de plaatselijke politie, de douane... Iedereen heeft er last van en ze bellen allemaal mij. In het criminele circuit weten ze het ook. Heel gauw zullen ze tot de laatste man begrijpen dat ze onder vingerafdrukken of een uitstrijkje uit kunnen komen als er geen harde bewijzen zijn. Vijftien jaar geleden hadden we die dingen niet eens en sloten we voortdurend mensen op. Nu lijkt het wel alsof we zonder deze dingen niet weten wat we moeten.'

Costa meende de stem van Esposito in dit alles te horen. De nieuwe *commissario* was een pragmatisch man, een die niet aan banden gelegd wilde worden door de fouten van anderen.

'We hebben een schat aan materiaal,' zei Teresa zelfverzekerd. 'We werken zo hard we kunnen. Er bevinden zich massa's documenten beneden...'

'Je zei dat dat historische papieren waren,' kaatste de jurist terug.

'Dat klopt,' antwoordde ze, nu niet meer zo zeker.

'Wat hebben we er dan aan?' Grimaldi gooide zijn handen in de lucht. 'We hebben met het heden te maken. Als jij wilt dat ik Franco Malaspina vervolg, dan heb ik bewijzen nodig uit deze eeuw, niet het gekrabbel van een paar geesten.'

'En als een van die geesten kon praten?' vroeg Agata zacht.

'Dan zou ik nog een grotere idioot lijken als ik dit allegaartje van losse eindjes aan een rechter zou proberen te verkopen.'

Agata nam de zwarte tas van haar schouder, en op dat moment begreep Costa wat er niet klopte. Het ding was zwaarder dan anders en was dat al sinds de vorige dag.

Ze haalde er een groot, dik boek uit tevoorschijn. Het was in donker leer gebonden, met barsten van de ouderdom erin. Agata sloeg het open en ze zagen allemaal wat er op de bladzijden te lezen stond: regel na regel in een kriebelig handschrift, onderverdeeld in paragrafen met de datum erboven. Een journaal. Een dagboek uit een andere tijd.

'Heb je dit uit die kamer meegenomen?' vroeg Costa. 'Zonder dat ik het zag? Heb je het gauw gestolen vóór ik er was?'

Ze had er ook in zitten lezen toen hij de vorige avond Emily's atelier binnengelopen was. Hij herkende het boek. Het had naast haar gelegen.

'Daar gaat de mogelijkheid het als bewijsmateriaal te gebruiken,' kreunde Grimaldi. 'Niet dat ik ook maar een moment geloof –'

'Jullie hebben het bewijs,' viel Agata hem in de rede. 'Dat heb je me gezegd. Steeds weer. Maar wat jullie zoeken is de link, toch?'

Teresa kwam naar haar toe en legde haar gehandschoende vingers op het omslag. 'Vingerafdrukken,' zei ze. 'Silvio. Regel het. Wie weet...' Ze wierp een blik op Agata. 'We moeten ook die van jou nemen om ze van de rest te onderscheiden.'

Ze stak haar handen omhoog. Ze droeg dezelfde witte forensische handschoenen als Teresa, die ook in de tas moesten hebben gezeten. Toen ze het boek eruit had gehaald, had ze ze gauw aangeschoten.

'Ik heb deze van jullie forensische mensen gestolen,' zei ze. 'Willen jullie me vervolgen voor een kruimeldiefstal? Of willen jullie graag weten wat ik heb gevonden?'

3

Het was een dagboek over een periode van negen jaar, van 13 juni 1597 tot 29 mei 1606, de dag na de moord op Ranuccio Tomassoni. Ze had er het grootste deel van de afgelopen nacht in zitten lezen, maar sommige stukken alleen vluchtig ingekeken, aldus Agata. Ze had zich geconcentreerd op die delen waarin van de meeste activiteit sprake leek te zijn. Vervolgens, nadat ze met het excuus was gekomen dat ze het klooster wilde bezoeken, had ze daar een andere zuster geraadpleegd, die alles wist van documenten uit die periode en in staat was om sommige woorden en termen te vertalen die haar niet bekend waren.

En dat waren er nogal wat. Agata Graziano's donkere huidskleur verborg grotendeels haar rode blos. Op de voorzijde van het boek was, in een sierlijke vergulde belettering, de titel *Gli Ekstasisti ed Evathia – De Ekstatici en Eva* te zien. Daarachter gingen de privékronieken van de Ekstatici zelf schuil, een wekelijks verslag van een geheime, mannelijke broederschap die ooit als een grap van een stelletje wilde, jonge mannen begonnen was en zich door de jaren heen tot iets duisterders, boosaardigers had ontwikkeld. De inhoud was om te beginnen openhartig en opschepperig, de verslaglegging van een geheime club van getalenteerde en vaak welgestelde mannen, die hun dagen in de intelligent causerende intellectuele bovenlaag van het Rome van de renaissance doorbrachten en hun nachten te midden van het sombere, harde fysieke geweld van de maatschappelijke onderlaag in Ortaccio. Er werd gerept van wilde seksuele avonturen met vrouwen uit de hogere kringen en met prostituees, en onderlinge praktijken waar de leden meteen voor ter dood zouden worden gebracht als het Vaticaan erachter was gekomen. Er bevonden zich schetsen in, pornografische tekeningen en schunnige, liederlijke verzen. Op de bladzijden werden bovendien rituelen beschreven: ceremonies waar alleen zijdelings melding van werd gemaakt, maar die, zoals Agata zei, heidense en alchemistische antecedenten hadden.

Onder de eeuwenoude notities bevonden zich voorbereidende schetsen voor schilderijen, waarvan in ieder geval een paar van Caravaggio waren.

'Hier,' zei ze en ze wees naar een vreemde, ruwe schets van drie naakte gespierde figuren, van achteren gezien, die om een wereldbol heen gegroepeerd stonden. 'Dit is een schets voor zijn enige fresco, voor het casino van de Villa Ludovisi, in opdracht van Del Monte. Dat bestaat nog steeds. Het gaat om Jupiter, Neptunus en Pluto, al waren die eigenlijk allegorieën voor de drie principes van Paracelsus, een alchemistisch concept... zwavel en lucht, kwik en water, zout en aarde. Het casino werd door Del Monte gebruikt om er te hobbyen in zaken die door het Vaticaan als ketters zouden worden beschouwd. Mogelijk samen met Galileo.'

Ze ging terug naar het begin van het boek, naar een andere schets over twee bladzijden die als titelprent fungeerde.

'*Evathia in Extasis. Eva in extase.* Het moment waarop de wereldse zonden, die zij in het geheim verheerlijkten, hun intrede deden in onze levens.'

Ze verdrongen zich om haar heen om er een blik van op te vangen. Zelfs deze grove schets in inkt benam Costa de adem. Hij bezat het subtiele spel met de geest van het uiteindelijke werk en de mogelijke wisseling van perspectief. Hij was kortom even gedurfd als het schilderij, afhankelijk van de manier waarop de kijker keek naar het spannende en uiterst fysieke moment van puur genot dat de hartstochtelijke vrouw beleefde.

'Zij,' zei Agata zacht, 'was de ultieme godin. Moeder en echtgenote. Hoer en slavin. Brengster van zowel plezier als vervloeking. Dit was wat zij aanbaden. Dit' – haar vingers volgden de sensuele omtrekken van het vrouwelijk naakt op de bladzijde – 'is wat Franco Malaspina in onze tijd aanbidt. Net als zijn voorouder.'

Ze waren, zei ze, met zijn zevenen, nooit bij name genoemd, alleen bij hun ambacht of hun positie: de Schilder, de Caporione, de Koopman, de Bediende, de Dichter, de Priester en, het vaakst van allemaal 'Il conte Nero' – de Zwarte Graaf. Dat was Ippolito Malaspina, meende ze, terwijl Ranuccio Tomassoni de Caporione was, Caravaggio de Schilder, en de Priester iemand uit de staf van kardinaal Del Monte, rond de eeuwwisseling de huurbaas van de kunstenaar.

'Hoe weet je dat van die priester?' wilde Falcone weten.

'Het was' – ze glimlachte even sluw in de richting van Costa – 'giswerk. Ik had geluk. De archieven van het huis Del Monte bestaan nog steeds. In deze tijden van moderne wonderen kan ik ze zelfs op eerste kerstdag, om twee uur 's nachts op de computer van iemand anders, inkijken in het repositorium van het Vaticaan. Er was daar een naam... pater Antonio L'Indaco, zoon van een kunstenaar die in de annalen van Vasari voorkomt en die met Michelangelo samengewerkt heeft. Dit was een huishouden van bohemiens.'

'En hij was het... omdat?' vroeg Costa, terwijl hij half en half het antwoord wel wist.

'Omdat Antonio L'Indaco eind mei 1606 verdween en nooit weergezien werd. Waarom?'

Ze wachtten, zonder uitzondering luisterend, de politieagenten en de jurist en de forensische onderzoekers in hun overals. 'Omdat hij de man is die met Caravaggio naar Malta ging en deed alsof hij Ippolito Malaspina was, terwijl de man zelf dood was, vermoord in zijn eigen huis door hetzelfde geweld dat de dood van Ranuccio Tomassoni tot gevolg had.'

Costa raakte de bladzijde aan. Het papier was dik en voelde een beetje vochtig aan. Het was niet moeilijk voor hem zich Caravaggio en de andere Ekstatici voor te stellen terwijl ze over dit boek gebogen stonden en de details van hun avonturen neerkrabbelden, naast kleine schetsjes, krabbels bijna, in de marge.

'Waarom is hij gestorven?' vroeg hij. 'Weet je dat ook?'

'Ik kan het wel raden,' antwoordde ze met duidelijke, stille tegenzin. 'Dit boek beslaat negen jaar. In die dagen een groot deel van iemands leven. In het begin' – ze fronste haar voorhoofd – 'was het gewoon een spelletje, meer niet. Drinken, vechten, vrouwen. De manier waarop het voor Franco ook begonnen is, denk ik.

Tot iets, "een afwijking in het bloed", hem in zijn de macht kreeg. En toen...'

Ze bladerde naar een bladzijde met een gele post-it, aan het einde van het boek. Ze kwamen dichter om haar heen staan en keken naar wat daar te zien was: een tekening van een doodsbange vrouw die naakt op haar rug lag, omgeven door grijnzende, lachende mannen...

Hij volgde de lijn van haar uitgestoken vinger. In de marge van de bladzijde stond geschreven: 'Moge God me vergeven, want ik weet wat ik doe...' Het vloeiende, losse, schuine handschrift waar een zekere spijtigheid uit sprak, was hetzelfde als op het vermiste schilderij, hetzelfde als dat van Caravaggio zelf.

4

'Je kunt hier zien hoe ze uit elkaar groeien,' ging ze verder. 'In de laatste twee jaar. Ik ben er zeker van dat het Antonio L'Indaco is die de meeste van deze stukjes heeft geschreven. Er worden zinsneden in gebruikt die alleen voor een priester natuurlijk zijn. Hier...'

Ze sloeg een bladzijde op met de datum 16 november 1604. Dit keer was er geen illustratie. In de tekst werd de ontvoering van een prostituee uit Ortaccio beschreven en haar overbrenging naar een verborgen plek, 'voor de godin', waar ze aan een vernederende reeks seksuele handelingen werd onderworpen, die ieder tot in de kleinste details werden beschreven, zij het dan op een manier die de lezer deed geloven dat de auteur van het verslag het er niet mee eens was of er helemaal niet bij was geweest.

'Het werd erger en het waren vooral Ippolito Malaspina en Ranuccio Tomassoni die daarvoor verantwoordelijk waren, steeds weer. Dat staat hier. Een voortdurende neerwaartse spiraal van wanhoop en vernedering, totdat...'

Een andere post-it markeerde de plaats. Agata sloeg de bladzijde op. Deze was gedateerd 27 mei 1606, een dag voor de moord op Tomassoni.

'Lees,' droeg ze hun op.

De hand van de schrijver moet van woede, doodsangst of beide gebeefd hebben. In grote, atypisch onelegante letters, schreeuwde hij het uit:

De Graaf is gek! Ranuccio en hij rennen naar de paus en geven ons overal de schuld van! Geloven dat ze met de godin een of andere corrupte en doortrapte 'rechts'handhaver kunnen omkopen! Er is geen rechtvaardigheid in Rome. Geen hoop. Geen leven. We vluchten voor ons leven. We bidden God om vergeving en dat hij de Zwarte Graaf voor eeuwig moge vervloeken, hij, die ons tot deze schande en vernedering gedwongen heeft. Hoor mij aan, o God! Met Uw hand verdedig ik mijzelf!

Agata keek even naar het raam. 'De volgende dag werd Ranuccio Tomassoni vermoord door Caravaggio en de anderen. Ippolito Malaspina is volgens mij hier gestorven. Die twee stonden op het punt hun broeders te verraden, door het schilderij dat ze allemaal adoreerden als afkoopsom te gebruiken om de schuld af te wentelen van zichzelf. En zo vielen de Ekstatici uiteen, in bloed, haat en moord. Weet je nog, dat teken om de hals van het lijk?'

'Een verrader en een dief,' zei Costa, die zich elk woord herinnerde.

'Regels uit Dante...' voegde ze eraan toe. 'Wie zou zich die beter herinneren dan een priester? Dit waren over het algemeen gewone mannen. Ranuccio had broers, goede eerlijke burgers, die, voor zover ik kan uitmaken, niets te maken hadden met de Ekstatici. De archieven laten zien dat ze een paar dagen na deze gebeurtenissen Rome ontvluchtten, maar toestemming ontvingen om terug te keren. Ze bleven hier en lieten hun bezittingen na aan hun erfgenamen. En zo is het gebleven, tot de arme, zwakke Nino Tomassoni. Ik vermoed dat de broers zich schaamden voor wat er onder hun familienaam had plaatsgevonden. Ik denk dat zij ook Caravaggio hielpen. Ze hielden het schilderij. Ze verborgen het lichaam van Ippolito zo respectvol mogelijk. In de tussentijd vermomde Antonio L'Indaco zich als de dode graaf en ontsnapte samen met Michelangelo Merisi, schreef brieven, uitvoerige brieven – sommige zijn nog in ons bezit – vanuit Malta en de andere delen van Italië waar ze vervolgens woonden.'

Ze tikte hard met haar vinger op de bladzijde. 'Hier is het. Het is allemaal hier!'

Grimaldi snoof en keek toen op zijn horloge. 'Daar twijfel ik niet aan, zuster. U hebt misschien wel een misdaad opgelost van vierhonderd jaar oud. Helaas valt dat buiten mijn rechtsbevoegdheid. Dus...'

'Nino Tomassoni kende die kamer,' schreeuwde ze. 'Het was een geheim dat van generatie op generatie was overgedragen. Een dat hij deelde toen hij aan zijn tweede carrière begon als medeplichtige van Franco's kunstdiefstallen! Hier! Kijk dan!'

Ze sloeg de laatste bladzijde van het boek op. Daar stonden, in wat moderne inkt leek, met de nonchalante losheid van graffiti, vier namen geschreven, elk in een ander handschrift: de Pornograaf, de Koopman, de Bediende en de Zwarte Graaf.

Het woord 'zwart' in Malaspina's alias was onderstreept.

'Vierhonderd jaar later zagen ze dat schilderij en besloten de broederschap nieuw leven in te blazen. Ze lazen dit boek. Ze traden in de voetsporen van Ranuccio Tomassoni en Ippolito Malaspina.' Ze aarzelde. 'En ook die van de betreurenswaardige, verdwaalde Michelangelo Merisi.'

Er zinde Costa iets niet. 'Franco had die obsessie met zwarte prostituees,' bracht hij te berde. 'Hadden zij dat vroeger ook?'

'Nee,' antwoordde ze een beetje aarzelend. 'Helemaal niet. De vrouwen van de straat die destijds in Ortaccio woonden waren voornamelijk blank. Dat kunnen we opmaken uit hun portretten, uit de gegevens die we bezitten. Simonetta was een keukenmeid in Florence, bijna een eeuw eerder. Een slavin eigenlijk. Ik vermoed dat de echte Ippolito Malaspina het beneden zijn waardigheid zou hebben gevonden om zich in te laten met een kleurlinge. Hij moet hetzelfde geweest zijn als Alessandro de' Medici. Beschaamd over zijn herkomst. Net als Franco...'

Teresa Lupo keek de jurist recht in zijn gezicht. 'Daar. Iets moderns. Iets wat van toen naar nu leidt.'

'En dat betekent?' vroeg Grimaldi. 'Vertel eens.'

'Het betekent,' opperde Agata, 'dat er iets gebeurde dat kortsluiting veroorzaakte in Franco Malaspina's geest. Iets waardoor dit hele idee in een obsessie veranderde. Wat was dat?' Ze slaakte een lange, wanhopige zucht. 'Ik heb geen idee. Het was altijd een vaste grap op het werk. Dat hij iets Afrikaans had. Ik herinner me...' Ze staarde naar de bladzijde in het boek, en probeerde na te denken. 'Ik herinner me dat die grap misschien sinds een jaar of zo ineens niet meer gemaakt werd. Franco's gevoel voor humor was wat dit betreft totaal verdwenen.' Haar lange, donkere vingers streelden de bladzijde. 'Maar hier kan ik niets vinden dat een dergelijke connectie zou kunnen bewijzen.'

Teresa Lupo wierp een blik op haar assistent. 'Dat zit in het bloed,' zei ze rustig. 'En daar kan ik wellicht bij helpen.'

5

Dertig minuten later waren ze in het mortuarium van de Questura. Garibaldi zat de hele tijd op zijn horloge te kijken en zag er nog steeds uit alsof hij niet snapte waarom hij naar een geschiedenislesje zat te luisteren, terwijl hij thuis bij zijn gezin had kunnen zijn. Teresa stond over het geraamte gebogen dat op de glanzende tafel in het midden van de kamer lag, een verzameling grijze botten, nu bezaaid met labels, en her en der lichter op plekken waar ze duidelijk onderzocht waren.

'Het eerste wat ik moet opmerken,' begon Teresa en ze wees naar de schedel, 'is dat alles wat ik hier zie Agata's lezing ondersteunt. Deze man is bruut vermoord.'

Ze wees op een gapende, afgebrokkelde barst in de schedel vlak boven de rechterslaap. 'Dit is een typische zwaardwond en hij zal diep en ernstig geweest zijn. Maar' – haar vingers in de handschoenen gleden over de armen – 'er zijn hier nog een aantal afweerwonden, op beide ledematen. Steekwonden in de borstkas. Een gebroken dijbeen. Hij was aangevallen en vermoord, waarschijnlijk door meer dan een persoon.'

'Kan het een gevecht geweest zijn?' vroeg Falcone.

Teresa schudde haar hoofd. 'Nee, hij weerde hen af met zijn armen. Alles bijeengenomen lijkt me dat hij door een aantal mannen aangevallen is. En bovendien –'

Peroni stond met een sombere uitdrukking op zijn lange, bleke gezicht naar het skelet te staren. 'Zij hebben dat gedaan,' onderbrak hij haar en priemde met een lange, vlezige vinger naar de grootst zichtbare wond, ter grootte van een hand ongeveer, die over de linkerkant van de borst liep en een aantal ribben had opengereten.

'Iemand heeft dat gedaan,' merkte ze met een diepe zucht op. 'Maar niet op de manier waarop jij denkt. Dit is na zijn dood gebeurd. De technische term hiervoor is een post mortem amputatie van het hart. Het was een bekende, zij het geen algemene, funeraire praktijk in sommige middeleeuwse gemeenschappen. Het hart werd meestal weggehaald' – ze haalde haar schouders op – 'om te worden vereerd. Je kent dat soort dingen toch wel uit de kerk? Hier bevinden zich de stoffelijke resten van de heilige. Bid voor zijn ziel... en de jouwe. Zo pakten ze dat aan.'

'Hij was geen heilige,' bracht Agata naar voren.

'Nee,' beaamde ze. 'Dat is wel duidelijk. Maar het werd soms ook gedaan bij beroemde mannen. Koningen. Heren. Hertogen.'

'Waar deden ze dan achteraf het hart in?' vroeg Costa.

'Ik kan je wel zeggen waar het had moeten zijn,' antwoordde ze meteen. 'Silvio?'

Haar assistent kwam aanlopen met een reeks grote, opgeblazen foto's. Ze lieten tot in detail de kast zien waar het geraamte in was gevonden.

'Deze was speciaal gemaakt,' zei Teresa. 'Toen ze hem vermoordden, was het de bedoeling hem te bewaren. Het geraamte ziet er ook niet zo uit dankzij het natuurlijke verrottingsproces. Het werd gekookt. Zuster Agata is niet de enige die de familie Tomassoni heeft bestudeerd. Weet je wat de broers voor hun levensonderhoud deden?'

Di Capua gooide nog een aantal foto's op tafel naast de botten. Het waren middeleeuwse prenten die een of ander knekelhuis uitbeeldden, waarin mannen druk doende waren een lijk van zijn ledematen te ontdoen.

'Het ware begrafenisondernemers,' onthulde hij. 'En in die kringen heeft men ongetwijfeld specialistische kennis gehad. Ze zouden het lichaam gekookt hebben in een mengeling van water en azijn. We kunnen daar nog steeds sporen van vinden. Dat moet een paar dagen hebben geduurd. Ze zullen ook organen hebben verwijderd. Het is niets vergeleken met wat de Egyptenaren deden, maar het is nog steeds behoorlijk indrukwekkend.'

'En het hart,' onderbrak Teresa hem, 'moet hierin hebben gezeten.' Ze wees op een gat aan de onderkant van de kast, dat eruitzag alsof het daar met opzet aangebracht was voor een of andere doos. 'Wat daar in heeft gezeten, is verdwenen. En wel heel recent,' voegde ze eraan toe. 'Dat kunnen we opmaken uit de laag stof. Het moet rond dezelfde tijd zijn verdwenen als wat daar aan de muur heeft gehangen, waar Nino zijn vieze plaatjes heeft opgeprikt.'

'Franco heeft het meegenomen,' zei Agata meteen. 'Dit was zijn voorvader.'

'Dat is een verklaring,' zei Teresa aarzelend.

'Kunnen jullie de verbinding leggen?' vroeg Falcone simpel.

'Ik denk dat we het antwoord daarop al weten,' kreunde Grimaldi. 'Anders zouden we hier niet naar deze rammelende dissertatie staan luisteren.'

'Ik kan zeker verbanden leggen,' antwoordde ze snel. 'Maar of onze vriend hier dat voldoende vindt...'

'Ik...' Grimaldi keek naar hem om. Hij wist wanneer hij in de minderheid was. 'Ik zal nog wat langer luisteren.'

'Perfect,' antwoordde Teresa zonder haar kraaloogjes van hem af te wenden. 'Ik heb vier individuele monsters van mannelijk DNA uit die gruwelkamer in de Vicolo del Divino Amore. Drie ervan afkomstig van sperma, op de lijken van die vrouwen, op de vloer en de bank die ze gebruikten. Een ervan heeft geen enkele seksuele connotatie. Het gaat hier om alledaags fysiek contact. De vingerafdrukken en het zweet, bewijsmateriaal dat iedereen achterlaat die door een ruimte loopt en dingen aanraakt.'

'Dat moet Nino geweest zijn,' bracht Agata te berde.

Teresa knikte. 'Goede gok.'

'Ik kende deze mannen,' wierp ze tegen. 'Niet goed, maar ik zag ze vrij vaak. Franco was hun leider. Castagna en Buccafusca zijn handlangers. Nino was ondergeschikt aan hen allemaal. Die nonsens waar Franco in gelooft, over het leven van de ridder, zijn recht om te doen wat hij wil... Nino was een angstig mannetje. Hij kan dat nooit zo hebben gevoeld.'

'We hebben geen bewijs dat Nino Tomassoni deel heeft genomen aan een van de seksuele activiteiten of de moorden,' bevestigde Teresa. 'Maar hij was er wel bij, dat bewijzen de foto's die we in zijn huis gevonden hebben. Misschien was hij gewoon een omstander.'

'En de rest?' vroeg Falcone.

Silvio Di Capua pakte een paar mappen met rapporten op van het dichtstbijzijnde bureau en zwaaide ermee voor zijn neus. 'We hebben Castagna en Buccafusca zonder enige twijfel geïdentificeerd.'

'Twee dode mensen,' kreunde Grimaldi. 'Geweldig...'

Silvio Di Capua balde zijn kleine vuisten en slaakte een korte kreet. 'In godsnaam, man. Gebruik je verbeelding eens. Er is nog een monster over dat niet geïdentificeerd is. Dat moet wel van Franco Malaspina zijn. We hebben alleen een kans nodig...'

'Verbeelding?' krijste Grimaldi. 'We staan op het punt voor de rechter gesleept te worden wegens intimidatie en jij wilt dat ik daar een verhaal ga houden over geschiedenis en verbeelding? Wanneer worden jullie eindelijk eens wijzer? We kunnen ons niks meer permitteren met deze vent.'

'We zouden onze plaats moeten kennen,' zei Costa kalm.

'Dat zei ik niet!' wierp de jurist tegen. 'Denk je dat ik dit leuk vind? Denk je dat ik dit monster wil verdedigen? Hij is een moordenaar en een oplichter en ik zou er mijn rechterarm voor geven om hem de rest van zijn leven in een cel te zien wegrotten. Maar de enige manier waarop we dit kunnen doen is via de wet. Wat kunnen we anders?'

Agata keek hem aan en glimlachte, met een raadselachtige uitdrukking op haar gezicht.

'"De wet is een idioot." Waar komt die uitdrukking ook weer vandaan?'

'Van elke stomme agent die denkt dat ik een zaak rond moet kunnen maken waar hem dat niet gelukt is,' snauwde Grimaldi. 'Geef me iets waar ik wat mee kan. Iets wat niet honderden jaren oud is.'

'Net als de meeste juristen, Toni, heb je een erg beperkte geest,' merkte Teresa Lupo kritisch op. 'Silvio? We gaan het over genealogie hebben.'

6

Di Capua liep naar het grootste bureau. Ze volgden hem en keken hoe hij drie lange familiestambomen uitrolde, waarvan twee duidelijk officieel waren en gedrukt, en de derde neergekrabbeld was in het compacte, heldere handschrift dat, zo wist Costa inmiddels, aan de forensische wetenschapper zelf toebehoorde. Di Capua was de ekster van de afdeling; als er een terrein van onderzoek bestond dat hem niet interesseerde, moest Costa dat nog meemaken.

'Alessandro de' Medici. De Moor,' zei Di Capua en hij smeet een foto op tafel. Het was het portret van een bleke man met het gezicht van een geleerde, in het zwart gekleed. Hij leek, weinig overtuigend, met een metalen stylus het gezicht van een vrouw op perkament aan het tekenen te zijn. De man zou een geestelijke of filosoof geweest kunnen zijn. Zijn jonge gezicht stond ernstig, hij was lelijk, en had een klein baardje. Zijn huid...

Costa boog zich om er van dichterbij naar te kunnen kijken. Agata voegde zich daar meteen bij hem, glimlachte, tevreden leek het hem, dat nu eens een ander naar schilderijen had zitten kijken.

'Ken je dit?' vroeg hij.

'Word ik geacht om elk kunstwerk dat ooit bestaan heeft te kennen? Nee...'

'Het bevindt zich in Philadelphia,' legde Di Capua uit. 'Jij bent de expert. Wat denk je van de pose?'

Agata fronste haar voorhoofd. 'Dit is een grap. Die man was de capo van de De' Medici-dynastie, volkomen meedogenloos en corrupt. Hier doet hij alsof hij kan tekenen, alsof een van deze aanzienlijke figuren dat zou kunnen. Hun talent lag meer in het mecenaat, als al...'

Di Capua haalde een andere foto tevoorschijn: dezelfde man, dit keer zittend, in een harnas en met een lans op zijn schoot. Zijn gezicht was ten dele zichtbaar, half afgewend als het was van de kunstenaar en de toeschouwer. De huid had merkwaardig weinig verf gekregen, alsof de kunstenaar ervan af had gezien de uiteindelijke teint aan te brengen.

'Een afwijking in het bloed,' zei ze beslist. 'Deze ken ik. Giorgio Vasari. Het hangt in het Uffizi. Vasari's schuchterheid is in het echt nog duidelijker. Ze durfden het niet toe te geven, hè? Jij kent het verhaal. We kennen allemaal het verhaal.'

'Ja,' was Grimaldi het met haar eens. 'Het is een verhaal. Zijn oude heer had een verhouding met een zwarte keukenmeid en de bastaard erfde het familiezilver.'

Agata keek boos naar de jurist. 'Zijn "oude heer" was wel Giulio de' Medici, die paus Clemens VII werd. Niet dat Giulio het ooit toe heeft gegeven. Hij kreeg zijn neef zover dat hij het kind zijn naam gaf. Het was niet zo handig voor een paus om zijn nakomelingen mee naar Rome te nemen. Daar bestaat geen twijfel over.'

'Hoe weet je dat?' vroeg Costa.

'Iemand als ik kan naar plekken toegaan waar politieagenten niet kunnen komen,' zei ze glimlachend. 'Het Vaticaan houdt archieven bij.' Ze liet even het crucifix tussen haar vingers door gaan. 'Dit alles vond maar zestig jaar voor Caravaggio's komst naar Rome plaats. Ik hoor dat te weten. Als dit lijk Ippolito Malaspina is...'

Ze stak haar hand uit en raakte de gebogen lijn van de borstkas aan, vlak bij het punt waar hij uiteengereten was.

'Hij is de kleinzoon van Alessandro de' Medici, de achterkleinzoon van Lorenzo, de Hertog van Urbino. Hij stamt uit een familielijn die drie pausen heeft voortgebracht en twee koninginnen van Frankrijk. Vraag je je dan nog af waarom ze zijn hart eruit haalden, zelfs al hadden ze hem om het leven gebracht omdat hij een verrader en een dief was?'

'Kunnen we hier iets mee?' vroeg Falcone.

'Dit zijn de feiten,' hield Agata vol. 'Ik kan je de namen geven van een fiks aantal geschiedkundigen die er voor de rechter een eed op zullen doen. Alessandro was de zoon van een aankomende paus en een zwarte keukenmeid. Maar het idee dat de Malaspina's ten dele een onwettelijke tak van de De' Medici waren... dat was alleen een gerucht. Roddel onder de aristocratie. Eeuwenoud.'

'Nee,' hield Di Capua vol en hij wees naar de tweede familiestamboom, die van de Malaspina's, die begon aan het begin van de vijftiende eeuw en drie eeuwen later eindigde. 'Het was geen gerucht. Kijk naar deze vrouw...' Hij wees een naam aan: Taddea Malaspina. 'Ze was Alessandro's maîtresse. Daar zijn bewijzen van te vinden in het archief van de De' Medici. Geschenken. Liefdesbrieven. Hij was niet bepaald trouw aangelegd. Maar hij hield wel van haar. Dit schilderij' – hij wees naar het portret uit Philadelphia – 'had Taddea cadeau gekregen.'

Agata was zichtbaar onder de indruk. 'Dat moet wel iets betekend hebben. Alessandro werd vermoord, als ik het me goed herinner.'

Teresa nam opnieuw het woord. 'Hij werd afgeslacht door zijn eigen neef, vermoedelijk terwijl hij op weg was naar een of andere nachtelijke afspraak. Ze smokkelden zijn lichaam in een tapijt naar buiten en zelfs ik kan je het DNA daarvan niet geven. Maar...' Ze tikte hard met haar vinger op de De' Medici-stamboom.

Agata lachte en klapte in haar handen. 'Ze hebben een paar jaar geleden de graven opengemaakt,' verklaarde ze. 'Ik heb erover in de kranten gelezen.'

'Dat klopt,' antwoordde Teresa. 'In 2003 startten de autoriteiten van Florence een methodisch onderzoek naar de tomben van de De' Medici, om de staat waarin de gebouwen verkeerden te controleren. Tegelijkertijd lieten ze een paar bevriende wetenschappers een blik op de botten werpen.' Ze staarde hen allemaal aan. 'De stoffelijke resten van Alessandro waren weg. Zijn vader, Lorenzo, is in de kapellen begraven in een door Michelangelo ontworpen tombe. Over zijn identiteit kan geen misverstand bestaan.'

Ze wierp een zijdelingse blik op een stapeltje papieren op een tafeltje tegen de muur. 'Ik moest wel mijn best doen die verdraaide Florentijnen over te halen. Maar ik heb nu hun rapporten terug en de voorbereidende tests die ze hebben gedaan op het DNA dat we gisteren hier vandaan hebben gehaald. Ze dienen eerst te worden bevestigd voor we ze aan de rechtbank kunnen presenteren. Maar wat ik je kan vertellen is...' Ze pauzeerde even voor het effect, dat was duidelijk, en liet haar vinger toen over de schedel van het skelet voor haar glijden. 'Deze dode man stamde af van de hertog in de kapellen van de De' Medici. Het ongeïdentificeerde DNA in het sperma dat op al die vermoorde vrouwen is gevonden maakt deel uit van dezelfde familielijn.' Haar vingers roffelden op de ribben van het lijk, alsof het een muziekinstrument was. 'Deze botten behoren tot de tak van Alessandro de' Medici. Dat sperma stamt uit dezelfde, herkenbare dynastie, tien, vijftien, twintig, wie weet hoeveel generaties later... Wat kan het schelen.'

Grimaldi glimlachte even, en knikte toen kort als om te zeggen 'goed gedaan'. Dat was, meende Costa, het meest enthousiaste teken dat hij die dag had gegeven.

'En er is nog meer,' voegde de patholoog eraan toe. 'Silvio?'

'Zie je dit?' De assistent wees naar de open kaak. 'De beide snijtanden ontbreken. Wij hebben er maar één gepakt. We hebben er maar één nodig. Iemand anders heeft die andere tand meegesnaaid. Vrij recent bovendien. Dat kun je zien aan de tandkas.'

'Waarom zou iemand een tand van een dode meenemen?' vroeg Grimaldi, verbijsterd.

'Om dezelfde reden als wij,' bracht Teresa te berde. 'Om dezelfde reden dat het hart er niet meer is. Om erachter te komen of de geruchten waar waren. Kijk...'

Di Capua haalde een gedrukt rapport tevoorschijn met daarop de naam en het wapen van een medisch instituut in Boston.

'Als je uit DNA-materiaal iets aan de weet wilt komen over eventuele zwarte voorouders, dan is er maar één plek waar je heen kunt,' ging hij verder. 'Dit lab is erin gespecialiseerd om in de meest minieme monsters een Afrikaanse herkomst op te sporen, hoe onmogelijk dat misschien ook lijkt. Ze hebben door de jaren heen een database opgebouwd en de beweging van slaven vanuit heel Afrika naar de rest van de wereld weten te traceren.'

Agata rolde met haar ogen van verbazing. 'Dus ze zouden zelfs mijn vader kunnen opsporen?' vroeg ze.

Di Capua knikte. 'Als ze vergelijkingsmateriaal hebben. Met twee monsters. Maar zelfs uit DNA van jou alleen kunnen ze je vertellen waar uit Afrika hij vandaan kwam. We hebben gisteren met deze mensen contact opgenomen en hun de voorlopige resultaten van onze eigen tests gestuurd. Ze hebben ze voor ons nagekeken. Dit is nog vroeg. Zoals Teresa al zei moeten we de bevestiging nog verder rond krijgen. Maar dit lijk en het spermamonster uit de Vicolo del Divino Amore laten duidelijke verbanden zien met het vrouwelijke DNA uit de Bamileke-stam in wat we nu Kameroen noemen, een gebied waar eeuwenlang slaven vandaan zijn geroofd.' Hij smeet een onontcijferbare wetenschappelijke grafiek, overdekt met lijnen en getallen, op de onderzoekstafel, naast de botten die zich daar bevonden. 'Dit is de afdruk van Simonetta, de keukenmeid die in Florence, in de herfst van 1509, zwanger gemaakt werd door een of andere Toscaanse aristocraat.'

'Ik zei het je toch,' verzuchtte Agata, haar blik vol verbazing en verrukking. 'Zij zijn ons. Wij zijn hen.'

'Het is in dit geraamte te zien,' ging Di Capua verder zonder acht op haar te slaan. 'Het is te zien aan het sperma op die dode vrouwen. De reden dat we dat zo gauw weten...' Hij wierp een smachtende blik op Teresa.

'Het is jouw beurt,' zei ze zachtmoedig.

'Hij was hier voor ons. Franco Malaspina stuurde eerst het hart, in de hoop dat ze daarmee wat konden. Het was te oud. De man weet niks van forensische pathologie en waar overblijfselen die zo oud zijn aan moeten voldoen. Dus later pakte hij die tand, volgens de directe instructies van het enige laboratorium ter wereld waar je heen kunt als je een zwarte voorouder wilt opsporen op grond van oud DNA-materiaal. Ze hadden het werk al gedaan. Ze waren in staat de zwarte lijn en ook nog ruwweg de juiste geografische locatie aan te wijzen. Ze hoefden alleen de gegevens maar op te zoeken.'

Niemand zei iets.

Di Capua maakte een zogenaamd bescheiden buiginkje, haalde een nieuw blad uit zijn map en legde het naast de schedel. 'Nog een laatste ding. Ik heb dit teruggevonden in de archieven van het Art Institute of Chicago. Het is van een kunstenaar, Pontormo genaamd.'

Agata bekeek even peinzend de afbeelding, terwijl ze hem met bevende handen vasthield. 'Jacopo Carrucci...' mompelde ze.

'Pontormo,' corrigeerde Di Capua haar.

'Dat is dezelfde man,' zei ze glimlachend en ze legde het blad voor hen neer. 'Ik heb dit nog nooit eerder gezien.'

'Officieel is vastgesteld dat het in 1534 of 1535 werd geschilderd,' vervolgde Di Capua. 'Het werk wordt in de archieven van de De' Medici genoemd. Dit is een authentieke weergave van Alessandro de' Medici, de enige waarop te zien is hoe hij er werkelijk uitzag.'

Ze verdrongen zich om de afbeelding. Het was een portret, van voren af gezien, van een jonge en kennelijk gevoelige man, duidelijk de Alessandro van de twee eerdere afbeeldingen, maar deze keer van dichtbij gezien, zodat duidelijk de onheilspellende, bijna kwaadaardige blik in zijn ogen en een of andere militaristische, metalen speld bij zijn hals te zien waren. Zijn huid had bijna dezelfde kleur als die van Agata, donkerder dan van iemand uit Toscane, en zijn lippen waren vol en vlezig.

'Het is Franco,' fluisterde Agata. 'Hij is het.'

Costa staarde naar het geschilderde gezicht van deze reeds lang gestorven aristocraat en voelde een ijzige rilling door zijn lichaam gaan. Het haar was anders en de huid was wat lichter gemaakt, zelfs in deze onflatteuze afbeelding van de man. Maar de gelijkenis was duidelijk en verontrustend.

Falcone wendde zich tot de jurist. 'Is dit nog niet genoeg voor je?' wilde hij weten.

Grimaldi haalde zijn schouders op. 'Een schilderij? Wat oude boeken? En veel, heel veel indirect bewijs? Natuurlijk is dat niet voldoende...'

Teresa vloekte.

'Maar,' voegde hij er snel aan toe, 'die instelling in Boston. Dat is hier en nu. Als ik kan bewijzen dat hij contact met hen heeft gehad, dat hij eerst het hart en toen, op hun instructies, de tand heeft gestuurd...' Op Toni Grimaldi's gezicht brak een brede grijns door die hem er totaal anders uit deed zien, eerder als een Kerstman in een grijs pak wiens baard afgeschoren was. 'Als we die informatie hebben, dan zijn we er. Dan is Malaspina's aanwezigheid in het huis van Tomassoni bewezen, in het middelpunt van de hele affaire, en dan was hij ontegenzeggelijk op de hoogte van die gestolen schilderijen. Ik zal het wattenstokje hoogstpersoonlijk in zijn mond stoppen. Waarna ik die klootzak zo veel aanklachten naar zijn hoofd zal slingeren dat hij nooit meer vrij rond zal lopen.'

'Dat wattenstokje is van mij,' zei Teresa zacht.

'Dus,' voegde Grimaldi er stralend aan toe, 'moeten die mensen in Boston met een beëdigde verklaring komen. Een *affidavit* heet dat. Dat kan tegenwoordig via de mail. Als ik hem morgen heb, kan ik meteen naar de rechter.'

De twee pathologen staarden elkaar aan.

'Als ik zeg dat het van Malaspina afkomstig is,' vervolgde Teresa voorzichtig, 'bedoel ik dat we weten dat het uit Rome kwam. Een jaar geleden. Een heel dure aangelegenheid. Niet iets wat iemand zomaar zou doen.'

De glimlach van de jurist verdween. 'Hebben ze jullie zijn naam gegeven?' vroeg hij.

'Het lab zei dat het verzoek uit Rome kwam. Wie kan het verdomme anders geweest zijn?' pleitte ze. 'Hoeveel andere mensen hier hadden het motief, het geld en de gelegenheid?'

'Ik heb zijn naam nodig,' benadrukte Grimaldi. 'Op een stuk papier.'

'Dit is medisch onderzoek! Het gaat hier om ethische kwesties! Natuurlijk geven ze me geen naam.'

De man in het grijze pak vloekte. 'Nooit?' vroeg hij.

'Heb nou eens wat vertrouwen,' smeekte Teresa.

'Dit heeft met vertrouwen niets te maken. Of met iets anders dan de wet.'

'De wet is een idioot,' herhaalde Agata zacht, naar de botten op tafel starend.

'De wet is alles wat je hebt,' mompelde Grimaldi. 'Ik heb mijn kerstdag verspild. Net als jullie. Het spijt me, maar ik laat jullie alleen met jullie botten en boeken en fantasieën.'

'Meneer,' zei Agata en ze ging voor hem staan. Ze had de foto van het portret uit Chicago in haar handen. 'Kijk naar hem,' verzocht ze hem dringend. 'We kennen allemaal dit gezicht. We weten allemaal wat hij gedaan heeft. Er is hier een man' – ze keek even naar Costa – 'die zijn vrouw kwijt is geraakt aan dit beest en ik ben hier alleen nog dankzij de moed van deze zelfde man. Laat ons niet in de steek.'

Grimaldi's gezicht vertrok van een kille, hulpeloze woede. 'Ik laat niemand in de steek. Geef me een zaak en ik zal dag en nacht werken om Franco Malaspina in de beklaagdenbank te krijgen. Maar jullie hebben niets en dat weten deze agenten. Ik heb een plicht te vervullen tegenover diegenen die in de toekomst schade ondervinden van de staat van verlamming waarin hij onze onderzoekspraktijk heeft gebracht. Dat mag zo niet langer doorgaan.'

Hij draaide zich om en keek hen allemaal aan. 'Morgenochtend moet ik *commissario* Esposito de waarheid vertellen. Ik heb er geen vertrouwen in dat we deze man zijn gerechte straf kunnen laten ondergaan. We zouden... moeten procederen voor een of ander akkoord waardoor we opnieuw misdadigers kunnen oppakken zoals wij dat willen. We trekken de grens bij Malaspina. In ruil daarvoor vragen we opnieuw de oude regels voor bewijsvoering terug die hij ons heeft ontnomen, zonder terugwerkende clausule die op hem kan worden toegepast. Het spijt me. Oprecht. Maar dit is mijn besluit.'

'Toni...' begon Peroni.

'Nee. Genoeg nu. We hebben de middelen noch het bewijs om het op te nemen tegen het geld en de positie van deze man. Er komt een tijd dat je je nederlaag moet erkennen. Ik zie het in de ogen van jullie allemaal, maar jullie willen de gedachte niet toelaten. Dat is jullie probleem, niet het mijne. Goedendag.'

Teresa Lupo keek toe hoe hij de deur uit liep en ze maakte binnensmonds een venijnige opmerking.

'Nee.' Falcone hield de foto van Alessandro de' Medici omhoog en sprak op rustige, terneergeslagen toon. 'Het is een fatsoenlijke man die de moed heeft ons de waarheid te vertellen. We hebben gedaan wat we konden en het is niet goed genoeg. Malaspina heeft mij verslagen, net zoals hij Susanna Placidi verslagen heeft. Geld...'

'Morgen –' zei Costa beslist.

'Morgen is dit ook allemaal geschiedenis,' onderbrak Falcone hem. Hij wees met een lange, benige vinger naar Agata Graziano. 'Morgen ga je naar dat onderduikadres in Piemonte. Net zolang tot onze gesprekken met de man achter de rug zijn. Ik zal natuurlijk zorgen dat jouw veiligheid een voorwaarde is.'

'Jij gaat niet namens mij met dit monster onderhandelen, Leo,' schreeuwde ze. 'Hoe kun je daar zelfs maar aan denken? Hóé?'

Hij wachtte tot haar razernij gezakt was. 'Als we deze man niet kunnen vervolgen, dan is onze beste optie om er door middel van een derde partij in ieder geval iets uit te slepen.' Hij wierp een korte blik in Costa's richting. 'Het spijt me, Nic. Echt. Maar zo moet het zijn. En nu allemaal naar huis, jullie. Het is Kerstmis. Dat zouden we niet op een plek als deze moeten doorbrengen.'

De aanraking van de Madonna

1

Twee jaar eerder hadden ze op eerste kerstdag samen zitten eten: Falcone, Peroni, Teresa en Emily, allemaal in de boerderij aan de rand van Rome, terwijl ze ondertussen naar een uit Irak geredde wees keken. Het kind was bij de achterdeur een sneeuwpop aan het maken, tussen de wijnstokken in de velden, die naar de graftomben en kerken en monumenten langs de oude weg naar de stad leidden.

Het leek een herinnering uit een ander leven. De straten waren verlaten tegen de tijd dat ze in de auto's van het konvooi waren geklommen en er viel een aanhoudende motregen op de straatkeien van het *centro storico*. Een kille wind begon aan te wakkeren uit het noorden. Er zou geen sneeuw zijn, zelfs geen beetje. Dat wist Costa zeker en een deel van hem betreurde dat, omdat hij Agata Graziano graag het Pantheon in dat weer had laten zien, en genoten zou hebben van de blik van verwondering op haar gezicht bij het zien van de zachte vlokken die door het oculus dwarrelden.

Hij was moe. Zijn schouder deed pijn. Hij genas niet zo snel als hij had gehoopt. In de afgelopen paar weken was Costa zich bewust geworden van een nieuw besef dat steeds sterker werd: hij werd ouder, en was nu bovendien een weduwnaar, een die de herinnering aan Emily nog heel lang bij zich zou dragen.

Misschien was het de twijfel of de afstandelijkheid op zijn gezicht die haar opmerking verklaarden. Toen ze achter in de middelste auto neergeploft waren, keek Agata Graziano hem aan en vroeg: 'Geeft iedereen bij de politie het zo gauw op?'

Hij sloot zijn ogen en probeerde te lachen. 'Ik denk niet dat iemand dit gemakkelijk zou noemen,' antwoordde hij. 'We hebben hier weken lang aan gewerkt. En vóór ons Susanna Placidi al. Het komt erop neer dat we maanden bezig zijn geweest die man voor het gerecht te slepen en hebben gefaald. Leo heeft gelijk. Zoals gewoonlijk.'

'Poeh, de arrogantie van mannen.'

'We hebben niks om voor te leggen aan een rechter, Agata. Dat is de waarheid. Accepteer het.'

De auto zette zich in beweging. Haar ogen wendden zich van hem af. Ze staarde uit het raam, naar de regen en de glimmende, lege straatjes.

'Ja,' verzuchtte ze. 'En ik zal naar Piemonte gaan zoals Leo wil.' Ze keek hem aan, met een vorsende blik op haar donkere gezicht. 'Ga je echt onderhandelen met een man als Franco? Na dit alles?'

'We onderhandelen soms met terroristen en kidnappers in Irak als we daarmee een leven kunnen redden. Het komt er toch op neer dat als je vrede wilt, je met je vijanden gaat praten. Met wie anders?'

'En dan ontvoeren ze iemand anders omdat ze weten dat ze jullie in hun zak hebben.'

'Misschien,' antwoordde hij schouderophalend. 'Maar is dat iets wat jij zou willen uitleggen aan de familie van iemand die gegijzeld is? Dat het leven van een man of vrouw van wie ze houden moet worden opgeofferd, om in de toekomst het leven van een ander, onbekend iemand te redden?'

'Nee,' zei ze meteen. 'Die verantwoordelijkheid zou ik niet willen hebben.'

De auto draaide het Corso op. Er brandde nergens kerstverlichting in de winkeletalages, er was geen mens op straat.

'Waarom doe je dit?' vroeg ze. 'Waarom neem je de pijn van anderen op je nek?'

De vraag verwarde hem. 'Dat doen we toch niet? Het is gewoon een kwestie van...'

Hij herinnerde zich zijn vader en diens vaste, regelmatige donaties, geld dat in stilte gegeven werd voor mannen en vrouwen zonder huis, zonder hoop, aan kerkelijke instellingen die een goed communist geacht werd te mijden.

'Het punt is... We lopen niet weg. We stoppen niet. We geven niet op. Tenzij...' Hij dacht aan Teresa en haar medewerkers die de hele nacht doorgingen; Falcone die de regels naar zijn hand zette en zich het hoofd pijnigde over wat zou werken en waar de toestand met Malaspina alleen maar slechter van zou worden. 'Tenzij het hopeloos is.'

'En dan?'

'Dan ga ik naar huis, maak een goede fles wijn open en drink mezelf een versuffing.'

'Nic!' Ze mepte met haar kleine hand op zijn knie. 'Dat is choquerend,' riep ze. 'Dat ga je vanavond niet doen. Bea heeft vast weer heerlijk voor ons gekookt. En dan verwacht ik morgen een persoonlijk escorte naar dat krot in Piemonte dat Leo voor me in gedachten heeft. En daar is geen lol aan als jij een houten kop hebt.'

'Meneer,' zei hij, voor de grap saluerend.

Ze stak haar hand in haar tas. Hij vroeg zich even af wat voor andere verrassingen zich daarin schuilhielden. Maar het enige wat tevoorschijn kwam was een kleine, uiterst moderne mobiele telefoon.

'Dat lijkt me een bezitting,' wierp hij op.

'Weer een cadeau van Rosa. Beter dan een revolver, toch?'

Hij luisterde hoe ze even kort met het klooster belde en iemand het beste wenste. Toen ze de Lungotevere op draaiden bij de rivier, zei ze ineens: 'Draai alsjeblieft om. Dit is belangrijk.'

'Wat?' vroeg hij.

Smekend hield haar heldere blik de zijne vast. 'Ik kan niet de hele dag geen kerk binnengaan, Nic. Alsjeblieft. Sant'Agostino is prima. Hij is open. Dat weet ik.' Ze keek hem afwachtend aan. 'We laten atheïsten toe, hoor.'

Hij sprak over de radio met de twee surveillanceauto's en droeg hun op om te keren. Het duurde niet lang. Er was nauwelijks een ander voertuig op de vochtige, glanzende straten.

'Zolang je je onder onze hoede bevindt,' antwoordde hij, 'zul je er meer dan één binnen moeten laten.'

2

De kerk was verlaten, op een eenzame priester na die de kaarsen aan het uitblazen was en de stoelen opruimde. Hij keek niet erg blij toen hij op dat moment zeven mensen in winterjassen zijn kerk binnen zag wandelen.

'We gaan dicht,' zei de man en hij kwam in zijn lange zwarte soutane naar hen toe gedribbeld, zodat ze stil bleven staan. 'Alstublieft, alstublieft. Zelfs een priester verdient wat vrij met Kerstmis.'

Toen hij Agata Graziano zag, zweeg hij en sloeg een hand voor zijn mond. 'Zuster Agata,' mompelde hij. 'Gaat het... goed met u? Ik hoor allemaal van die verhalen. Over u. Over de politie.'

'De politie,' zei ze en ze wuifde met haar hand naar Costa en zijn collega's. 'Kijk, ik ben aan het werk. Misschien raakt het hun ook.'

'O,' antwoordde de priester aarzelend en hij voegde eraan toe: 'Het duurt niet lang hè? Ik heb honger. Het is een vermoeiende dag geweest.'

'Nee, we blijven niet lang,' antwoordde Costa. 'Toch?'

'Nee,' mompelde ze en ze ging meteen door naar het altaar. De stappen die haar kleine voeten maakten echoden zacht in de enorme, lege buik van het middenschip.

Hij gebaarde dat vier van de mannen haar discreet moesten volgen, in de donkere schaduwen van de gangpaden aan weerszijden. Agata stond stil, sloeg een kruis en liet zich langzaam op haar knieën zakken. Costa bleef bij de priester, zijn ogen dwaalden als gewoonlijk naar de Madonna van Caravaggio, met het kind in haar armen en de eenvoudige boeren voor haar. De potlooddunne halo boven het hoofd van de Maagd leek helderder, duidelijker dan hij eerst had gezien.

'Dit schilderij gaat over haar,' merkte hij zacht op. 'Dat heb ik me nooit eerder gerealiseerd.'

De priester lachte. 'Het heet *De Madonna van Loreto*. U moet altijd de titel op de lijst lezen.'

'Inderdaad,' beaamde hij. 'Deze hele kerk' – iets, een of andere openbaring, zweefde net buiten zijn bereik – 'heeft op de een of andere manier met vrouwen te maken, hè?'

'Ik zou zeggen dat hij op de eerste plaats,' merkte de man op, 'met God te maken heeft. Maar ja, ik ben bevooroordeeld.'

Ze was klaar. Agata kwam weer naar hem toe lopen, het hoofd omlaag, en met een ernstig gezicht. Ze kon niet langer dan een minuut hebben gebeden.

Costa dacht aan Fillide Melandroni, die vierhonderd jaar geleden bijna soortgelijke stappen op dezelfde leistenen vloer had gezet. Om een of andere overeenkomst met de kerk te sluiten en vervolgens Rome in te gaan met Caravaggio en Ranuccio Tomassoni en Ippolito, voor een ander leven, een van extremiteiten in naam van de Ekstatici, een waarin ze een mes tegen de wangen van haar rivalen zette, gewoon om meer geld te verdienen aan het verlenen van haar gunsten. Mannen en vrouwen die levens leidden die ondergedompeld waren in de wrede realiteit van het dagelijks bestaan en toch nog steeds op zoek waren naar spiritualiteit, overal, waar ze het maar konden vinden. Toen hij haar slanke, donkere schaduw door het middenschip naar hem toe zag glijden, begreep Costa dat Agata Graziano hun absolute tegenpool was: een heldere, geëngageerde geest die, tot nog maar heel recent, nooit over aardse zaken had nagedacht.

Hij wierp een blik op de Caravaggio en vroeg zich af wat hij moest zeggen.

Ze kwam niet. De priester naast hem slaakte een korte, geschokte zucht. Costa draaide zich om.

Zuster Agata Graziano stond in de schelpvormige alkoof voor het melkwitte beeld van de Maagd, triomferend onder haar halo van sterren, een zilveren hanger onder haar borst, met het kind dat op haar knie stond, de lendenen omgord door metaal als een kleine krijger uit een of andere Griekse mythe. Aarzelend, en met een uitdrukking van deels anticipatie, deels angst op haar gezicht, stak ze haar hand uit om het glanzende zilveren kapje op de voet van de Madonna aan te raken. Ze legde haar vingers op het glanzende versleten ding zoals ontelbaar veel Romeinse vrouwen – onder wie Fillide Melandroni – vóór haar moesten hebben gedaan.

'Dat is iets nieuws,' fluisterde de priester.

Het duurde maar even. Algauw was ze op weg naar de deur.

'Vergeef me,' zei Costa en hij ging haar voor. Het was opgehouden met regenen. De hoge, brede trap voor de kerk glansde als vergeeld, viezig gevlekt ivoor. Aan de voet ervan stonden drie auto's. Hij liep voorop, Agata kwam achter hem aan en daarachter de andere mannen. Toen ze beneden aankwamen, trof hij daar een woedende Taccone aan.

'Verdomme!' schreeuwde de lange, breedgeschouderde *sovrintendente*, kennelijk naar niemand in het bijzonder, het plein over.

Ze hielden halt bij de middelste auto. Costa was zich bewust van de grote, vertrouwde gestalte van Peroni aan zijn rechterzij, die voor Agata stond en haar naar het achterportier probeerde te leiden.

'Die stomme fotograaf die we gisteren zagen,' gromde Taccone. 'Buiten het huis van Tomassoni. Hij was hier ook. Ik zweer het. Hij kwam op een scooter voorbij. Al kijkend.'

De *sovrintendente* draaide zich naar hen om. 'Heeft dat tuig dan nooit eens een vrije dag?'

Peroni's blik ving die van Costa. 'Wat moet een fotograaf hier nou op een avond als deze?' antwoordde de grote man vinnig. 'Waar is hij? Wat...'

'Laten we instappen...' begon Costa te zeggen en hij hoorde hoe zijn woorden verloren gingen in het brullende, jankende geluid van een tweetaktmotor die ergens van rechts kwam.

Hij pakte Agata bij haar schouders, greep haar stevig beet en trok haar omlaag naar de vochtige, vieze stenen onder het achterportier. Vanuit een ooghoek zag hij de scooter het piazza op komen brullen en razendsnel op de drie voertuigen die in formatie opgesteld stonden af stuiven.

Er zaten twee mannen met bivakmutsen op. De passagier zat achterstevoren op het achterzadel, met een hand stevig om de stang bij de zitting. In de andere hield hij een wapen, zwart, met een lange loop en een lang magazijn.

3

Costa trok met geweld het portier open en slaagde erin haar naar binnen te schuiven. Hij beval haar om laag op de vloer van de grote politiesedan te blijven zitten. Toen gingen zijn woorden verloren in het geratel van machinegeweren, die herhaaldelijk de zwarte nacht in blaften. Het metalen geluid weerkaatste tegen de oude stenen voorgevel van de kerk.

Toen Costa opkeek, werd Taccone net getroffen in het bovenste gedeelte van zijn romp en viel schreeuwend achterover op de trap. Peroni riep tegen de anderen dat ze dekking moesten zoeken achter de auto's. Er waren zeven mannen. Zonder meer genoeg. Maar het was avond. Het was Kerstmis. Ze hadden dit helemaal niet verwacht. Dit was Rome. Niet een of ander gangsterstadje aan de Ionische Zee in Calabrië, waar Malaspina ongetwijfeld zijn dodelijke 'Ndrangheta-moordenaars vandaan had.

Verberg je of vecht.

Weer die keuze. De enige keuze.

Hij keek naar de getroffen Taccone, die over de trappen kroop om uit de vuurlijn te komen. Het piazza werd geteisterd door een voortdurende, horizontale regen van geweervuur. Even merkte hij dat zijn aandacht afdwaalde naar een andere gestalte boven aan de trap: de priester, kaarsrecht overeind, opnieuw met de handen voor zijn gezicht.

Peroni had de man al in beeld en riep naar hem, een lange, boze zin, vol van het soort vloeken dat een Romeinse priester zelden hoort, en een laatste bedreiging, dat als de man niet gauw naar binnen ging, een politieagent hem waarschijnlijk per ongeluk neer zou schieten.

'Gianni!' bulderde hij boven het lawaai uit en toen moest hij op adem komen.

Het was stil op het piazza. Het enige wat hij kon horen was het gekwelde gekreun van de gewonde *sovrintendente*, de angstige ademhaling van Peroni en in zijn herinnering, als een verre echo, het flauwe weergalmen van geweervuur om zijn hoofd.

Peroni gluurde haastig even om de auto heen, bracht zichzelf toen weer snel in veiligheid en schudde het hoofd. 'Hij is zijn magazijnen aan het verwisselen, Nic. We moeten...'

Costa wachtte niet. Hij sprong naar de gewonde Taccone toe en graaide het wapen uit diens hand. Toen, met zowel zijn eigen wapen als het geleende stevig in de hand, stond hij op en kwam achter de lange, donkere vorm van de politie-Lancia zonder herkenningstekens vandaan. Hij richtte de beide lopen op de twee figuren op de motor, terwijl de schutter met het machinegeweer zat te worstelen. De chauffeur zat angstig om zich heen te kijken en kneep de gashendel in.

Hij maakte geen tijd vuil aan procedures, waarschuwingen. Ze waren op zijn hoogst vijf, acht meter van hem vandaan. Costa liep naar voren, achter elkaar op de beide mannen vurend, met de bedoeling zo dicht bij hen te komen als hij kon. Hij was zich ervan bewust dat er anderen achter hem aan begonnen te komen. Het was duidelijk dat zijn lichaam hun schootsveld blokkeerde. Op dat moment kon hem dat niet veel schelen. Er was niets anders op deze planeet dat ertoe deed, behalve deze twee mannen in de vertrouwde bivakmutsen, die hij inmiddels met Franco Malaspina en zijn activiteiten was gaan associëren.

Een schreeuw van pijn verbrak de korte stilte tussen twee schoten. De zwarte gestalte op de passagierszitting schokte omhoog, wierp zijn handen in de lucht en begon opzij te vallen. Hij liet het machinegeweer vallen, dat neerkletterde op de natte keien. De motor gierde kwaad en het voorwiel van de scooter schoot omhoog naar de zwarte deken van de hemel. Toen schoot het voertuig, met achterlating van zijn gewonde passagier, naar voren en maakte zich uit de voeten in de richting van de straatjes achter het Piazza Navona, op zoek naar de snelste, kortste weg de wirwar van straatjes en doodlopende steegjes van Ortaccio in.

Hij bleef vuren, afwisselend met het ene geweer en het andere, tot elk patroon verbruikt was, en merkte dat hij vruchteloos aan de trekkers stond te rukken. Hij wierp de nutteloze wapens terzijde en bleef doorlopen. Aan de andere kant van het plein werd de figuur op de scooter steeds kleiner en verdween uit het zicht.

Peroni verscheen aan zijn zijde. De anderen waren er binnen de kortste keren ook, zelfs Taccone, die nauwelijks op zijn benen kon staan. Hij rilde en zijn tanden klapperden op elkaar van kou, angst en pijn.

Costa wierp een blik op de gewonde man. 'Zorg dat er een ambulance voor hem komt,' verordonneerde hij.

Hij keek toe hoe ze de *sovrintendente* de brede trap van de Sant'Agostino op droegen. Peroni liep naar het opgekrulde, gewonde lichaam op de grond toe, terwijl hij nog steeds in de richting van de verdwijnende scooter staarde. 'Weet je,' zei hij toen Costa naast hem kwam staan, 'je hebt altijd tegen me gezegd dat je niet kon schieten.'

De man lag op zijn rug op de glanzende keien, de ogen wijd open naar de lucht, en zo ook de mond, die twee rijen slecht onderhouden tanden liet zien. In zijn linkerslaap zat een wond ter grootte van een espressokopje, aan de rand waren bot en hersenweefsel te zien.

'Volgens mij,' voegde Peroni eraan toe, 'is onze vriend Aprea het daar niet mee eens.'

'We hadden een getuige goed kunnen gebruiken,' gromde Costa. 'Het zit die klootzak ook altijd mee.'

Peroni zocht de kleren van de dode man na, maar het enige wat hij aantrof was geld en munitie.

'Een echte naam zou ook niet gek zijn,' antwoordde hij. 'Die is vast niet Aprea. Als het een van onze vrienden uit Calabrië is, betwijfel ik of we er ooit achter zullen komen.'

'Verdomme,' mompelde Costa. Toen harder: 'Verdomme, verdomme!' Hij liep met grote stappen terug naar de auto. De mannen stonden in een kluitje om Taccone heen, die tot Costa's verbazing met één hand zijn gewonde schouder vasthield en met de andere aan een sigaret zat lurken.

'Geweldig, die eerstehulpverlening,' zei hij nijdig tegen hen. 'Wat is het nut van al die training eigenlijk?'

Ze antwoordden niet. Ze hadden die gezichtsuitdrukking die jonge agenten soms bezaten, een die hij sinds zijn promotie had leren herkennen en die hem op dit moment met afgrijzen vervulde. De blik was ontwijkend en drukte schuldgevoel uit.

'Waar is ze?' vroeg hij.

Hij stormde naar het middelste voertuig en gooide de achterportieren open. De achterbank was leeg.

'Waar is ze? Waar in godsnaam...?'

'Ze is ervandoor gegaan, baas,' zei Lippi, de jongste agent, zonder omwegen. 'Ze moet weggerend zijn toen wij jou kwamen helpen.'

Woedend liet Costa met zijn blik over het piazza gaan.

'Ze kan nu al overal zijn,' voegde de *agente* er weinig behulpzaam aan toe.

Costa draaide zich razendsnel om op de glibberige marmeren tegels en hoorde zichzelf haar naam het donker in brullen. 'Agata! Agata! Agata!'

Het enige wat terugkwam in de nacht was de weerkaatsing van zijn stem tegen de marmeren voorgevel van de kerk en het geklepper van onzichtbare duiven, van welke de vleugels omhoog het zwarte omhulsel van de nacht in wiekten.

In het gezelschap van geesten

1

Uren later zat Costa in Falcones kantoor in de Questura, hondsmoe en suf van de pijnstillers die de dokter hem had gegeven tegen de bonzende pijn in zijn schouder. Ze riepen mannen en vrouwen op, overal vandaan, sleurden opnieuw agenten uit de warmte van de huiselijke kring met kerst en stuurden ze de vochtige, koude straten van Rome in, op zoek naar een eenzame vrouw van de Kerk die in het donker was verdwenen.

Het was bijna alsof ze nooit had bestaan. Er waren geen verwanten die ze een bezoek moesten brengen, geen vrienden om na te trekken. De stad was verlaten. De menigte agenten die door Falcone het *centro storico* in was gestuurd, kon nauwelijks iemand vinden om te ondervragen en van degenen die ze tegenkwamen had niemand ook maar de vaagste herinnering aan de tengere jonge vrouw in het zwart die zich door de regen een weg baande naar een plek waarvan Costa zich niet de geringste voorstelling kon maken. Falcone had een team gestationeerd bij het huis aan de Via Appia Antiqua, en andere agenten stroopten naarstig de wegen die daarheen leidden af, op zoek naar aanwijzingen. Rosa Prabakaran had een bezoek gebracht aan Agata's klooster en met de vrouwen daar gepraat. Ze had hun om hulp gesmeekt, maar het enige wat dat opgeleverd had was medeleven en verwarring. Agata was verdwenen in het hart van een stad die uitgestorven was vanwege kerst. Het was op een gewone dag al moeilijk genoeg om een vermiste persoon in de overbevolkte metropool terug te vinden. Maar haar opsporen in dit vreemde, verlaten labyrint van oude straatjes en steegjes was nog erger. Ze had zich ongetwijfeld ergens verstopt, of ze was meegenomen door een ander stel aanhangers van Malaspina, die hun kans hadden geroken toen Costa de gewapende tegenaanval had ingezet tegen de man die zichzelf Aprea had genoemd.

Dat idee, de gedachte dat Agata in een kwetsbare positie was gekomen door zíjn eigenzinnigheid, vrat aan zijn geweten. Toen hij zijn ogen sloot zag hij een ander incident voor zich, op een ander moment. Op het miezerige wintergras en de modder in het mausoleum van Augustus, waar een man met een bivakmuts en een geweer zijn arm om Emily's nek had geslagen, haar stem in zijn oor, toen, nu, altijd...

Niet smeken, Nic... Dat doe je niet. Smeken is het ergste wat je kunt doen. Het ergste...

Maar smeken was waar een man zijn toevlucht toe zocht wanneer de inzet hoog was, wanneer hij wanhopig was en hem geen andere optie restte. Hij zou hebben gesmeekt voor Emily's leven, en dat van zichzelf in ruil hebben gegeven. Hetzelfde gold voor Agata. In plaats daarvan...

Hij kneep zijn ogen stevig dicht en probeerde deze gedachten met geweld uit zijn hoofd te bannen. Een stevige hand op zijn schouder bracht hem weer terug naar de echte wereld en schudde hem wakker.

Het was Peroni, zijn brede, lelijke gezicht gerimpeld van bezorgdheid. 'Waarom ga je niet naar huis?'

'Ja,' voegde Falcone er van de andere kant van het bureau aan toe. 'Ga naar huis, je ziet er verschrikkelijk uit.'

'Ze was mijn verantwoordelijkheid,' kaatste Costa woedend terug. 'Ik ga naar huis als we haar hebben gevonden.'

Falcone bladerde door enkele papieren voor zich op het bureau. 'De waarheid is dat Agata uit eigen vrije wil bij die kerk vandaan is gelopen. Ze kan gewoon niet meegenomen zijn. Dat zou die priester hebben gemerkt.'

'Die priester heeft niks gemerkt,' zei Costa.

Falcone keek boos. 'Dat zei hij in ieder geval. Die mensen van de Kerk klitten vreselijk aan elkaar. Je zou soms denken dat wij de vijand zijn. Agata had er een reden voor. Misschien kon ze er gewoon niet meer tegen. Als ze zover is, laat ze het ons wel weten.'

'Dat is een hele geruststelling,' gromde hij.

'In zekere zin,' zei Peroni bedachtzaam, 'is het dat ook. In ieder geval beter dan sommige van de alternatieven. Ga naar huis. We hebben hier niets aan je. Bovendien gaat er vannacht echt niets meer gebeuren, toch? Dit is iets waar we morgenochtend mee verder moeten gaan. Het zou helpen als je dan weer een beetje bij je positieven was.'

'Morgenochtend,' wierp Costa op, 'gaat Grimaldi Franco Malaspina voorstellen om zijn straf kwijt te schelden.'

'Dan hoeft Agata nergens bang voor te zijn,' stelde Falcone zonder enige emotie.

'Denk jij dat ze blij zal worden van dat idee?' vroeg hij.

'Sinds wanneer ging het in dit werk om blij zijn?' gromde Peroni. 'Maak dat je wegkomt. Je begint vervelend te worden.'

Hij knikte. Peroni had gelijk.

'Dat klopt,' beaamde Costa en hij liep de Questura uit naar buiten, een kil en leeg Rome in.

2

Hij wilde niet naar huis. Hij wilde denken, niet slapen. Costa liep het achterafstraatje waarin de Questura zich bevond uit, het brede, open Piazza Venezia op, en stak voor één keer met grote passen de keien over zonder een enkel voertuig te zien dat maniakaal van de ene kant naar de andere scheurde. Van het Vittorio Emmanuele-monument, die monsterlijk lelijke witte bruidstaart, liep hij verder naar de Via dei Fori Imperiali, de vlakke, brede snelweg van Mussolini, door het hart van het oude Rome, met aan de rechterkant de Palatijn en de stakerige ruïnes van de oude fora, en aan de linkerkant de vijf niveaus van de markten van Trajanus met hun muren van rode baksteen, die in een halve cirkel tegen de Quirinaal aan oprezen. Zelfs tegen middernacht, op eerste kerstdag, schenen de lampen die tussen de monumenten waren aangebracht fel, en vormden zo de zachtgele silhouetten van een andere stad, uit een andere tijd. Rome zag er prachtig uit. Op momenten als deze wist hij dat hij nooit ergens anders zou kunnen wonen. Dit was zijn thuis. Het was een deel van hem en hij was een deel van de stad. Vermoeid liep hij met grote passen verder, naar de lage bankjes bij het forum van Caesar, de plek waar hij als kind vaak met zijn vader naartoe was gegaan. Hier had hij naar al die verhalen uit de geschiedenis geluisterd en had hij zich een beeld gevormd van de plechtige nacht waarop de dictator hier was gecremeerd. Zonder erover te hoeven nadenken kon hij de gebouwen op de open plek erachter benoemen, een verzameling kapotte pilaren en zuilengangen die zulke grandioze namen hadden dat ze wel eeuwig leken: de tempels van Castor en Pollux, van Saturnus en Vesta, de fora van Augustus en Nerva, de grote Boog van Titus... Overblijfselen van een slag mannen en vrouwen met wie hij zich nog steeds enigermate verwant voelde. In hun worsteling met hun eigen duistere kant, hun eindeloze streven naar goedheid, rechtvaardigheid, in een bij tijd en wijle hopeloos lijkende wereld, zocht Costa naar een vorm van troost, het geringste teken van genade.

Hij had hier af en toe met Emily zitten praten, luisteren en zich in stilte zitten verwonderen. Al die momenten waren hem nu even dierbaar. Maar desondanks was het uitzicht dat zich voor hem uitstrekte niet meer dan oude stenen, zoals de schilderijen van Caravaggio in essentie niet meer waren dan ouder wordend pigment op eeuwenoud doek. Zonder de aanwezigheid van mensen, zonder verbeelding en de zachte aanraking van elkaar, een gebaar dat zei: ik zie, ik voel, ik heb pijn, en ik bemin ook, stelden ze niets voor. Dat was wat de kunstenaar in het schilderij had willen zeggen, waar Ippolito Malaspina zo door geobsedeerd was geraakt en zijn nakomeling vier eeuwen later eveneens. Voorbij het wereldse en het fysieke lag een andere ervaring, een die alleen bereikt kon worden door de onzelfzuchtige weg van compassie en overgave.

Het moet door de avond zijn gekomen. Opwaaiend stof in de wind. Er prikte iets in zijn oog. Costa veegde een enkele prikkende traan uit zijn ooghoek. Toen zag hij dat hij niet alleen was. Bij de lage, armetierige struiken aan de rand van de stoep, die uitzag over de kleine, ooit zo heilige plek waar een beroemd man in as was veranderd, zat een vrouw op de grond met een kind op haar schoot. Ze droeg de zware kledij van een immigrant: volumineus maar ooit exotisch, met om haar hoofd een bedrukte sjaal die lang geleden fleurig was geweest en een loshangende, groezelige jurk onder de winterparka van een man.

Het kind kon niet ouder geweest zijn dan vijf of zes en was zo stevig ingepakt tegen de kou en de regen dat niet te zien was of het een jongen of een meisje was. Voor hen lagen de gebruikelijke parafernalia van de gedoemden en behoeftigen, de illegalen en hongerigen, die de hele stad door gesleept werden. *Wij hebben honger. Wij zoeken werk. Heb medelijden.*

En een kartonnen doos vol met kleine spulletjes, die nauwelijks zichtbaar onder de heldere verlichting van het forum lagen te glinsteren.

Hij stond op, liep erheen en pakte een van de prullen op. Het was gemaakt van afval: aluminiumfolie en zilverpapier dat stevig in elkaar gefrommeld was tot iets wat enigszins aan een sieraad deed denken, een broche misschien. Dit was hoe ze hun dag doorbrachten, veronderstelde hij, met het doorzoeken van vuilnisbakken, in een poging het afval van de stad om te vormen tot een handvol kleingeld, genoeg om wat brood te kopen.

Costa legde het weer terug in de doos. De vrouw zat hem zwijgend aan te staren. Bang, dacht hij. Het was laat op de avond. Er was verder niemand. Soms, zelden, maar het kwam voor, dook er een bende racistische criminelen uit de voorsteden op en sloeg gewoon voor de lol mensen als deze in elkaar.

Hij haalde zijn portefeuille tevoorschijn, boog zich voorover en gaf de vrouw een biljet van vijftig euro.

'Gelukkig kerstfeest,' zei Costa en in zijn geheugen werd met een wrede, volhardende ironie een of andere regel uit een liedje dat hij zich vaag herinnerde steeds weer herhaald... *War is over*.

'Dank u, meneer,' zei de vrouw met een zwaar Midden-Oosters accent.

Het kind staarde hem aan, met glanzende, verwarde, angstige ogen.

'U hoeft in dit weer niet buiten te zijn,' zei hij en hij haalde iets anders uit zijn portefeuille. 'Er zijn plekken... de kerk...' Zijn stem brak. 'Nonnen... zusters...'

Hij gooide de kaart neer die hij jarenlang had bewaard, en die hij al een tijdlang aan niemand had overhandigd omdat de oude gewoonte, die hij van zijn vader had geërfd – een gift per dag, altijd aan een vreemde – op de een of andere manier geen deel meer van zijn wereld uitmaakte.

'Alstublieft,' zei hij schor.

De vrouw keek naar hem op met een flauwe glimlach op haar brede gezicht dat, vermoedde hij, zowel donkerkleurig als vies was, en zei: 'Ik ben een moslim, meneer.'

'Dat maakt hun niet uit,' snauwde hij. 'U wel?'

De klank van zijn stem maakte hen aan het schrikken. Dat zag hij aan hun gezichten. Ze waren bang voor hem, voor waar hij voor stond.

'Het spijt me...' stotterde hij. 'Dat bedoelde ik niet zo. Wat ik wil zeggen... is dat er hulp is. Alstublieft. Ga erheen. Morgen. Alstublieft...'

Hij haalde de portefeuille weer tevoorschijn, klapte hem open, keerde het ding ondersteboven en liet alles wat hij had, bankbiljetten en pasjes en stukjes papier die hun betekenis al lang kwijt waren, eruit vallen, onderwijl onverstaanbaar mompelend, zonder zelf te weten wat hij zei.

Alles belandde op de vettige stof tussen haar knieën. Het was zo veel dat het op het plaveisel viel, waar het door de wind, die er vrij spel op had, uiteen werd geblazen.

Ze werden nu nog banger.

'Te veel, meneer,' zei de vrouw.

'Het is niet te veel. Het stelt niets voor. Heeft geen... betekenis.'

Het was niet de avond. Of het stof in de wind. Costa was aan het huilen, zijn ogen waren zo vol tranen dat hij nauwelijks iets zag. Alles was wazig voor zijn ogen – de lichten op de stakerige contouren van de ruïnes, de witte bruidstaart van het Vittorio Emmanuele-monument.

Hij zwalkte terug naar het stenen bankje en ging zitten, zijn hoofd naar de hemel geheven. Hij staarde door deze tranen, stikkend, snikkend, en op dat moment met het gevoel dat de wereld er niet meer toe deed.

Hij wist niet hoe lang dit zo doorging. Het hield op toen het kind naar hem toe kwam en op zijn arm tikte. Het was een jongen, een gezicht even onschuldig als dat van een *infante* op een van de schilderijen waar Costa zo van hield. In zijn handen hield hij het kleingeld dat uit de portefeuille was komen vallen – het meeste ervan, de pasjes en de biljetten. En een kleine broche, gemaakt van aluminiumfolie en de binnenkant van een sigarettenpakje.

'Grazie.'

'Prego,' mompelde Costa en hij keek ernaar, niet in staat, hoe hard hij het ook probeerde, een glimlach te produceren.

Op dat moment ging zijn telefoon. De jongen liep bij hem vandaan, naar zijn moeder. De wereld van de levenden keerde weer terug.

'Pronto...' zei Costa met een stem die hij niet herkende.

'Nic? Gaat het wel goed met je? Je klinkt –'

'Waar ben je?' vroeg hij. Alleen al bij het horen van haar stem werd zijn keel weer dik van emotie.

'Doet er niet toe. Ik ben veilig. Luister naar me. Dit is belangrijk.'

Hij luisterde. Hij was er niet zeker van dat hij de woorden goed hoorde. Hij was niet zeker of hij op dat moment veel begreep.

Bovendien was er iets wat hij moest zeggen, iets belangrijks dat niet kon wachten, wat Agata ook mocht denken.

'Nee...' onderbrak hij haar midden in haar verhaal.

'Je moet naar me luisteren,' hield ze vol, 'heel goed.'

'Waar ben je?'

Aan de andere kant van de lijn was een korte, ongeduldige stilte te horen. Toen... 'Dat heb ik je al eens gezegd,' zei ze, met afgemeten, boze precisie. 'Er bestaan plekken waar ik binnen mag en jij niet.'

'Wat is dat voor antwoord?'

'Een beter heb ik niet.'

'Nee!' Hij kwam overeind en stond als een gek te schreeuwen op Mussolini's verlaten snelweg onder de scherp afgetekende silhouetten van een andere tijd.

Uit een ooghoek zag hij dat de vrouw opstond, haar zoon beetpakte en voor zich uit duwde, terwijl ze over de brede stoep voortstrompelden met hun eigendommen in de hand, de kartonnen doos, een paar plastic tassen en een enorme rol groezelig beddengoed. Het ging hem aan het hart hen zo te zien.

'Waar ik vandaan kom,' zei hij zo kalm als hij kon, terwijl de warme en zilte, en op een bepaalde manier welkome tranen opnieuw over zijn gezicht stroomden, 'ren je niet weg. Je laat mensen niet in de steek alsof ze niets voor je betekenen. In mijn wereld bestaat er niets ergers.'

Weer die stilte, en hij vroeg zich af hoe het mogelijk was om nietsheid te interpreteren, om uit deze afwezigheid van geluid op te maken dat ze luisterde, geschokt, met stomheid geslagen, niet wetend wat ze moest zeggen.

'In mijn wereld,' antwoordde zuster Agata Graziano ten slotte, 'hoefde ik nooit na te denken over dergelijke dingen. Je moet doen wat ik je vraag. Alsjeblieft. Alleen. Dat is de enige manier. Ik bel je.'

Meer zei ze niet. De lijn was dood. Costa was helemaal alleen, en wat hij op dat moment het allerliefst ter wereld had gewild, was iets te kunnen zeggen tegen de vrouw op de straat en haar angstige kind, die de nacht in vluchtten, bang voor waar hij in was veranderd.

Maar ze waren al te snel verdwenen, in de richting van het Piazza Venezia en de plekken waar de daklozen samenkwamen voor de veiligheid als de dagen korter werden: het Pantheon en de Campo dei Fiori, favoriete plekken langs de Tiber waar hij en Emily ooit een jonge buitenlander, één maar, de nacht door hadden geholpen.

De tranen prikten nog in zijn ogen. Met de mouw van zijn jasje veegde Costa ze weg en toen hinkte hij over de verlaten dubbele rijbanen van de Via dei Fori Imperiali. In een van de zijstraten van de Via Cavour vond hij een hard, koud eenpersoonsbed voor de nacht in een van de goedkope hotelletjes aldaar.

De Romeinse lusthof

1

Om acht uur, nadat hij van het lawaai in de kamer naast hem wakker was geworden, liep Costa de straat op en zag kraamhouders in witte jasjes houtskoolkomforen aansteken voor warme kastanjes, en *panini*-stalletjes die gereedgemaakt werden voor een nieuwe dag. Een met kunstmatige sneeuw bestrooide, eenzame boom stond kaarsrecht bij de ingang naar het plein. Ernaast, aan de voet van het Vittorio Emmanuele-monument, was een soort muziekpodium, compleet met een troep verveeld uitziende musici en een groepje schaars geklede danseresjes die, hun handen om hun blote armen geklemd, stonden te bibberen om zo iets van beschutting tegen het weer te vinden. Een helder winterzonnetje kon niets uitrichten tegen de bittere, droge, ijzige kou. In dikke kleren ingepakte mensen slenterden druppelsgewijs langs de humeurige entertainers het brede trottoir van de Via dei Fori Imperiali op en waaierden van daar uit over de rijbanen die nu, zoals altijd op zondag, gesloten waren voor al het verkeer behalve voetgangers.

Het was nog steeds Kerstmis in Rome, nog net. De stad voelde onwerkelijk aan, als in afwachting van iets. Costa liep over het midden van de weg, waar normaal elke dag duizenden auto's en vrachtwagens elkaar bevochten, terwijl hij dacht, bad dat zijn telefoon zou gaan. Toen hij in de buurt kwam van de voet van de boom, dichtbij genoeg om te zien dat zelfs op klaarlichte dag de zachte lichtjes nog steeds brandden, manoeuvreerde een bekende blauwe Fiat zonder speciale herkenningstekens zich tussen de afzettingen door en kwam naast hem tot stilstand. Achter het stuur zat Peroni. Hij keek verbaasd. Maar niet ongelukkig.

De grote man duwde het rechterportier open en zei, niet echt boos: 'Je hebt je identiteitsbewijs in dat sjofele hotel laten liggen. Verbijsterend genoeg hebben ze ons opgebeld. Stap maar liever in.'

Twee minuten later, veel sneller dan hij op een normale dag ooit had kunnen hopen, hadden ze de auto geparkeerd op het Piazza Navona, dat volkomen uitgestorven was, op wat duiven na. Peroni zei onderweg niet veel, met uitzondering van een paar voorzichtige opmerkingen over zijn uiterlijk, die Costa negeerde. Hij voelde zich ver van alles af staan, alsof dit allemaal deel uitmaakte van een dagdroom. Alsof...

Ze stapten uit en liepen de hoek om naar het beeld van Pasquino. Costa's hart sloeg een slag over. Daar stond een tengere gestalte in het zwart, de rug naar hem toe, het gezicht naar het verweerde, misvormde standbeeld, te staren naar een of ander nieuw vel papier dat op de sokkel aangeplakt was.

Hij begon te rennen, zonder acht te slaan op Peroni's angstige kreten achter hem.

Een zuster, een non. Hij kende het verschil niet. Het kon hem ook niet langer schelen.

Toen hij bij haar was legde hij zacht een hand op haar schouder. De gestalte draaide zich om, glimlachte naar hem, deed toen een stap naar achteren, en bevrijdde zichzelf stijfjes van zijn aanraking.

Ze was een vrouw van in de veertig, met een erg bleek en prachtig gezicht, lichtgrijze ogen en zilvergrijs haar dat net te zien was.

'Het spijt me,' mompelde hij. 'Ik dacht...'

Zijn aandacht was verdeeld tussen haar en het affiche op het standbeeld. Een affiche dat zij er even daarvoor had opgeplakt. Er bevonden zich meer gestalten in het zwart in de buurt. Ze hadden allemaal vellen papier in hun handen en rollen plakband. Ze plakten de vellen overal, op muren, op winkelruiten, zorgvuldig naast elkaar op oogniveau, zodat ze zo duidelijk mogelijk in het zicht hingen.

'Ze hangen door de hele stad,' zei Peroni, die naast hem opdoemde. 'Op de andere standbeelden. Op het Piazza Venezia.

Deze vrouw vroeg speciaal naar jou.' Hij keek dreigend naar de vrouw in het zwart. 'En dat is alles wat ze wilde zeggen.'

'Niet waar,' protesteerde de zuster. 'Ik heb u een goede ochtend gewenst en ook een gelukkig kerstfeest. U zou zich gevleid moeten voelen. Normaal zou ik helemaal niets zeggen.'

'Zuster,' antwoordde Peroni, 'Agata Graziano wordt vermist. We zouden haar erg graag vinden. We hebben geen tijd voor dergelijke grappen.'

Ze haalde haar schouders op en gaf hem slechts een Mona Lisaglimlach ten antwoord, zeer werelds en uitermate Romeins. Het soort reactie dat Agata gegeven zou hebben als ze een gesprek had willen vermijden.

Hij las het affiche, een nieuwe boodschap voor op de pratende standbeelden, een die ze vast van plan waren overal aan te plakken, zoals Falcone de zijne had aangeplakt, al was deze heel anders van toon.

'Was dit Agata's idee?' vroeg hij zacht. 'Zuster...'

De grijze ogen van de vrouw beantwoordden zijn blik, standvastig en geïnteresseerd, en, dacht hij, blijk gevend van een innerlijke bezorgdheid die ze duidelijk niet graag toonde.

'Jij bent Nic?'

'Dat klopt.'

'Inderdaad,' antwoordde ze. 'Je ziet eruit zoals zij je heeft beschreven.'

De vrouw keek naar Peroni en begon met haar handen te wapperen terwijl ze 'kst, kst, kst!' zei. 'Dit is alleen voor hem bedoeld. Voor niemand anders.'

De grote man deinsde achteruit onder de felheid van haar blik, naar het grote openbare plein achter hem.

Ze wachtte, haalde toen uit de plooien van haar zwarte habijt een envelop tevoorschijn. 'Dit is van zuster Agata. Voor jou en jou alleen.'

Hij scheurde het open en las de inhoud: een enkel velletje, volgekrabbeld in een academisch, hanenpoterig handschrift. Niet ondertekend.

'God zij met u,' zei de vrouw zacht.

Hij wierp een laatste blik op de woorden op het affiche onder het misvormde, afbrokkelende standbeeld. Wat hij in zijn kindertijd over literatuur en kunst had geleerd, was hij nooit vergeten. Hij herkende het citaat. Als hij het boek bij zich had, had hij het zo kunnen vinden. De woorden waren een variatie op die van Dante, maar ze had er een directe en persoonlijke boodschap voor geplakt.

Costa las de woorden hardop. Hij luisterde naar de cadans ervan en hoorde haar stem in elke lettergreep.

'Franco, graaf van Malaspina. Weet je niet dat je vanwege je zwarte daden en zwarte bloed, net als de rest van ons "geboren bent als een worm teneinde een engelenvlinder te worden"? God biedt je vergeving voor Emily Costa en al die vermoorde vrouwen die door jouw droevige woede van het leven beroofd zijn. Neem die aan.'

De zuster keek hem onbewogen aan terwijl hij aan het woord was, haar hoofd iets naar opzij om de woorden haar optimale aandacht te geven.

'Hij is niet op zoek naar verlossing,' merkte Costa op, en hij probeerde de brief in zijn jaszak te proppen. Vervolgens haalde hij zijn dienstwapen tevoorschijn, controleerde of het magazijn vol was en dacht na over wat er nu te gebeuren stond.

Agata probeerde Malaspina zover te krijgen dat hij open kaart zou spelen, zowel door zijn schuld aan het licht te brengen als het geheim dat hij volgens haar het meest haatte: zijn afkomst. Het was... Costa wou dat zijn hoofd beter functioneerde. Hij had het gevoel dat er iets niet klopte, al was hij niet in staat om precies te zeggen waarom.

De vrouw in het zwarte habijt bekeek het wapen met een onheilspellende blik. 'Iedereen is op zoek naar verlossing,' mompelde ze met zachte, simpele overtuiging. 'Of ze het nu weten of niet.'

Hij was niet in de stemming voor gefilosofeer. Peroni kwam aanlopen. Hij keek hoopvol.

'Ik moet dit op mijn eigen manier doen, Gianni,' zei Costa, terwijl hij de vrouw negeerde.

'Maar...'

'Niets maar. Zo is het en niet anders.'

De zelfgenoegzame glimlach van de zuster begon irritant te worden. 'Arresteer deze vrouwen voor clandestien plakken,' verordonneerde hij. 'Stop ze tot vanavond achter slot en grendel.'

Ze begon te protesteren, en haar collega even verderop ook.

'Zuster,' onderbrak Peroni haar, 'u hebt het recht om te zwijgen. Of de paus te bellen. Maar die heeft het vandaag waarschijnlijk druk.'

'U hebt geen idee hoeveel vrouwen er in Rome zijn zoals wij,' siste de oudste hem toe. 'Geen enkel idee.'

Dat klopte. Maar het was ook niet belangrijk. Er was maar één ding dat ertoe deed.

Costa begon in noordelijke richting te rennen, terug naar de smalle straatjes en steegjes achter het Piazza Navona, terug naar de straten van Ortaccio. Hij stond toe dat het lang vergeten ritme van zijn stappen over de straatkeien van het Rome van de renaissance hem meenam naar een tijd vóór deze pijn, een tijd toen hij alleen maar een vrijgezelle, onbetekenende *agente* was in een stad vol wonderen.

2

Tegen de tijd dat het halfnegen was, kon Gianni Peroni geen non of zuster meer zien. Het leek alsof er zich in de straten van Rome een leger had verzameld, een leger dat bestond uit alle vrouwen uit alle religieuze ordes die konden lopen. Hele zwermen van deze vrouwen, die niet langer bescheiden op een holletje de straat door schoten, waren als schichtige merels neergedaald en hadden hun verlegen onzichtbaarheid afgeworpen om door een verlaten stad te stampen, als beheerst door slechts één gedachte: Agata Graziano's vreemde boodschap ophangen op plekken waar zelfs de meest waaghalzerige wildplakkers zich niet aan zouden durven wagen. Haar bewerking van Dante, met Franco Malaspina's naam en misdaden eraan toegevoegd, sierde een aantal van de beroemdste en meest in het oog springende gebouwen van de stad.

Kopieën hingen als een slinger van confetti over de straatkant van het Colosseum, tot razernij van de stadsarchitecten die de rust van hun kerstdagen verstoord zagen toen ze woedend aan de telefoon hingen met de Questura. Alle andere pratende standbeelden waren er nu ook mee overdekt, evenals het beeld van Giordano Bruno in de Campo dei Fiori en de stenen zijkanten van de Ponte Sant'Angelo, de voetgangersbrug over de Tiber voor pelgrims op weg naar het Vaticaan. Een handvol zusters was er zelfs in geslaagd een aantal op de voorgevel van het Palazzo Madama te plakken, het Senaatsgebouw waar Caravaggio ooit onder het beschermheerschap van Del Monte had vertoefd, een daad die de woede van de Carabinieri gewekt had. Vijftien zusters en nonnen werden volgens de tv-zenders nu door hen in hechtenis gehouden wegens schending van publieke, zij het nooit kerkelijke, gebouwen door heel Rome.

De Questura had er, zo merkte Peroni tot zijn schrik toen hij op het bureau terugkeerde met de twee zwijgende, zelfgenoegzame vrouwen van het Piazza Pasquino, niet minder dan drieëntwintig, wat er de oorzaak van was dat de dienstdoende brigadier aan de balie zijn handen van pure verschrikking de lucht in gooide toen hij zag dat Peroni er nog twee binnenbracht: 'Waar zijn we mee bezig, man? Verzamelen we ze?'

Peroni keek om. Van de twee vrouwen die hij had opgepakt, was de rustigste heel kalm een affiche op het mededelingenbord in de openbare wachtruimte aan het plakken. Ze bleek een hele rol van die dingen in de volumineuze donkere plooien van haar habijt gepropt te hebben. Hij merkte dat hij verbaasd was over het feit dat een nonnengemeenschap er een kopieermachine op na hield en vervloekte zichzelf toen om zijn onwetendheid. Nic had de hele tijd al iets begrepen dat de rest van hen was ontgaan. Deze vrouwen waren niet verlegen, zwak of wereldvreemd. Sommigen misschien. Maar niet allemaal. Velen bezaten een vastberadenheid en een overtuiging waar de bevolking van de stad geen idee van had. Dagelijks knikten ze naar hen, in bussen en op straat, zonder ooit ook maar één seconde te denken dat er onder dat saaie uniform veel interessants schuil kon gaan. Maar deze vrouwen bezaten een soort moed, hadden die in eerste instantie ook nodig om zich aan de conventies van de rest van de mensheid te durven onttrekken.

Als die vastberadenheid op de proef werd gesteld... Peroni riep zichzelf een halt toe. Het waren nog steeds vrouwen die er alleen voor stonden, en Agata Graziano was een weerloze zuster, schijnbaar alleen in een stad waar in ieder geval één 'Ndrangheta-moordenaar vrij rondliep en het op haar leven gemunt had.

Falcone kwam binnenvallen. De inspecteur keek alert uit de ogen, energiek... en verdomd kwaad. 'Wat moet dit voorstellen?' wilde hij weten, en hij griste het vel van de muur. Hij staarde naar de woorden alsof ze uit een taal kwamen die hij niet kende. 'Nou?'

'Dat moet je mij niet vragen,' antwoordde Peroni. Hij knikte naar de twee naast hem. 'Vraag het aan hen.'

'Ik ben de hele ochtend al bezig geweest het aan die dames te vragen. Het enige wat ze doen is terugstaren, lief glimlachen en zwijgen. Nou?'

De twee vrouwen glimlachten lief naar hem zonder iets te zeggen.

'Verdomme! Waar is Costa?'

'Hij had een bericht gekregen,' antwoordde Peroni, die verwachtte dat de storm elk moment los zou barsten. Hij was er niet erg van onder de indruk. 'Zuster Agata heeft het via deze mevrouw hier aan hem doorgespeeld.'

Falcone vroeg aarzelend: 'En?'

'Hij is verdwenen. Hij zei niet waarheen. Zij –'

'Ik weet het niet,' onderbrak de oudere zuster hen. 'Dus weest u alstublieft niet vervelend. U maakt uzelf alleen maar nog meer van streek.'

Falcone trok zijn wenkbrauwen hoog op op zijn kale, gebruinde voorhoofd. De deur ging open en er kwamen twee agenten in uniform binnen met nog vier vrouwen in lange, golvende winterhabijten.

'Hou op met nonnen arresteren,' beval Falcone. 'Laat dat over de radio omroepen, Prinzivalli.'

De *sovrintendente* knikte met een glimlach, maakte een opmerking in de trant van dat dit een van de ongewoonste opdrachten was die hij de laatste tijd aan de meldkamer had overgebracht, en verdween.

'Zuster,' vervolgde Falcone, terwijl hij voor de vrouw stond die de boodschap aan Costa had gegeven, 'u moet me vertellen waar Agata Graziano is. En waar onze man is. Ik begrijp niet waar ze mee bezig is, maar het is misschien wel heel gevaarlijk. Dit is een ongelooflijk ernstige zaak. Ik kan niet toestaan dat ze hier nog dieper in verwikkeld raakt. Ik betreur het diep dat ik dat überhaupt heb toegestaan.'

De grijze ogen van de vrouw lichtten op van verrassing en woede. 'U hebt alles zo in elkaar gezet, Falcone.'

De wangen van de inspecteur werden rood. 'U kent mijn naam?'

'Natuurlijk. Zuster Agata heeft gisteravond heel lang met ons gesproken. We hebben onze eigen regels overtreden. We waren nog lang na bedtijd wakker.' Ze glimlachte naar Peroni. 'We weten alles van jullie. En meer.' Haar gezichtsuitdrukking werd ernstig. 'We weten dat u geen zaak hebt, *ispettore*. Deze man... die Malaspina, hij heeft u verslagen. Hij heeft geld en de wet aan zijn zij. Hij is zo'n amorele, misdadige renaissanceridder waar zuster Agata ons over verteld heeft, een man die' – tot Peroni's verbazing priemde ze Falcone met een lange, harde vinger in zijn borst – 'u in alle opzichten heeft verslagen. Ondanks al uw macht. Al uw' – deze keer flitste haar blik Peroni's kant op – 'mannen.'

'Dat is een interessante observatie, zuster,' baste Falcone. 'Nou, waar zijn ze verdomme?'

'Volgens u heeft God niets te maken met rechtvaardigheid?' vroeg de vrouw, schijnbaar uit het niets.

'Mocht dat wel zo zijn,' antwoordde Falcone meteen, 'dan heeftie er de laatste tijd wel een zootje van gemaakt. Als...'

De lange, magere man in het chique grijze pak zweeg. Peroni neuriede wat en schommelde van voor naar achter op zijn hielen. Dat was een opvallende en erg onkarakteristieke opmerking voor zo'n intelligente man.

De lange, benige vinger porde weer in Falcones das.

'God werkt door ons,' zei ze. 'Of niet, zoals hier het geval lijkt.'

'Waar zijn ze?' vroeg hij opnieuw.

Ze pakte zijn pols en draaide hem zo dat ze op zijn horloge kon kijken. 'Alles op zijn tijd.'

Toen deed de vrouw een stap naar achteren en wisselde blikken uit met de anderen daar, die zwijgend naar dit gesprek hadden staan luisteren. Ze was, zo kwam het op Peroni over, hun meerdere, en dat wisten ze allemaal dondersgoed.

'Er is één ding,' zei ze met duidelijk zichtbare aarzeling.

'Wat?' snauwde Falcone, maar niet zonder enige gretigheid.

'Zuster Agata zei tegen ons dat jullie koffie niet als de onze is. Van poeder. In grote kannen. Ze zei dat jullie... koffie... anders was. Mogen we die proberen? Het is Kerstmis.'

Falcone sloot zijn ogen even en haalde toen zijn portefeuille tevoorschijn.

'De koffie van de Questura is nog niet eens geschikt voor dieren,' verklaarde hij. 'Haal die vrouwen hier weg, *agente*. Als je ergens een plek kunt vinden die open is, geef ze dan wat ze willen.'

3

Tien minuten later bevonden ze zich in het dichtstbijzijnde café dat open was, een zaak die zowel beroemd was om de kwaliteit van zijn koffie en gebakjes als om de vuilspuiende eigenaar, Totti, een vrijgezel van middelbare leeftijd die nu stijf van verontwaardiging achter zijn toog stond, als een haan in wiens territorium een vreemde diersoort binnengedrongen was.

'Dit is niet juist,' vertrouwde hij Peroni achter zijn hand toe aan het uiteinde van de toog. Ze bevonden zich niet ver van het troepje in het zwart geklede vrouwen die aan hun cappuccino's stonden te nippen en cornetto's en andere gebakjes aten alsof deze alledaagse gewoonte volkomen nieuw voor hen was, wat waarschijnlijk ook zo was. 'Het is al erg genoeg dat er hier meer vrouwen zijn dan mannen. Maar dan ook nog deze vrouwen.'

'Het zijn gewoon vrouwen,' gromde Peroni.

Hij vond Totti een vervelende kerel. Wat een misantroop. Als er op loopafstand een andere plek open was geweest... maar zijn koffie was goed. Aan de uitdrukking op de gezichten van de vrouwen te zien was het een openbaring.

'Wat een verspild leven,' antwoordde Totti. 'Wat hebben ze daar nu aan? Een paar zouden er opgepoetst en wel en met een jurk aan best aardig uitzien.'

Peroni keek hem vuil aan. Het had ontegenzeggelijk voordelen, zo bedacht hij, om een lelijke onbehouwen bruut te zijn. De haren van Totti's borstelige snorretje kwamen recht overeind, en zonder iets te zeggen liep de man weg om een beetje halfslachtig aan de spoelbak wat bierglazen op te gaan wrijven.

Elke zuster had nu een half bruin, half wit cappuccinosnorretje op haar bovenlip. Ze waren zich er niet bewust van en leken het zelfs niet bij elkaar op te merken. Ze zaten te roddelen als alle Romeinse vrouwen, maar dan zachtjes.

Hij liep naar hen toe en probeerde helderheid te krijgen over een gedachte die hem bleef achtervolgen. 'Dames!' zei hij opgewekt, onderwijl een van de lege koffiekopjes oppakkend. 'En, hoe vond u het?'

'Heel smakelijk,' zei de meest gezaghebbende direct. Het was duidelijk dat ze voor hen allemaal sprak. 'Aangenaam, maar een luxe. Misschien één keer per jaar. Niet meer.'

'Eén keer per jaar is beter dan één keer in uw leven, zuster,' merkte Peroni op.

'Voor Rome werkte ik in Afrika,' antwoordde ze pinnig. 'Ze zouden daar met één keer in hun leven al heel tevreden zijn geweest.'

'Heel tevreden?' herhaalde Peroni. 'Dat waag ik toch te betwijfelen, u niet?'

'Ik wist niet dat een politieagent zo precies kon zijn wat woordkeus betreft. Zuster Agata zei al dat u een opvallende man was. Jullie alle drie. En wat nu?'

Hij keek hen stralend aan. 'Nu betaalt u uw schulden af. U gaat me iets vertellen.'

'Falcone heeft betaald,' zei ze. 'Die is er niet.'

'Het stelt niet veel voor, en u als zusters gelooft in goede werken doen. Het gaat hierom.'

Hij had even met Prinzivalli overlegd toen Falcone hun een stevige uitbrander aan het geven was in de Questura. Het had hem in ieder geval een voor de hand liggende vraag geleken. 'U hebt zuster Agata's oproep op de belangrijkste gebouwen in het *centro storico* aangeplakt. Een indrukwekkende prestatie. U moet er uw handen vol aan hebben gehad.'

'Dank u,' zei ze en ze boog elegant haar hoofd.

'Maar op de muren van het Palazzo Malaspina is geen snippertje terug te vinden, ook al zou dat voor de hand liggen, met of zonder het verband waar u van uitgaat.'

Ze waren nu heel stil en staarden hem aan. 'Ik geloof dat graaf Malaspina er echt wel achter zal komen wat er gebeurd is,' zei de praatlustige van het stel ten slotte. 'Het is overal. Je moet wel blind zijn...'

'Dat klopt,' beaamde hij. 'Maar toch snap ik niet waarom u dat gebouw onaangetast laat.' Hij zweeg even. 'Tenzij...'

'Tenzij wat?'

'Tenzij dat nou net de plek is waarvan u niet wilt dat wij erheen gaan.'

Ze zei niets meer. Peroni boog zich voorover. 'Zuster,' zei hij zacht. 'Ik weet niet hoeveel u van het spel begrijpt dat u aan het spelen bent. Maar weet dit wel. Als uw collega en mijn vriend daar zijn, is er niets wat we kunnen doen om hen te helpen. Niets. Zonder dat er een aanleiding is. Zonder bewijs. Zonder een dusdanig dwingende reden dat we met recht een rechter bij zijn lunch vandaan kunnen roepen om hem om de juiste papieren te smeken. Het Palazzo Malaspina heeft een onschendbare status in Rome, valt buiten onze jurisdictie. We kunnen daar op het moment onder geen enkele voorwaarde naar binnen. Voor ons had het net zo goed het Vaticaan kunnen zijn.'

'Ik kan naar het Vaticaan wanneer ik maar wil,' zei ze, en ze lachte. De gedachte kwam bij Gianni Peroni op dat hij deze vrouw in het dagelijkse leven waarschijnlijk niet bepaald leuk zou vinden.

4

Het was een kort telefoontje. Falcone luisterde naar het verzoek. Toen zei hij nee.

'Je hebt me niet goed gehoord, Leo,' drong Peroni aan. 'Ik weet dat we niet naar binnen kunnen. Ik hou je alleen op de hoogte. Die heksen met hun nonnenkappen op voeren iets in hun schild en het heeft te maken met Malaspina's woning. Ze denken dat ze dit alleen afkunnen. Wij weten wel beter. Ik wil vijf goede mannen en een busje zonder bijzondere herkenningstekens. Niemand zal ons zien. Niemand zal het weten.'

Falcones stem steeg een paar tonen. Hij was boos, hij was geagiteerd. 'Ik heb geen vijf goede mannen over, die in een of ander busje kunnen gaan zitten wachten op God weet wat. Iedereen die we hebben is daarbuiten op zoek naar Agata Graziano en Costa. Wat verwacht je verder nog dat ik doe?'

'Iets wat niet voor de hand ligt,' antwoordde Peroni. 'Iets wat jouw stempel draagt, niet dat van hen daarboven.'

De lijn viel stil. Hij kon zich de woede voorstellen die op dat moment Falcones wangen kleurde.

'Luister,' ging hij snel verder. 'Je weet dat je ze niet zult vinden. Ze willen niet gevonden worden. Dat is het hele punt.'

'Wat?'

'Die bazige zuster die je zojuist hebt gezien, zei dat tegen ons. We hebben gefaald. De wet heeft gefaald. Alle manieren die wij tot onze beschikking hebben om om te gaan met situaties als deze... zijn uitgeput, en dat weet Agata. Het beste waar we nu op kunnen hopen is het groene licht van Grimaldi, zodat we Teresa's DNA-machine weer kunnen inzetten voor iedereen behalve Malaspina. Dat is de beloning... en jouw slimme zustertje denkt dat ze een andere manier kent.'

Hij hoorde geen onmiddellijke explosie. Dat was goed.

'Vijf goede mannen,' voegde hij er hoopvol aan toe. 'Een busje zonder bijzondere herkenningstekens. Een uur of twee. Meer hebben we volgens mij niet nodig.'

'Ik heb geen...'

'Als zij daarbinnen is, heeft ze ongetwijfeld binnenkort onze hulp nodig. Of zij, zij beiden, dat weten of niet. Wil jij wachten op een telefoontje en de minieme kans dat we er op dat moment een auto van de Questura naartoe kunnen sturen? Zou je daar blij van worden?'

Falcone vloekte zachtjes, verbitterd, en voegde er toen aan toe: 'Voor een simpele agent heb je behoorlijk veel noten op je zang.'

'Nic is daar. En ik ben ook nogal op Agata gesteld. Wat verwacht je dan?'

'Wacht buiten,' verordonneerde hij. 'En laat niemand weten waar je mee bezig bent.'

5

Ze had de plek nader gespecificeerd en de locatie vervulde hem van afgrijzen. Het was het gebied achter het atelier in de Vicolo del Divino Amore, de vochtige binnenplaats vol rotzooi en onkruid, met de keitjes waar hij Malaspina, vermomd, gewapend en dodelijk, voor het eerst ontmoet had, voor hij hem achterna was gegaan de straat op, in de richting van het Mausoleum van Augustus.

In de richting van Emily.

Costa hield even halt toen hij vanaf de straat het nauwe bakstenen gangetje in liep, de plek waar Malaspina zich had omgedraaid en achter de stof een volmaakte o had gevormd met zijn mond, 'boem' had gemompeld en toen was weggedoken voor zijn schot. Daarna...

Hij wilde er niet over nadenken. Er was geen tijd. Hij keerde op zijn schreden terug het steegje door, zich afvragend waar ze zou kunnen zijn, of hij misschien al te laat was. De plek leek anders. Kleiner. Nog smeriger zelfs. Om zich heen kijkend probeerde hij, half rennend, dicht tegen de muur aan, zo zacht en onzichtbaar mogelijk te bewegen. Hij ging verder tot hij bij de kleine, ingesloten binnenplaats aan het einde was gekomen.

De aanblik van de rotzooi en het onaangenaam heldere beeld van Malaspina die zich daarachter verstopt had, bracht bittere herinneringen terug. Een vluchtig moment zag hij in zijn verbeelding Emily's gezicht voor zich. Ze staarde hem aan, boos, vastberaden, zoals ze altijd keek als er gevaar dreigde.

Toen werd haar geest gelukkig door een geluid uit zijn hoofd verdreven.

Aan de andere kant van de binnenplaats kwam Agata tevoorschijn. Ze kroop achter een paar afgedankte matrassen vandaan die tegen de zwart geworden stenen muur van het vieze terras vol aanslag aan leunden waar Caravaggio ooit had gewoond. Ze probeerde te glimlachen. Ze had iets in haar hand wat hij niet kon zien.

Ze droeg gewone kleren: een eenvoudige zwarte nylon parka met een simpele spijkerbroek. Het soort kleren dat het klooster waarschijnlijk aan de armen verstrekte, dacht hij. Ze zag eruit als talloze jonge vrouwen in Rome op dat moment, met uitzondering van de uitdrukking op haar gezicht, die opgewonden was, maar met een onverzettelijkheid die hem zorgen baarde.

Hij liep naar haar toe en ging voor haar staan.

'Je gaat nu met me mee,' zei Costa beslist. 'Je gaat hiervandaan naar de Questura. Al moet ik je dragen.'

'Doe dat, Nic, en dan heb je voor altijd verloren. Franco Malaspina zal vrijuit gaan. Hij zal onderhandelen met die jurist van jullie. Zíjn schuld wordt vergeten in ruil voor de toestemming om die van anderen vast te stellen. Wil jij met de duivel onderhandelen? Ben je zo iemand?'

'Agata...'

'Nou?' wilde ze weten, met glanzende donkere ogen.

'Ik heb mijn vrouw verloren aan die man,' zei hij zacht en hij hoorde zijn stem kraken. 'Ik wil niet hoeven toezien hoe er nog een leven wordt verwoest.'

'Wees niet bang om mij. Dat is mijn verantwoordelijkheid. Hoe is hij hier voor die vrouwen naartoe gekomen?' vroeg ze. 'Heb je daar wel eens over nagedacht? Hij is een erg bekende man, hij zou echt niet door de voordeur naar binnen gaan. Dat zou te veel opvallen. Noch' – ze wendde haar hoofd even in de richting van de bakstenen gang – 'zou hij die optie hebben geriskeerd. Die komt uit op het Piazza Borghese. Daar zou hij ook gezien zijn. Mensen zien dingen. Je komt Franco bijna nooit in het openbaar tegen op straat. Dat is ver beneden zijn waardigheid.'

'Dit is allemaal te laat.'

Ze boog glimlachend naar voren, haar bijdehante, aantrekkelijke gezicht even levendig als altijd. 'Alles is van hem. Elke vierkante meter. Iedere steen. Hij kwam door zijn eigen huis.' Ze wierp een blik in de richting van een in schaduwen gehulde alkoof die half schuilging achter een paar afgedankte kasten. 'Jullie hebben nooit gekeken. Het leek niet van belang. En jullie zouden zijn paleis toch nooit binnen zijn gekomen.'

Costa moest naar woorden zoeken, hij wilde dat ze het begreep. 'Malaspina wil je dood hebben.'

'Nee.' Ze schudde haar hoofd. Door de heftigheid van het gebaar zwiepten haar donkere krullen om haar hoofd heen. 'Dat is maar voor een deel waar. Wat hij wil, is vergeten wie hij is, waar hij vandaan is gekomen. Al die zwarte vrouwen. Vrouwen als ik. De afwijking in het bloed. Hij schaamt zich voor zijn afkomst, net als Ippolito Malaspina en Alessandro de' Medici voor hem. Daar ligt de oplossing, als je dat maar kon geloven. Franco Malaspina is in een strijd met zichzelf verwikkeld en haalt naar alles en iedereen uit om dat simpele feit te verbergen.'

Hij zuchtte. 'Dat denk ik niet,' zei hij.

'Wat dan?'

Iets klonk nog altijd niet juist, hoe hard ze ook haar best deed.

'Dit is allemaal giswerk,' antwoordde hij. 'Nutteloos en gevaarlijk.'

'Nee,' hield ze vol. 'Dat is het niet.'

'Heb je er ooit bij stilgestaan hoe we ons voelden toen je ervandoor ging?'

'Nic,' fluisterde ze, met fonkelende zwarte ogen, haar mond strak van emotie en iets wat op angst leek. 'Dit gaat niet over mij.'

'Ik heb mijn vrouw verloren...'

'Het spijt me. Ik wilde je niet kwetsen. Dat heb ik nooit gewild.'

'Jij weet niet wat pijn is. Je bent te bang om dat te voelen. Je bent doodsbang dat er iets echts zal doordringen in die cocon waarin jij jezelf hebt gesponnen.'

'Dat is niet eerlijk...'

'Eerlijk gezegd kan dat me niks schelen. Ik wil gewoon dat je in leven blijft. Alsjeblieft. Laat me je meenemen hiervandaan.' Hij stak zijn hand naar haar uit.

Ze keek naar hem op, bang, maar ook vastberaden. 'Denk je nu echt dat ik weer terug in mijn schulp kan kruipen?' vroeg ze verbaasd, en misschien ook wat verwijtend. 'Zomaar?'

'Ik denk –' begon hij.

'Dat is onmogelijk,' onderbrak ze hem hoofdschuddend. 'Dat komt door jou. Jou en Falcone.' Ze aarzelde. 'Maar nog het meest door jou.'

Hij deed een stap naar voren. Ze deinsde terug naar de muur, met een hand voor zich uit. Nu zag hij wat ze bij zich had. Aan haar voeten lag de zoveelste grote plastic tas met de naam van een goedkope supermarkt erop. Aan de bovenkant stak er iets uit wat hij niet goed kon plaatsen.

'Wacht...' droeg Costa haar op.

Eer hij verder had kunnen gaan was ze voor zijn graaiende armen weggedoken en achter de kasten de donkere alkoof in geschoten.

Hij volgde haar. Toen hij daar aankwam had ze de koevoet in de onderste helft van de kleine, verweerde houten deur gestoken die zwart was van het roet en het vuil. De bovenkant was al versplinterd. Agata had vóór zijn aankomst een weg het Palazzo Malaspina in gevonden. Ze was als altijd voorbereid.

'Dit is waanzin,' mopperde hij. 'Ik zou nu de Questura moeten bellen. Waarom neem je zulke risico's als jouw zusters door heel Rome affiches over de man aan het opplakken zijn?'

Ze leunde hard op de koevoet. De onderste helft van de deur weigerde voor haar te wijken. 'Om wat Falcone zegt,' antwoordde ze. 'Je voert de druk op en kijkt wat er gebeurt. Voor jou verlaat Franco dit paleis echt niet, hoor. Maar met een beetje druk hier... een beetje druk daar...'

Ze kende Leo Falcone al langer dan hij. Het was, dacht hij, niet meer dan natuurlijk dat ze zijn methoden over zou nemen.

'De vraag is,' vervolgde ze, 'ga je met me mee? Of moet ik zijn paleis alleen binnen gaan? Er zijn' – ze leunde opnieuw hard op de koevoet, zonder merkbaar effect – 'geen alternatieven. Zie je dat dan niet? Aan de wet heb je nu niets. Noch aan je verdriet.'

Agata liet de deur voor wat hij was en keek hem aan. Haar gezicht glansde in een verdwaalde straal winterzonlicht. 'Het enige wat we nodig hebben, is het schilderij,' hield ze vol. 'En waar kan het anders zijn?'

Hij uitte een zachte vloek, liep naar haar toe en nam de metalen staaf van haar over. Het was een stevige deur, al zag hij er niet zo uit. Maar na de derde poging kraakte het oude hout en konden ze zien wat erachter schuilging, konden ze in deze verre vleugel van het Palazzo Malaspina kijken. Het was er vooral donker. Ze had een vooruitziende blik gehad en een zaklantaarn meegenomen in de plastic tas. Ze had hem nu in haar hand en liet een lange bundel geel licht de duisternis in schijnen.

'Ik ga eerst,' zei Costa. 'Wat ben je aan het doen?'

Ze drukte de toetsen in van de mobiele telefoon die Rosa haar had gegeven en verzond een sms'je met de snelheid en het enthousiasme van iemand die dit elke dag deed.

'Ik praat met mijn zusters,' antwoordde Agata cryptisch en toen wrong ze zich langs hem heen, de zwarte muil achter de deur in.

Costa ging haar snel achterna. Boven aan de muur knipperde voortdurend een rood lichtje. Hij stak zijn hand uit, pakte de hare beet en leidde de lichtbundel erheen. Daar hing een beveiligingscamera, een enkel glazen oog dat knipperde. Er moesten er in een plek als deze wel honderden zijn. Hij draaide zich om en keek naar de deur. Voor zover hij kon zien was daar geen detectieapparaat te vinden. Costa wist hoe moeilijk zulke grote en wijdvertakte gebouwen te beveiligen waren. Het was onmogelijk te zeggen of ze gezien waren of niet, maar hoogstwaarschijnlijk was niemand nog opmerkzaam gemaakt op hun aanwezigheid.

Desondanks pakte hij de koevoet van de vloer en ramde het gevorkte uiteinde hard in de lens van de camera, net zo lang tot het glas brak en hij in staat was het ding van de muur te wrikken.

Ze keek zwijgend toe. In de schemering zag ze er bang uit.

Hij nam de zaklamp uit haar hand. Er volgde geen protest.

'Blijf achter me,' droeg hij haar op en hij liep met grote passen de duisternis in.

6

Het was bitter koud in het verafgelegen, verlaten deel van Franco Malaspina's paleis dat hen nu omsloot. Ze liepen achter elkaar een lange, rechte, smalle gang door, en kwamen toen uit bij een kale grijze muur, geen ramen, alleen oude stenen en specie.

'Dit moet de achterste muur van het eigenlijke paleis zijn,' fluisterde ze. 'Zo bouwden ze die in die dagen. Het gedeelte waar de meester woonde, werd apart gebouwd. De rest, de delen in de Vicolo del Divino Amore, alles wat geen integraal onderdeel van het paleis was, werd er later aan toegevoegd. We moeten ons in een of andere toegangspassage tussen de gebouwen bevinden. Het is –'

'Stil,' fluisterde hij en hij legde een vinger tegen zijn lippen aan.

Agata hield onmiddellijk op met praten. Haar ogen, die witter waren dan anders in het heldere, genadeloze licht van de zaklantaarn, verrieden haar angst.

Zij hoort het ook, dacht Costa.

Voetstappen. Zwaar en galmend, met een hard, dwingend ritme.

Hij liet de zaklantaarn aan weerszijden van de splitsing de gang in schijnen. Ze zaten gevangen in een frêle ader van steen, diep in de volumineuze massa van het paleis. Het geluid danste bedrieglijk om hen heen. Ze konden zich nergens verstoppen. Het was vrijwel onmogelijk de bron ervan te ontdekken.

Voor hij dit feit had verwerkt, trok ze al aan zijn arm en deed toen iets heel vreemds en toch zo voor de hand liggends.

Agata legde een hand op haar linkeroor, en toen een op haar rechter. Aldus scheidde ze de echo van het oorspronkelijke geluid en probeerde uit te maken welke van de twee het hardste was. Snel, beslist, wees ze eerst naar links en boog haar arm toen om de tegenoverstelde richting aan te wijzen.

Costa keek achter haar, naar de gang waar ze uit gekomen waren. De weg terug naar de vrijheid. Ze wierp hem een korte, medelijdende blik toe, griste de lantaarn uit zijn hand en terwijl ze met heftige bewegingen van haar armen de dikke grijze spinnenwebben wegveegde ging ze voorop naar rechts, bij diegene vandaan die hen op het spoor was, althans dat hoopte ze.

Hij volgde haar, voortdurend blikken achterom werpend, zonder iets te zien. Er waren geen alternatieven, er was geen andere route en algauw bevonden ze zich in een ander, nauw kanaal van steen, deze keer net breed genoeg voor een enkel menselijk lichaam. De gang maakte met een regelmatige, geometrische precisie een bocht, alsof hij de omtrekken van een ronde kamer aan de andere kant van de muur volgde. Hij had geen idee hoe de plattegrond van het Palazzo Malaspina eruitzag. Costa had alleen de voorste, voor het publiek opengestelde kamers gezien, die maar een klein deel van het totale gebouw bestreken. Grote palazzo's in Rome bevatten vaak vele verrassingen: privékapellen, baden, zelfs een geheime plek voor alchemistische experimenten, zoals het privécasino in de Villa Ludovisi, waar Caravaggio voor kardinaal Del Monte geschilderd had. Het was onmogelijk te bepalen in welke richting ze liepen, onmogelijk iets anders te zien dan de stoffige muren van gelijkvormige stenen die daar bijna vijf eeuwen geleden waren opgetrokken.

Het andere geluid klonk sneller nu, werd luider en bevond zich duidelijk achter hen. En dichterbij.

Costa haalde Agata in, tastte naar zijn revolver om er zeker van te zijn dat hij hem voor het grijpen had en voelde hoe hij tegen haar aan botste, per ongeluk, onvermijdelijk, voor hij zich realiseerde waarom.

De gang vernauwde zich. Binnen een paar stappen werd hij zo smal dat zijn schouders langs de muren schuurden, terwijl ze half rennend vorderden. Toen kwam er een einde aan die verandering in afmeting. Zoals nu zou het wel een tijd blijven, dacht hij. Hij pakte haar arm beet en hield haar tegen, met zijn lippen vormde hij de woorden: 'Ga voorop.'

In haar scherpe ogen was een flits van woede te zien en ze fluisterde: 'Nee!'

Desondanks slaagde hij erin, toen ze haar tempo hervatte, iets achterop te komen, net genoeg om binnen de reikwijdte van de zaklantaarn te blijven die hen in deze krappe, benauwende ruimte gevangenhield.

Degene die achter hun aan kwam was dichtbij. Daar was hij zeker van.

Costa haalde zijn revolver tevoorschijn, hield hem stevig vast en probeerde een of andere strategie te bedenken. Hij strompelde verder in het halfduister, het wapen in zijn hand, en vroeg zich af wat de mogelijkheden waren in de buik van deze stenen leviathan, waar de kansen dat iets, een schreeuw, een wanhopige oproep op de politieradio, de wereld buiten hen zou kunnen bereiken, miniem waren.

Daar volgden geen gemakkelijke antwoorden op. Geen enkele. Toen botste hij abrupt, met zo'n kracht dat hij zich automatisch verontschuldigde, tegen haar kleine, gespannen lichaam op, dat kaarsrecht vast was komen te zitten, hard tegen het steen.

Ze was stil blijven staan. Haar ademhaling ging zo snel en zo oppervlakkig dat hij het gevoel had elke ademteug te kunnen horen en voelen. De gang liep dood. Hij leidde nergens heen, wat onmogelijk leek. De enige uitweg was terug.

'Blijf staan,' mompelde hij.

Ze luisterde niet. Ze had zich naar één kant gedraaid, even stil als het steen dat hen gevangen hield. Hij zag in waarom toen zijn ogen zich aangepast hadden aan – hij begreep nu wat het was – een nieuw soort licht.

De gang eindigde in een kale stenen muur, maar aan het einde van een zijmuur bevond zich een schimmelig gordijn. Het klapperde in zijn gezicht toen de hand waar ze de plooien omheen gewikkeld had, begon te schudden. Dit was een ingang naar een andere kamer, een die gigantisch bleek te zijn toen hij een kijkje nam: een ronde kamer, die in een ongelooflijk helder licht baadde, zodat hij van deze zijdelingse blik zelfs al pijn in zijn hoofd kreeg.

In het midden, onder een glazen koepeldak dat de doordringende stralen van een laagstaande winterzon doorliet, stond het schilderij. *Evathia in Ekstasis*. Het glansde in het heldere licht dat van boven naar beneden stroomde. De vlezige gestalte in het midden, vastgelegd in Caravaggio's pigment, schijnbaar levend, vol energie, triomfantelijk bijna terwijl ze haar mond opende om die primitieve kreet te slaken.

Ervoor bevond zich een bank, een chaise longue zoals ze die hadden aangetroffen in het haveloze atelier aan de Vicolo del Divino Amore. Daar zwoegde en kreunde Franco Malaspina, nog steeds in het pak, de broek half naar beneden, boven op een naakte Afrikaanse vrouw, haar huid de kleur van vochtig steenkool, een verwilderde blik van angst in de ogen.

Malaspina's lange sterke lichaam ging woest in haar op en neer. Ze konden zijn gehijg, gejammer, gegrom horen en de overduidelijke wanhoop achter de gekwelde zuchten. Toen Costa nauwkeuriger keek, kon hij zien hoe de ogen van de man tussen de vloer en de gestalte op het schilderij op en neer schoten, maar nooit naar de vrouw onder hem.

'Lieve hemel,' kreunde Agata. 'Wat is dit, Nic?'

Hij antwoordde niet. Hij dacht aan de voetstappen achter hem. Of probeerde dat.

'Wat is dit?' wilde ze weten. En toen hij niets zei, beantwoordde ze haar eigen vraag: 'Zelfs mét het schilderij vindt hij geen... voldoening. Dat is toch zo? Zelfs nu?'

Ze keken naar de man die Costa's vrouw vermoord had en die wanhopig zijn best deed om tot een zekere bevrediging te komen, bij een andere vrouw die hij van de straat geplukt had, een andere pion in zijn wanhopige, meedogenloze manoeuvres.

Agata schudde haar hoofd. Haar gezicht leek vol van twijfel aan zichzelf, zelfs van zelfhaat.

'We moeten maken dat we hier wegkomen,' hield hij vol, en hij wierp opnieuw een blik door de smalle spleet die te zien was waar zij het gordijn vasthield.

Terwijl zij bleven kijken, slaakte Malaspina een lange, gekwelde kreet van ellende, stond toen op van de bank, hees zijn broek omhoog en deed hem dicht. Costa's vingers sloten zich om de revolver, maar de vrouw was snel. Terwijl Malaspina in zijn eigen ellende verzonken bleef, en zich haar aanwezigheid nauwelijks bewust was, ging ze ervandoor zoals velen vóór haar gedaan moeten hebben. Ze rende in doodsangst bij hem vandaan, waarbij ze wat kleren van de vloer graaide en vervolgens maakte dat ze wegkwam, zag Costa, door een open deur die zich bijna recht tegenover het punt bevond waar zij nu stonden.

Hier was een gelegenheid. Hij zou blij zijn als zij hier met zijn tweeën levend vandaan konden komen. Hij vroeg zich af hoeveel 'Ndrangheta-huurmoordenaars Malaspina in dienst had. Een was er al dood. Als ze geluk hadden, was er nu niet meer dan één enkele huurmoordenaar over om het Palazzo Malaspina op deze rustige, luie dag na Kerstmis te bewaken.

'Ik heb medelijden met hem,' mompelde Agata, tot haar eigen verrassing uit het veld geslagen. 'Ik...'

Hij hoorde het metalige geluid door de gang weergalmen en herkende meteen wat het was. Het controleren van een magazijn. Een laatste vereiste voor het geweld kon losbarsten.

'Wegwezen! Duik omlaag!' beval Costa en hij duwde haar snel en ruw het gordijn door, naar de zee van licht daarachter en, wist hij, naar het gezelschap van Franco Malaspina.

Diep in de stenen ader waar zij zojuist doorheen gestrompeld waren, barstte een oorverdovend automatisch geweervuur los. De vonken spatten van de muren om hen heen. Costa rolde achter Agata aan naar voren, en loste terwijl hij neerkwam een wilde opeenvolging van schoten in het duister achter zich.

7

Gianni Peroni zat op de passagiersstoel van een witte Fiat-bestelwagen met aan de zijkant de naam van een rioleringsontstoppingsbedrijf. Hij stond een paar honderd meter van de hoofdingang van het Palazzo Malaspina geparkeerd. Het huis leek uitgestorven. De dubbele deuren boven aan de trap aan de voorzijde waren gesloten. Er was geen sterveling naar binnen of buiten gegaan in de twintig minuten dat zij hier nu stonden. De vier andere agenten in de wagen, mannen die hij niet kende, mannen die het helemaal niet fijn vonden dat ze hun vrije dag hadden moeten onderbreken en niet erg genegen leken zijn autoriteit over hen te accepteren, begonnen te mopperen op die manier van agenten die last van verveling beginnen te krijgen.

'Ik heb ooit vier dagen buiten een of ander huis aan de Gianicolo gezeten,' klaagde de man achter het stuur, een magere, lange vent met een Florentijns accent. 'Bleken we het verkeerde huis te hebben. Het was van een grote, en dan bedoel ik echt grote, operazangeres terwijl wij dachten dat we de een of andere capo van een Siciliaanse familie in de gaten aan het houden waren. Vier dagen. Dat vergeet je nooit meer.'

'Heb je haar horen zingen?' vroeg een stem van achteren.

'Ja...' antwoordde de bestuurder humeurig jammerend.

'Waarom zijn jullie dan niet gaan kijken?' wilde weer een ander weten. 'Ik bedoel, een capo heeft over het algemeen toch geen operazangers over de vloer, toch?'

'Dat is achteraf praten,' kreunde de bestuurder. 'Daar is elke wijsneus die ik ooit ontmoet heb geweldig in.'

'Het is een redelijke vraag,' klonk een andere stem vanaf de achterbank.

'We hebben het gecontroleerd! Het was iemand anders' fout.'

'Dat is het meestal,' merkte Peroni op. 'Mag ik een verzoek doen, heren?'

Ze zwegen en luisterden.

'Hou dan jullie mond en let op, ja?'

'Op wat?' vroeg de bestuurder. 'En waarom? Je bent gewoon een *agente* nu, Peroni. Je bent de baas niet.'

Gianni Peroni vloekte zachtjes toen hij in de verte de donkere gestalte zag die zich langzaam over de straatkeien in de richting van het palazzo begaf.

'Hou dat in de gaten,' beval hij.

En dat deden ze.

Het was een non, of een zuster, dat kon Peroni met geen mogelijkheid zeggen, op de oudste scooter die hij ooit had gezien, een die in een museum thuishoorde, niet op de weg, aangezien het hele ding waarschijnlijk illegaal was: totaal verroest, met kale banden en een gebarsten uitlaatpijp die zelfs op deze afstand als een winderige duif met een kater klonk. 'Wat moet dit verdomme voorstellen?' klonk een verbijsterde stem vanaf de achterbank.

'Kijken,' beval Peroni weer.

Ze reed langzaam door de straat. Toen stopte ze bij het paleis. De vrouw had een zwart, loshangend habijt aan, dat zo lang was en zo wapperde dat hij zich afvroeg of de stof niet in de spaken vast zou komen te zitten. Ze gaf er weinig blijk van ooit eerder op de tweewieler gereden te hebben. Ze was misschien een jaar of zestig, lang, mager, op haar hoede. Ze droeg een felrode bromfietshelm over de zwart met witte kap die hij met het uniform van een non in Rome was gaan associëren.

'Het is de oma van Evel Knievel,' grapte de bestuurder en de rest van hen grinnikte tot ze de blik van ongenoegen op Peroni's verweerde gezicht zagen.

De vrouw had moeite de standaard naar beneden te krijgen, slaagde daar uiteindelijk in, en stapte af. Daarna stak ze haar hand tussen de wapperende plooien van haar habijt en haalde een groot keukenmes tevoorschijn.

'Daar zou je nog wel eens gelijk in kunnen hebben,' mompelde Peroni.

Ze keken toe hoe de vrouw om zich heen keek om te controleren of er iemand op haar lette, zich toen vooroverboog en met het keukenmes in de voorband begon te steken. In een paar seconden was die helemaal leeggelopen; het rubber moest zo dun als papier zijn geweest.

Daarna liep ze de brede, halfronde stenen trap van het Palazzo Malaspina op, vond de bel naast de glanzend houten dubbele deur, legde haar vinger op de knop en hield hem daar.

'De volgende keer ga ik undercover als non,' mompelde een van de stemmen achterin met meer dan een beetje bewondering.

Ten slotte ging de deur open. Peroni kneep zijn ogen tot spleetjes om de man daar goed te kunnen zien. Wat hij zag vervulde hem van opluchting. Zuster Knievel had een van Malaspina's 'Ndrangheta-moordenaars kunnen treffen. In plaats daarvan stond er een lakei voor haar, een vermoeid uitziende persoon van middelbare leeftijd, iets kleiner dan gemiddeld, die er niet al te slim uitzag en waarschijnlijk onderbroken was terwijl hij het zilver aan het poetsen was.

Hij leek er niet bovenmatig in geïnteresseerd om een verdwaalde zuster te helpen wier prehistorische scooter een lekke band had. De manier waarop de vrouw op hem inpraatte, liet zien dat ze duidelijk niet van plan was hem veel keus te laten. Op zeker moment greep ze hem bij de kraag van zijn witkatoenen bediendejasje beet en trok hem naar buiten, de trap op. Peroni keek toe, onder de indruk. Hij kon bijna het gesprek volgen.

Meneer, ik heb haast, ik moet naar de mis. Ik ben maar een zuster. U moet me helpen.

Ja, maar...

MENEER!

Schoorvoetend, met een uiterst Romeins ophalen van zijn gebogen schouders, gaf de bediende toe en liep de brede trap af naar beneden, volgde haar naar de roestige machine, boog zich voorover en begon de lekke band te bestuderen. Natuurlijk liet hij de deur op een kier staan. Dit was de residentie van een rijke man. Niemand verwachtte hier gelegenheidsdieven. En ook kon de bediende niet zien wat de vrouw achter zijn rug om deed, namelijk naar iemand om de hoek gebaren, die half verborgen aan het begin van de straat opgesteld stond.

De vijf agenten in het busje volgden wat er toen gebeurde in volmaakt stilzwijgen. Peroni vond in zijn hoofd zelfs niet de ruimte voor een lach. Het was zo... buitengewoon. En ook zo voor de hand liggend. Wat de politie nodig had, dat was hun zonneklaar, namelijk een excuus om het Palazzo Malaspina binnen te komen. Ze hadden weken geprobeerd dat met talloze middelen voor elkaar te krijgen: met forensisch en wetenschappelijk onderzoek, detectivewerk en een diepgravend onderzoek naar de voorouders van Franco Malaspina.

Ze hadden geen rekening gehouden met het vernuft van een aantal sluwe nonnen die, ongetwijfeld onder auspiciën van Agata Graziano, de hele nacht bezig waren geweest zich erop voor te bereiden Malaspina's fort binnen te dringen op een manier die geen enkele ordehandhaver zich ooit voor had kunnen stellen, laat staan uit had kunnen voeren. Ze zouden de politie op de simpelst denkbare manier binnenloodsen: door zelf een overtreding te begaan en wederrechtelijk het pand te betreden.

Er kwam nu een hele zwerm met wapperende, zwarte vleugels de hoek om rennen, met de korte pasjes waar hun habijt hen toe dwong. Twintig misschien. Misschien meer. Een giechelende, opgewonden nonnenmassa racete de straat door, de trap van het Palazzo Malaspina op, ze draafden naar boven, naar de deur, zonder acht te slaan op de kreten van de bediende die niet langer naar de lekke band van de krakkemikkige scooter stond te kijken, omdat de eigenaar zich uit de voeten had gemaakt; deze voegde zich vlug bij haar medezusters en leidde hen precies daarheen waar Peroni had verwacht.

Nadat de indringers ook de tweede deur hadden opengegooid, stroomde de zwarte vloedgolf vrolijk het Palazzo Malaspina binnen, alsof dit een schoolmeisjesgrap was, de amusantste gebeurtenis van jaren in hun rustige, besloten levens.

Peroni wierp iedere man in de auto een blik toe die zei: *blijf waar je bent*. Toen glipte hij door het rechterportier naar buiten en beende de straat door.

De bediende begon met zijn handen te wapperen en angstig te kakelen, zijn papperige gezicht rood van woede; hij kon geen woord uitbrengen, wist niet wat hij moest doen. Hij maakte ook een bange indruk. Peroni had niet veel verbeeldingskracht nodig om te kunnen raden dat Franco Malaspina geen erg aardige baas was.

De man zette geen stap in de richting van de massa zwarte figuren die boven aan de trap het paleis binnendrongen. Peroni begreep wel waarom. Ze zagen er ook wel wat angstaanjagend uit.

'Meneer,' zei Peroni en hij haalde zijn politielegitimatie tevoorschijn, 'ik ben van de Questura. Is er een probleem?'

'Een probleem?' krijste de man. 'Wat dacht jij nou, verdomme!'

Peroni wierp een blik op de poel vrouwen. Hij werd steeds kleiner. De meesten van hen waren nu in het paleis. Hij kon hun silhouetten langs de ramen aan weerszijden van de ingang zien bewegen terwijl ze alle kanten op renden.

'Weet je,' merkte Peroni op, 'dit is een slechte dag voor nonnen. Choquerend gewoon.'

'Wat...?'

'Dit is precies de reden dat u voor een politiemacht betaalt. Om orde te stichten in de chaos. Om de gewone burger te redden van...' Hij keek naar de trap. De laatste in het zwart geklede gestalte wurmde zich door de deuren naar binnen. '...het onverwachte.'

'O shit,' kreunde de man. 'Malaspina gaat over de rooie.'

Peroni boog naar voren en trok zijn sympathiekste gezicht. 'Zou u willen dat ik naar binnen ga en dit voor u afhandel?' Hij vroeg het heel vrijblijvend. 'Discreet natuurlijk.'

'Ja... Maar... Maar...'

Peroni luisterde niet. Hij had wat hij wilde: een legitieme uitnodiging om het Palazzo Malaspina binnen te gaan, uitgelokt door een groepje nonnen en zusters die onvermijdelijk een diepe indruk op iedere rechtbank zouden maken.

Hij draaide zich om en gebaarde naar de mannen in het busje. Er sprongen vier potige agenten uit, klaar om in actie te komen; ze hadden er duidelijk zin in.

De bediende kreunde, legde zijn handen tegen zijn hoofd en begon een reeks obscene vloeken te mompelen.

'U kunt het nu verder aan ons overlaten,' schreeuwde Peroni opgewekt de straat door terwijl hij op de trap af liep, zich onderwijl afvragend hoe een particulier, Romeins paleis er vanbinnen uitzag en waar hij in godsnaam, in die wirwar van gangen, Nic Costa en Agata Graziano zou kunnen vinden.

Op de drempel hield hij even halt. Dit was echt niet zijn soort plek. Toen, eerder uit beleefdheid dan iets anders, aangezien hij geen enkele intentie had om te wachten, belde hij naar Falcone om in één zin uit te leggen wat er was gebeurd.

Er viel een stilte die geladen was van opwinding.

'We zijn binnen, Leo, en ik ga niet weg tot ik ze heb,' voegde Peroni eraan toe, terwijl hij de deur door stapte, bijna verblind door de grote hoeveelheid glanzend marmer dat hem van alle kanten toe blonk. 'Stuur alle troepen die je hebt.'

8

Het leek wel het Pantheon in het klein en dat bracht herinneringen boven. Costa rolde over de hardstenen vloer, wat al aardig pijn begon te doen, en probeerde erachter te komen waar Agata was. Hij gooide zichzelf voor haar. Ze bevonden zich tegen de muur van een kamer die volmaakt rond was, afgezet met geribbelde pilaren die elk een zijde van een fresco vormden. Ervoor stond een sokkel waar een beeld op stond. Het plafond was van glas en werd op zijn plek gehouden door fijne ribben van steen. Het lichtte hel op door een duizelingwekkende zonnegloed. De vloer leek iets verzonken te liggen en daarboven, op niet meer dan twee man hoog, bevond zich een galerij met balustrade, die leek te fungeren als tribune voor het podium beneden.

Het kostte hem een seconde of twee om zich aan te passen. De revolver rustte nog steeds in zijn hand. Dat was een soort troost. Hij kwam op zijn knieën, ging toen staan, keek even naar Agata. Hij begreep de geschokte uitdrukking op haar gezicht en beschermde haar zoveel hij kon met zijn lichaam.

Ze had alle reden om stil te zijn, om achter zijn rug van angst te schudden. Dit was het absolute heiligdom van Franco Malaspina en het was gewijd aan een klassieke pornografie die iedere verbeelding tartte. Achter de nog altijd zelfverzekerde gestalte van Malaspina bevond zich een Pan van marmer, meer dan levensgroot en zo prachtig dat hij van Bernini had kunnen zijn, die lachend een jong meisje verkrachtte, waarbij de ontering voor de toeschouwer tot in de kleinste, meest crue details blootgelegd was. Aan hun linkerhand bevond zich een krijger in zilveren wapenrusting, zo geschilderd dat hij op Carpaccio's Sint-Joris leek, die zich vergreep aan de jonkvrouwe aan de paal terwijl de draak bloederig aan zijn voeten lag. Met regelmatige tussenpozen, de hele kamer rond, stonden halfmenselijke figuren, beest en mens, halfechte schepsels en overal naakte, kwetsbare vrouwen, jong, maagdelijk, vastgelegd op het moment dat ze op het punt leken te staan van een openbaring, bang, maar toch ook snakkend naar kennis, de lippen vaneen, klaar om die primitieve schreeuw van plezier en ontlading te slaken die Caravaggio in Eva's keel had gelegd op het schilderij in het midden van de kamer.

Dit waren allemaal pastiches op bekende kunstwerken, schilderijen en beelden die hij herkende, getransformeerd door een obscene verbeelding. Ze waren oud, even oud als het Palazzo Malaspina zelf, misschien zelfs nog ouder, aangezien Costa meende er een paar te herkennen die nog van voor Caravaggio's verleidelijke godin dateerden, de oorspronkelijke Eva, in de extatische greep van de oorspronkelijke zonde, hen tergend met het raadsel – vleselijke of goddelijke liefde? – dat de meeste toeschouwers zou ontgaan.

Franco Malaspina stond naast het doek naar hen te kijken, zorgeloos, geamuseerd.

Terwijl Costa zijn best deed zijn positie te versterken, met Agata achter zich, beschermd, stil, verbaasd door wat ze zag, kwam de graaf met grote passen naar voren. Hij was ongewapend, maar Costa kon zien waar zijn blik heen was gedwaald voor hij die eerste stap nam. Langs de muur van de ronde kamer bevond zich – ongetwijfeld om de indruk te versterken dat dit een geheime ridderschuilplaats was, een kamer van de ronde tafel, gewijd aan de mannelijke seksuele potentie – een verzameling wapentuig en harnassen: zwaarden en dolken, glimmend, schoon, klaar om te worden gebruikt.

'En, vinden jullie mijn kleine tempel mooi?' vroeg Malaspina. Hij hield vlak voor hen halt, glimlachend, buigend, luchthartig.

'Beschouw jezelf bij deze als gearresteerd,' kaatste Costa terug, zijn stem hees van het stof in de gangen. 'Het schilderij is bewijs genoeg voor mij.'

De man lachte en deed nog een stap naar voren. 'Je kunt me hier niet arresteren. Dat kan niemand. Deze plek is van mij. Van ons. Van mijn familie. Van mijn voorouders.' Hij ving Agata's blik op. 'Jullie zijn wormen, niet meer. Vond je het interessant, mijn kleine zuster? Heb je me goed gezien door dat kleine kijkgaatje van je?'

'Wat is dit, Franco?' mompelde ze.

'Dit?' antwoordde Malaspina, terwijl hij nog steeds langzaam naar voren schreed. 'Dit is de wereld. De echte wereld. Zoals zij hem hebben geschapen. Zij die hiervoor kwamen. Mijn voorouders en hun vrienden. Kunstenaars. Dichters. En heren om over hen allen te regeren.' Zijn gezichtsuitdrukking versomberde. 'De wereld heeft heren nodig, Agata. Dat begrepen jouw pausen zelfs.'

'Zwarte vrouwen van de straat verkrachten is nou niet echt een teken van klasse,' merkte Costa op, die een zenuwachtige blik op het gordijn naar de verborgen gang wierp, zich afvragend wat er met hun achtervolger gebeurd was, en biddend dat een van zijn schoten – hij had geen idee hoeveel er in zijn magazijn over waren – raak was geweest.

Malaspina bleef staan en keek hen aan, zijn wrede, donkere, aristocratische gezicht een en al minachting. 'Wees eerlijk, Costa. Als je de kans had gekregen, was je gebleven en had je toegekeken, en er verder niets over gezegd. Die kleine donkere demon zit in ons allemaal. Maar een paar hebben de moed om hem te omarmen. De Ekstatici zijn hier altijd geweest, in deze kamer, in deze stad. Mijn vader was er een. En voor hem de zijne. Wanneer ik een zoon heb...'

Het was duidelijk. Costa begreep de impliciete waarheid en die joeg hem angst aan, het idee dat een dergelijke wrede en vuige decadentie overgedragen was van generatie op generatie, al was het dan waarschijnlijk niet met dezelfde wreedheid.

'Jouw vader vermoordde toch geen mensen?' vroeg hij. Ondertussen probeerde hij erachter te komen hoe hij veilig de deur kon bereiken waardoor zonet de vrouw vertrokken was. 'Hij vermoordde geen berooide immigranten in een opwelling.' Hij knikte naar het doek op de ezel, voor de bank waarvan de kussens nog steeds ingedeukt waren door het gewicht van Malaspina's lichaam en dat van de vrouw die ze hadden gezien. 'Hij hoefde dat schilderij niet in een of ander goor kamertje te hangen om het bloed en de botten te verbergen.'

'Zwart bloed, zwarte botten,' mompelde Agata achter hem.

'Het was eerst gewoon een ziek spelletje,' ging Costa verder. 'Een overgangsrite voor een bende verveelde, rijke criminelen. Toen liet Nino jullie dat schilderij zien en werd het iets veel ergers.' Hij klemde de revolver steviger vast. Vanachter het gordijn klonk een geluid. 'Waarom was dat?'

Hij drukte haar nog steviger tegen de muur. Het onweer op Malaspina's gezicht maakte hem bang. Het kon die vent niets schelen.

'Ik vermoord eerst jou,' zei hij emotieloos, en knikte toen in de richting van Agata, die zich achter Costa's schouder klein had gemaakt, 'en dan neem ik haar. Dit is mijn domein, politieagentje. Mijn bezit. Ik ben hier de baas. Als ik met je klaar ben, dan zal wat er nog van je over is voor altijd verdwijnen, net als bij die zwarte hoeren. Dit...' Hij liep naar de muur en pakte uit een van de uitstallingen daar een lang, slank zwaard, het wapen van een krijger, echt en dodelijk, en stak ten overvloede een kort stiletto achter zijn riem. '...is de reden van mijn bestaan.'

Costa hield zijn revolver recht voor zich uit. De consequenties, of dat een of andere omgekochte advocaat of rechter hem op een dag van moord zou beschuldigen, konden hem niets meer schelen. Hij had de kille, hoekige kop van de man op de korrel en dat was het enige wat ertoe deed.

Toen schreeuwde Agata weer en gleed achter hem vandaan. Costa's aandacht richtte zich abrupt op het gordijn en een gestalte die daardoorheen kwam gekropen, vol bloed, gewond, stervend misschien.

Het was Malaspina's man en in zijn bebloede handen had hij een geweer vastgeklemd alsof het het kostbaarste bezit van zijn leven was. De 'Ndrangheta gaven nooit op, stopten niet totdat de klus was volbracht.

Een kort geweersalvo raakte de onderkant van de ronde afscheidingsmuur. Hij kon Agata's kleine lichaam achter hem voelen schokken. Voor de man de energie had gevonden voor een tweede salvo, wendde Costa zijn wapen van Malaspina af en schoot één keer recht op de bebloede in het gordijn gewikkelde gestalte, die worstelde om overeind te komen. Door de schok van de inslag werd de getroffen figuur terug het gordijn in geworpen, terug de donkere kloof in aan het begin van de gang. Hij bewoog niet meer.

Grijnzend deed Malaspina twee stappen naar voren, en met gemak liet hij de kling door de lucht zwiepen, op een manier die ervaring verried.

'Dit is voor mijn vrouw, klootzak,' mompelde Costa en hij hief de korte, zwarte loop van de Beretta tot deze zich precies ter hoogte van die arrogante kop voor hem bevond. Hij hield hem recht als nooit tevoren, zijn hand was vast en zonder enige twijfel of aarzeling.

Hij haalde de trekker over. Het wapen maakte een klikkend geluid. Het was leeg.

9

Gianni Peroni was nog nooit in een gebouw als dit geweest. Overal liepen vrouwen in zwarte habijten, nonnen en zusters die, toen ze zich eenmaal toegang hadden verschaft, niet wisten wat ze moesten doen. Er waren zo veel kamers: kamer na kamer, sommige groot, andere klein en functioneel. Veel ervan wekten de indruk dat ze niet vaak werden gebruikt in dit uitgestrekte paleis, dat het domein was van een enkel persoon die zich hier ver buiten de werkelijkheid bevond.

Als er al bedienden in de buurt waren, koesterden zij kennelijk geen enkel verlangen om zichzelf te laten zien. Misschien beseften ze dat het keizerrijk van Malaspina op instorten stond onder deze vreemde invasie, en wisten ze wat dat betekende. Terwijl hij door het gebouw heen rende, terwijl hij 'attentie, attentie' schreeuwde en dat ze van de politie waren, werd Peroni zich ervan bewust dat hij steeds dieper verstrikt raakte in een of ander glorieus Minotaurus-doolhof, een gevangenis van travertijn waarin Franco Malaspina woonde als de eenzame heerser van een rijk vol stijf bevroren grandeur. Het was alsof je in een museum op jacht ging naar leven, alsof je door een raadsel het antwoord op een volgend raadsel moest zien te vinden, een reis die in kringetjes liep, langs dezelfde uitzichten, dezelfde monumenten, schilderijen en galerijen.

De mannen van de Questura kwamen achter hem aan, even verward. Twee keer ontmoetten ze zusters en nonnen die ze al eerder waren tegengekomen, hun enige reactie was een simpel hoofdschudden en eenzelfde verwarring.

De instructie van de vrouwen, meende Peroni, was eenvoudig: zorg dat je het Palazzo Malaspina binnenkomt en in zulke aantallen door zijn onzichtbare verdediging heen breekt dat de politie vast en zeker wordt opgetrommeld. Zodra dat bereikt was... Peroni probeerde zich de omvang van Franco Malaspina's huis voor te stellen. Het nam een gigantisch oppervlak in beslag, en strekte zich via bruggen op de eerste verdieping uit naar aangrenzende straten, tot aan het atelier in de Vicolo del Divino Amore waar deze tragedie, die zulke enorme en persoonlijke dimensies voor hen allemaal had aangenomen, was begonnen.

Het was onmogelijk te bepalen waar ze moesten beginnen met zoeken. Toen sloegen ze een hoek om, een die sprekend op alle andere leek – glanzende steen, gebeeldhouwde koppen op sokkels, de steriele schittering overal – en zagen haar. Peroni bleef staan, buiten adem. Eén blik op de vrouw op de vloer, die doodsbang haar kleren tegen zich aan klemde, was genoeg om hem duidelijk te maken waar ze precies naar op zoek waren. Ergens binnen dit gigantische privékeizerrijk bevond zich de clandestiene schuilplaats van Franco Malaspina, het heiligdom waar hij zich vrij voelde om precies te doen wat hij wilde. Deze ineengedoken en doodsbang vrouw voor hen wist waar het was. Dat kon hij zien in haar doodsbange gelaatstrekken.

Een van de andere agenten was het eerst bij haar, sleurde haar ruw overeind en begon een reeks luide, agressieve vragen in haar gezicht te brullen.

'Hou je kop,' blafte Peroni tegen de man en hij duwde hem aan de kant. Hij vond een stoel bij het raam, een en al verguldsel en spichtige poten, trok die voor haar bij en liet haar zitten. Toen knielde hij voor haar neer, ervoor zorgend dat hij haar niet aanraakte, zelfs niet per ongeluk, en zei: 'Alstublieft, *signora*. We hebben uw hulp nodig. We moeten Franco Malaspina vinden, de eigenaar van dit paleis. Er zijn hier mensen in gevaar, net als u was. We moeten weten waar hij is.'

'Ja,' deed de agent die het eerst bij haar was een duit in het zakje. 'Praat, of we gaan naar papieren vragen.'

Peroni keek hem dreigend aan en wees op de brede glazen ruiten naast hen. 'Als je nog een idiote opmerking plaatst,' zei hij zacht, 'zal ik, dat zweer ik je, je zonder pardon door dat raam heen smijten.' Hij keek naar de vrouw. In werkelijkheid was ze niet veel ouder dan een meisje, een slank, aantrekkelijk schepseltje, met littekens op haar wangen en kort, met kraaltjes ingevlochten haar, dat nu helemaal in de war zat. Ze was nog steeds doodsbang maar misschien niet meer zo erg als eerst. 'Alstublieft,' herhaalde hij. 'Ik smeek het u. Dit is belangrijk. Deze man heeft in het verleden mensen pijn gedaan.' Hij aarzelde en dacht toen: waarom niet? 'Hij heeft mensen vermoord. Vrouwen als u. Misschien hebt u daarvan gehoord...'

Haar ogen waren verbijsterend wit en breed, angstig maar niet dom. Er sprak een zekere kracht uit. Haar lichaam, dat soepel en atletisch was, beefde als een rietje terwijl ze haar goedkope, schaarse nieuwe kleren strakker om zich heen trok toen hij deze woorden zei.

'Het is een rijke man,' mompelde ze met een sterk Afrikaans accent.

'Je hebt gehoord over de vrouwen die vermoord waren,' antwoordde Peroni meteen. 'Dat moet wel. We hebben agenten de straat op gestuurd om het iedereen te vertellen.'

Ze knikte nauwelijks zichtbaar.

'Hij mag dan rijk en machtig zijn,' ging Peroni verder, 'maar hij heeft ook die vrouwen en een goede vriendin van mij vermoord. Waar is hij?'

Haar ogen begonnen te glanzen van woede.

'Ik zal het u laten zien,' zei ze en ze ging hun voor, een trap af aan het eind van de hal, een lange, donkere smalle gang door, een voetbrug over, waar door de open, stenen kieren, als geschutemplacementen voor denkbeeldige boogschutters, de heldere koude decemberochtend te zien was. Vervolgens gingen ze een verre afdeling van het paleis in die ze in hun eentje nooit zo snel zouden hebben gevonden.

10

Costa schoof langzaam in de richting van het gordijn en het lijk van de 'Ndrangheta-moordenaar, er zorg voor dragend dat Agata buiten zijn bereik bleef, door haar met zijn rechterhand achter zich omlaag te drukken en haar zo langs de muur mee te voeren. Toen ze dichtbij genoeg waren kon hij het lichaam van de man hard tegen zijn voet aan voelen. Hij rook de walgelijke geur van de wond, draaide zich om en ving haar fonkelende blik op.

'Ga zo snel als je kunt die gang door en zorg dat je buiten komt. Blijf rennen,' fluisterde hij. 'Laat dit aan mij over.'

Ze bewoog niet.

'Niet nu,' drong hij aan en hij begon zich wanhopig te voelen.

Malaspina nam de tijd. Hij was nog maar een paar stappen van hen af, speelde met het zwaard, keek naar hen, een atletische, krachtige gestalte op een plek waar hij zich zelfverzekerd, veilig voelde.

'Waar zie je me voor aan?' mompelde ze zacht, haar adem warm in zijn oor. 'Ik ben hier niet gekomen om weg te rennen.'

'Agata...'

Ze bewoog zich, glipte achter hem vandaan op een manier die hij niet kon voorkomen. Met een paar korte, weloverwogen stappen wurmde Agata Graziano zichzelf los, en stapte toen de cirkelvormige hal in om tussen hem en Malaspina in te gaan staan.

De glimmende kling in de handen van de man hield op te bewegen. Hij keek... geïnteresseerd.

'Hoeveel jaar ken je me, Franco?' vroeg ze. 'Ga je mij vermoorden? Ga je me nu vermoorden?'

Hij haalde geamuseerd zijn schouders op, hij beheerste de situatie volkomen. 'Later...' zei hij half lachend. 'Sorry. Maar het kan niet anders.'

'Waarom?'

Hij knipperde met zijn ogen alsof dat een stomme vraag was. 'Omdat ik het kan.'

Ze deed nog een pasje en stond toen voor hem. Ze stootte haar slanke, donkere arm tot voor zijn gezicht en kneep bij de pols in haar eigen huid.

'Niet hierom? Vanwege de tint van mijn huid? Een afwijking in het bloed? Iets kleins in jezelf dat je bent gaan haten en een schilderij waar je door bent geobsedeerd?'

Malaspina's ogen dwaalden af naar het doek in het midden van de kamer. 'Je bent een dwaas, Agata,' mompelde hij. 'Je begrijpt er niets van.'

'Ik begrijp er alles van! Mijn vader was een Afrikaan. Mijn moeder een Siciliaanse hoer. Ik ben iets zwarter dan jij, Franco. Maar niet veel. Is het dan zo belangrijk dat Ippolito Malaspina hetzelfde ras had als ik? Als wíj?'

Costa kon zijn ogen niet van het gezicht van de man af houden. Er was daar niets te zien. Geen herkenning. Totaal geen gevoel.

Het machinegeweer lag in de armen van de dode huurmoordenaar, niet meer dan een stap van hem af.

'Nee,' antwoordde Malaspina bijna bedroefd. 'Dat is het niet.'

'Caravaggio –' begon ze.

'Wij waren hier vóór Caravaggio,' viel hij haar in de rede. 'We waren hier vóór Christus, vóór Caesar. Wij zijn zoals de mensheid bedoeld was te zijn, voor jij en de jouwen ons kwamen vergiftigen.'

Ze schudde haar hoofd en het donkere haar bewoog. Agata wist het niet meer, haar donkere ogen schoten door de kamer met zijn verzonken vloer, zijn obscene beelden en schilderijen, de lofzang op wreedheid die overal te zien was.

'Je haat hen,' hield ze vol. 'Je haat mij. Je haat jezelf.'

Malaspina staarde naar haar en in zijn ogen was minachting te lezen. 'Niet daarom,' mompelde hij. 'Zo veel wijsheid, Agata, en zo weinig kennis...'

'Ik vergeef je alles,' zei ze, trillend als een rietje in de wind. 'Die arme vrouwen. Iedereen.' Ze wierp een blik Costa's kant op. 'Zelfs

Nic kan je vergeven. Hij is een goede man. Alles kan nog goedkomen als je dat wilt. Accepteer wie je bent en wat je hebt gedaan. Vraag om rechtvaardigheid en het zal je worden gegeven.'

Hij schudde zijn hoofd en doorkliefde nu, volkomen onaangedaan door alles wat ze gezegd had, de lucht vóór haar met het mes.

Costa rolde naar links, zijn ogen voortdurend gericht op het wapen dat zich in de bebloede handen van de dode man bevond. Hij draaide zich zo snel als hij kon om, pakte de metalen geweerlade op, kwam in hurkzit, tastte naar de trekker, legde zijn vinger eromheen, speelde even met het metalen stompje, hoorde een enkel schot uit de loop knallen en door het gordijn achter hem verdwijnen. Toen rolde hij weer opzij, in een poging een mogelijke aanval te ontwijken. Hij landde op zijn knie, in een stevige positie, die hem uit de buurt van Agata bracht zodat hij een vrij schot op Malaspina had, iets waar hij zonder er verder bij stil te staan gebruik van zou maken.

Het was al te laat. Tegen de tijd dat Costa zich omgedraaid had met het wapen in zijn handen, bevond Agata zich in de greep van de man, zijn sterke arm om haar keel, de stiletto stevig tegen haar hals aan. Haar ogen glansden van pure verschrikking.

'Laat vallen,' verordonneerde Malaspina.

Agata schreeuwde. Malaspina had het lemmet met een kort, wreed tikje in haar vlees gehaakt en trok een lijntje van bloed omhoog.

'Laat vallen of ik snij haar open als een varken,' verklaarde hij zonder enige emotie, en hij dreef het mes verder haar hals in terwijl ze hulpeloos in zijn armen lag te worstelen.

Het wapen gleed uit Costa's handen. Om het zo ver mogelijk bij hem vandaan te krijgen, schopte hij het weg, keek toe, luisterde naar het krassende geluid van het zwarte metaal over het glanzende marmer, en hoe het tot stilstand kwam tegen de ronde afscheidingsmuur aan de overkant, ver buiten zijn bereik.

Hij hoorde iets van boven. Voetstappen, kort en vrouwelijk, als die van Agata over de geboende tegels van de Doria Pamphilj. Toen een harder geluid. Het zware geluid van mannen in aantocht. En hij herkende, verwelkomde een ander geluid.

'Nic!' riep Peroni van boven.

Costa keek omhoog, naar de galerij die dit vreemde mini-Pantheon omgaf. Daar waren ze zich aan het verzamelen, politieagenten en nonnen, een menigte toeschouwers, een publiek dat een duidelijk einde aankondigde voor de laatste van de Ekstatici.

'Die advocaten van je krijgen je hier niet meer uit gekletst, Franco,' bulderde de grote man van boven. Hij liet zijn blik langs de galerij gaan, op zoek naar een manier om op de begane grond te komen. 'We zijn nu binnen. Legaal. En er zijn meer agenten onderweg. Zelfs jij kunt nu niet meer ontkomen.'

Op Malaspina's gezicht was pure razernij te lezen. Verder niets. Geen angst, geen acceptatie dat dit het einde was, iets wat Costa graag had gezien. Het mes drukte nog steeds hard tegen Agata's hals. Het bloed welde op als bij een rivier die op het punt staat buiten zijn oevers te treden.

'Mannetjes, vrouwtjes,' schreeuwde Malaspina. Hij schoot met zijn hoofd van links naar rechts om de toestroom aan bezoekers die nu het balkon op kwamen rennen, in zich op te nemen. 'Jullie allemaal. Jullie kennen je plek niet. Jullie hebben geen idee van...' Zijn gezicht vertrok tot er niets anders op te zien was dan pure haat, een zwarte, dodelijke minachting voor alles. '...hoe het hoort.'

Weer bewoog het mes. Agata gilde, maar zwakker. Onder haar oor begon zich een tweede lijn af te tekenen. De balans was omgeslagen, merkte Costa. In Malaspina's hoofd, dat donkere, woeste oord waar hij meende een superieur leven te leiden, was dit het eindspel, het laatste uur van de rijke ridder, het moment van dood en verval, de laatste gelegenheid om zijn bloederige stempel te drukken op een wereld die hij verafschuwde.

Zij was wat hem betrof zo goed als dood.

Costa kwam naar voren om hem te provoceren. Hij bleef staan binnen het bereik van het scherpe, dodelijke stiletto dat nooit van haar hals week, om het lemmet van haar donkere huid weg te lokken naar de zijne.

Het idee had nu al dagen in zijn hoofd rondgespookt. Hij had het nooit met iemand besproken, met Agata het minst van al. Het was haar mening over Franco Malaspina waar hij in de loop der tijd de meeste waarde aan was gaan hechten.

Maar Agata Graziano had geen gelijk. Costa begreep dit intuïtief en meende ook dat hij wist waarom. Malaspina en hij deelden dezelfde pijn.

Hij boog naar voren, tot zijn gezicht zich zo dicht bij dat van Malaspina bevond dat hij de wilde, krankzinnige vastberadenheid in zijn ogen kon zien, het zweet van anticipatie op hem ruiken, en kon voelen dat ze nu niet meer terug konden. Geen van allen.

'Hoe zat het met Véronique Gillet?' vroeg hij zacht, oog in oog met de man. Hij stond nu zo dichtbij dat hij zijn aandacht van Agata af zou kunnen wenden, mochten de tergende opmerkingen doel treffen.

'Véronique is dood,' mompelde Malaspina, terwijl zijn zwarte ogen vuur schoten.

'Zou dit ook een deel van het spel zijn geweest, als ze nog in leven was?'

Van boven klonken nog meer geluiden. Nog meer mannen. Hij meende Falcones stem te horen. Malaspina's gezichtsuitdrukking was grimmig maar vastberaden.

'Kom niet dichterbij,' beval Costa op harde, commanderende toon. 'Graaf Malaspina heeft een gijzelaar en een wapen.'

Falcones stem begon bezwaren te uiten.

'Nee!' schreeuwde Costa.

Het werd stil.

'Ze luisteren naar jou,' zei Malaspina zachtjes. 'Dat is mooi. Er zullen veel mensen op je begrafenis zijn. Voor je vrouw was er een hele menigte, hè? Ik las het in de krant. Ik stuurde een man om foto's te maken. Dat vond ik nou leuk.'

'Putte je er troost uit, Franco?'

'Je spreekt in raadsels.'

'Volgens mij niet,' sprak hij hem tegen. 'Zullen er veel mensen om Véronique rouwen?'

'Ik zou het niet weten.'

Costa zag belangstelling in Agata's ogen opflakkeren, misschien merkte ze dat de grip van Malaspina om haar nek iets losser werd.

'Haar lichaam ligt nog steeds in het mortuarium. Autopsies...' Costa haalde zijn schouders op. 'Niet erg aangenaam. We kunnen haar niet vrijgeven om begraven te worden, dat spreekt voor zich.

Niet met de kist open. Ze moet daar stijf in die kast blijven liggen, misschien wel jarenlang.'

De punt van de stiletto bewoog zich schokkerig een centimeter of vijf in zijn richting.

'Misschien vermoord ik jou wel eerst,' mompelde Malaspina. 'Gewoon voor de lol.'

'Het zit allemaal in het bloed,' zei Costa nadenkend.

'Je verveelt me. Jullie vervelen me allebei en dat is gevaarlijk.'

'Het had helemaal niets te maken met het zwarte gen, hè?' wilde Costa weten. 'Jij hebt ook je voorouders nagetrokken. Vooral uit nieuwsgierigheid. De arrogantie om nog eens te onderstrepen dat je bent wie je bent.'

Hij hield de punt van het mes in de gaten en probeerde te bepalen welke beweging Malaspina zou maken als hij erin slaagde hem genoeg op stang te jagen, zodat Agata zichzelf kon bevrijden.

De man zei niets. In de ronde kamer was het volmaakt stil, op het ademen van Malaspina en de gegijzelde Agata Graziano na.

Costa wees naar het schilderij: de naakte godin, de eeuwige zucht, het moment waarop de wereld echt werd. 'Wat haar wegnam was zo veel simpeler, zo veel menselijker, en daarom haat je het zo,' ging hij verder. 'Jouw spel. Véroniques spel. Het spel van Castagna, Buccafusca en Nino Tomassoni nadat jij hen erbij had betrokken.'

Hij deed een stap naar achteren en ging met een vinger langs de vlezige dij van de naakte figuur. Malaspina verstijfde, was woest.

'Was dat jouw idee of dat van Véronique?' Er waren zo veel vragen, zo veel antwoorden mogelijk. Het kon hem niet schelen wat Malaspina zei. Het enige wat hem iets kon schelen was dat hij gauw, heel gauw, Agata bij dat mes vandaan kon krijgen.

'Je gokt maar wat,' gromde Malaspina.

'Mijn gok is dat het van jou was. Zij was een zwakke, moeilijke vrouw. Mooi, denk ik. Niet ongenegen jouw spel mee te spelen.' Hij deed weer een stap naar hen toe. 'De hoeren. Het geweld, in het begin misschien voor de gein, maakte deel uit van de prijs die betaald moest worden. Toen...'

In de verte, boven de glanzende vloer en het schitterende schilderij dat wel leek te leven, kon hij Falcone van de galerij zien toekijken, elk woord in zich opnemend.

Costa kwam nog dichterbij. 'Er veranderde iets. Iets voor de hand liggends. Maar iets waarvan jij dacht dat het jou of de jouwen nooit kon overkomen. Je werd ingehaald door het spel.' Hij boog naar voren. 'Het had een prijs.'

'Hou je kop,' mompelde Malaspina.

'Je had seks met arme, ellendige straathoertjes. En op een dag liep je een ziekte op. De ziekte. Niet een of ander zwart gen dat van generatie op generatie wordt overgedragen. Dat kan je niets schelen. Je maakt jezelf graag wijs dat je nergens wat om geeft. En toen kreeg je een ziekte, het ergste soort, het soort waar je dood aan kunt gaan. Hiv. Aids, bij Véronique. Een ziekte die mensen als jou niet hoort te treffen. Aristocraten, heren met geld en macht, kleine goden in hun eigen besloten wereld. En als het dan toch gebeurt...'

Hij stak zijn hand uit naar het jasje van de man, de hele tijd met één oog op het lemmet. Achter het borstzakje was een bepaalde vorm te zien. Een die hem op de boerderij ook al was opgevallen. Een vorm die maar één ding kon betekenen.

Costa liet zijn vingers snel in het zakje glijden en haalde er een klein zilveren doosje uit, knipte het open om de pillen die erin zaten te onthullen.

'Véronique had iets dergelijks,' ging hij verder. 'Medicijnen, heel dure medicijnen, kan ik me zo voorstellen. Niet het soort dat men aan straathoertjes geeft, omdat die ze zich niet kunnen veroorloven. En het zijn toch maar beesten. Speciale medicijnen. Die werken. Meestal.'

Het gezicht van de man stond strak en lelijk van spanning en haat. Costa keek in die zwarte, dode ogen en wist dat dit de waarheid was.

'Je hebt die voor jezelf natuurlijk betaald. En ook voor de anderen. Ik stel me zo voor dat je ze ook voor Véronique betaald hebt, maar' – hij glimlachte opzettelijk toen hij verderging – 'zelfs de rijkste man ter wereld kan geen geneesmiddel tegen de dood kopen. Bij Véronique werkten ze niet. Ze was al ziek. De medicijnen maakten dat nog erger. Ze bekortten een leven dat al in gevaar was. Uiteindelijk werden ze haar dood...'

'Hou je kop, hou je kop, hou je kop,' herhaalde Malaspina tussen zijn opeengeklemde kaken door.

Costa ving Agata's blik op. Haar ogen waren troebel van de tranen. Ze staarde hem vol verschrikking aan. Dit was een verklaring uit een wereld waar ze geen weet van had, een waar ze helemaal niks van begrepen zou hebben als ze was gebleven waar ze dacht dat ze thuishoorde, stil en veilig in het eenvoudige, grof geweven uniform van een zuster.

'Al je geld, alle medicijnen en behandelingen... Het was allemaal niet genoeg voor Véronique, hè? Ze had het te lang op zijn beloop gelaten,' zei Costa eenvoudig. 'Jezelf en de anderen kon je redden. Maar je kon haar niet redden, de enige vrouw die je in leven wilde houden. En erger nog, zo veel erger was dat toen ze begon te sterven... toen jij haar vermoordde... een deel van jou dacht dat dit misschien liefde was. Een of ander laatste spoortje menselijkheid in jou zag haar wegkwijnen en betreurde dat.' Hij peilde de reactie van de man, hoopte vurig een of ander vaag teken van herkenning in zijn blik te zien. 'Maar aangezien dit jou betreft, denk ik dat dat kleine deel op het grote geheel in begon te praten en het enige waar het aan kon denken was bloed, moord en haat. Om op een gruwelijke manier wraak te nemen op onschuldigen, terwijl het eerlijker zou zijn geweest als die tegen jezelf gericht was geweest.'

'Jij gaat eraan,' fluisterde Malaspina. Zijn stem klonk laag, doods.

'Hoe heb je die anderen bij je plannen betrokken?' vroeg Costa. 'Heb je op een avond een arme zwarte hoer die jullie niet beviel vermoord, en hun toen verteld dat ze medeplichtig waren? Heb je hun ook advocaten beloofd, op de manier waarop je ze ook medicijnen beloofde?'

Het mes flitste heen en weer in Malaspina's gebalde vuist en doorkliefde op een vingerlengte afstand de lucht voor Costa's ogen.

'Maar het liefst, Franco,' vroeg Costa luchtig, 'zou ik willen weten wat je haar hebt verteld. Toen Véronique wist dat ze zou gaan sterven. Bood je haar een laatste kans aan om jou ter wille te zijn, voor je geschilderde godin, als een of andere... beloning? Moest dat troost verbeelden? Denk je nou echt dat dit voor liefde door kan gaan?'

Hij sloeg zijn armen over elkaar en wachtte op de uitbarsting.

'Ik weet wat liefde is, Franco. De meeste mensen weten dat. Maar jij niet. Jij nooit. Ze was gewoon een obsessie. Jouw bezit.

Net als dit paleis. Net als het schilderij dat je Nino Tomassoni dwong om aan jou te geven. Weer iets moois dat je kapot hebt gemaakt, alsof het van nul en generlei waarde was...'

Hij schreeuwde, kwam in beweging, liet Agata Graziano los en smeet haar opzij in zijn woede. Costa stapte naar achteren, keek toe hoe de stiletto door de lucht flitste, voelde hoe het ding een boog beschreef voor zijn borst, net dichtbij genoeg om een flinke haal in de stof van zijn jasje te maken.

Weer een zwaai, weer een uithaal. Er was niets wat hij kon doen, hij had geen wapen, kende geen enkele fysieke manoeuvre waardoor hij zich tegen een dergelijke man kon verdedigen.

Toen verdween het aanzwellende rumoer op de galerij boven, het geluid, van hollende voetstappen, geschreeuw, gebrul, in een oorverdovend, catastrofaal kabaal.

Het lemmet raakte alleen maar lucht en verdween toen uit beeld. De razernij was van Franco Malaspina's gezicht verdwenen. Daarvoor in de plaats was verbijstering, verrassing... en angst gekomen.

Costa keek langs de man die naar hem toe strompelde en zag haar. Agata Graziano had iets tevoorschijn getrokken uit de zak van het goedkope kantoormeisjesjasje. Het was de revolver die Rosa Prabakaran haar had gegeven, een wapen waarvan Costa nooit verwacht had het weer te zien. Grijze rook krulde uit de korte, stompe loop. Terwijl hij toekeek hief Agata het pistool opnieuw op en vuurde nog een schot op de vallende gestalte tussen hen in, en toen een derde.

Malaspina schokte van de pijn en de fysieke impact van de schoten. Er kwam bloed opzetten in zijn mond. Zijn ogen werden glazig. Het mes kletterde, met een hol, weergalmend geluid, op de vloer, gevolgd door de getroffen man, die naar de poten van de ezel graaide waar Caravaggio's naakte godin op stond. Ze keek toe, onbewogen, de eeuwige schreeuw uit haar keel ging verloren in het kabaal van Franco Malaspina's dood.

Een gaatje ter grootte van een kiezelsteentje, omringd door gebroken botsplinters, gaapte boven Malaspina's oor. De grijze, stroperige massa die Costa onder de haarlijn van de man waarnam was dezelfde die nu in een uiteenspattende, met bloed vermengde straal over de naakte figuur van Eva droop, als het gespetter van een moordlustige graffitikunstenaar die iets moois wilde vernietigen.

Agata stond te schreeuwen, krijsen, was buiten zichzelf, was totaal niet meer de vrouw die hij kende.

Hij keek vol afkeer toe toen ze elk patroon uit Rosa's revolver in de stille, bevroren vorm op het doek pompte, geschilderd door de kunstenaar waar ze op haar eigen manier van was gaan houden. Hij keek toe hoe de mond en de onhoorbare eeuwige zucht verdwenen toen er een kogel doorheen knalde.

Toen de kogels op waren begon ze met haar blote handen het doek kapot te trekken, huilend, schreeuwend krabde ze met haar nagels aan het vierhonderd jaar oude pigment.

Met grote passen beende hij naar haar toe en trok haar weg.

Ze verborg haar gezicht, vochtig van de tranen, in zijn nek. Zijn hand kwam op haar dikke, wanordelijke haardos terecht en hield haar kleine, slanke lichaam dicht tegen zich aan.

Agata Graziano keek omhoog en de kracht van haar blik was onmiskenbaar. Ze staarde hem aan en er was iets in haar uitdrukking – een soort afkeer, die aan haat grensde – wat even aan Franco Malaspina deed denken.

'Het is klaar, nu,' zei Costa en hij vroeg zich af wat het was dat ze zag, toen hij de bewuste blik nog steeds in haar ogen zag.

Nieuwe start

1

In Fiumicino was het vlak na Nieuwjaar altijd druk. Gezinnen die onderweg waren, bedrijven die weer opengingen. Allemaal deel van de moderne, dagelijkse routine. Ze zaten samen aan een kleine tafel in het café koffie te drinken. Er heerste een ongemakkelijke stilte tussen hen, een die hij dolgraag wilde verbreken.

Het was de moeder-overste van het klooster die hem had gebeld en had gevraagd of het mogelijk was dat hij Agata een lift naar de luchthaven zou geven. De zusters waren te zeer van slag door haar beslissing. Hij hoefde er niet over na te denken en zei meteen ja.

Nu zaten ze hier, zij met haar twee plastic tasjes vol persoonlijke troep op de vloer, nadat ze zojuist een kleine, goedkope juten tas had ingecheckt. Costa met... alleen maar spijt en gedachten die hij moeilijk onder woorden kon brengen. Hij wou dat ze niet zo gauw wegging en was vastbesloten haar niet met die kennis te belasten. Agata had al genoeg op haar bordje.

'Hoe is de orde daar?' vroeg hij ten slotte. Hij kon de gedachte niet verdragen dat ze over een paar minuten uit elkaar zouden gaan zonder dat ze meer dan een paar plichtmatige woorden geuit hadden. 'Is dat het juiste woord? "Orde"?'

Ze glimlachte flauwtjes. Haar gezicht leek in de afgelopen paar weken ouder te zijn geworden. Ze leek nu op de persoon die hij zou hebben ontmoet als ze nooit het zwarte habijt van de zuster had gedragen: een mooie vrouw van bijna dertig, met een smetteloze, donkere huid, hoge jukbeenderen en ogen die glansden van intelligentie en een nieuwe droefenis die hij daar nooit eerder in had gezien.

'Er bestaat geen "juist woord",' zei ze. 'Ik ben weggegaan. Hebben ze je dat niet gezegd?'

'Nee... ik bedoel, ik ging ervan uit dat je naar een klooster elders wilde verhuizen. Weg van Rome.'

'Ik ga niet gewoon zomaar ergens anders heen,' antwoordde ze nadrukkelijk.

'O...'

Ze reikte naar voren en raakte zijn pols aan. Automatisch, hij kende het gebaar nu zo goed dat hij er niet eens bij nadacht, draaide hij hem om zodat ze op zijn horloge kon kijken.

'Ik heb nog maar een paar minuten voor ik weg moet. Ik kan niet alles uitleggen. Dat wil ik niet. Heb het over wat anders.'

'Dat wil ik niet,' protesteerde hij. 'Je hebt je hele leven op die plek doorgebracht. Ik begrijp het niet.'

Haar ogen sperden zich wijd open van woede. 'Ik heb iemand vermoord. Hoe kan ik dan nog een zuster zijn? Dat is onmogelijk.' Ze keek naar haar handen alsof ze terugdacht aan het moment waarop Rosa Prabakarans wapen in haar vingers had gerust. 'Ik voel me ook niet schuldig. Dat is het ergste.' Ze staarde hem aan. 'Hij zou je vermoord hebben. Gianni, Leo, zouden er in plaats van mij op tijd bij geweest zijn om dat te voorkomen, omdat jullie vrienden zijn. Maar waarom vertel ik jou dit? Dat weet je al. Dat is wat je doet, toch? Jezelf in de vuurlinie plaatsen voor een ander.'

Hij probeerde een wrang glimlachje. 'Het merendeel van de tijd lijkt het te werken'

'Nee, dat doet het niet. Niet echt.'

Hij roerde de suiker wat harder door de drab in zijn kopje toen hij dat hoorde. 'Wat ben je van plan?' vroeg Costa.

Ze leek opgelucht om het over iets anders te kunnen hebben. 'Er komen iedere maand veel illegale immigranten naar Malta. De meesten uit Afrika. Ze willen naar Italië toe. En op de een of andere manier slagen de meesten daar ook in. De Kerk heeft een programma om hen te helpen. Ik ga lesgeven. Kinderen, jonge mannen en vrouwen. Dit zijn mensen die me nodig hebben. Ze zijn wanhopig. Zoals mijn vader ooit geweest moet zijn. Ik kan niet toekijken zonder iets te doen. Dat is ondenkbaar.'

Het kostte hem weinig moeite zich voor te stellen dat ze dat werk uitstekend zou kunnen. Of dat ze op Malta was.

'Ga je dan naar Valletta? En de co-kathedraal? Je zei dat je die schilderijen altijd al had willen zien.' De bewuste Caravaggio schoot door zijn hoofd. 'Johannes de Doper. En natuurlijk de Heilige Hiëronymus.'

De lach was terug en hij was nog steeds licht, nog steeds merendeels onbezorgd. 'Ik ben daar om mensen te helpen die in de problemen zitten. Waarom zou ik daarvan weglopen om naar een schilderij te gaan kijken? Ik heb te lang in die dagdroom doorgebracht. Ik was, net als Franco Malaspina, geobsedeerd door iets wat niet echt was. Gevangen in een wereld die niets te maken had met het werkelijke leven van mensen.'

Hij schudde beslist zijn hoofd. 'Caravaggio is echt, Agata. De mensen die hij portretteerde... Dat heb je zelf gezegd. Die kwamen van de straat. Dat zijn jij en ik...'

'O, Nic.' Haar hand kwam over de tafel heen en landde bijna vluchtig op de zijne voor hij weer terugkeerde naar de plastic tas naast haar. 'Ik heb werk te doen.' De geamuseerde uitdrukking op haar gezicht verdween. 'Zonden om goed te maken...'

'Wat je deed was uit zelfverdediging,' antwoordde hij meteen. 'Geen zonde.'

'Dat is niet aan jou om uit te maken. Of aan mij. Het is een geloofskwestie.'

'Geloof,' snauwde hij zonder nadenken en hij verhief daarbij zijn stem zozeer dat de vrouw aan het tafeltje naast hen een wenkbrauw optrok en in hun richting keek.

'Ja,' vervolgde ze. 'Geloof. Denk je dat ik dat kwijt ben? Nee. Geen seconde.' Haar blik bleef op hem gericht, helder, vasthoudend, wetend. 'Ik heb meer ontdekt. Ik heb ontdekt dat het ware geloof lastig is en ongemakkelijk. Het heeft me voor vragen geplaatst die ik niet wilde horen. Vroeg offers van me die ik niet wilde brengen.' Ze schudde haar hoofd. De loshangende zwarte krullen zwiepten rond haar hals op een manier die hem betoverde. 'Ik ben erachter gekomen dat het er voor mijn verlossing is, niet voor mijn genoegen. Dat het lastig en ongemakkelijk is en soms' – ze staarde met een door tranen vertroebelde blik in de lege koffiekop op de tafel – 'betekent dat ik dingen moet vermijden... Van dingen af moet zien die ik misschien voor mezelf zou willen.'

'En dat geldt niet voor mij?' vroeg hij.

'Niet op die manier,' antwoordde ze voorzichtig. 'Ik heb je geobserveerd. Jouw geloof rust in anderen. Niet in de politiek. Niet in religie. Zelfs niet langer in de wet of rechtvaardigheid, volgens mij. Jouw geloof is geworteld in de mensen van wie je houdt.' Haar stem werd diep van emotie. 'Meer dan dat. Daar ben ik jaloers op. Ik kijk naar jou en denk: ik wou dat ik dat ook zo kon voelen. Maar dat kan ik niet.'

'Liefde is niet iets wat je kunt controleren of op verzoek kunt oproepen. Geen van ons weet wanneer het komt. Ik wist het niet met Emily. Ik had geen idee, en zij ook niet.'

Haar smalle lippen krulden zich in een misprijzend glimlachje. 'Je luistert niet. Dit gaat niet over een dergelijke liefde. Ik probeer een tijdje mijn overtuigingen te vergeten in de hoop dat ik dan wat antwoorden vind op mijn twijfels. Jij bent met dezelfde reis bezig, maar dan andersom. We bewegen ons in tegenovergestelde richting. Jij bent niet op zoek naar Emily, maar naar God, en aangezien je denkt dat Hij niet bestaat, maakt dat alles nog veel erger voor je.' Haar glanzende ogen hielden de zijne gevangen. 'En bovendien, mensen gaan dood. Iedereen uiteindelijk. Sterft dit kleine, eenvoudige geloof van jou samen met hen?' Ze stak haar vingers uit en raakte heel vluchtig zijn hand aan. 'Nou?'

'Eventjes,' antwoordde hij eerlijk.

Hij voelde zich vreselijk tekortschieten. Hij zat met zijn mond vol tanden en had geen idee of hij geloofde wat ze zei, over hem of zichzelf.

Haar vlucht werd omgeroepen, hij hoorde de aankondiging boven het geroezemoes in de drukke luchthaven uit. Hij kon aan haar gezicht zien dat ze het gehoord had.

'Als ik op bezoek zou komen op Malta...'

'Dat lijkt me geen goed idee.'

Costa zuchtte en zei niets.

'Ik moet gaan,' mompelde ze. 'Je hoeft niet mee te gaan naar het vliegtuig, dat is niet nodig. Ik heb nog even de tijd, geloof ik. Die wil ik graag in mijn eentje doorbrengen.'

Ze stond nu overeind, pakte haar twee plastic tassen, een onafhankelijke jonge vrouw op het punt een wereld binnen te gaan die ze nauwelijks begreep, alleen, vastberaden om zonder hulp van een ander de duistere kanten en complexiteit ervan te onderzoeken.

'Hier,' zei hij, eveneens overeind komend. 'Op een gegeven moment zul je zo'n ding nodig hebben.' Hij deed zijn horloge af en gaf het aan haar. Ze probeerde het om te doen. Het leren bandje was te groot en er moest een gaatje bij. Ze had geen idee hoe ze dat moest doen, geen idee dat een man gewoon de pin heel hard door het oude zachte leer zou duwen zodat het bandje weer paste.

'Laat mij...' Zachtjes bond hij het riempje om haar zachte, warme pols, stelde de maat vast, haalde het weer weg, maakte er een gaatje bij en legde hem rond haar donkere huid, maakte de gesp vast en zorgde dat hij goed paste.

Daar stonden ze, zo dicht bij elkaar.

Zenuwachtig stak Costa zijn rechterhand uit en wachtte.

Agata Graziano sloot haar ogen en onder elk donker ooglid was een enkel streepje vocht te zien. 'O, o,' fluisterde ze, lachend of huilend, dat wist hij niet helemaal zeker. 'O in hemelsnaam, Nic. Mijn hand?'

Ze spreidde haar armen en kwam naar voren, sloeg ze om hem heen, en wachtte tot die van hem aarzelend om haar tengere schouders vielen.

Op de dode, halfvergeten nachtmerrie van de begrafenis na was dit voor het eerst dat hij iemand omhelsde sinds Emily was gestorven. Hij huilde, dat wist hij, niet erg, maar genoeg om te voelen hoe een strakke knoop in zijn binnenste zich ontspande, losser werd, en misschien niet verdween, maar dan toch wel enigszins minder werd.

Costa hield haar stevig vast, met zijn gezicht tegen haar donkere haar, zich er hevig van bewust dat ze anders was dan alle vrouwen die hij ooit had gekend, eenvoudig, zuiver, onschuldig. Er hing geen parfumlucht om haar heen, alleen een frisse zeepgeur. Haar huid rustte tegen de zijne, even jong, glad en volmaakt als die van een kind.

'Genoeg zo,' zei ze, met enigszins schorre stem, en ze duwde hem weg. 'Afscheid nemen is ook nieuw voor me en ik ben er duidelijk even beroerd in als jij.'

Ze keken elkaar aan, wisten niet wat te zeggen. Toen, heel snel, kwam ze weer dicht naar hem toe, reikte omhoog en kuste hem één keer teder op zijn wang, in een vlug, gegeneerd gebaar van genegenheid.

'Vaarwel, Nic,' zei ze zacht, en zonder om te kijken pakte ze haar tassen en haastte zich de gang door naar de gate.

2

Twee uur later zat Costa in de keuken. Het was een kille, heldere middag. Door het raam kon hij hoog in een lichtblauwe hemel vliegtuigen met condensstrepen in hun kielzog zien. Achter de lijnen, die gevormd werden door de zwarte, slapende wijnstokken, zaten kraaien te ruziën in de bomen langs de weg. Bea was met het hondje teruggekeerd naar haar appartement. Het huis was leeg. Hij was weer alleen, terug in de uitgestrekte boerderij die zijn overleden vader met zijn eigen handen had gebouwd, een plek waar hij elke steen en tegel van kende, en elke punt en hoek een dierbare herinnering bevatte.

Verdriet was een reis, een passage door tegengestelde fasen, van kennis en onschuld, samenzijn en eenzaamheid, pijn en troost. Wat telde was de overgang, de erkenning dat beweging de essentie van het leven was. Zonder beweging restte alleen stagnatie, een voortijdige dood, die alles en iedereen die erdoor werd getroffen van elke betekenis beroofde.

Hier, omgeven door Emily's nog altijd aanwezige parfumlucht, met op de planken alleen het eten en drinken dat zij graag had, haar muziek bij de stereo-installatie, haar potjes en flesjes nog steeds verscholen in de kastjes in de badkamer, keerden zijn gedachten steeds weer terug naar zijn dode vrouw, en dat zou de komende jaren niet anders zijn. Haar aanwezigheid was overal voelbaar, een welwillende geest die in zijn bewustzijn voor altijd levend zou blijven. Hij was haar kwijt, maar niet helemaal. Als hij zijn ogen sloot, kon hij haar stem horen. Als hij die dierbare herinneringen opriep aan hun tijd samen, dan kon hij de zachte greep van haar vingers in de zijne voelen, de warmte van haar adem wanneer ze in zijn oor fluisterde.

Zoals ze nu fluisterde: *Leef, Nic, leef.*

Hij voelde het glanzende marmer van de urn tussen zijn vingers, het gladde oppervlak even koud als de huid van een standbeeld, zoals het was op de dag dat hij het uit het crematorium mee naar huis had genomen.

Costa stond op van tafel en ging naar buiten, de kou in. Hij liep door tot hij zich tussen de rijen wijnstokken bevond die ze samen hadden verzorgd, uiterst voorzichtig en met maar zo weinig kennis van zaken. Toen hij daar aankwam, liet hij haar gaan, liet hij de stof en het as uit de grijzen marmeren hals van het vat stromen, de lucht in om zich tussen de sluimerende, zwarte stronken, over de bruine, koude aarde te verspreiden.

Hij liep steeds verder, de horizon steeg en daalde met iedere stap, werd wazig door de tranen die uit zijn ogen stroomden zoals nooit tevoren. Het kostte niet meer dan een minuut. Toen gooide hij het lege containertje zo ver als hij kon, in de richting van de weg en de verre omtrek van de tombe van Cecilia Metella.

Daar in het veld, bevend van emotie, verloren, verblind, stikkend, werd hij toen ineens verzwolgen door een warrelende grijze stofpluim, die een plotseling heftige windvlaag van de aarde op had doen waaien. Het stof kleefde aan zijn hoofd. Een verderfelijke wolk van lichte deeltjes wervelde als een miniatuurzandstorm om hem heen, danste in zijn ogen, zijn mond, zijn neusgaten en bleef even aan zijn vingers plakken als een tweede, vervellende huid.

Toen, met de volgende windhoos, was het weg.

Nawoord

Dit boek is fictie maar ik heb het verhaal geconstrueerd rond een aantal vaststaande feiten. Daarom leek het me van belang een paar richtlijnen te geven over waar de scheidslijn precies ligt. Er bestaat geen schilderij dat *Evathia in Ekstasis* heet. Niet van Caravaggio, noch van een andere kunstenaar uit diezelfde periode. Er bestonden echter wel degelijk doeken met een soortgelijke thematiek, waaronder *Venus met sater en cupido's* van Annibale Carracci dat tegenwoordig in het bezit is van het Uffizi. Erotische schilderijen, sommige van bekende schilders, andere pure en expliciete pornografie, waren in de hele zestiende en zeventiende eeuw in Rome populair in de meer welgestelde lagen van de bevolking en onder invloedrijke mannen in de Kerk. De meer gewaagde werken werden in privévertrekken bewaard, door een gordijn aan het oog onttrokken en alleen aan naaste en discrete vrienden tentoongesteld. Deze hang naar heimelijke interesses die naar onzedelijkheid neigden, was wijdverbreid. Kardinaal Francisco Maria del Monte, een tijdlang Caravaggio's beschermheer en huurbaas, verbeuzelde inderdaad zijn tijd met verboden alchemistische experimenten in de beslotenheid van het casino in Villa Ludovski, en betaalde de kunstenaar voor een uniek fresco dat over de activiteiten daar ging.

Caravaggio leefde in een turbulente en hypocriete periode, en werd afwisselend gefêteerd als de nieuwe messias van de aanstormende generatie Romeinse kunstenaars en uitgescholden als een verdorven zondaar die prostituees model liet zitten voor heiligen. Zijn productie in de tijd dat hij in Rome woonde – van 1592 tot 1606, toen hij vluchtte nadat hij ter dood veroordeeld was – was overvloedig maar is deels onbekend. Net als veel van zijn collega's en rivalen wisselde hij de vrome werken die hij in opdracht van de Kerk schilderde af met kleinere, vaak gewaagdere doeken waarvoor betaald was door privéverzamelaars die iets zochten voor in hun galerijen en privévertrekken waar alleen op uitnodiging bezoekers werden toegelaten.

Caravaggio's huidige reputatie wordt voor een groot deel bepaald door zijn religieuze schilderijen, waarvan sommige, zoals *Het martelaarschap van Matteüs* (San Luigi dei Francesi, Rome), *De onthoofding van Johannes de Doper* (het oratorium van de co-kathedraal van Sint-Johannes, Valletta, Malta) en *De kruisiging van Petrus* (Santa Maria del Populo, Rome) nog steeds aan de muren hangen waar ze ooit voor waren geschilderd. Maar de kunstenaar nam ook privéopdrachten aan. Er bestaat geen twijfel over dat hij meerdere genres beoefende als de beloning en het onderwerp hem bevielen. De dichter Giambattista Marino bezat inderdaad een schilderij van Caravaggio, *Susanna* geheten, dat nu vermist is en verondersteld wordt een zeldzaam vrouwelijk naakt te zijn. Caravaggio was enorm productief en temperamentvol, een moeilijke en gewelddadige man, die rustig wegliep bij prestigieuze projecten wanneer ze hem niet langer interesseerden. Op het hoogtepunt van zijn carrière werd hij geëerd als de beroemdste kunstenaar van Rome en door dichters begroet als de belangrijkste schilder van een nieuw tijdperk in de schilderkunst. Binnen een paar jaar tijd echter was hij tot armoede vervallen, en woonde hij onder zeer eenvoudige omstandigheden met een enkele bediende in de steeg die nu bekendstaat als de Vicolo del Divino Amore.

Het Palazzo Malaspina dat hier wordt beschreven bestaat niet, al zijn er tegenwoordig vergelijkbare, uitgestrekte paleizen in Rome te vinden. Een van de beroemdste die nog steeds in handen van de oorspronkelijke familie is, is het Palazzo Doria Pamphilj, waar de schilderijen die in het boek worden genoemd hangen en dat deels opengesteld is voor het publiek. Een palazzo dat meer lijkt op de denkbeeldige woning van Franco Malaspina is het Palazzo Altemps aan het Piazza San Apollinare. Dit barokke en luisterrijke gebouw, de voormalige residentie van een machtige kardinaal, die door een huwelijk aan de paus gerelateerd was, is nu een museum dat zich aan de rand van de wijk bevindt die ooit bekendstond als Ortaccio, een rosse buurt, door het Vaticaan in het leven geroepen als aparte zone voor de prostituees van de stad. In de zestiende en zeventiende eeuw raakten de herbergen en taveernes van Ortaccio erg in zwang bij kunstenaars en schrijvers en werden het toneel van vele knokpartijen en twistgesprekken, vetes en vendetta's.

Langlopende vijandschappen waren in deze explosieve gemeenschap heel gewoon en bendes als de hier beschreven fictieve Ekstatici bestonden zeker, geïnspireerd op het echt bestaande handboek voor de ridder, van de hand van Domenico Mora, die een meer gewelddadige, arrogante houding ten aanzien van andere mensen voorstond. Aan Caravaggio's carrière in Rome kwam een einde door een straatgevecht, waarbij hij in 1606 Ranuccio Tomassoni vermoordde, vlak bij het Piazza di San Lorenzo in Lucina. De bijzonderheden daarvan blijven een raadsel. Verslagen van tijdgenoten zijn bevooroordeeld en wemelen van de lacunes, al is ook de populaire, moderne theorie dat de knokpartij het gevolg was van een meningsverschil over een partijtje tennis waarschijnlijk een mythe. Tomassoni was inderdaad de *Caporione* van zijn district en onderhield nauwe, soms ook intieme, relaties met een aantal van de vrouwen die Caravaggio kende, onder wie de beruchte Fillide Melandroni.

Alessandro de' Medici heerste vijf jaar over Florence, kort voor hij in 1537 vermoord werd. Over het algemeen wordt aangenomen dat hij de zoon was van een zwarte keukenmeid, Simonetta genaamd, en de zeventien jaar oude Giulio de' Medici, die paus Clemens VII zou worden. Zijn afkomst werd in de meeste portretten zorgvuldig verdoezeld, al werd hij door zijn vijanden regelmatig *il Moro*, de Moor, genoemd. Ippolito Malaspina heeft echt bestaan en was inderdaad Caravaggio's beschermheer op Malta; zijn wapenschild is te zien op de *Heilige Hiëronymus*, die zich nog steeds in de co-kathedraal van Valletta bevindt, waar Malaspina het voor besteld had. De familie Malaspina was ooit erg machtig in de Toscaanse politiek, een voorvader van Ippolito wordt zowel in Dantes *Purgatorio* als in Boccaccio's *Decamerone* genoemd. De aristocratische Malaspina-dynastie verdween in de achttiende eeuw. In de tijd van de De' Medici echter waren de Malaspina's een belangrijke familie in Florence. De favoriete maîtresse van Alessandro de' Medici was Taddea Malaspina. Het schilderij dat Pontormo van Alessandro maakte, en dat nu in het Philadelphia Museum of Art hangt, was oorspronkelijk een geschenk van hem voor haar. Zij van haar kant baarde zijn enige kinderen.

Afgezien van het doek *Evathia* en het denkbeeldige verdwenen portret van een man die pretendeerde Ippolito Malaspina te zijn, op Malta, bestaan alle schilderijen in dit boek echt en zijn ze bijna allemaal te bezichtigen door het publiek.

David Hewson
Rome, Kent en San Francisco